NINA

Eric Smit

NINA

De onweerstaanbare opkomst van een power lady

2010   Prometheus   Amsterdam

© 2010 Eric Smit
Omslagontwerp Durk.com
Foto omslag Mark van den Brink
Foto auteur Bob Bronshoff
www.uitgeverijprometheus.nl
ISBN 978 90 446 1465 7

'Ik hoop ooit internet naar een voorlopig eindpunt te brengen.'
(Nina Brink, 1999)

'Ik weet dat ik een oprecht en een goed mens ben.'
(Nina Brink, 2007)

Inhoud

Proloog

Een langgerekte stoet auto's rijdt stapvoets naar de hoofdingang van het Amsterdamse Okura Hotel. Tot hoogglans gepoetste Bentleys, Porsches, BMW's en Mercedessen worden hier en daar afgewisseld door morsig aandoende middenklassers. Vlak voor de ingang van het hotel is een reusachtig gordijn opgehangen dat even opengaat als de volgende auto wordt doorgelaten.

De feestelijk geklede gasten wandelen over de rode loper het hotel binnen. Overal staat beveiligingspersoneel. Er hangen reclameposters met spelende kinderen op een strand, en een slogan: FREEDOM OF MOVEMENT. Breed lachend verwelkomt pianist Tonny Eyk de binnenkomers achter zijn vleugel. De honderden feestgangers verspreiden zich over de verschillende zalen, waar lange tafels staan met Japanse gerechten en andere delicatessen. Obers presenteren dienbladen met volle champagneglazen.

Naast de vele bekende zakenmensen en andere prominenten bevolkt het personeel van World Online International de vloeren. De anticlimax van een dag eerder, toen het aandeel World Online zijn introductie beleefde op de Amsterdamse effectenbeurs, is nog niet helemaal verwerkt. De openingskoers was veelbelovend, maar daarna gleed het langzaam weg. Er was geen sprake van een koersverdubbeling, waar vrijwel iedereen in het bedrijf op had gerekend – en zijn geld op had gezet. Enigszins verdoofd was iedereen weer aan het werk gegaan.

Tussen alle uitgelatenheid, klinkende glazen en felicitaties zijn de gesprekken over het uitblijven van een spectaculaire koersstijging een terugkerend thema. Gaat het nog goed komen of knalt de hele internetballon uit elkaar? Zangeres Trijntje Oosterhuis, zanger Marco Borsato en master of ceremony Jack Spijkerman doen hun best om de stemming in hogere sferen te brengen.

Nina, de *chairwoman of the management board* van World Online, is het middelpunt van het feest. Het door haar opgerichte bedrijf heeft een dag eerder een openingskoers van 50,20 euro op de borden gebracht en bereikte daarmee even een marktwaarde van 14 miljard euro. Het was op dat moment meer waard dan gevestigde bedrijven als Akzo Nobel en Wolters Kluwer.

World Online bestaat pas vierenhalf jaar en heeft nog nooit winst gemaakt. Naar marktwaarde gemeten is het nu het snelst groeiende bedrijf uit de Nederlandse geschiedenis. De introductie was, op die van KPN in 1994 na, de grootste beursgang in de historie van 's werelds oudste effectenbeurs en de grootste beursgang van een internetbedrijf in Europa.

Nina's ster was snel gerezen sinds het investeringsfonds van de Zwitserse miljardairsfamilie Sandoz haar plan om een pan-Europese internetaanbieder op te zetten had omarmd, en 300 miljoen euro in World Online had gestoken. Niet alleen in Nederland, maar in heel Europa, en zelfs in de Verenigde Staten werd gesproken over de dame achter het bedrijf dat America Online wilde uitdagen, het grootste internetbedrijf op aarde.

Het laatste jaar was Nina uitgegroeid tot een beroemdheid. Ze leidde het leven van een filmster. Er kon geen week voorbijgaan zonder dat ergens in de media, nationaal en internationaal, aandacht aan haar werd besteed. Ze vloog in haar eigen vliegtuig, was een frequent bezoekster van de exclusieve *celebrity hotspots* in Cap d'Antibes, St. Moritz, Parijs, Londen en New York. Ze onderhield banden met het Britse koninklijk huis, ze kwam op bezoek bij Nobelprijswinnaar Nelson Mandela en had contacten met een keur van internationale topartiesten, zoals Cher, Annie Lennox en Céline Dion. In Nederland waren het coryfeeën als Willeke Alberti, kunstenares Patty Harpenau en popzangeres in ruste Vanessa Breukhoven die vaak in haar gezelschap werden gesignaleerd. Nina onderhield zelfs veelvuldig contact met een adviseur van koningin Beatrix: de eloquente en hooggewaardeerde Victor Halberstadt. Misschien was ze door de beursgang van World Online ook wel rijker dan de koningin geworden? Daar was de laatste weken in elk geval veel over gespeculeerd.

De topmannen van Heineken en Ahold, Karel Vuursteen en Cees van der Hoeven, en bekende ondernemers als vastgoedmagnaat Cor van Zadelhoff waren tot haar uitdijende kring van relaties toegetreden. De bankiers van 's werelds grootste zakenbanken hadden haar het hof gemaakt en gevraagd of ze haar bedrijf niet alsjeblieft naar de beurs mochten brengen. Tot verbazing, verwondering en ook afschuw van velen die Nina eerder goed hadden leren kennen, had ze zich met World Online tot de meest begeerde zakenvrouw van Europa weten op te werken.

Maar intussen waren in haar verleden ook rafelrandjes ontdekt. Ze werd een bluffer genoemd, heerszuchtig, emotioneel en onberekenbaar. Nina kleefde het imago aan van een op geld beluste, meedogenloze dame die een brisante dagvaarding liet bezorgen met het gemak waarmee een ander een kushandje de lucht in blaast.

In de afgelopen weken was haar bedrijf ook nog eens door critici met de grond gelijkgemaakt. De zakelijke grondbeginselen deugden niet. World Online was een vat vol valse beloften. Het was een bedrijf dat alleen dankzij de tijdelijke staat van collectieve zinsbegoocheling rondom de nieuwe economie een geslaagde gang naar het Damrak kon maken. De leidsvrouw van dit bedrijfseconomische mirakel was voor sommige commentatoren meer een aanjager van ordinaire speculatie dan iemand die welgemeend bezig was om een duurzaam bedrijf op te bouwen. Waarom wilde ze trouwens niet vertellen hoeveel geld ze aan de beursgang van haar bedrijf ging verdienen? Waarom stond haar aandelenbelang eigenlijk niet helder in het prospectus vermeld?

Al die twijfels waren bij de tegenvallende introductie opeens manifest geworden. Tijdens de lunch in hotel The Grand, die volgde op het mediaspektakel in de Amsterdamse effectenbeurs, was de domper al voelbaar geweest. De belangstelling voor verse koersberichten taande. Het werd steeds stiller aan de tafels.

De krantenkoppen waren naderhand niet mals. *De Telegraaf* ('Vuurwerk bij beursgang blijft uit') en *Het Financieele Dagblad* ('Euforie World Online blijft uit') hielden zich in. Het AD was pittiger: 'Hype World Online lijkt voorbij'. *Trouw* constateerde: 'World Online terug op aarde'. *De Volkskrant* haalde uit: 'De geur van vers gebakken lucht'. De Belgische *Financieel Economische Tijd* noemde het beestje bij zijn naam: 'Beursgang World Online draait uit op regelrechte flop'. Het 'El Nina-effect', zoals AEX-president George Möller het spektakel rond World Online de vorige dag nog had genoemd, leek te zijn uitgewerkt.

Maar in het Okura Hotel lijkt niemand meer bezig met de dip van de dag ervoor. Er wordt met overgave feest gevierd. Op de podia die in de zalen zijn opgezet, volgt de ene show na de andere. Het publiek krijgt er steeds meer zin in. De oude zanger Joe Cocker krijgt de zaal plat. En zodra Gloria Gaynor haar discoklassieker inzet, is niemand meer te houden – iedereen stroomt naar de houten dansvloer waarop het logo van World Online is aangebracht. Ook Nina. *I will survive.*

1 Mevrouw Aka

Nur wer der Minne Macht entsagt, nur wer der Liebe Lust verjagt, nur der erzielt sich den Zauber, zum Reif zu zwingen das Gold.
RICHARD WAGNER, *Das Rheingold*

Over de banen van de Rijswijkse tennisclub De Hofstede klinkt een schrille kreet. Het tengere meisje dat de kreet slaakt, heeft donkerbruine ogen die vuur schieten. Aan de andere kant van het net staat een slanke man met een snor. Hij krijgt een trommelvuur van woorden te verwerken. Het meisje is boos. Ze vindt dat haar tegenstander zich onsportief gedraagt. De man lacht. Maar zij wordt daardoor nog bozer.

Na wat sussende woorden van de man wordt het spel hervat. Hij serveert. De rally gaat gelijk op. De kleine, jonge dame heeft een goed ontwikkelde oog-handcoördinatie. Met gecontroleerde vlakke slagen weet ze de bal vanaf de baseline goed te plaatsen. Haar grotere en fysiek sterkere tegenstander heeft het er niet makkelijk mee. Hij rent en glijdt over het gravel. Zij is iets minder beweeglijk. Op een dropshot van de man moet ze het antwoord schuldig blijven. Weer klinkt een gil.

Bij het tennissen is Ben Aka aanvankelijk aangenaam verrast door de intense beleving die zijn nieuwe vriendinnetje aan de dag legt. Voor haar is het spelen van een potje tennis niet zomaar een recreatieve aangelegenheid. Ze wil winnen. Ze wil zelfs heel graag winnen. Tennis spelen betekent oorlog – vooral als ze tegen hem speelt.

Hij is langer, sterker en ouder, en hij is in staat om haar technische superioriteit met tactisch vernuft te ondermijnen. Hij moet haar laten lopen. Korte ballen spelen, afgewisseld met harde, diepe slagen. Hard slaan vindt ze niet leuk, en zijn geduwde dropshots hebben niets met tennis te maken. Om de lieve vrede te bewaren, laat hij haar geregeld winnen.

Negentien jaar is ze, als hij haar op een feestje bij haar moeder thuis in Rijswijk ontmoet. Nine Bernardina Vleeschdraager woont, met haar jongere zus

Marijke en haar moeder Lieke, in een ruim appartement aan de Sir Winston Churchilllaan in Amsterdam. Anderhalf jaar eerder zijn ze met zijn drieën vanuit Canada naar Nederland teruggekomen. Met haar vette Amerikaanse accent valt ze, ondanks haar geringe lengte, snel op tussen de mensen van de tennisclub die haar moeder voor het feestje heeft uitgenodigd.

Aka vindt haar gelijk leuk. Ze heeft een lief gezicht, ze is spontaan, gastvrij en spraakzaam. Sportief bovendien. Ze tennist, skiet, en ook schaatsen zegt ze leuk te vinden. Nina, zoals ze zichzelf voorstelt, geeft ook blijk van de sociaalliberale opvattingen die hij zelf omarmt. John F. Kennedy geldt als haar grote voorbeeld. Met haar hippieachtige kleren en haar lange donkerblonde haren is er voor de elf jaar oudere Aka geen houden meer aan. Hij wordt verliefd.

Ben Aka wordt door collega's en bekenden als charmeur gekenschetst. Hij kleedt zich in strak gesneden pakken en draagt 's zomers vaak dunne, witte overhemden waardoor zijn borsthaar net zichtbaar is. Ondanks zijn lichte stotter is hij behendig in het gesprek, en niet zelden verkeert hij in gezelschap van goed uitziende jonge vrouwen.

Aka is als afgestudeerd hts'er bezig met een veelbelovende loopbaan bij het elektrotechnisch handels-en-adviesbedrijf Koning & Hartman (K&H) in Delft. Populair bij klanten en collega's. Een baas, maar geen dominante killer; meer een flegmatieke teamspeler. Hij is als verkoper bij K&H opgeklommen en heeft nu als afdelingshoofd de verantwoordelijkheid voor de divisie halfgeleiders. Het gaat goed met de vrijgezel Aka, en dat is hem ook aan te zien. Hij heeft nog niet zo lang geleden een appartement aan de Scheveningse boulevard betrokken en rijdt rond in een sportauto, een blauwmetallic Volkswagen Karmann Ghia. Hij staat vaak op de tennisbaan en houdt van een borrel, die niet zelden met collega's tot in de late uren in de Haagse binnenstad wordt gedronken. Bij K&H is dat een onderdeel van de bedrijfscultuur. Er wordt hard gewerkt, en plezier maken hoort erbij. Zolang er maar gepresteerd wordt.

Met Ben Aka heeft het jonge meisje Nina de hoofdprijs geschoten, oordelen een paar van zijn collega's. Ze hebben het idee dat hij beter had kunnen krijgen. Wat moet de elf jaar oudere Aka – goede baan, uitstekend salaris, populair bij de vrouwen – met zo'n niet heel erg knap jong meisje, dat nog met acne kampt?

Opvallend is wel haar persoonlijkheid: energiek, vrolijk, en overtuigd van zichzelf. Een 'lekker pittig ding' dat wel sterk de neiging heeft om op snibbige toon te spreken. Uit de manier waarop ze met Aka omgaat, maakten sommigen tot hun grote verbazing op dat hun collega niet per se de bovenliggende partij hoeft te zijn. Zijn veranderde levensstijl lijkt daarvan te getuigen. Niet langer is hij een regelmatig bezoeker van bars en kroegen. Spontane borrels in zijn appartement met nachtelijke zwempartijen in zee horen er niet meer bij. Zijn vrijgezellenleven is tamelijk abrupt opgehouden te bestaan.

Nina heeft het grootste deel van haar leven dus in Canada gewoond. In Montreal. Of daar in de buurt. Veel laat ze er niet over los.

Haar joodse grootouders, zowel van moeders- als van vaderskant, waren in Nederlands-Indië gestationeerd geweest en hadden tijdens de oorlog in kampen gezeten en dwangarbeid verricht. Na de oorlog keerden de families terug naar Nederland. Haar ouders, Guus Vleeschdraager en Lieke Reens, hadden elkaar op de boot op weg naar Nederland leren kennen.

Nina werd op 21 juli 1953 in Amsterdam geboren en woonde de eerste jaren van haar leven in de Emmastraat, in Oud-Zuid. Een jaar na de geboorte van haar zusje Marijke viel het Sovjetleger Hongarije binnen om de opstand tegen het stalinistische bewind de nek om te draaien. Guus Vleeschdraager was niet gerust op deze politieke ontwikkelingen en voorzag dat Europa opnieuw in een groot slagveld zou veranderen. Hij wilde zijn gezin in veiligheid brengen en emigreerde in 1957 naar Canada.

In Montreal werd de zowel in het Frans als in het Engels onuitsprekelijke naam Vleeschdraager veranderd in Drager, 'Drageur' in het Frans. Guus werd Gus. Hij verdiende zijn geld als handelsreiziger in garen en naalden die hij uit Duitsland importeerde. Veel verlangen naar persoonlijk zakelijk succes koesterde hij niet. Het opzichterschap van een tennisbaan in Montreal bracht hem meer plezier. Hij overleed op 46-jarige leeftijd aan een hersentumor.[1] Moeder Lieke besloot daarop met haar twee dochters naar Nederland terug te keren.[2]

Bij de terugkeer van het gezin, in 1972, was er niet veel geld voorhanden. Moeder Lieke vond werk als secretaresse van een hoogleraar die bij TNO werkte. Nina verdiende bij door toeristen rond te leiden in Amsterdam. Ook werkte ze even als assistente op een laboratorium van TNO, waar ze muizen met een vloeistof moest inspuiten.

Haar grootvader Herman Vleeschdraager, wiens vrouw jaren eerder overleed, was hertrouwd met Marjan Blom-Premsela. Nina leerde de oudere kleinzonen van 'tante Marjan' Blom kennen, jongens die de hippielevensstijl volledig hadden omarmd en in 1970 nog het popfestival in Kralingen hadden bezocht. De gebroeders Blom maakten indruk op Nina, niet alleen vanwege hun *love & peace* en hun uitzinnige kledingstijl, maar ook om de muziek waarnaar ze luisterden – Jefferson Airplane, Buffalo Springfield. Haar garderobe werd uitgebreid met kleurige items en ze begon te praten over haar belangstelling in literatuur, poëzie en filosofie. Onder andere *The Catcher in the Rye* van J.D. Salinger en *The Sheltering Sky* van Paul Bowles spraken haar erg aan, zei ze. Over de inhoud was ze minder mededeelzaam.

Nina sprak weinig over haar tijd in Canada. Vooral de emotioneel gevoelige onderwerpen meed ze. Het was niettemin merkbaar dat het verlies van haar vader grote indruk op haar had gemaakt. Misschien dat ze daarom zo nadrukkelijk aan de rokken van haar moeder hing. Het contrasteerde met de volwassen indruk die ze op anderen probeerde te maken. Nina sprak graag over haar toekomstplannen. Over een mogelijk schrijverschap en haar verlangen dichteres te worden. Dan zouden haar boeken de bestsellerlijsten moeten aanvoeren en zou ze beroemd zijn. Maar boven alles droomde ze ervan om rijk te worden. Geld betekende vrijheid, aanzien en invloed. Met geld kon alles.

Vanaf het moment dat Nina verkering krijgt met Aka en met hem gaat samenwonen, duurt het niet lang voordat de belangstelling voor de hippiebloesjes en aanverwante zaken begint te tanen. Het leven van haar vriend is interessanter. Ben is een baas bij K&H, Ben is een specialist op het gebied van halfgeleiders, Ben heeft een goed salaris en een royale onkostenvergoeding, de auto van Ben wordt door de zaak betaald, Ben maakt buitenlandse zakenreizen... Nina kijkt op tegen Ben Aka. De wereld waarin hij verkeert, het bedrijfsleven, is de wereld die ertoe doet. De wereld waartoe ook zij wil behoren.

Maar ze wil ook studeren. Biologie, als het even kan. Haar ervaring op het laboratorium heeft haar belangstelling voor de wetenschap van levende organismen aangewakkerd. Een exacte wetenschap op universitair niveau is iets waarvoor haar Canadese highschoolopleiding niet toereikend is. Ze krijgt bijlessen in onder andere scheikunde. Mede dankzij de bemiddeling van Bens vader, die een hoge functie heeft op het ministerie van Onderwijs, kan ze zich inschrijven voor de studie biologie in Leiden.

Op 12 juni 1974, ruim een maand voor haar 21ste verjaardag en twee dagen voordat het wereldkampioenschap voetbal in West-Duitsland begint, trouwt Nina haar Ben. Buiten gemeenschap van goederen. Na de huwelijksvoltrekking voor de burgerlijke stand wordt een groot feest gegeven voor vrienden, familie en collega's. Het jonge echtpaar maakt indruk door op deze festiviteiten nog eens een kerkelijke inzegening te laten volgen in Oostenrijk. Een kerkje in een klein bergdorp biedt het decor voor een idyllisch huwelijkstafereel.

Terug in Nederland kan Nina Aka-Vleeschdraager zich opmaken voor haar studie biologie. Het begint niet goed. Tot haar teleurstelling is er op de universiteit in Leiden geen plaats. Ze is uitgeloot. In Utrecht kan ze wel beginnen. Met tegenzin schrijft ze zich in.

De introductieweken zijn nog maar net begonnen, of ze houdt het in Utrecht voor gezien. Ze wil hoe dan ook in Leiden studeren. Dan maar met een andere studie. Ze kiest voor psychologie. Ze geeft zich ook op voor het lidmaatschap van het Leidse studentencorps Minerva. Tijdens de versnelde ontgroening, de Nakennismakingstijd, leert de feut met de dubbele achternaam traditionele Minerva-liederen zingen en wordt haar ingeprent dat bij de vereniging een strikte hiërarchie heerst met vele geschreven en ongeschreven regels. Nina komt haar groentijd heelhuids door, waarna ze tot jaarclub Jolly Joker toetreedt.

Voor haar jaarclubgenoten is al snel duidelijk dat Nina een bijzonder geval is. Zij zijn allemaal een paar jaar jonger dan zij en wonen zonder uitzondering op kamers in Leiden. Nina is niet alleen ouder, maar ze gedraagt zich ook ouder, alsof ze de moeder van hun jaarclub is. En vooral: ze is al getrouwd en bewoont in Scheveningen een appartement met een elf jaar oudere man met een snor. Op de dag van de inauguratie van Jolly Joker is Nina de gastvrouw in Scheveningen. Het appartement, dat een vorstelijk uitzicht op zee biedt, maakt indruk op de eerstejaarsstudenten.

Nina leidt als getrouwde vrouw al een heel ander bestaan dan haar jaarclubgenoten. Die storten zich vol overgave in het Leidse studentenleven en brengen veel tijd in de sociëteit door. Voor Nina staan de bijeenkomsten van Jolly Joker niet hoog op de prioriteitenlijst. Ze wordt maar zelden in de sociëteit gesignaleerd. Aka vergezelt haar een keer bij een bijzondere gelegenheid en krijgt het bij het betreden van de grote zaal ogenblikkelijk aan de stok met de preses van Minerva, die hem luid vermanend op zijn ongepaste daskeuze wijst.

Nina's jaarclubgenoten hebben de indruk dat ze met haar hoofd al bij heel andere dingen is. Ze heeft het over de zakenreis naar Amerika die ze met Ben zal maken. De zakenwereld lijkt haar sowieso veel meer te interesseren dan haar studie psychologie. Dat valt Aka ook op. De boeken van zijn jonge vrouw blijven ongeopend, en over collegebezoek wordt thuis niet gesproken. Tentamens worden niet gemaakt. Nina's academische carrière heeft meer weg van een bevlieging.

Nina volgt Ben, in het najaar van 1974, bij een lange zakenreis in de Verenigde Staten. Hij moet een groot aantal bestaande leveranciers bezoeken en op zoek gaan naar nieuwe ontwikkelingen in de wereld van de elektronische componenten en halfgeleiders. Dat Aka op zijn trip vergezeld wordt door zijn vrouw, is zeker niet ongewoon. De Amerikanen waarderen het juist als hun Europese zakenrelaties bij lunches en diners hun vrouw meenemen. Het voordeel van Nina is bovendien dat ze, met haar Canadese achtergrond, goed in staat is Ben met zijn gevorderde steenkolenengels in de tafelgesprekken bij te staan.

Bij Koning & Hartman wordt steeds duidelijker dat Nina een grote invloed heeft op Aka. Een advertentie voor de vacature voor een secretaresse voor Aka, opgemaakt in de vorm van een hart en gereed voor publicatie, wordt door Nina afgekeurd. Ze protesteert bij k&h en eist dat de advertentie anders wordt vormgegeven. De klacht van Aka's 21-jarige echtgenote komt ook k&h-op-

richter Jan Koning ter ore. Koning ziet er vervolgens persoonlijk op toe dat de hartvormige advertentie wel geplaatst wordt en niet over drie, maar over vier kolommen in de krant verschijnt.

Volgens collega's van Aka is Nina ook degene die hem stimuleert om zijn vleugels uit te slaan en voor zichzelf te beginnen. Zij zien in Aka geen typische ondernemer. De persoonlijkheid van Nina lijkt daar meer toe uitgerust. Ze heeft al een paar keer indruk gemaakt met haar bruisende *can do*-mentaliteit.

Aka heeft het plan opgevat zelf transistors, halfgeleiders (chips) en andere technologisch hoogwaardige componenten te importeren en te verhandelen. De producten zijn zonder uitzondering afkomstig uit de Verenigde Staten. Het idee is om met twee buitenlandse partners een hoekje van die handel te veroveren. Aka gaat in Nederland op jacht naar klanten; de in Luik gevestigde Georges Cywie doet hetzelfde in België. Vanuit Dallas zal de Amerikaan Richard Murphy het aanbod van de Amerikaanse producenten naar zich toe proberen te trekken.

De handel in componenten is niet erg overzichtelijk. Er zijn geen marktplaatsen waar het aanbod vrij verhandeld wordt. Wie bepaalde componenten wil verkopen, moet zorgen dat het distributeurschap van de leverancier wordt verworven om zich van de aanvoer van producten te verzekeren. Met Murphy hebben Aka en Cywie een havenhoofd in de Amerikaanse markt. Met behulp van zijn netwerk van contacten willen ze een deels parallelle aanvoer van componenten opzetten en daarmee de Nederlandse en Belgische markten bewerken.

Aka kent Murphy en Cywie uit de handel. Murphy – als roeier in 1952 winnaar van olympisch goud in de heren acht – is de voormalige marketingmanager van chipfabrikant National Semiconductor (NS) in Europa. NS was een van de leveranciers van K&H. Cywie is, net als Aka, voor een bedrijf in de componentenhandel actief. In mei 1975 beginnen ze Murphy Cywie Aka Tronix.[3] Iedere partner drijft vanuit zijn standplaats zijn eigen onderneming met dezelfde naam.

Aka heeft nog geen honderd meter van zijn huis, aan de Zeekant in Scheveningen, een kleine bedrijfsruimte kunnen huren waar hij de Nederlandse vestiging van MCA Tronix vestigt. Nina, die haar studentenleven definitief vaarwel zegt, wordt voor 50 procent aandeelhouder.

Het gebeurt wel vaker dat hoger personeel van K&H voor zichzelf begint, of voor een tegenstrever gaat werken. Niet zelden komt het doordat een bepaald merk zelf een organisatie in Nederland vestigt en daarvoor als meest geschikte directeur degene ziet die het product eerder namens K&H verkocht.

Bij de start van MCA Tronix gebeurt iets anders. Aka heeft ook een aantal leveranciers van k&h ervan kunnen overtuigen om hem de distributierechten te geven. Dat productlijnen verloren gaan aan concurrenten is een risico dat nu eenmaal bestaat. De juridische bescherming in Nederland voor distribu- teurs is zeer beperkt. Een leverancier kan van de ene op de andere dag een dis- tributiecontract opzeggen en besluiten met een ander bedrijf in zee te gaan als dat meer van hun producten denkt te kunnen verkopen. Vervelend, maar het hoort erbij. Maar voor k&h is het moeilijk te verteren dat een eigen mede- werker met productlijnen aan de haal gaat. De directie van het bedrijf is hevig teleurgesteld in Aka. Zo kennen ze hem niet. Het meenemen van een pro- ductlijn wordt bij k&h gezien als een daad van verraad. Het Delftse bedrijf schakelt direct advocaten in om het bedrijfje van de Aka's te bevechten. En zo staat de oprichting van mca Tronix in het teken van een juridisch conflict.

Aka's relatie met zijn oude collega's bevriest terstond. Gedurende de pro- cedure, en ook later nog, als de zaak in het voordeel van mca Tronix is beslecht, wordt ieder contact met k&h zorgvuldig gemeden. Zelfs op beurzen, waar het bijna onvermijdelijk is dat ze elkaar tegenkomen, proberen Ben en Nina uit de buurt van de k&h-mensen te blijven. Nina draait resoluut een ander gang- pad in als ze een oud-collega van Ben in het vizier krijgt. Bij toevallige ontmoe- tingen zwijgen Ben en Nina. Zelfs jaren later nog verbiedt Nina het personeel van mca Tronix contacten te leggen met k&h. k&h is de concurrent, de vijand.

De opzet van mca is eenvoudig. Geld voor ondersteunend personeel is er niet. Nina neemt de telefoon op, noteert bestellingen, verstuurt brieven en zorgt dat de bestelde producten bij de klant terechtkomen. Ben doet de verkoop en onderhoudt de contacten met de leveranciers.

Het verkopen van componenten vergt enige technische kennis. Er gaan vaak lange trajecten aan vooraf. Tijdens het ontwerpproces moeten de klan- ten, die de transistors of halfgeleiders voor hun eigen producten gebruiken, overtuigd raken van de kwaliteiten en toepassingsmogelijkheden van de pro- ducten van mca. Dat kan even duren. Soms jaren. Als de klant eenmaal voor een bepaalde component heeft gekozen, wordt het een stuk eenvoudiger. Die belt dan zelf op om vervolgbestellingen te plaatsen.

De componentenhandel kan ook een stuk sneller gaan wanneer een klant informeert of mca een bepaalde component kan leveren. Aka telext Murphy in Amerika en dient voor die component een zogenaamde *request for quote* in. Murphy gaat vervolgens op zoek naar verkrijgbaarheid en prijs. Of Aka plaatst de bestelling bij zijn vaste leveranciers.

Al snel blijkt de samenwerking met Murphy en Cywie niet te werken. Mur- phy kan zelfstandig in de vs betere zaken doen. De lijnen met de Belg en de Amerikaan worden doorgesneden en het bedrijf wordt omgedoopt in Micro- wave Components Apparatus Tronix.[4] Nina wordt na verloop van tijd steeds actiever in het onderhouden van de contacten met de Amerikaanse leveranciers. Ze regelt de correspondentie en handelt de door Ben binnengehaalde orders af. Ze houdt zich langzamerhand ook zelfstandig bezig met de verkoop, zolang het gesprek zich althans beperkt tot producttypen en prijslijsten, en er geen inhoudelijke gesprekken aan vooraf hoeven te gaan. Ze heeft geen verstand van wat de componenten precies kunnen, en in wat voor apparaten ze het best kunnen worden gebruikt. Het interesseert haar ook niet, Ben weet hoe het zit. Wel krijgt ze na verloop van tijd steeds meer vertrouwen. Ze kent de verschillende producttypen en voelt aan hoe ze bij een klant telefonisch de voet tussen de deur kan krijgen. Ze is vasthoudend. Met een nee neemt ze niet zomaar genoegen.

Ze heeft er ook geen moeite mee om op het laatste moment bij de klant de prijs opnieuw uit te onderhandelen. De levertijd van de componenten kan een kwestie van maanden zijn, en afnemers wenden ze vaak aan voor de productie van hun eigen apparaten. Nina maakt van die wetenschap soms gebruik door de prijs naar boven bij te stellen. Als de afnemer protesteert en wil vasthouden aan de overeengekomen prijs, wijst ze op een vergissing die ze heeft begaan. De klant mag kiezen: deze prijs, of wachten op de volgende levering.

De start van MCA Tronix is moeizaam. Naast Ben en Nina lopen, een paar jaar na de oprichting, ook een manusje-van-alles en een assistente rond. Soms, als er een zakelijke relatie is uitgenodigd om langs te komen, vraagt Nina een goede bekende even op kantoor te komen zitten, om zo een betere indruk te geven van de personeelsomvang.

Eind 1977 wordt een nieuwe verkoopleider aangetrokken. Hij neemt een productlijn mee die hij bij zijn voormalige werkgever ook vertegenwoordigde. Hij treft een wanordelijk bedrijf aan. Ben is geen ochtendmens, en komt vaak pas wat later binnen. Discipline ontbreekt. Hij wil al snel weer weg. Met de belofte van een belang in de zaak wordt de nieuwe verkoopleider door Nina en Ben aan boord gehouden. Nina en Ben vinden het niet nodig om zijn belang notarieel vast te laten leggen. Ze vertrouwen elkaar toch?

In de jaren die volgen, groeit het personeelsbestand van MCA uit tot een man of tien en boekt het enkele miljoenen guldens omzet. Er zijn een paar grote klanten, zoals de producent van defensietechnologie Hollandse Signaal Apparaten, TNO, Fokker en Philips, maar winst wordt er nauwelijks gemaakt. Het bedrijf blijft daardoor in grote mate afhankelijk van de kredieten die door huisbankier Amro worden verschaft. Het valt de verkoopmanagers op dat Ben en Nina de gewoonte hebben verschillende privé-uitgaven op de zaak af te wentelen. Ze zien Nina ook geregeld een greep uit de kas doen.

Even is er sprake van dat het bedrijf verkocht zal worden. De Nederlandse

Instrumenten en Elektrische Apparaten Fabriek (Nieaf), een goede klant van MCA, wil de componentenhandel wel aan de eigen bedrijfsactiviteiten toevoegen. Het bod dat volgt op het boekenonderzoek, voldoet niet aan de verwachtingen van het echtpaar Aka. Nina is verontwaardigd over de schamele aanbieding van enkele tonnen – ze had op zijn minst het tienvoudige willen toucheren.

MCA verlaat eind jaren zeventig de boulevard van Scheveningen en verhuist naar een klein industrieterrein in Rijswijk. Het nieuwe onderkomen is deel van een groot pand waar een groot bedrijf in koeltechnieken is gevestigd. Aan buitenstaanders laat Nina weten dat het hele pand van MCA Tronix is. Datzelfde zegt ze van hun huis aan de Zeekant in Scheveningen, waar ze alleen de bovenste van vier verdiepingen huren.

Ze laat geen gelegenheid onbenut om iets indrukwekkends over MCA te zeggen. Dat het bedrijf in de praktijk vaak de grootste moeite heeft om de facturen te betalen, speelt voor haar geen rol. MCA Tronix heeft de beste productlijnen, de beste mensen en de beste service. Haar bedrijf staat in componentenbusiness aan de absolute top. Omzet en personeelsomvang worden zonder enige aarzeling met de factor twee of drie vermenigvuldigd. Ze doet het met flair en zelfverzekerdheid. Als er iets geregeld moet worden, belt ze zonder schroom de directeur van willekeurig wat voor bedrijf op om het op het hoogste niveau af te kaarten. Haar belangrijkste verkoper noemt ze *vice president sales*, en dat laat ze ook op zijn kaartjes drukken. Dat staat beter, al is het op dat moment in Nederland nog een functieomschrijving die door bijna geen ander bedrijf wordt gebruikt. Het leidt tot gelach als de verkoopleider bij zijn klanten op bezoek komt: 'Kijk eens wie we daar hebben, de president!'

Heel 'Amerikaans' vinden de meesten Nina's extraverte voortvarendheid. Dat geldt ook voor haar managementstijl. In het bijzijn van klanten of relaties wenst ze als 'mevrouw Aka' te worden aangesproken, maar binnen de muren van het bedrijf stelt ze het op prijs als iedereen haar 'Nina' noemt. Ze is hiërarchisch ingesteld. Zij en haar man Ben zijn de baas. Zij bepalen wat er gebeurt, en verwachten dat er wordt gehoorzaamd. Ook als dat betekent dat er tot laat doorgewerkt moet worden.

Met het geven van directieven zit ze op dezelfde lijn. Het is: 'Ik wil dat je dit vanavond voor me doet', en: 'Je moet dat even gaan halen', of: 'Bel die even op. Nu.' Ze vraagt niet, ze commandeert. En ze is gewend haar zin te krijgen, of door te drukken. Krijgt ze haar zin niet, dan wordt ze boos. Ze heeft sowieso de neiging snel boos te worden. Vooral op Ben, maar ook op werknemers, klanten of leveranciers. Wanneer er fouten worden gemaakt, hebben anderen het gedaan.

Haar temperament is vaak al van afstand hoorbaar. Zo heeft ze de gewoonte met deuren te smijten. De eerste deur van de dag is die van haar auto. Knal. Nina is gearriveerd. Ze heeft het altijd druk, en is dus altijd gehaast. Ze heeft niet eens tijd om een auto af te sluiten of op de handrem te zetten. Op een dag laat ze, na aankomst bij MCA, ook nog eens de versnelling in neutraal staan. Na de klap van de deur komt de auto in beweging, om heel langzaam van de licht hellende parkeerplaats over de betonnen rand de sloot in te rollen. Ze ziet en hoort het niet. Boven in het kantoor wijzen de collega's met tranen in hun ogen op het wagentje dat met zijn neus in het slootwater staat. Nina weet niet wat ze ziet en geeft onmiddellijk de werklui aan de andere kant van de weg briesend de schuld.

Nina kan ook gezellig zijn. Ze hecht aan een goede sfeer op de zaak, want dat is goed voor de saamhorigheid. Ze organiseert etentjes waarop de aanhang ook welkom is. Ze laat zien dat ze ook de gastvrouw kan spelen – nadat ze eerst anderen heeft opgedragen de hapjes te maken – en ze blijkt leuk met kinderen te kunnen omgaan. Er wordt ook geregeld gezamenlijk gesport. Binnen in het pand staat een tafeltennistafel die veelvuldig wordt gebruikt. Ook Nina staat vaak achter de tafel driftig tegen de celluloid balletjes te meppen, tot groot genoegen van de mannen, die haar fanatisme kunnen waarderen. Zo nu en dan wordt er ook even aan het eind van de middag getennist, meestal tussen Nina, Ben en de twee verkoopdirecteuren. Die scheppen er af en toe lol in om bij het kiezen van de partijen Nina en Ben samen te laten spelen. Een onfeilbaar recept voor een vermakelijke ruzie.

Met de verhuizing van MCA begint bij Nina ook de privébehuizing een thema te worden. Nina en Ben wonen nog steeds aan de Zeekant in Scheveningen. Het is een ruim appartement met een prachtig uitzicht op zee, maar de directe omgeving lijkt door de vele vernieuwende vastgoedprojecten meer op een bouwput dan op een badplaats. Scheveningen heeft ook weinig klasse. Want ondanks de aanwezigheid van een enkele mondaine trekpleister, zoals het chique Kurhaus en een casino, is Scheveningen vooral bekend om zijn beroemde, maar halfvergane en door goedkoop kermisamusement overwoekerde zeepier. Een pretpark aan zee. 's Zomers is de lucht er zwanger van de geur van vis, frituurvet en zonnebrandolie, en voeren gillende kinderen en krijsende zeemeeuwen de boventoon. Nina is bovendien in verwachting van een kind. Ze wil weg. Weg naar een andere, meer representatieve woonplaats. In de omgeving van Den Haag is er maar één woongemeenschap die daarvoor serieus in aanmerking komt: Wassenaar. Met Ben en een van haar directeuren gaat ze op huizenjacht, maar de plannen worden door een gebrek aan middelen al spoedig in de ijskast gezet.

Na de geboorte van dochter Karen, in mei 1980, wil Nina gauw weer aan het werk. Ze wil zo snel mogelijk het ritme oppikken van voor de laatste weken van haar zwangerschap. Met veel energie gaat ze aan de slag, nog gemotiveerder dan daarvoor. Ze wil succes en spreekt dat ook hardop uit. Ze werkt lange dagen en doet geregeld een beroep op familie en vrienden om de zorg voor Karen even over te nemen. Ook Ben bemoeit zich actief met de verzorging van hun dochter, actiever dan Nina.

Vanaf de bevalling vindt langzaamaan een omwenteling plaats in de relatie tussen Nina en Ben. Geld en de mensen die daar in ruime mate over kunnen beschikken, zijn steeds vaker een onderwerp van haar gespreksstof. Net als mensen met een dubbele achternaam, titels of academische graden. Ze is erop gebrand met hen in contact te komen, veel meer dan haar man dat wil. Nina's houding ten opzichte van Ben verhardt. Ze wordt grimmiger, haar geldingsdrang wordt groter. Ze wil laten zien dat zij degene is die zaken voor elkaar heeft gekregen en praat in neerbuigende termen over zijn prestaties. 'Stupid' is haar stopwoordje. Ze is ook sneller en vaker boos, en doet steeds minder moeite om de uitbarstingen en plein public te vermijden.

Ook haar opstelling jegens andere mensen krijgt scherpere kantjes. Ze was altijd al licht ontvlambaar, maar waar voorheen ruzies nog een betrekkelijk oppervlakkig karakter hadden, klinken nu vaak de woorden 'I sue you!' Als de douane er te lang over doet om producten vrij te geven, wordt ze furieus. De rechtszaken vliegen de beambten om de oren. Ben kan dan de brokstukken lijmen. De douane, daar kun je als importeur van componenten beter geen ruzie mee maken.

De verkooptechnieken van Nina zijn soms ook de aanleiding voor een rel met mogelijk juridische consequenties. Ze kan een klant met de rug tegen de muur zetten als die niet snel genoeg met de toegezegde orderbevestiging over de brug komt. De klant zegt niets te hebben beloofd. Nina zweert van wel. Nee, zegt de klant. Welles, nietes, 'I sue you!'

Ze stelt haar belangrijkste verkoopdirecteur een rechtszaak in het vooruitzicht, mocht die het in zijn hoofd halen om na zijn vertrek voor de concurrent te gaan werken. Dat doet hij niet – hij wil voor zichzelf beginnen. Dat mag wel van Nina, ze denkt dat hij er toch niets van zal bakken. Het belang van 10 procent in het bedrijf, dat hem was beloofd, blijkt wegens het ontbreken van de notariële vastlegging een loze afspraak. Het kan hem niet eens zoveel schelen. Hij weet dat er nauwelijks winst wordt gemaakt en dat het bedrijf met schulden is beladen. Wel laat MCA weer van zich horen als hij een productlijn in zijn assortiment gaat voeren die zijn vorige werkgever eerder was kwijtgeraakt. Opeens ligt er een brief van de advocaat van MCA op zijn bureau. Hij zou zijn oude werkgever schade toegebracht hebben door een productlijn op slinkse wijze mee te nemen en heeft volgens MCA ook nog eens 100.000 gulden verdonkeremaand. De verhalen bereiken ook zijn klanten. Pas als hij zelf met een smaadprocedure dreigt, houdt het op.

In de componentenhandel is het verliezen van een productlijn geen ongewone zaak meer. Door de snel voortschrijdende techniek zijn er meer producten, meer leveranciers en ook meer eindgebruikers. Een bedrijf met een nieuw product vinden is niet zo moeilijk; de kunst is om het succesvol op de markt te zetten. De ene distributeur doet dat beter dan de ander. Als de omzetten van een distributeur tegenvallen, aarzelt de leverancier niet om het distributie-recht af te nemen en het een ander bedrijf te geven.

Nina is ook bezig met het vinden van nieuwe productlijnen. Ze leest veel buitenlandse bladen, belt rond, hoort dingen van klanten of langs andere ka-nalen. Ze verzamelt continu informatie, vooral over de concurrentie. De meeste voorstellen voor nieuwe handel komen van de technisch onderlegde verkopers, maar ook Nina komt met eigen ideeën voor nieuwe productlijnen aanzetten. Inhoudelijk snapt ze hoegenaamd niets van technologie, en ze is de eerste om dat toe te geven. Toch draait ze bij het horen van een idee zonder aarzelen het nummer van een Amerikaanse producent en vraagt naar de baas. Amerikanen kijken daar niet van op, dus slaagt ze er ook vaak in de juis-te figuur aan de lijn te krijgen. Ze vertelt geweldige verhalen over MCA Tronix. Als er techniek bij te pas komt, wordt Ben ingeschakeld. Productlijnen wor-den binnengehaald, maar MCA raakt ze ook weer kwijt als de opgeklopte ver-wachtingen niet waargemaakt worden.

In het begin van de jaren tachtig zijn het de Japanse chipproducenten die sterk in opkomst zijn, vooral die met geheugenchips. MCA heeft een paar pro-ductlijnen van chipproducent NEC kunnen binnenslepen. Met vele presenta-ties en enkele diepe buigingen weten Ben en de nieuwe verkoopdirecteur Wim Kampert ook het distributeurschap te bemachtigen van componenten van het Suwa Seikosha-concern, de moeder van horlogemaker Seiko en prin-terfabrikant Epson.

Toch blijft het aanmodderen. De grote partijen op de markt, zoals Koning & Hartman, hebben voor elke productlijn technische specialisten in huis en kunnen dus ingewikkelde ontwerptrajecten aan. MCA heeft die massa niet. Er zijn wel techneuten aanwezig, maar de specialisaties zijn beperkt. Grote mer-ken als Intel kiezen voor grote bedrijven, die hersens in huis hebben. Noodge-dwongen kiest MCA steeds meer voor de snelle handel. Lucratief is die keuze niet. De handel in eenvoudiger componenten is een centenspel waarin de marges door overproductie van de vele Japanse en Amerikaanse producenten hevig kunnen fluctueren. Het voordeel is wel dat de markt nog tamelijk on-doorzichtig is. Afnemers kopen lokaal in, omdat ze niet over het netwerk beschikken om elders naar prijzen voor componenten te informeren. Websites of digitale marktplaatsen bestaan nog niet. Er wordt lokaal ingekocht, per telefoon of telex. Voor een bedrijf als MCA gaat het steeds meer om het kennen van de verschillende leverancierskanalen en om een zekere bekendheid bij afnemers. 'Als je spullen nodig hebt, koop het dan bij mij, ik weet het goedkoop voor je te vinden.' Chips en andersoortige componenten zijn voor een groot deel een *commodity* geworden. Een snelle handel. Spothandel. Handelaren die voor klanten op zoek gaan naar de voordeligste deals, worden *jobbers* genoemd. Nina is een jobber die haar mannetje staat.

Het begin van de jaren tachtig staat in het teken van de opkomst van de personal computer. Overal schieten bedrijven uit de grond die computers en aanverwante apparatuur beginnen te verkopen. Hele producten, geen componenten. Ook Nina laat haar oog vallen op een heel product dat ze grote kansen toedicht: een robotje met de naam Topo.

Topo is het eerste speelrobotje dat op de markt verschijnt. Het wordt gemaakt door het Amerikaanse Androbot Inc., wiens eerste CEO, Nolan Bushnell, ook de grote man achter het spelcomputermerk Atari is. Het apparaat, dat eruitziet als een elektronische sneeuwpop op wieltjes, laat zich met behulp van een Apple II-computer programmeren. Zo kan Topo geleerd worden simpele opdrachten uit te voeren. 'For educational purposes,' aldus de fabrikant. Nina wil het importeurschap van Topo binnenhalen. Ben is tegen. De robot zou niet tussen de producten van MCA Tronix passen. Zijn protest haalt weinig uit. Nina is net als hij voor 50 procent eigenaar van het bedrijf, en als zij Topo wil invoeren, dan gebeurt dat ook.

Met het idee om Topo op de markt te brengen, klopt Nina aan bij het in Den Haag gevestigde bureau Jobcreation. Het bureau heeft een jaar eerder van Philips en de gemeente Den Haag de opdracht gekregen het vertrek van een Philips-fabriek te compenseren met het terugwinnen van driehonderd arbeidsplaatsen. De consultants van Jobcreation geven ondernemers gratis adviezen om hun zaak uit te bouwen en helpen bij het ontwikkelen van businessplannen. Jobcreation mag onderzoeken of de plannen van Nina een kans van slagen hebben. Een vlugge analyse van het bedrijf MCA Tronix leert de adviseur dat een bedrijf dat in zeer specifieke technologische componenten handelt, niet het meest geschikt is om een consumentenproduct als het robotje Topo aan de man te brengen. Jobcreation komt tot de conclusie dat MCA Tronix weinig kans van slagen heeft om van Topo een verkoopsucces te maken.

Nina gaat toch met de robot aan de slag. Ze zoekt contact met Chriet Titulaer. De Limburger met zijn typische amishbaard en zijn herkenbare zachte g is een landelijke bekendheid sinds het moment waarop hij in 1969 als ruimtevaartdeskundige de maanlanding mocht becommentariëren. Titulaer is

presentator van *Wondere Wereld*, het populairwetenschappelijke televisieprogramma van de omroep TROS. Nina geeft hem een Topo om in zijn programma's onder de aandacht te brengen. Dat lukt erg goed: Topo wordt de grote
vriend van Chriet en de robot is vele malen op televisie in actie te zien. Desondanks wordt het geen verkoopsucces. Project Topo strandt.

Nina en Ben zien ook toekomst in de handel in printers. Nina is inmiddels via
haar gebruikelijke onderzoeken goed op de hoogte geraakt van de aanbieders
op die markt. De grootste printerdistributeur is het Brabantse Manudax, dat
onder andere met het merk Epson grote successen boekt. Epson is een Japans
bedrijf dat op het gebied van de matrixprinters, printers die letters maken met
behulp van een kleine bundel uitschietende staafjes en een inktlint, al jaren
wereldmarktleider is. Een topmerk dus; in Nederland is het goed voor een
omzet van tientallen miljoenen guldens per jaar.

Nina broedt in 1985 op een manier om het distributeurschap van Manudax
naar MCA Tronix toe te trekken. MCA onderhoudt al enkele jaren een relatie
met het Japanse moederconcern Suwa Seikosha, recentelijk omgedoopt in
Seiko Epson Corporation. Ben Aka en Wim Kampert zijn al een paar maal in
Japan geweest om het bedrijf te bezoeken.

Volgens Nina moet het mogelijk zijn de Europese leiding van Epson, die in
het Duitse Düsseldorf is gevestigd, ervan te overtuigen dat MCA een betere
partij is om de producten van Epson in Nederland te distribueren. Manudax
vertegenwoordigt ook andere printermerken – dat kan in haar ogen alleen
maar ten koste gaan van de omzet van Epson. In haar overtuiging dat ze een
goede kans maakt, wordt ze gesterkt door een gerucht dat ze heeft opgevangen over een Manudax-manager die, tijdens een vergadering met de Japanse
concernleiding, na de zoveelste door de Japanners gewenste herhaling van
een presentatie uit protest met zijn rug naar de Aziaten is gaan zitten. Het gebaar zou door de Japanners als een ernstige belediging zijn opgevat.

Tijdens een grote automatiseringsbeurs in Duitsland weet Nina de Duitse
general manager van Epson Europa aan te klampen en hem te interesseren
voor een diepgaand gesprek over de eventuele distributierechten van het printermerk. MCA kan het volgens Nina veel winstgevender uitbouwen dan Manudax. De Duitser is onder de indruk van Nina's doortastende benadering en nodigt een afvaardiging van MCA uit om eens naar Düsseldorf te komen.

In werkelijkheid is MCA bepaald niet toegerust voor het distribueren van
een groot printermerk. Het bedrijf verkoopt componenten, geen complete
producten. Het beschikt niet over een dealernetwerk, er is niemand bij het
bedrijf die de markt kent, er is geen technische dienst om reparatieservice te
kunnen verlenen en er is ook geen geld voorhanden om de overname van de
Epson-distributie te financieren. Nina vindt die tekortkomingen geen onover-

komelijk probleem. Geestdriftig begint ze aan de uitwerking van een businessplan om de Europese leiding van Epson ervan te overtuigen de distributierechten bij Manudax weg te halen en aan MCA te geven.

Als het plan af is, maakt ze een afspraak om het in Düsseldorf aan de Europese Epson-directie voor te leggen. Ze laat een magazijnbediende een pak aantrekken, zet hem een pet op zijn hoofd en benoemt hem tot tijdelijk chauffeur. Ze trekt haar bontjas aan en samen met Kampert stapt ze achter in de Jaguar van Ben om zich naar Duitsland te laten rijden.

In Düsseldorf laten ze zich bij het Europese hoofdkantoor van Epson voorrijden. De chauffeur opent de portieren voor de MCA-directie, die vervolgens in enkele uren de enorme competenties van haar bedrijf schetst. De ervaring met de printerbusiness is er: ze hebben NEC-printers in het assortiment gehad. Het cijfermateriaal dat van MCA wordt getoond is tot hoogglans opgepoetst. Veel nadruk wordt gelegd op de aanpak die MCA voor ogen heeft: het wil een aparte businessunit opzetten voor de Epson-producten. MCA zal ook de overeenkomst aangaan dat er, anders dan bij Manudax, geen concurrerende producten verkocht zullen worden. De businessunit die de Epson-producten zal distribueren, krijgt ook de naam Epson. De Duitse Epson-baas is gecharmeerd van het offensief van het MCA-team. Er volgen nog enkele ontmoetingen waarbij de Jaguar en de chauffeur worden ingezet.

Eind 1985 komt een afvaardiging van het Japanse hoofdkantoor naar Rijswijk. Nina heeft tijdelijk extra magazijnruimte gehuurd en dat vol laten zetten met dozen. Lege dozen. Er worden uitzendkrachten ingehuurd die in het bedrijf activiteiten moeten simuleren. Voor het gehuurde magazijn worden gehuurde bestelbusjes geparkeerd. MCA is een goedlopend en snelgroeiend bedrijf. Plannen voor een nieuw pand worden ontvouwd: The Epson Building.

In de aanloop naar de deal met Epson had Nina weer contact opgenomen met de consultant Dick Ponsen, die eerder met het bureau Jobcreation een beoordeling had gemaakt van het businessplan voor het robotje Topo. Ponsen is een voormalig Amro-bankier die ook enkele jaren als *boardroom consultant* actief is geweest, onder andere vanuit New York. Hij beschikt niet alleen over kennis, maar ook over een netwerk, vooral in de financiële wereld. Nina had hem verteld dat ze dit keer op het punt stond de exclusieve vertegenwoordiging van de bekende Japanse printerfabrikant Epson binnen te halen, inclusief de nieuwe personal computer-productlijnen die het bedrijf sinds kort op de markt bracht. Of hij belangstelling had om betrokken te worden bij het opzetten van het bedrijfsplan.

Ponsen is geïnteresseerd. Hij ziet dit keer grote mogelijkheden voor MCA Tronix. Hij mag dezelfde week nog in het gerenommeerde Scheveningse restaurant Seinpost zijn opwachting maken bij de andere MCA Tronix-bestuursleden en hun aanhang. Het is een belangrijke avond. Een groep Japanse Epson-managers is naar Nederland gekomen om over het distributeurschap te praten. Net als Ponsen schuiven de Japanners aan de met wit damast beklede tafel aan om een overvloedige maaltijd te gebruiken. Terwijl de vorken in de amuses worden geprikt, neemt Nina de regie. Ze laat topkok Henk Savelberg zijn verhaal voor de Japanse gasten vertellen. Nina vertelt zelf, in haar vloeiende Engels met Amerikaans accent, over de grote ambities en de overvloedige capaciteiten van het bedrijf MCA Tronix.

Nina heeft de Japanners van Epson toegezegd bij verkrijging van het distributeurschap een order ter grootte van 1 miljoen gulden te zullen plaatsen. Probleem is alleen dat de vermogenspositie van MCA Tronix niet bijzonder sterk is. Ben heeft in een aparte presentatie de financiële draagkracht moeten toelichten, maar de cijfers die hij daarvoor heeft gebruikt, hebben weinig van doen met de werkelijke toestand van het bedrijf. Het eigen vermogen is in werkelijkheid nog geen 300.000 gulden groot. Verreweg het grootste deel daarvan bestaat uit voorraden componenten en de post openstaande debiteuren. Bovendien dient een groot deel van dat vermogen al als zekerheid voor de kredietverschaffers van het technische handelsbedrijf.

Er is dus geen geld voor de bestelling bij Epson, en de leencapaciteit van MCA Tronix is bij lange na niet toereikend om bij de bank een extra krediet van 1 miljoen gulden te krijgen. Om het distributeurschap binnen te halen, moeten andere wegen worden bewandeld. De belangrijkste troef die Nina, Aka en Kampert daarvoor in handen hebben, is voormalig bankier Dick Ponsen. Hij beschikt over goede contacten in de financiële wereld, met name bij zijn oude werkgever de Amro Bank.

Ponsen is via een van zijn oude Amro-collega's bekend met het management van IFN, de factoringmaatschappij van Amro. Factoringmaatschappijen zijn, in ruil voor harde zekerheden en hogere rentemarges, vaak bereid verder te gaan dan de normale bankbedrijven. Een deal met een distributiebedrijf van een gerenommeerd elektronicamerk maakt een nog betere kans. Er zijn voorraden, en als het goed is worden die snel omgezet in kwalitatief hoogstaande debiteuren. IFN doet mee.

Nina, Ben en hun dochter Karen zitten net in het Oostenrijkse skidorp Kitzbühel in hun gebruikelijke hotel Schloss Lebenberg als het verlossende telefoontje uit Duitsland binnenkomt. De deal is binnen! MCA Tronix wordt de nieuwe Nederlandse distributeur van Epson. Nina belt met Kampert. Hij moet onmiddellijk naar Oostenrijk komen. Er moet in hoog tempo een compleet nieuwe divisie opgezet worden, in feite een heel nieuw bedrijf. Er is nog helemaal niets. Geen ruimte, geen mensen, niets.

Kampert komt naar Oostenrijk en er worden plannen gemaakt.

Kort daarna wordt Nina ziek. Ze krijgt oorsuizingen. Ben moet haar naar een universiteitskliniek in München brengen. Meerdere dagen rijdt hij vanuit Kitzbühel op en neer naar het ziekenhuis om zijn vrouw te bezoeken.

Bij Manudax komt in die periode een brief binnen van het Europese hoofdkantoor van Epson uit Düsseldorf. Manudax-directeur Henk Rawie neemt met verbijstering kennis van de inhoud. Hij leest dat het contract per direct wordt opgezegd. Het is de nachtmerrie van iedere distributeur: jarenlang werken om een merk in de markt te zetten, een netwerk van dealers opzetten, er succesvol mee worden – en dan opeens is alles weg. Die onzekerheid vreet zelfs van twee zijden aan het gemoed van iedere distributeur. Wanneer er niet genoeg verkocht wordt, bestaat de kans dat de leverancier het distributeurschap intrekt, maar dat geldt ook als de zaken juist uitstekend verlopen. In landen waar de verkopen de pan uit rijzen, is het voor producenten lonend zelf via een lokale vestiging de handel naar zich toe te trekken.

Dat zijn ook bij Manudax de eerste gedachten die opkomen. Het bedrijf heeft een marktaandeel van bijna 30 procent op de Nederlandse printermarkt. Nederland is daarmee het best verkopende Epson-land van Europa. Het merkwaardige is alleen dat niet Epson zelf de handel naar zich toe trekt, maar dat het kleine, onbetekenende MCA Tronix de nieuwe exclusieve distributeur wordt. Rawie is verbijsterd. Hij heeft wel eens van het bedrijf gehoord, maar in vergelijking met Manudax is het een dwerg. Een distributeur van geheugenchips, transistors en aanverwante handel. Spul dat je in een sigarenkistje kunt vervoeren. Hij kan er met zijn verstand niet bij. MCA heeft geen enkele achtergrond in de distributie van complete automatiseringsproducten. Hoe is het mogelijk dat dit bedrijfje Epson van hem heeft weten los te trekken?

Ook de oprichter en eigenaar van Manudax, Dick Rakhorst, is ziedend. Hij ziet in één klap tientallen miljoenen gulden omzet in rook opgaan. Hij realiseert zich dat in de wereld van distributeurs dagelijks het gevaar loert van het verlies van het contract van de leverancier, maar deze nederlaag tegen het onbetekenende technische handelsbedrijf MCA Tronix zit hem bijzonder hoog. Hij heeft intussen vernomen dat Nina de trukendoos volledig heeft opengetrokken en spuwt bij zijn collega's zijn gal over de wijze waarop MCA zich meester heeft gemaakt van een van zijn belangrijkste productlijnen.

Zijn Manudax heeft het Japanse printermerk in Nederland groot gemaakt, al vanaf het moment dat de naam Epson werd geïntroduceerd. Zijn mensen hebben er jaren hard aan gewerkt om een groot dealernetwerk op te zetten en het bedrijf tot een van de best verkopende Epson-organisaties van Europa uit te laten groeien. Van al die inspanningen zal MCA de komende jaren ruimschoots profiteren, zonder dat het daar ooit iets voor heeft hoeven doen. Zelfs zijn directeur krijgt via Düsseldorf de vraag voorgelegd of hij niet voor MCA wil gaan werken.

Rakhorst en Rawie kunnen zich niets voorstellen bij de presentaties op grond waarvan de Duitse exportmanager van Epson moet hebben besloten na vele vruchtbare jaren de handel bij Manudax weg te halen. Nog meer marktaandeel behalen met Epson dan Manudax al deed, is volgens het tweetal niet mogelijk. Toch heeft de Duitse Epson-baas zich laten overtuigen.

Manudax spant onmiddellijk een rechtszaak aan tegen MCA. Rakhorst doet bij de brancheorganisatie in de computerindustrie, Federatie Het Instrument (FHI), zijn beklag over de cowboypraktijken. De naam van de vrouw van wie hij inmiddels weet dat die de sleutelrol speelde bij het ontfutselen van het distributeurschap, ligt hem daarbij in de mond bestorven. FHI leeft mee met Rakhorst: het bestuur betreurt de verharding in de markt en de methoden die ermee gepaard gaan, maar kan niets voor hem doen. Dat distributeurs hun vertegenwoordiging kwijtraken, is bepaald geen zeldzaamheid in de automatiseringswereld. Dat dit op een listige wijze is gebeurd met een succesvol en gewaardeerd bedrijf is vervelend, maar het biedt geen houvast voor wat voor actie dan ook. Bovendien: is het niet Epson zelf dat zijn distributeur aan de kant heeft gezet?

De opzegging is voor Manudax reden om ook in Duitsland de gang naar de rechter te maken, om zo te proberen de beslissing ongedaan te maken. De rechtszaken leiden tot niets. Het enige wat Manudax rest, is om met parallelimporten via de Verenigde Staten zo lang mogelijk zijn Epson-klanten vast te houden. Dat zal lastig worden. De aanvoerlijnen zijn langer, de apparatuur moet geschikt worden gemaakt voor een andere netspanning, en ook de Engelstalige documentatie moet aangepast. Op termijn is het een kansloze strijd, weten Rakhorst en Rawie.

MCA Tronix heeft een manager bij het computerbedrijf Commodore losgeweekt die de nieuwe printerdivisie moet gaan opzetten. Hij is vertrouwd met het dealerlandschap in Nederland en heeft een goed netwerk waaruit hij snel verkopers en ondersteunend personeel kan putten.

In Zoetermeer wordt een verdieping gehuurd in een pand van de margarinefabrikant Brinkers om het bedrijf voorlopig in te huisvesten. Nina heeft de nieuwe divisie Epson Business & Information Centre genoemd. Er moet snel een nieuw pand komen. De onaanzienlijke huisvesting in Rijswijk voldoet niet langer.

Nina en Ben hebben goede contacten met Frits de Kousemaker van de makelaardij van Cor van Zadelhoff. Met Van Zadelhoff weten Ben en Nina een geschikte driehoeksdeal te maken die hen gelijk in staat zal stellen om de lang door Nina gekoesterde wens van een verhuizing naar Wassenaar in vervulling te laten gaan. Van Zadelhoff koopt voor een mooie prijs het pand aan de Zeekant, waar Ben en Nina de laatste jaren verdieping voor verdieping eigenaar van zijn geworden. Tegelijkertijd levert de makelaardij het echtpaar een villa in Wassenaar en krijgt hij de opdracht het nieuwe bedrijfspand te ontwikkelen. De financiering van het nieuwe pand wordt door de socialistische verzekeringsmaatschappij De Centrale verschaft, die daarin een mooi beleggingsobject ziet.

In één klap zijn de grote stap naar Wassenaar en het verkrijgen van een nieuw eigen pand in Zoetermeer een feit. Met de villa aan de Van der Oudermeulenlaan zit het echtpaar midden in de biotoop van de zakelijke en ambtelijke elite. Nina's dromen van een succesvolle zakelijke carrière nemen, elf jaar na het begin, serieuze vormen aan.

Met het binnenvaren van het Epson-distributeurschap volgt ook een reorganisatie. Ben en Kampert richten zich blijvend op de componentenhandel, Nina is verantwoordelijk voor de Epson-divisie. MCA Tronix als naam deugt ook niet, is de opvatting van het bestuur. Er waren internationaal al te veel MCA's, en in Nederland was het weinig sexy 'componentenimago' ermee verknoopt.

In de zomer van 1986 wordt het bedrijf omgedoopt tot AKAM International Holding. AKAM is de samenvoeging van de namen Aka en Kampert; International staat voor de Belgische tak van het bedrijf die wordt opgezet. In de holding zitten Ben, Nina en Wim Kampert. Ben en Nina hebben ieder 45 procent van de aandelen, Kampert de overige 10. Kampert is de grote verkoper; hij wordt gehonoreerd vanwege zijn goede presteren. Hij heeft de laatste maanden cruciale resultaten geboekt in de handel in componenten. Een grote deal heeft het bedrijf weer financiële armslag gegeven. De leveranciers waren al zover dat ze geen producten meer wilden leveren.

De metamorfose van het nietige MCA Tronix naar het nieuwe AKAM International Holding met zijn Epson-divisie is compleet, op het in gebruik nemen van het nieuwe pand na. Voor AKAM, en Nina als motor achter de Epson-deal in het bijzonder, is er reden even bij het grote succes van het afgelopen jaar stil te staan. Wat Nina betreft wordt er een groot feest gegeven. De locatie die ze daarvoor heeft uitgekozen, ligt niet ver van hun nieuwe huis: kasteel Oud-Wassenaar.

Iedereen die ertoe doet, wordt voor de partij uitgenodigd. De directeur van de Epson-divisie, Hans de Goede, heeft de bazen uit het dealernetwerk uitgenodigd. De aanwezige Japanners van Epson hebben een groot vat sake over laten komen en de Japanse ambassadeur geeft ook acte de présence. Er lopen tal van bekende figuren rond, onder wie Chriet Titulaer. Aan de overkant van de kasteelvijver wordt een grote Epson-luchtballon opgelaten. Zangeres Liesbeth List, die op weg naar het kasteel met Ben achter haar weggewaaide pruik aan moet rennen, is ingehuurd om een optreden te verzorgen. Het feest is een groot succes. De verhalen over Nina's verovering zoemen daarna snel rond in de computerindustrie.

Met de beschikking over een A-merk nemen de omzetten van AKAM steeds grotere vormen aan. Helemaal vruchtbaar zijn die nog niet. AKAM is organisatorisch niet op de omschakeling berekend van pure componentenhandel naar een distributeurschap van printers en computers. Het gaat er nog chaotisch aan toe. Vooral bij de leveringen van de producten gaat er nog veel fout, en intern zijn er spanningen. Epson-manager De Goede heeft de divisie in korte tijd opgezet, maar vanaf dag één heeft hij het ernstig met Nina te stellen. Hij komt zich geregeld bij Ben en Kampert beklagen. Of ze Nina bij hem kunnen weghouden. Ze bemoeit zich overal mee en heeft volgens De Goede inhoudelijk nergens verstand van. En het merendeel van het personeel heeft het niet begrepen op haar manier van communiceren. Organisatorisch loopt het spaak.

Ben probeert haar weg te houden van managementtaken en haar de dingen te laten doen waar ze goed in is. Nieuwe productlijnen vinden bijvoorbeeld. Zijn incidentele pogingen stranden. Ze is voor 45 procent aandeelhouder, Epson is háár kindje, daar moeten de anderen zich niet mee bemoeien. De discussies gaan gepaard met luidruchtige ruzies waarbij Nina Ben niet spaart.

Werken aan de naamsbekendheid is een van de andere dingen die Nina goed in de vingers heeft. Ze wil het merk Epson beter op de kaart zetten, bijvoorbeeld door middel van de sponsoring van de bekende Haagse hockeyclub Klein Zwitserland (KZ). Via de advocaat van AKAM, die bestuurder is bij KZ, en dankzij het contact met de hockeylegende Ties Kruize, die als verzekeringsadviseur AKAM als klant heeft, wordt AKAM met Epson hoofdsponsor van de donkerblauw-rode formatie. Met enige regelmaat staat het echtpaar Aka 's zondags langs het hockeyveld om de verrichtingen van de strafcornerspecialist te aanschouwen.

Met de voorspoedige ontwikkeling van de zakelijke activiteiten verschijnen ook nieuwe kennissen op het toneel, vaak mensen die iets in het maatschappelijke leven te betekenen hebben. Sinds enige tijd wordt vriendschappelijk omgegaan met de familie Maij. Ben kwam Peter Maij, die ook in de technologiesector actief is, voor het eerst tegen bij het European Space and Technology Centre (Estec) in Noordwijk. Ze ontmoeten elkaar weer in hotel Schloss Lebenberg in Kitzbühel, het vaste wintersportadres van de Aka's.

De echtparen kunnen het goed met elkaar vinden. Als ze 's avonds het dorp in gaan, passen de dochters Marit en Hester Maij op de kleine Karen. Hanja Maij-Weggen is als CDA-politica lid van het Europees parlement. Net als Ben houdt ze van dansen en ze leest interessante filosofische boeken waar hij ook belangstelling voor heeft. Nina is ook gecharmeerd van Hanja. Dat laat ze ook anderen merken. Met enige regelmaat is er contact met de Maijs. Peter ontmoet Ben en Kampert ook op de grote Amerikaanse computerbeurs, de Comdex in Las Vegas. Ze trekken er dagenlang met elkaar op.

Dochter Hester gaat ook een keer mee naar Amerika op een zakelijke trip. Ben laat bij terugkomst de helft van de rekening bij de familie Maij belanden. Peter Maij is daar niet van gecharmeerd; hij ging ervan uit dat zijn dochter als gast met AKAM was meegekomen en vindt dat de kosten door AKAM moeten worden gedragen. Nina is het met Maij eens. Er ontstaat een klein conflict, waarna het contact met de familie Maij verwatert.

Mede dankzij de spectaculaire opkomst van de pc is er in de wereldwijde computerindustrie een hausse gaande. Er is bijna geen automatiseringsbedrijf dat niet weet te profiteren van de enorme vraag naar apparatuur (hardware), programmatuur (software) en alle diensten die eromheen zijn bedacht en ontwikkeld. De Amsterdamse effectenbeurs mag een generatie nieuwe bedrijven verwelkomen. In navolging van Getronics, dat in 1985 onder leiding van Ton Risseeuw ('De Generaal') naar de beurs ging, krijgt het ene na het andere automatiseringsbedrijf een notering aan het Damrak.

Simac, het in 1971 opgerichte bedrijf van de ex-Philips-man Mac van Schagen, is er daar een van. HCS Technology, een door de voormalige managementconsultant van McKinsey, Jan Jürgen Kuijten, bijeengekochte verzameling van bedrijven, is een ander. Manudax, het bedrijf dat nog geen jaar eerder een grote klap kreeg te verwerken toen het zijn Epson-distributeurschap aan AKAM verloor, had geen geloof meer in een onafhankelijke toekomst, en heeft zich als een van de laatste bedrijven door HCS laten overnemen. Ook Wim van Leenens Infotheek, dat op grote schaal in pc's handelt, en het in softwarediensten gespecialiseerde Datex van de flamboyante Amsterdammer Willem Smit, vinden de weg naar de Amsterdamse beurs.

Het succes wordt niet alleen in de automatiseringswereld geboekt. In de zomer van 1986 brengt ook Sylvia Tóth haar bedrijf, uitzendbureau Content, naar de beurs. Ze is de eerste vrouw in Nederland die dat klaarspeelt en haar succes wordt breed in de media uitgemeten. Tóth is het grote voorbeeld van de selfmade zakenvrouw. Ze combineerde werk en studie aan het avondlyceum om haar diploma te halen. Ze wilde per se psychologie in Leiden studeren. Voor haar geen corpsleven – ze bleef erbij werken, bij het pas opgerichte uitzendbureau Content.

Hoewel ze binnen een halfjaar haar propedeuse haalde, maakte ze haar studie nooit af. Content ging voor. Ze had zich in het bedrijf omhoog weten te werken, en in 1985 had Tóth uiteindelijk een managementbuy-out weten te realiseren. Datzelfde jaar nog werd ze tot zakenvrouw van het jaar verkozen. Die titel leverde haar zo veel publiciteit op, dat de bankiers van de Nederlandse Middenstandsbank (NMB) dachten dat het bedrijf met zijn bekende topvrouw een gang naar de beurs kon wagen. En zo geschiedde.

De beursgang van Content is een groot succes. Tóth is een rolmodel. 'Astute buy out triumph,' schrijft de *Financial Times* in oktober van dat jaar in een special over Nederland waarin de eerste 'publieke zakenvrouw' van Nederland uitgebreid wordt belicht.[5]

Nina houdt via televisie, kranten en bladen een scherp oog op de ontwikkelingen. Ze laat in gezelschap met regelmaat de namen vallen van de verschillende succesondernemers uit de automatiseringsindustrie die met hun gang naar de beurs grote vermogens vergaarden. Vanzelfsprekend zijn ook de zakelijke triomfen van de acht jaar oudere Tóth haar niet ontgaan.

Snelle groei en de gang naar de Amsterdamse effectenbeurs zijn ook voor Nina een droom. Met het binnenhalen van het distributeurschap van Epson is daarvoor de eerste paal geslagen. De snelle omzetgroei smaakt naar meer. De deal met Epson heeft haar ook geleerd dat de snelste weg loopt via het verkrijgen van de distributierechten van een gerenommeerde productlijn. De moeilijkheid blijft dat goedlopende productlijnen vaak al jaren eerder door andere bedrijven op de Nederlandse markt zijn gebracht.

De kanalen om aan informatie over nieuwe producten te komen, zijn iedereen bekend die in de computerindustrie werkt: beurzen, kranten, vakbladen en ook de collega's in het wereldje kunnen over waardevolle informatie beschikken. In 1986 is de spectaculaire opmars van het Texaanse computerbedrijf Compaq een regelmatig terugkerend onderwerp van gesprek. Ook Novell is een van de bedrijven die in een beperkte kring van automatiseerders steeds vaker worden genoemd. De Amerikaanse soft- en hardwareproducent heeft de laatste jaren onder leiding van Ray Noorda, een zoon van Nederlandse immigranten, bijzondere successen geboekt.

Novell heeft nieuwe producten ontwikkeld die het mogelijk maken afzonderlijke pc's in een netwerk efficiënt te laten functioneren. Netwerken van pc's zijn zeldzaam. Alleen de grootste bedrijven kunnen zich mainframecomputers veroorloven, systemen waarbij verschillende medewerkers via terminals verbonden zijn aan een enkele grote, krachtige computer. Hoewel kleinere bedrijven dankzij de opkomst van de pc toegang hebben gekregen tot de rekenkracht van computers, is het delen van informatie nog steeds een ingewikkeld proces. Gebruikers van pc's zijn genoodzaakt via diskettes informatie met elkaar uit te wisselen. Wanneer een financieel directeur een overzicht van de cijfers van zijn boekhouder wil hebben, dan zal die zijn baas een floppydisk met de informatie moeten geven, of hem simpelweg de uitgeprinte cijfers overhandigen. Door computers met elkaar te verbinden en er een kleine centrale computer tussen te zetten, hoeven al die handelingen niet te worden verricht. Een netwerk van pc's krijgt dan de eigenschappen van een dure mainframecomputer: meerdere gebruikers kunnen aan dezelfde documenten werken.

Technologie als die van Novell heeft een grote invloed op de handel in pc's. Nu de apparaten in netwerken aangesloten kunnen worden, is het voor midden- en kleinbedrijven plotseling zinvol voor meer werknemers een computer aan te schaffen. Als gevolg daarvan stijgen de omzetten van pc's. De mare van Novell is zich om die reden langzamerhand in een groot deel van de automatiseringswereld aan het verspreiden.

In Nederland wordt het Amerikaanse computerbedrijf exclusief vertegenwoordigd door een onderneming die Nina en Ben Aka goed kennen: Koning & Hartman. De vroegere werkgever van Ben Aka levert de producten van Novell aan zijn uitgebreide netwerk aan klanten en draait er een goede omzet mee. Volgens verschillende marktkenners kan het veel beter: de zwakte van Koning & Hartman is dat het bedrijf alleen aan zijn eigen klanten levert. Door een netwerk van Novell-dealers op te zetten, dus als een distributeur te gaan werken, zou het omzetvliegwiel veel beter kunnen gaan draaien.

Dat is ook de overtuiging van Jos Bourgonje en Hein Griffioen van het Utrechtse bedrijf Impact. Bourgonje en Griffioen zijn al langer bekend met netwerkproducten. Ze hebben al successen geboekt met de systemen van het eveneens Amerikaanse Lantastic, maar die van Novell zijn beter. De mannen van Impact zijn daar goed van doordrongen en zien als weinig anderen de groeimogelijkheden van Novells product, Netware. Ze proberen al ruim een jaar om, naast het in hun ogen zelfgenoegzame Koning & Hartman, distributeur van Novell te worden.

Hun bezoeken aan de computerbeurs Comdex in Las Vegas gaan steevast gepaard met afspraken op de stand van het computerbedrijf. De Nederlanders zijn er allang geen onbekenden meer. Het succes dat Impact met Lantastic heeft geboekt, is het voor Europa verantwoordelijke deel van het management van Novell niet ontgaan. Het bedrijf is door zijn kennis van netwerken inderdaad een ideale partij om de Netware-producten op de markt te brengen. Maar ondanks de wederzijdse interesse blijven de Amerikanen hun Nederlandse partner trouw.

In 1986 boeken Bourgonje en Griffioen eindelijk een doorbraak. De vicepresident van de Europese divisie van Novell wil praten. Hij is tot de conclusie gekomen dat de omzetten in netwerkproducten in Nederland in verhouding tot andere landen achterblijven en ziet ruimte voor een tweede distributeur naast Koning & Hartman. Uit langdurige flirts ontstaat langzamerhand een relatie: Novell overweegt serieus een distributieovereenkomst met Impact aan te gaan. Het probleem is alleen dat Impact geen typisch distributiebedrijf is. Het heeft wel de knowhow, maar beschikt niet over een netwerk om op grote schaal Novell-producten op de markt te zetten.

Dat zit Griffioen en Bourgonje niet lekker. Het liefst zouden ze een partnerschap aangaan met een typische distributeur. Zij brengen hun deal met Novell en de kennis van netwerkproducten binnen; de distributeur gebruikt zijn netwerk van dealers en het logistieke systeem om de producten grootschalig op de markt te verkopen.

AKAM lijkt Griffioen en Bourgonje daarvoor een zeer geschikte partij. Ze kennen het bedrijf als de distributeur van Epson. Impact wil zelf ook dealer worden van het Japanse A-merk. Om die reden zijn er al contacten met AKAM geweest. De twee Impact-directeuren raken in gesprek met de dame die daar bij AKAM overduidelijk de zeggenschap over heeft: Nina. De besnorde directeur, Hans de Goede, die in naam de zeggenschap heeft over de productlijn, zit er meestal zwijgzaam bij.

De gesprekken gaan over Epson, maar vooral over Novell. Waarom zouden Impact en AKAM hun krachten niet bundelen? Na uitgebreide uitleg begint Nina ook te begrijpen waar de kansen liggen. Novell is een A-merk op een snelgroeiende markt, een potentiële goudmijn. De timing is ideaal. Griffioen en Bourgonje komen in aanraking met AKAM op het moment dat daar de beursambities zich steeds serieuzer beginnen af te tekenen – althans, dat is waar Nina het over heeft. Ben Aka en Kampert denken er heel anders over. Zij vinden dat het bedrijf nog lang niet klaar is voor een publieke notering.

Een uitbreiding met een productlijn als Novell zou het bedrijf dichter bij het gewenste omzetvolume en winstniveau kunnen brengen. Een overname van Impact zou alles nog eenvoudiger kunnen maken. Dan trekt AKAM niet alleen het Novell-distributeurschap binnen, maar kan het ook de omzet en winst van het bedrijf in de eigen jaarrekening laten meetellen. Het werknemertal van AKAM zal dan bijna verdubbelen. Het nog in aanbouw zijnde en op de groei ontwikkelde pand in Zoetermeer biedt er genoeg ruimte voor.

Gesprekken volgen waarin het idee van een overname wordt verkend. Griffioen en Bourgonje zien de charme van een beursgang wel in, maar willen tegelijkertijd hun onafhankelijkheid niet opgeven, zeker naarmate hun duidelijker wordt hoe de rollen bij AKAM zijn verdeeld. Maar Nina weet al hoe de zaken zullen gaan lopen. AKAM zal Impact overnemen. Daar kan wat haar betreft geen twijfel over bestaan. En wat Nina betreft mag dat ook in de krant.

Nina's 'neef' Harry Blom, de kleinzoon van haar stiefgrootmoeder, is al enige jaren buitenlandredacteur bij *De Telegraaf*. Blom weet een collega op de redactie van *De Financiële Telegraaf* te attenderen op het ambitieuze AKAM. Een verslaggever reist af naar Zoetermeer.

Nina en Griffioen laten zich op het dak van het nog onder constructie zijnde pand van AKAM fotograferen. Ze vertelt de verslaggever, tot verrassing van Griffioen, dat AKAM Impact gaat overnemen. Maar van een overnamedeal is nog lang geen sprake; er hebben alleen verkennende gesprekken plaatsgevonden. Toch staat een dag later het verhaal van de overname in de krant. Dat valt niet goed. Het gaat Bourgonje en Griffioen veel te snel; ze zien er voorlopig liever van af. Ze hebben ook gezien hoe Nina Ben in hun bijzijn op een verschrikkelijke manier in de hoek zet. Ze weten ook hoe onbeschoft ze personeel kan aanspreken. Zelfs het personeel van Impact behandelt ze zo: brutaal en onnodig kwetsend. Ze moeten weinig hebben van het tirannieke sfeertje dat ze met zich meebrengt. Laten ze eerst maar eens op afstand tot een vruchtbare samenwerking zien te komen.

Door middel van een joint venture met AKAM wil Impact Novell in Nederland tot een groot succes maken. Nina wil dat ook. De afspraken met AKAM staan nog niet op papier; dat zal gebeuren zodra de deal met Novell een feit is. Op het Europese hoofdkantoor van Novell, net als dat van Epson in Düsseldorf gevestigd, zijn de meningen ook eensluidend: de combinatie Impact/AKAM is ideaal om Novell in Nederland groter te maken.

Voordat in Düsseldorf de definitieve overeenkomst met Novell wordt getekend, komt de verantwoordelijke directeur Peter Crane uit Amerika over. Nina acht het van groot belang hem in Zoetermeer het nieuwe pand van AKAM te laten zien. De omvang van de bedrijfsactiviteiten krijgt indrukwekkende proporties. Nina is in haar element. AKAM is een geweldig bedrijf dat samen met Impact grote successen gaat boeken.

De mannen van Impact zijn ook van de partij, zij het minder zichtbaar. Het hoofdnummer wordt door Nina vertolkt. Ze eist alle aandacht op en werpt zich op de Amerikaan, voor wie ze ook de volgende dag de gastvrouw speelt. Bourgonje en Griffioen maakt het niet uit. Ze zijn tevreden huiswaarts gekeerd, in de wetenschap dat ze in Düsseldorf de contracten met Novell zullen ondertekenen. Ze weten niet dat Nina op dat moment druk doende is hun wagon van de aan snelheid winnende trein los te koppelen. Impact heeft de kennis, AKAM het distributienetwerk. Nina denkt: ik haal die kennis zelf wel in huis. Dan verdient AKAM meer. Bij AKAM protesteert niemand. Integendeel. De Amerikaan Crane heeft zich ook al laten overtuigen.

Enkele dagen later krijgen Griffioen en Bourgonje een zorgwekkend telefoontje vanuit het Europese hoofdkantoor van Novell in Düsseldorf. De afspraak die voor morgen op het programma staat om de definitieve contracten te tekenen, wordt afgezegd en tot nader order uitgesteld. Het tweetal begrijpt niets van de plotselinge afzegging. De ondertekening van de overeenkomst tussen AKAM/Impact en Novell is alleen nog maar een formaliteit. Ze kunnen geen redelijk argument bedenken waarom Crane heeft besloten om deze niet door te laten gaan.

Crane is niet te bereiken. Bij AKAM wordt het ook vreemd gevonden. Het tweetal voelt dat er iets mis is en besluit de volgende ochtend in de auto te stappen en naar Düsseldorf te rijden. Precies op het tijdstip waarop de oorspronkelijke afspraak had moeten plaatsvinden, komen Bourgonje en Griffioen het Novell-hoofdkantoor binnen. Ze vragen naar Crane. De receptioniste zegt dat die niet aanwezig is. De twee Utrechtse ondernemers nemen daar geen genoegen mee en lopen een grote vergaderkamer binnen die niet ver achter de receptie is gelegen. Het tafereeltje dat zich daar openbaart, bevestigt hun bange vermoedens: aan tafel zit de driekoppige AKAM-directie met een grote Novell-afvaardiging, de contracten voor hun neus.

Bourgonje en Griffioen voelen zich bedrogen. Zij zijn het die Novell bij AKAM onder de aandacht hebben gebracht, zij hadden de contacten en de kennis, maar AKAM gaat met het distributeurschap aan de haal. Het tweetal heeft geen trek in een gevecht met Novell en AKAM. Het vertrouwen in het management van zowel Novell als AKAM is totaal verdampt, het pleit is beslecht. Ze zijn geflikt en staan met lege handen.

Met het wegstrepen van Impact heeft AKAM wel een andere uitdaging op het bord liggen. Door het contract met Novell is weliswaar de exclusieve distributie door Koning & Hartman doorbroken, maar er is niet één persoon in de organisatie die ook maar het geringste van het product af weet. Het magazijn in Rijswijk ligt in verband met de eerste bestelling al vol rode dozen van Novell Netware. Financieel is er een aanzienlijke druk om de verkoop snel op gang te krijgen. Er moet snel iemand van buiten worden aangetrokken om directeur te worden van de productlijn Novell.

AKAM weet een specialist op Novell-gebied bij een ander bedrijf weg te kopen. Het riante arbeidscontract wordt door Ben Aka in een zijkantoor van het pand in Rijswijk in de onbedrukte marge van een krant opgemaakt.

De naamsverandering, het aanstaande nieuwe pand, de nieuwe productlijnen: dat alles is in de ogen van Nina, directeur marketing, meer dan genoeg reden om een glanzende bedrijfsbrochure te laten maken. Omdat die vooral als doel heeft eventuele leveranciers van aantrekkelijke productlijnen in het bedrijf te interesseren, is deze in het Engels geschreven.

'A welcome to AKAM International is a welcome to the dynamic entrepreneurial spirit itself,' luidt de eerste zin. Deze staat naast een artist's impression van de nieuwe behuizing van het bedrijf, waarvan de precieze afmetingen ook staan vermeld: 5000 vierkante meter. De weinige teksten worden afgewisseld met foto's van het grotendeels besnorde en in double-breasted pakken gestoken management, dat voor kleurrijke schilderijen poseert. Hier en daar schitteren dasspelden en op polshoogte kruipen enkele gouden schakelkettinkjes uit de mouwen.

Naast de foto's van de leidinggevenden staan door leveranciers verschafte afbeeldingen van verschillende hightech producten: op insecten gelijkende componenten met vele kleine koperen pootjes, printplaten en een fonkelende sterrenhemel. De deftig gecoiffeerde Nina staat met enkele folders in haar hand naast de directeur van het Epson Business and Information Centre bij een plaatje van iemand die met een pc werkt en met bureau en al boven de skyline van New York zweeft. Op de pagina ernaast staan foto's van een aantal producten van Epson, waaronder de nieuwste pc's, matrixprinters, en ook een akoestisch modem. Het type waarop de hoorn van de telefoon moet worden geplaatst, zoals sommige mensen dat enkele jaren eerder in de film *War-Games* de jonge acteur Matthew Broderick hebben zien doen.

De glimmende hightech uit de folder is nog geen afspiegeling van de bedrijfsbalans. De vermogenspositie van AKAM is nog steeds verre van solide. Het is een goed moment om een financier te vinden. Het binnenhalen van Novell vergt nog de nodige investeringen. Er moet een team van mensen worden aangetrokken, marketinginspanningen moeten gefinancierd, evenals de voorraden die het bedrijf al deels in het magazijn heeft staan.

Ponsen beschikt als oud-Amro-bankier weer over de juiste connecties. Een voormalige collega heeft enkele jaren eerder investeringsmaatschappij Holland Venture opgericht en Ponsen heeft hem met het management van AKAM in contact gebracht. Holland Venture besluit een belang te nemen in AKAM. Voor 16 miljoen gulden stapt de investeerder in. Nina's wens om alvast een deel van haar aandelen te cashen, wordt ook gehonoreerd. Ze verkoopt 6,25 procent van haar belang voor 1 miljoen gulden. Het geld stelt ze onmiddellijk weer via een lening aan het bedrijf beschikbaar.

In dezelfde periode wordt het nieuwe pand in gebruik genomen. Op het pand worden lichtbakken geplaatst met AKAM en Epson Business Information Center erop. Vergeleken met de behuizing in Delft en bij Brinkers is er een grote stap gemaakt. De kleinere derde verdieping, geheel uit glas en aluminium opgetrokken, ligt als een aquariumachtig penthouse centraal gepositioneerd boven op het pand. Ben Aka, de ambassadeur van het bedrijf, heeft er als enige zijn kantoor. In de aangrenzende bestuurskamer staat een enorme vergadertafel die het bedrijf de gewenste uitstraling verschaft.

Een verdieping lager zit Nina met Wim Kampert ook in een ruim bemeten kantoor met hoogpolig tapijt. Nina's zwartlederen bureaustoel heeft, wanneer ze er plaats in neemt, ogenschijnlijk buitenproportionele afmetingen. Er zijn ook een kantine en een bar in het pand. De bar is uitgerust met een marmeren blad en een uitgebreid drankenkabinet. Het personeel zakt geregeld door. Het heeft er reden toe. De zaken gaan goed.

Nina geeft relaties graag rondleidingen door het nieuwe pand, dat nog volop ruimte biedt voor verdere groei. De Novell-divisie – AKAM Data – heeft voor zes mensen honderden vierkante meters tot haar beschikking. Tussen de bureaus is zo veel ruimte dat het personeel er kan voetballen.

Hoewel Nina in belangrijke mate verantwoordelijk is voor het binnenhalen van de twee belangrijkste distributeurschappen bij AKAM en daarmee voor de enorme omzetstijgingen, wordt haar aanwezigheid slechts door een enkeling nog op prijs gesteld. Ze is bij AKAM verantwoordelijk voor de marketing, maar in de praktijk besluit ze zelfstandig ook mensen loonopslag te geven, of om anderen te ontslaan, niet zelden op staande voet, en zonder rekening te houden met de dan onvermijdelijke confrontatie met een kantonrechter. Ze maakt op eigen initiatief afspraken met klanten zonder de agenda's van verantwoordelijke managers te raadplegen. Nina bemoeit zich overal mee en doet wat ze denkt dat goed is voor het bedrijf. De operationeel verantwoordelijke managers ziet ze vaak niet staan. Totdat er iets misgaat.

Ze kan een binnenkomende telex of fax oppakken en van het ene op het andere moment besluiten in een langlopend verkooptraject op eigen houtje een offerte uit te brengen. Ben loopt zo nu en dan haar kantoor binnen om verhaal te halen. Dat levert nooit een rustig gesprek op. Geschreeuw, slaande deuren, boos wegrijden in haar auto. Ze is grootaandeelhouder, en daarmee is de kous af. Nina is niet te stoppen. Ze werkt harder dan de rest. Ze blijft meestal langer op kantoor dan Ben, die naar huis gaat om zijn dochter te zien. Het bedrijf is alles voor Nina. Het liefst is ze er de hele dag mee bezig.

Tijd voor lange gesprekken met het personeel heeft ze niet. Mededelingen wil ze compact verpakt en helder overgebracht krijgen. Op haar bureau ligt de internationale bestseller in de zelfhulpmanagementlectuur, *The One Minute Manager* van Kenneth Blanchard. Het boek bevat praktische wijsheden over het efficiënt managen van mensen. De centrale gedachte is dat een effectief manager in maximale tijdseenheden van een minuut informatie tot zich moet nemen, binnen een minuut beslissingen neemt en binnen een minuut complimenten of vermaningen uitdeelt. De lessen van Blanchard zijn Nina op het lijf geschreven. Als een werknemer haar kantoor binnen treedt, wordt deze getrakteerd op een priemende wijsvinger die op het boek tikt: één minuut, meer spreektijd is er niet.

De AKAM-medewerkers maken niettemin de indruk de managementstijl van Nina lijdzaam te ondergaan. In haar bijzijn zijn ze complimenteus, dienstbaar en meegaand. Op een enkeling na is er niemand die de energie of de durf heeft om ertegen in te gaan. Buiten gehoorsafstand gaat ze niettemin veelvuldig over de tong. Soms als 'Nina' of 'mevrouw Aka', meestal als de door Wim Kampert verzonnen bijnaam 'de Smurf'.

De opmerkelijke verhalen over haar managementstijl worden steeds talrijker. Bij een presentatie van Novell in de tijdelijk gehuurde kantoorruimten in het pand van de margarinefamilie Brinkers kwam ze een keer te laat de kleine vergaderzaal binnenlopen. Alle zitplaatsen waren al bezet. Nina bleef staan en zei: 'Stoel!' Zonder voorzetsel, zonder de vragende toon. De presentatie viel stil en begon pas weer toen iemand haar een stoel bezorgde.

Het gemeenzame 'Nina' moet in steeds meer situaties voor 'mevrouw Aka' worden ingeruild. Veelvuldig vinden er verbale erupties plaats, waarbij eerst de rode vlekken in haar nek opkomen en dan de uitbarsting volgt. Haar hardnekkige Noord-Amerikaanse accent is een bron van speculaties. Niemand begrijpt goed waarom ze, na meer dan vijftien geleden uit Canada te zijn overgekomen, nog steeds haar Nederlands niet gewoon kan uitspreken.

Haar toenemende hang naar decorum en luxe zijn een andere rijke bron voor bedrijfsanekdotiek. Wanneer Ben voor de ingang van een vijfsterrenhotel zelf de koffers uit de taxi wil halen, klinkt het bevelend dat hij dat moet laten – de bell boys zorgen daar wel voor. Luidruchtige scènes bij hotelrecepties of incheckbalies waarbij Nina in haar bontjas met haar gold card zwaait en de hoogst beschikbare verantwoordelijke laat opdraven, zijn voedsel voor lunchgesprekken. Net als haar toenemende gewoonte om zich in haar eigen auto te laten rijden en haar neiging om in prijzige restaurants met grote gebaren service op te eisen.

Hemel en aarde had ze bewogen om de in Europa rondreizende oprichter van Novell, Ray Noorda, naar Nederland te halen. Het was haar natuurlijk gelukt. Thuis in Wassenaar werd door ingehuurd personeel een traditionele Hollandse pot voor de zoon van Nederlandse immigranten geserveerd.

Nina's aanwezigheid op het kantoor is al jaren een recept voor een gespannen sfeer. Enkele managers hopen elke dag weer dat de witte Saab van hun baas niet op de parkeerplaats staat. Met een knoop in hun maag stappen ze 's ochtends in hun auto, wensend dat Nina afspraken buiten de deur heeft gemaakt.

Sommige zakelijke relaties schrikken van de manier waarop de charmante, ogenschijnlijk kwetsbare vrouw zich zonder enige aanleiding plotseling als een autoritair manager kan ontpoppen. Vooral de wijze waarop ze haar personeel kan aanspreken, valt daarbij op. Ze schroomt zelfs niet ook andermans personeel directieven te geven. Boven alles maakt Nina indruk wanneer ze haar elf jaar oudere echtgenoot Ben in het bijzijn van klanten, relaties of eigen managers zonder reserves de mantel uitveegt. Een tafereel dat zich met enige regelmaat herhaalt. Aka ondergaat de tirades van zijn vrouw meestal zonder een woord te zeggen.

Zakenrelaties snappen niet dat de man die ze als de opgewekte, gedistingeerde ambassadeur van het bedrijf kennen, in hun bijzijn gelaten de vernederingen wil ondergaan. De scènes zaaien verwarring. Wat voor bedrijf is AKAM nu eigenlijk? Wie heeft de leiding in handen, waar staat het voor?

Uiterlijk blijft Ben onbewogen als hij weer eens een met een tirade wordt geconfronteerd, innerlijk gaat hij er langzamerhand kapot aan. Hij vraagt zich steeds vaker af met wat voor persoon hij nu eigenlijk is getrouwd en met wie hij in zaken is.

Het leuke, sportieve, spontane meisje met wie hij dertien jaar eerder was getrouwd, is veranderd in een achterdochtige, agressieve, op geld, macht en aanzien beluste vrouw. Geregeld moet hij juridische acties blokkeren; zelfs de huisadvocaat heeft geen trek in zinloze procedures die geen ander doel hebben dan de tegenpartij het leven zuur te maken. Haar meedogenloosheid baart hem zorgen. Hij kan het niet plaatsen. Hij gaat op zoek naar een verklaring en verdiept zich in haar psychologische profiel. De uitkomsten van zijn onderzoekjes stellen hem allerminst gerust.

In maart 1987 is Nina met haar 'neef' Harry Blom in Parijs. Ze bezoeken het Musée d'Orsay en het Centre Pompidou. Ze gaan naar een grote Picasso-tentoonstelling. Nina bekijkt de kunst met belangstelling. Meer aandacht heeft ze voor de naamplaatjes bij de kunstwerken. Daarop staan de eigenaren vermeld, in veel gevallen bekende en vermogende families die de werken ter gelegenheid van de tentoonstelling hebben uitgeleend. Ze spreekt ontzag uit over de vermogens van die families.

In Wassenaar geniet Ben van een Nina-vrij weekeinde. In de rust komt hij na lange overpeinzingen tot de conclusie dat hij niet met haar verder wil. Hij verzamelt de fotoboeken en zijn vele jazzplaten en belt zijn vader. Of die hem kan komen ophalen. Het huwelijk is wat hem betreft voorbij.

Het vertrek maakt grote indruk op Nina. De mensen in haar omgeving hebben de indruk dat haar wereld instort. Ondanks de vele ruzies kan ze niet bevatten dat ze niet bij elkaar passen.

Vanaf dat moment is het zeker dat een van beiden het bedrijf moet verlaten. Bij AKAM is iedereen ervan doordrongen dat het, als er iemand afscheid moet nemen, Nina moet zijn. Op een paar mensen na is er niemand die haar als belangrijkste baas wil hebben. Vooral het hogere management is sterk afkerig van een voortzetting van de zaken onder haar leiding. Kampert is bij een eventueel vertrek van Ben Aka als grootaandeelhouder genoodzaakt met Nina verder te gaan. Een vooruitzicht dat hem niet vrolijk stemt. Wat hem betreft is er geen andere optie: Nina moet van het AKAM-toneel verdwijnen.

Wel moet ze een eerlijke kans krijgen om te blijven. Er word een constructie bedacht waarin beide partijen achtereenvolgens vier weken de tijd krijgen om elkaar te kunnen uitkopen. Degene die mag beginnen, heeft het voordeel dat de race is gelopen als hij of zij de financiering vindt. De tweede heeft de extra tijd als voordeel; om een miljoenenbedrag bij elkaar te zoeken, is vier weken aan de korte kant. Maar eerst zal een waardering van de onderneming moeten worden opgesteld. Beide partijen komen na enige tijd overeen dat 16 miljoen gulden – de waardering van Holland Venture – gerechtvaardigd is.

Ben mag beginnen. Afgesproken wordt dat de ander zich gedurende de zoektocht niet op kantoor vertoont. Aka betrekt Dick Ponsen in zijn zoektocht naar kapitaal. Er vinden verschillende ontmoetingen plaats op het kantoor van Ben. Ook laat op de avond. Het personeel is niet van de details op de hoogte gebracht. Elders in het gebouw hebben medewerkers het idee dat het geheime beraadslagingen zijn waarbij Nina geen partij is.

Aka vindt ruim binnen de vier weken twee partijen die gezamenlijk het belang van Nina in AKAM willen overnemen: verzekeringsmaatschappij Aegon en Janivo, de investeringsmaatschappij van de zeer vermogende familie De Pont. Na vier weken is boven, in de boardroom van AKAM, de confrontatie met Nina. Het geld staat bij de notaris op een rekening. De deal is gedaan – Aka blijft, Nina gaat. Een paar aanwezigen zien rode vlekken in de nek van Nina verschijnen. Ze barst in huilen uit en loopt de vergaderzaal uit. Een van de aanwezige investeerders spreekt zijn zorgen over haar uit.

Plotseling wordt de deur van de vergaderzaal opengetrapt. Het is Nina. Ze blijft in de deuropening staan. Het huilen is gestopt. 'I'm gonna sue you all,' schreeuwt ze, terwijl ze één voor één de aanwezigen aanwijst. 'You, you, you and you.' Dan beent ze het pand uit, om er nooit meer terug te keren.

Haar vertrek is voor iedereen in het bedrijf een grote opluchting. Nina heeft haar miljoenen mee, iedereen denkt van haar te zijn verlost. Eindelijk rust in de tent. Op de naschok is echter niet gerekend. Niet lang na het vertrek doet een groep Japanners van Epson een inval in het bedrijf. AKAM zou de strikte regels omtrent parallelimporten hebben geschaad. Het Japanse concern eist van zijn distributeurs dat ze niet op andere manieren proberen aan de producten van het bedrijf te komen. Epson is getipt dat AKAM dit wel gedaan heeft, en het blijkt te kloppen.

Het bedrijf heeft het afgelopen jaar in Amerika een grote partij pc's gekocht. Ze waren bedoeld voor een groot pc-privéproject. Epson Europa kon niet leveren. In Amerika bleken ze wel voorradig. Nina had eigenhandig besloten de computers te bestellen en in Nederland geschikt te laten maken voor de Europese standaarden.

Bij AKAM heerst paniek. Dit kan ze het distributeurschap kosten. Er wordt druk overlegd. Er moet nog ergens een bestelformulier zijn waarop de handtekening van Nina prijkt. De administratie wordt uitgeplozen en na uren zoeken wordt het bewuste formulier gevonden.

Ben Aka is intussen op het matje geroepen. Hij mag naar Düsseldorf komen om een verklaring te geven voor de situatie. Voor een volle vergaderkamer moet Aka door het stof, maar hij kan het bestelformulier uit zijn binnenzak halen waarop de handtekening van Nina staat. Als hij een uur later bij de Nederlandse grens is, belt hij het kantoor in Zoetermeer met de verlossende boodschap. Epson blijft voor AKAM behouden.

Wim van Leenen, de oprichter van het beursgenoteerde Infotheek, was lichtelijk verrast geweest toen Nina hem na haar vertrek bij AKAM had gebeld. Van Leenen was haar al verschillende malen op feestjes tegengekomen en hij kende haar reputatie uit het automatiseringswereldje. Hij had ontzag voor haar straatvechtersmentaliteit. Of hij met haar wilde proberen om het distributeurschap van Epson binnen te halen? Van Leenen was geen man die voor een avontuur terugdeinsde. Hij was met Nina in de auto gestapt en naar het hoofdkantoor van Epson in Düsseldorf gereden.

De poging was gestrand, maar hij had er een leuke herinnering aan overgehouden.

2 Tóth achterna

Of ze nu willen of niet, de dynamiek van het rijk zijn zondert mensen onvermijdelijk af. Het isoleert hen van de rest van de populatie, de eerste
stap in ieder evolutieproces, en het maakt onverbiddelijk dat ze iets anders worden.

RICHARD CONNIFF, *Beestachtig rijk*

Jan van der Veer heeft zijn zaken goed voor elkaar. Hij is de directeur van
TM Data, de Nederlandse vestiging van een internationale distributeur van
voornamelijk computerapparatuur, ook wel 'hardware' of 'ijzer' genoemd.
Mannen als Van der Veer worden doorgaans door mensen uit de wereld van
de software een beetje oneerbiedig omschreven als 'dozenschuivers'. De
hoogstaande technische producten mogen namelijk niet verhullen wat hun
belangrijkste economische bestaansrecht is: de handel. Spullen inkopen,
spullen voor iets meer verkopen, rechttoe, rechtaan.

Maar voor TM Data Nederland is de kwalificatie dozenschuiver niet helemaal terecht. Het bedrijf levert ook zogenaamde *value added services*, diensten
van geschoolde computerspecialisten. Het bedrijf is in de jaren zeventig begonnen met de verkoop van computerterminals: monitoren en toetsenborden die aan de grote mainframecomputers worden gekoppeld. De bedrijfsnaam is er ook van afgeleid: TM staat voor Terminal Mart. De apparaten zien
eruit als computers, maar zijn in feite niet meer dan 'domme terminals' die
zelf geen berekening kunnen maken. Met de revolutie die de personal computer in de jaren tachtig teweegbrengt, is ook het productassortiment van TM
Data veranderd. Maar de basis is nog steeds de handel in terminals en de diensten die daarbij worden verkocht. Juist dat pakket diensten dat TM Data levert
aan zijn klanten voor terminals, is de laatste tijd voor de winst van het bedrijf
steeds belangrijker aan het worden.

Van der Veer heeft jarenlang voor de Amerikaanse chipgigant Texas Instruments gewerkt en er in Nederland een grote distributiedivisie voor opgezet.
Die ervaring kwam hem goed van pas. De structuur van TM Data is gemodel-

leerd naar de gedisciplineerde werkwijze die Van der Veer zich bij Texas Instruments eigen maakte. Precisie, heeft hij geleerd, is in de distributie van automatiseringsproducten van levensbelang. Producten verouderen eerder per maand dan per jaar en de marges in de 'ijzerhandel' zijn relatief gering. Omdat het bij leveringen vaak om grote bedragen gaat, kunnen kleine foutjes voor het resultaat grote gevolgen hebben. Daarom weet Van der Veer elke maand precies hoe het met de verkopen en de voorraden staat. Van elke doos in het magazijn is de exacte inhoud bekend. Tegelijkertijd weet hij beheerst om te gaan met de risicovolle verlokkingen op de markt. Het gebeurt vaak dat zijn leveranciers, veelal grote Amerikaanse beursgenoteerde ondernemingen, aan het einde van een kwartaal fikse kortingen weggeven. De verleiding is dan groot om een omvangrijke partij in te kopen. Als die doorverkocht kan worden, levert dat extra winst op. Maar dan moeten die producten wel van de hand worden gedaan. Anders is de kans groot dat het bedrijf blijft zitten met snel verouderende producten die later alleen tegen veel lagere prijzen nog de weg naar de klant kunnen vinden.

Van der Veer snapt dat spel. Uit eigen ervaring. Hij was een keer te gretig op een mooie aanbieding van zijn Koreaanse leverancier Samsung ingegaan. De aantrekkelijke extra korting ging in rook op bij het verstrijken van de tijd en de afwaarderingen op de nog onverkochte voorraad. Aan de ene kant moet hij toch een grote voorraad aanhouden. Klanten lopen naar de concurrentie als producten er niet zijn. Aan de andere kant mag die voorraad dus niet te groot zijn. Het vinden van de balans is de kunst. Een winstgevend distributiebedrijf werkt als een secuur uurwerk dat op lange termijn alleen goed kan blijven lopen als er met veel aandacht en discipline mee om wordt gesprongen.

Onder de hoede van Van der Veer is TM Data in een tijdsbestek van acht jaar uitgegroeid tot een gerenommeerde distributeur van computerapparatuur. Hij heeft tot voor kort nooit veel last van de bemoeienissen van de concernleiding gehad, en dat bevalt hem goed. Zelf probeert hij ook zoveel mogelijk de hiërarchische verschillen onzichtbaar te maken – hij is er het type niet naar. Gewoon hard werken, geld verdienen en verder niet al te moeilijk doen.

Toch zit hem iets dwars. Na al die jaren de baas te zijn geweest van een succesvol bedrijf, is Van der Veer nog steeds niet meer dan een werknemer. Een loonslaaf. Weliswaar met een goed salaris en een riante winstdelingsregeling, maar toch: het liefst wil hij een belang in de zaak. Maar de Zwitserse eigenaren van TM Data willen niet naar hem luisteren. Ze hebben zijn verzoeken al enkele keren naast zich neergelegd.

De Nederlandse tak van Van der Veer is de meest succesvolle van alle TM Data-vestigingen, en is het meest solide gefinancierd. Maar de winsten die in Nederland worden gemaakt, vallen toe aan het concern, dat daarmee ook de mindere delen ondersteunt. Van der Veers succes werkt nu tegen hem. Hij vindt dat hij met zijn Nederlandse vestiging de andere subsidieert. Het gevoel van onmacht wordt heviger als de concernleiding besluit dat zijn vestiging ook de inkoop van de andere landen moet gaan verzorgen. Na enige tijd beginnen de resultaten van de Nederlandse vestiging te lijden onder de gebrekkige betaaldiscipline van zijn buitenlandse collega's. Van der Veer ergert zich. Dat de Zwitsers Van der Veer ook al geen belang in het bedrijf gunnen, maakt het er niet beter op. Het liefst zou hij met TM Data Nederland zelfstandig verdergaan. Die mogelijkheid lijkt zich vanzelf voor te doen. Van der Veers baas, de Zweed Leif Axelsson, is eind jaren tachtig tot het inzicht gekomen dat TM Data over zijn top heen is. De almaar voller rakende markt heeft zijn weerslag op de groeimogelijkheden van het bedrijf, en de toenemende concurrentie heeft al merkbaar invloed op de winstmarges. Axelsson maakt zich zorgen over de langetermijnmogelijkheden en adviseert de eigenaren TM Data van de hand te doen zolang nog fatsoenlijk winst wordt gemaakt. Een verkoopdeal zal hem bovendien een mooie commissie bezorgen en in één klap van het weinig lonkende scenario bevrijden om later zorg te dragen voor een kwakkelende onderneming.

De Zwitsers stemmen in 1987 in met het voorstel van Axelsson. De Zweed heeft ook laten doorschemeren dat Van der Veer belangstelling heeft om het Nederlandse deel te kopen, maar de Zwitsers zien niets in een management-buy-out. Van der Veer kent als geen ander de precieze waarde van de onderneming. Een overname door een externe partij levert beslist meer geld op, en daar is het de Zwitsers vooral om te doen.

Axelsson heeft niet veel tijd nodig om een geïnteresseerde koper te vinden. De onderhandelingen verlopen goed, maar de timing is ongelukkig. Het is oktober 1987 – op de 19de van die maand zakken wereldwijd de beurzen door hun hoeven. Black Monday, de ergste beurscrisis in decennia, is een feit. De kopende partij, die met zijn eigen aandelen wil betalen, zit opeens met een sterk gedevalueerd ruilmiddel. De verkoop wordt afgeblazen.

Jan van der Veer beseft dat zijn tijd is gekomen. Hij en zijn financieel directeur hebben genoeg van de zelfzuchtige Zwitsers. Hij stelt Axelsson voor iemand te zoeken die bereid is een goede prijs op tafel leggen voor het Nederlandse en Belgische deel van TM Data; iemand die de Zwitsers financieel tevreden kan stellen en ook hem uitzicht wil geven op een belang in het bedrijf. Iemand met wie hij samen het bedrijf verder kan uitbouwen. Want daar gelooft hij, ondanks de snel toenemende concurrentie, nog steeds heilig in.

Hoe ze het wist, zou hij nooit precies te weten komen, maar opeens staat ze voor hem: Nina. Mevrouw Aka. Op de grote jaarlijkse efficiencybeurs in Amsterdam komt ze met een drafje de stand van TM Data op lopen en vraagt ze direct naar de baas. Eenmaal oog in oog met Van der Veer zegt ze: 'Jullie zijn te koop.'[1]

De TM Data-directeur staat perplex. 'Hoe weet u dat?' vraagt hij nog, maar de kleine dame voor hem heeft hem al met een ander bericht overrompeld: 'Ik ga jullie kopen.'

Niet lang daarvoor had Van der Veer via financieringsbedrijf NMB Heller geprobeerd partijen te vinden die hem zouden kunnen helpen om het bedrijf over te nemen – tot zijn spijt zonder enig resultaat. Nu staat er zowaar een geïnteresseerde partij tegenover hem, een kordaat optredende dame, die ook nog eens laat merken verstand van de handel te hebben. Achteloos rollen de namen van directeuren van bekende bedrijven uit haar mond. En ze laat er geen enkele twijfel over bestaan: TM Data zal haar bedrijf worden.

Leif Axelsson hoort later het verhaal van Van der Veer onbewogen aan. Hij kan het enthousiasme van zijn directeur wel begrijpen. Hij weet hoe graag hij van de Zwitserse eigenaren verlost wil worden. Maar de opgewektheid waarmee van Van der Veer hem allerlei voorstellen over de verkoop doet, baren hem ook licht zorgen. Hij wil TM Data tegen een zo hoog mogelijke prijs verkopen. Dat wordt moeilijker als zijn belangrijkste directeur nu al aan de zijde van de kopende partij gaat staan. Axelsson is niettemin verheugd dat hij een belangstellende koper gaat ontmoeten.

Op een avond wordt hij aan de geïnteresseerde partij voorgesteld. Een kleine dame, vergezeld door een iets oudere man met een sigaar. Het is de Zweed al snel duidelijk dat de kleine dame – 'Miss Aka' – de leiding heeft. Zij praat; de man met de sigaar knikt. Axelsson gaat ervan uit dat hij een soort secondant is.[2] 'Ze sprak over haar achtergrond. Dat haar vader aanzienlijke hoeveelheden geld had verdiend, dat hij betrokken was geweest bij liefdadigheidsprojecten en dat zij zelf ook zakelijk succesvol was geweest. Met haar nieuwe onderneming had ze groeiambities en daarom wilde ze TM Data overnemen. Het liefst zo snel mogelijk.'

Axelsson heeft in zijn eerdere loopbaan ruimschoots ervaring opgedaan met de Nederlandse gewoonten en gebruiken. Na tien jaar voor Philips te hebben gewerkt en enkele jaren in Nederland te hebben gewoond, is hij ervan overtuigd dat weinig hem nog kan verrassen. Na een halfuur met de zakenvrouw tegenover hem te hebben gesproken, weet hij dat hij zich heeft vergist. Nina bezit eigenschappen, concludeert hij, die hij in Nederland nog niet eerder in een enkel persoon heeft aangetroffen. Axelsson heeft twintig jaar later nog een scherp beeld van haar. 'Ze sprak over zichzelf in superlatieven. Ze was de beste! En ze sprak zonder enige terughoudendheid over geld. Ze was rijk en ze leek zich ook een ster te voelen. En toch was ze niet onprettig in de omgang. Ze benaderde me met respect en ik kon lang met haar praten. Ook over niet-zakelijke onderwerpen. Ik merkte wel dat ze opeens anders was als ze met iemand sprak die voor haar werkte. Daar kon ze zonder pardon overheen walsen. "Ik heb het geld, ik betaal, dus jij doet wat ik wil." Maar nog het vreemdst vond ik haar manier van onderhandelen. Ze deed me denken aan een verwend kind: "Verkoop mij TM Data, ik wil het hebben. Nu!"'

Nina was na haar vertrek bij AKAM kort als directeur werkzaam geweest bij Ormas, de automatiseringspoot van de beursgenoteerde kantoorinrichter Samas Groep. Ze moest namens Ormas nieuwe markten gaan verkennen om verdere expansie van het bedrijf te realiseren.[3] Door haar wervelende managementtechnieken en haar voor de Samas-organisatie ongebruikelijke methoden om nieuwe productlijnen te verkrijgen, kwam ze snel in aanvaring met bestuursvoorzitter Hans de Mos. Minder dan een halfjaar na haar aankomst werd het duidelijk dat een langer verblijf bij Ormas niet tot de mogelijkheden behoorde. Nina stapte op en begon voor zichzelf met het bedrijf A-Line. Ze was vastbesloten op de ingeslagen weg verder te gaan: een succesvolle distributeur worden in de computerindustrie.

Nina heeft Axelsson meer dan duidelijk gemaakt dat ze met haar eigen bedrijf, A-Line, snel wil groeien. Erg moeilijk kan dat niet zijn – haar bedrijf bestaat op dat moment uit een directie en één werknemer die randapparatuur voor Apple-computers aan de man probeert te brengen. Nina's idee is om, zoals ze met Ben Aka met AKAM had gedaan, een distributiebedrijf op te zetten met de productlijnen van A-merken. Vandaar ook de naam A-Line.[4] Maar het pionieren vanuit niets is een fase van het ondernemerschap waarbij creativiteit, geduld, aandacht voor relatief kleine details en een groot kostenbewustzijn de kans op succes groter maken. De talenten van Nina liggen meer op een ander terrein. Zij denkt groter en kan, ondanks haar geringe gestalte, als weinig anderen de zaken in beweging zetten. Wat ze nog nodig heeft, is een speelveld. Met haar verworven vermogen kan ze zich dat toe-eigenen. De overname van TM Data zal haar in één klap een aantal gerenommeerde productlijnen opleveren, waaronder die van Compaq Computers. En wat misschien wel belangijker is: ze zal zichzelf er definitief mee op de kaart zetten als zelfstandig zakenvrouw.

De Zwitserse investeerders gaat het intussen maar om één ding: geld. Het liefst zoveel mogelijk. Het maakt ze niet uit van wie het komt, zolang het maar een legale partij is. Of het bedrijf en zijn werknemers in de handen van de nieuwe eigenaar een toekomst hebben, interesseert hen nauwelijks.[5] Wanneer de biedende partij een goed bod op tafel legt, worden er zaken gedaan.

Het onderzoek naar de financiële welstand van Nina, dat de advocaten van TM Data in opdracht van de Zwitsers laten uitvoeren, wijst uit dat de zakenvrouw geen onzin heeft verkondigd. Hoewel A-Line economisch nog niets voorstelt, blijkt Nina inderdaad kapitaalkrachtig genoeg te zijn om de overname te financieren. En er is niets wat duidt op een twijfelachtige herkomst van de miljoenen die ze bezit. Daarmee gaat het sein voor Axelsson op groen: met deze dame kan een deal worden gesloten.

Aan Nina zal het in elk geval niet liggen. De gretigheid waarmee ze TM Data voor zich opeist, geeft Axelsson bovendien het gevoel dat hij er eenvoudig een mooie som geld voor kan krijgen. Dat blijkt een kleine misrekening. De zelfverzekerde zakenvrouw heeft haar zinnen weliswaar op TM Data gezet, maar ze maakt al snel duidelijk dat ze daarvoor niet de hoofdprijs gaat betalen. Ze laat bovendien merken dat ze verrassend goed op de hoogte is van hoe de zaken er bij de Belgische en Nederlandse vestigingen van het bedrijf voor staan, en ze onderhandelt scherp. Axelsson vermoedt dat zijn Nederlandse en Belgische directeuren, met het oog op hun toekomst, bezig zijn haar van informatie te voorzien. Maar de Zweed heeft een vraagprijs neergelegd en is niet van plan die te laten zakken.

Maanden gaan voorbij. Het is Axelsson die het sein geeft dat de zaak maar eens moet worden beklonken. In het Haagse kantoor van de advocaat van TM Data wordt de deal gesloten, na een dag van onderhandelen. Gesteund door een krediet van 8 miljoen gulden van de bank Pierson, Heldring & Pierson weet Nina TM Data over te nemen.[6]

Een dag nadat Axelsson haar de hand heeft geschud, ziet hij haar in een restaurant met een paar dames van een feestelijke lunch genieten. Het valt hem op hoe opgetogen de zakenvrouw is. Zelf is hij ook tevreden over de deal.

Nina organiseert daags erna een persconferentie waarop haar nog onbekende A-Line de overname van TM Data en de te voeren strategie toelicht.[7] Tot tevredenheid van Nina zijn er enkele redacteuren van kranten op afgekomen, onder wie iemand van *Het Financieele Dagblad*. Axelsson is ook aanwezig. De volgzame, sigarenrokende man – Ab Brink – is degene die als woordvoerder namens A-Line naar voren treedt. Hij is Nina's zakenpartner in A-Line geworden. De twaalf jaar oudere Brink heeft eerder voor industriële ondernemingen als Lips, Stork en Bührmann-Tetterode gewerkt en heeft Nina op een beurs in het buitenland ontmoet. Hij kan het uitstekend met Nina vinden en is sinds een jaar met steeds grotere regelmaat in haar slipstream te vinden.

De strategie van A-Line is voornamelijk gericht op snelle expansie, laat hij weten. Alleen dan zijn op termijn serieuze schaalvoordelen te behalen. De ambities zijn groot. A-Line moet binnen enkele jaren tot de grootste automatiseringsbedrijven van Nederland gaan behoren. Het doen van overnames is daarbij onontbeerlijk. Het is de bedoeling dat de omzet van A-Line binnen twee jaar verdubbelt en de grens van 200 miljoen gulden haalt. Daar houdt het niet op. Ab Brink zegt dat niet valt uit te sluiten dat A-Line, wanneer de omzet rond de 300 miljoen gulden uitkomt, een notering aan de Amsterdamse Effectenbeurs zal aanvragen.

Officieel moeten de leveranciers van TM Data nog toestemming geven voor de overname, maar dat lijkt Axelsson niet meer dan een formaliteit. Samen met Nina maakt hij nog een korte wereldreis om alle leveranciers in de Verenigde Staten en Azië te bezoeken en ze aan de nieuwe eigenaar van TM Data Nederland en België voor te stellen. Nina, die wederom door haar schijnbaar op sigaren levende compagnon Ab Brink wordt vergezeld, blijkt aangenaam en onderhoudend gezelschap. Haar bijzondere eigenschappen, die zich ook onder ontspannen omstandigheden manifesteren, stemmen Axelsson vrolijk.

Eén opmerking van Nina zal de Zweed altijd bijblijven. 'Ze kunnen zeggen van me wat ze willen,' zegt ze een keer onverwachts, 'but I am laughing all the way to the bank.'[8]

Een klein halfjaar na de oprichting van A-Line heeft Nina met de aankoop van TM Data invulling kunnen geven aan haar ondernemende ambities. Met haar wens om via overnames snel te groeien en binnen een tijdsbestek van enkele jaren een beursnotering te verkrijgen, heeft ze vergelijkbare plannen als de door haar openlijk bewonderde zakenman Willem Smit. Ook Smit heeft laten blijken met zijn nieuwe onderneming ambitieuze groeiplannen te hebben, en is erop gebrand binnen niet al te lange termijn een beursnotering te verkrijgen.

Willem Marten Smit, de Amsterdamse zakenman, staat in de door mannen gedomineerde automatiseringswereld boven aan de pikorde. Hij is een van de eerste selfmade ondernemers in de snelgroeiende Nederlandse automatiseringsmarkt die hun bedrijf een publieke notering hadden weten te bezorgen. Dat gebeurde in 1985, en Smit werd er in één klap 75 miljoen gulden rijker mee.[9] Hij nam vervolgens om fiscale redenen de wijk naar België, waar hij zuidelijk van Brussel, in Wavre, een uitgestrekt landgoed met een grote moderne villa heeft gekocht. Smit heeft er twaalf man personeel rondlopen voor de dagelijkse werkzaamheden. Een witgehandschoende butler zorgt ervoor dat het de nieuwe heer des huizes aan niets ontbreekt.[10] Er staat ook een benzinepomp op het landgoed. 'Vanwege de lengte van mijn oprijlaan,' grapt Smit vaak.[11]

Uit angst om sociaal geïsoleerd te raken, verblijft de hightech miljonair voornamelijk in Amsterdam. Smit, die van de Belastingdienst in Nederland geen woning meer mag bezitten, is daar de vaste bewoner geworden van een gerieflijke suite-annex op de bovenste etage van het Hilton-hotel aan de Apollolaan.

Hoewel hij door de permanente aanwezigheid van lijfwachten en een lijfarts laat merken dat hij over een zorgelijke natuur beschikt, laat hij weinig gelegenheden voorbijgaan om met anderen proostend het glas te heffen. Al snel is in het kielzog van Smit een schare vrienden en bewonderaars aan te treffen die doorlopend kwinkslagen met elkaar uitwisselen. Onder hen zijn bekende journalisten, acteurs, bankiers, advocaten, reclamemensen en ondernemers.

Op de door hem rijkelijk van drank voorziene borrels in de bar van het hotel zijn er altijd een paar 'gabbers' in zijn buurt te vinden.[12] De maandagavond in de bar van het Hilton heeft in societykringen landelijke bekendheid gekregen. 'Barretje Hilton' is een fenomeen en de vrijgevige Willem Smit is de ongekroonde koning van het gewiekste gezelschap dat zich daar vermaakt en onderling zakendoet.

Smit is ook behept met een jongensachtige hang naar de speeltjes die het leven van een multimiljonair veraangenamen. Zijn uitgebreide wagenpark bevat onder andere een Rolls-Royce en een Mercedes die bestand is tegen geweer- en granaatvuur. Wat nog meer indruk maakt, is zijn privéstraalvliegtuig, een ranke Dassault Falcon 20 die hij van de sultan van Oman heeft overgenomen. Het bedienende personeel aan boord – onder wie de echtgenote van de pas doorgebroken zanger René Froger – is jong, bevallig en doorgaans voorzien van lang blond haar. En in tegenstelling tot wat tot die tijd heel gebruikelijk is, verbergt hij zijn bezit bepaald niet achter een façade van soberheid en degelijkheid. Op zijn Falcon staan zijn initialen in kapitalen geschilderd: WMS Air.

Smit is in het egalitair gezinde Nederland op het gebied van uiterlijk vertoon allang een onmiskenbare trendsetter. Al in 1976 – het jaar waarin hij zijn bedrijf Datex oprichtte – kocht hij in Zuid-Frankrijk het dertig meter lange motorjacht Conquest van de beroemde Britse komiek Norman Wisdom. De toen 29-jarige Smit dankte er zijn eerste bijnaam aan: Willem de Veroveraar.[13]

Dertien jaar later heeft Smit nog niets van zijn veroveringsdrang ingeboet. Zowel aan de toog als in het Amsterdamse nachtleven laat hij zich gelden, en ook zakelijk is hij in 1989 weer klaar voor een avontuur. Nog meer dan anders, lijkt het: hij heeft anderhalf jaar na zijn aanvankelijke beurssucces met Datex een vernederende uitglijder gemaakt. Smit beleefde in 1987 de primeur om als eerste Nederlander van handel met voorkennis te worden beschuldigd. Een goede vriend van Smit, de beurshandelaar Adri Strating, had voor zijn rekening in aandelen Datex gehandeld, vlak voordat de Datex-directie – waarin Smit zelf de hoogste positie bekleedde – een omzetdaling en herstructurering van het bedrijf aankondigde.

Het vergrijp ging niet tegen de bestaande rudimentaire wetgeving in, maar vormde wel een inbreuk op de beursspelregels – de modelcode – die in Amsterdam golden.[14] De media waren als gevolg van de beschuldiging massaal over hem heen gevallen; de zaak was immers een verre echo van het enorme schandaal dat een jaar eerder Wall Street in zijn greep had gekregen. Daar lagen de financiers Ivan Boesky en Michael Milken onder vuur van de Amerikaanse beurswaakhond SEC (Securities and Exchange Commission), die hen beschuldigde van fraude.[15]

De voorkennisaffaire had Smit een aanzienlijke reputatieschade bezorgd, ook bij zijn eigen directeuren en personeel. Begin oktober 1987 stond hij met een getekend kroontje op zijn hoofd op het omslag van weekblad *Elsevier*.[16] Het kritische artikel, waarin hij voor het eerst bij zijn Barretje Hilton-bijnaam King William werd genoemd, gaf hem het laatste duwtje de afgrond in. Het management van Datex keerde zich van hem af, waarna Smit zijn bedrijf Datex de rug toekeerde. Nadat hij de deur achter zich had dichtgetrokken, zette hij nooit meer een stap in het pand.

Willem Smit is eind jaren tachtig een koning met een lelijk krasje op zijn kroon, op zoek naar eerherstel. Vanuit zijn suite in het Hilton werkt hij tussen de uitgebreide lunches, diners en borrels door aan het opzetten van Newtron. Zijn nieuwe computerbedrijf moet in omvang en waarde zijn eerste onderneming ver achter zich laten. Hij wil met grote snelheid een groot aantal overnames doen, liefst met aandelen. Hij wil waar mogelijk de eigenaren van die bedrijven nog enkele jaren als directeur op hun plek laten zitten. Feitelijk verandert er maar weinig bij het overgenomen bedrijf; het is zelfs niet de bedoeling dat er een nieuw naambord op de gevel wordt geschroefd.

De onderliggende filosofie is dat hij met Newtron een 'totaaloplossing' gaat aanbieden, net als het succesvolle Getronics op dat moment al doet. Elk onderdeel van het automatiseringsvraagstuk, op maat gesneden of generiek, moet door Newtron kunnen worden geleverd. En de expansie van Newtron zal niet alleen tot Nederland worden beperkt. Smit wil, in tegenstelling tot Getronics, wél Europa in.

De eerste bouwstenen voor zijn nieuwe project heeft hij begin 1989 al in bezit. De eerste is Alpha Computerdiensten. Dat bedrijf was ooit een volle dochter van de NMB en werd in 1986 overgenomen door Smits bedrijf Datex. Maar Alpha verkeerde in zorgelijke toestand en toen Datex, na de voorkennisaffaire, door Getronics werd overgenomen en van de beurs gehaald, mocht Smit Alpha houden. Ton Risseeuw, de bestuursvoorzitter van Getronics, had geen belangstelling voor het kwakkelende bedrijf.[17] De tweede bouwsteen draagt de naam Miniware. Smit heeft het Limburgse automatiseringsbedrijf op tweede kerstdag 1988 op advies van zijn bank Pierson, Heldring & Pierson overgenomen. Een formidabele miskoop, moet Smit al snel erkennen. Het bedrijf staat binnen twee maanden al aan de rand van de afgrond.[18]

Hoewel de eerste bouwstenen van een uiterst broze kwaliteit zijn, blijft Smit vastberaden in zijn overtuiging om opnieuw met een automatiseringsbedrijf een beurssucces te beleven. Zijn antwoord op de Miniware-miskoop is: vrolijk doormarcheren, de rotzooi saneren en nog meer bedrijven overnemen. A-Line bijvoorbeeld. Smit heeft van zijn huisbankier Pierson, Heldring & Pierson de tip gekregen om eens naar het bedrijf te kijken. De bank heeft bij Nina een flink krediet openstaan en zou het niet vervelend vinden als dit door een overname zou worden afgelost. Smit, die Nina ergens in het societycircuit al eens tegen het lijf is gelopen, laat direct zijn interesse voor A-Line blijken. Hij ziet wel wat in de zonnige vergezichten die de zakenvrouw hem voorhoudt.[19] Nina laat, op haar beurt, merken dat ze gecharmeerd is van zijn belangstelling. Smit wil naar de beurs, en dat is precies waar zij ook heen wil. Wanneer ze A-Line aan Smit verkoopt, kan ze aanhaken bij de vaart die zijn bedrijf gaat maken. Bovendien: met een beursgang in het nabije vooruitzicht is er serieuze kans op substantiële vermogenstoename.

Er is nog iets anders dat een eventuele overname door Newtron voor Nina interessant maakt. Ze zal wellicht kunnen toetreden tot de directie van Newtron, en dat betekent dat de gong op Beursplein 5 voor het eerst sinds jaren weer eens voor een vrouwelijke bestuurder zal luiden. Daarmee kan ze in het spoor treden van Nederlands succesvolste en bekendste zakenvrouw, Sylvia Tóth.[20]

Dat Nina net als Smit bij Pierson, Heldring & Pierson bankiert, speelt beide partijen in de kaart. Pierson was in januari als adviseur betrokken bij de overname van TM Data, en heeft zich inmiddels opgeworpen om ook de overname van A-Line door Newtron te begeleiden.[21]

De aanpak om snel meer bedrijven over te nemen, past ook bij Smits gedachte om verschillende competenties onder één dak samen te brengen. De moeilijkheid is dat hij voor de uitvoering van die strategie veel geld nodig heeft. Smit mag dan een buitengewoon vermogend man zijn, bij een ambitieus project als Newtron is de steun van een bank onmisbaar.

Die steun vindt hij met name bij de bankiers van de NMB. Smit onderhoudt al jaren nauwe banden met het bestuurslid Ton Soetekouw. Die is niet alleen een warm voorstander van het financieren van technologiebedrijven, hij was het ook met wie Smit in 1986 de aankoop van Alpha Computerdiensten regelde.[22] En Soetekouw geeft Smit de volle steun. Het bankkrediet waarmee Smit Miniware heeft gekocht, wordt met de goedkeuring van de raad van bestuur van NMB voor het grootste deel omgezet in aandelen. De bank is daarmee niet alleen een financier, maar ook een partner in de onderneming. De kwaliteit van de relatie met de bank blijkt ook uit de directie die Smit heeft aangesteld. Directeur Ton Stam was ooit bij NMB verantwoordelijk voor Alpha; de financiele man Bas Wiersma komt als voormalig assistent van Soetekouw ook bij de bank vandaan.

Naast de steun van de NMB heeft Smit ook privé enkele tientallen miljoenen voor de expansie van de onderneming gereserveerd. Maar die hoeveelheid is lang niet toereikend voor de ambities die hij met zijn nieuwe onderneming heeft. Er moet meer geld beschikbaar komen. Geld van andere investeerders, want Smit is niet van plan de gehele financiering voor zijn eigen rekening te nemen.

De vraag naar geld wordt nog acuter als blijkt dat Miniware er veel erger aan toe is dan zijn huisbankier Pierson, Heldring & Pierson hem heeft willen doen geloven. Stam en Wiersma kiezen ervoor het bedrijf failliet te laten gaan en de gezonde activiteiten te behouden en met de activiteiten van Alpha samen te voegen. Van de driehonderd werknemers van Miniware blijven er honderdveertig over. Het is een ingreep die in kleine kring vragen oproept. Betrokkenen stellen dat het faillissement door Smit en zijn directie in scène is gezet. Een sterfhuisconstructie, mogelijk frauduleus, om op een voordelige manier een harde sanering te kunnen doorvoeren.[23]

Smit vindt daarop de commissionairshuizen Strating Effecten (van zijn vriend Adri Strating) en Oudhof Effecten (voor 40 procent eigendom van de NMB) bereid om beleggers te zoeken voor een onderhandse uitgifte van aandelen Newtron. Als die uitgifte succesvol wordt geplaatst, kan het bedrijf nog eens het bedrag van 24 miljoen gulden extra in kas krijgen.[24] Een aardige hoeveelheid brandstof, die de overnamemachine Newtron weer iets verder op weg moet kunnen helpen – als er tenminste genoeg bereidwillige investeerders en beleggers worden gevonden.

Willem Smit is, zoals wel meer mensen in zijn omgeving, doordrongen van het nut van een goed feest. Een feest is een uitgelezen moment om zijn status van succesvol zakenman bij de beau monde te bevestigen en iets memorabels met zijn schat aan invloedrijke connecties te delen. Smit heeft behalve aandacht voor de hedonistische facetten van een feest ook ruim oog voor de meer praktische kanten: hij is op zoek naar nieuwe investeerders en wil een geste maken naar de mensen die hem al eens geld hadden toevertrouwd. Newtron moet gefinancierd worden en een overdadig feest werkt, zoals een telg uit het fameuze bankiersgeslacht Rothschild het eens verwoordde, 'even goed als smeergeld'.[25]

In augustus is het zover. 'Midsummer Night's Dream' luidt het thema van de partij die Smit op zijn Belgische landgoed laat plaatsvinden, naar de romantische komedie van William Shakespeare. Nina staat als een van de mogelijke hoofdrolspeelsters in zijn tweede beursavontuur vanzelfsprekend op de gastenlijst, net als de meeste van zijn vrienden uit Barretje Hilton, van wie er een paar ook potentiële investeerders in Newtron zijn.

De vertrekken van de villa van Smit worden bevolkt door tal van bekende persoonlijkheden, zoals de tv-presentatoren Ron Brandsteder en Astrid Joosten, acteur Rijk de Gooijer, onroerendgoedmagnaat Cor van Zadelhoff, de voorzitter van voetbalclub Ajax Ton Harmsen en oud-minister Tjerk Westerterp. Een cameracrew van Joop van den Ende Producties maakt opnamen voor de film die Smit van zijn feest laat maken.

Tussen de champagnefonteinen en alle prominente feestgangers die de bezittingen van Smit pimpelend en proostend staan te bewonderen, bewegen zich ook Nina en Ab. Alleen een goede kenner van de wereld van de automatisering zou kunnen weten dat Nina Aka van A-Line ruim een halfjaar eerder de distributeur TM Data heeft overgenomen, en nu alweer in gesprek is om onderdeel te worden van Newtron. In tegenstelling tot veel andere aanwezigen heeft ze nog niet de belangstelling van de belangrijke media weten te trekken en is haar portret nog geen regelmatige verschijning in bladen en societyrubrieken. De aandacht op het feest gaat vooral uit naar de genereuze gastheer en andere vermaarde spelers uit het zakenleven, zoals de populaire bedrijvendokter Joep van den Nieuwenhuyzen en de gevierde Frans Swarttouw, die een paar maanden eerder is teruggetreden als bestuursvoorzitter van vliegtuigbouwer Fokker.

Smits Midsummer Night's Dream blijkt een doorslaand succes. De kranten en bladen schrijven over de vele bekende zakenlui, de aanwezige artiesten en het grootse vuurwerk dat Smit de lucht in liet gaan.

Het evenement werpt ook zakelijk zijn vruchten af. Enkele weken later kan de onderhandse uitgifte van aandelen Newtron succesvol worden afgesloten. Voor 5 gulden per stuk worden 4,8 miljoen aandelen ondergebracht bij een grote groep investeerders, onder wie enkele bankiers van NMB, die de stukken in hun privéportefeuille opnemen.[26] Met deze 24 miljoen gulden is de acquisitiekas voorlopig goed gevuld. Smit en zijn directeur Ton Stam kunnen zich daarmee zelfverzekerd op het overnamepad begeven en een paar deals die al waren voorbereid tot een goed einde brengen. Die van Nina's A-Line, bijvoorbeeld.

Het grootste deel van 1989 is Newtron nog niet veel meer dan een door Willem Smit en enkele ondernemende NMB-bankiers opgewekte geestverschijning. Er is al volop geld ingezameld, er worden overnames gedaan en er wordt ook al over een beursgang gesproken. Er is weliswaar bedrukt briefpapier, maar het bedrijf leidt verder geen fysiek bestaan. De plek waar de incarnatie van de geest van Newtron plaatsvindt ligt op de bovenste verdieping van het Amsterdamse Hilton-hotel. Daar bevindt zich een door Smit gehuurde kamer die dienstdoet als kantoor. De bedden zijn eruit gehaald en er zijn bureaus en een vergadertafel voor in de plaats gekomen.

Het door een bevriende architect ingerichte Newtron-kantoor is handig gelegen tegenover Smits eigen suite-annex. Het is er een komen en gaan van bankiers, investeerders en relaties. Sommige bezoekers laten de deur van de Newtron-suite ongeopend en kloppen aan op die van Smit. Topbankier Ton Soetekouw, sinds begin oktober bestuurder van de pas gefuseerde NMB Postbank, Amro-bankier Rijkman Groenink en beurshandelaar Adri Strating behoren tot de selecte groep die rechtstreeks bij Smit binnen mogen komen lopen.

Nina en haar meegaande compagnon Ab Brink worden in eerste instantie in de suite van Newtron ontvangen. De avances die Smit naar A-Line had gemaakt, moeten in de herfst hun beslag gaan krijgen. De onderhandelingen zijn tot dusverre zonder al te veel problemen verlopen. Alleen de vorm van betaling is een punt van debat. Nina ontwikkelt een steeds grotere voorkeur voor een cashdeal. Smit betaalt het liefst in aandelen.

Er is ook iets waar Smit inmiddels zijn bedenkingen over heeft gekregen, en dat is zijn toezegging om Nina toe te laten treden tot de directie van de holding. Hij heeft haar al een grote mate van autonomie over haar eigen divisie toegezegd, en de directiefunctie vindt hij eigenlijk te veel van het goede. Nina is tot zijn verrassing een stuk mondiger dan hij had gedacht. Hij beseft dat zij, in tegenstelling tot Stam en Wiersma, geen type is dat zijn wensen klakkeloos invulling zal geven. Bovendien heeft hij van het begin af aan een tweekoppige concerndirectie in zijn hoofd gehad, met alleen een CEO en een CFO. Daaronder een laag met divisiedirecteuren, van wie Nina er dus een mag worden. Nee, hij heeft bij nader inzien steeds minder trek om de directie met nog iemand uit te breiden.

Begin oktober zetten Nina en Newtron-directeur Ton Stam hun handtekeningen onder een overeenkomst waarmee Newtron de aandelen van A-Line verwerft. Een onderzoek naar de staat van het bedrijf is er niet aan voorafgegaan. Dat vond Smit niet nodig. Een jaarrekening biedt wat hem betreft voldoende inzicht.

De eerste 40 procent van het aandelenkapitaal komt direct op naam van Newtron te staan. De overige 60 procent zal Nina op een later tijdstip leveren. Voor het eerste deel ontvangt ze een bedrag van circa acht miljoen gulden in contanten.[27] De prijs van het tweede deel is afhankelijk van het tussentijds presteren van A-Line. Hoe hoger de winst, hoe meer Nina eraan zal verdienen.[28]

Het tweede deel van de deal bevat nog een component waardoor de toekomstige opbrengst voordeliger kan uitvallen: een deel van de overnameprijs wordt door Newtron in aandelen betaald. Dat is ook de muntsoort waar Smit bij voorkeur acquisities mee bekostigt. Aandelen kan hij uitgeven zoveel hij wil, zolang iedereen er maar in blijft geloven dat het aandeel in de toekomst meer waard zal worden. Het is alsof hij een eigen drukpers voor geld heeft, een die draait op de belofte van snelle groei en hoge winsten. Maar er is ook een ander belangrijk motief om acquisities met aandelen te betalen. In een met honderd procent in contanten betaalde overname schuilt het levensgrote gevaar dat de eigenaar of het management zijn scherpte verliest. Met een vermogen op de bank verdwijnt de honger. Een flink pakket aandelen in het nieuwe bedrijf voorkomt dat.

Het akkoord tussen Nina en Smit is voor Newtron een grote stap voorwaarts. De omzet van het concern wordt in één klap bijna verdubbeld. In een communiqué aan de pers mogen de adjudanten van Nina en Smit, Ton Stam en Ab Brink, de strategische participatie van Newtron toelichten. Eensgezind noemt het tweetal de werkzaamheden 'mooi complementair'. De urgentie tot 'snel uitbreiden' wordt door beiden onderkend en zowel Stam als Brink ziet voldoende ruimte voor die snelle groei. Onder de gezamenlijke paraplu van Newtron willen ze de strijd aangaan met toonaangevende automatiseringsbedrijven op de Nederlandse markt als Getronics en HCS Technologies.

Stam benadrukt de financiële soliditeit van Newtron. 'Onlangs hebben we met een onderhandse emissie van aandelen voor tientallen miljoenen geplaatst bij de aandeelhouders en enkele institutionele beleggers. Bovendien zijn alle genoemde bedrijven winstgevend, ook Miniware, en dat geeft natuurlijk een behoorlijke cashflow.' Er mogen daarom ook snel meer overnames worden verwacht. Stam: 'Er zijn nog voldoende bedrijven in Nederland en België die overgenomen kunnen worden, al zijn we wel selectief en moeten ze in ons beleid passen.'

NRC Handelsblad kopt tot grote tevredenheid van Smit dezelfde middag nog: 'Automatiseringsfirma van Willem Smit gaat samen met A-Line'.[29] En de volgende dag slaat Smit in zijn suite met genoegen zijn favoriete ochtendkrant open. 'Newtron bundelt krachten met A-Line Technologies. Nieuwe automatiseringsreus van Willem Smit,' schrijft De Telegraaf.[30]

Met een overnamemachine die warm begint te lopen, is ook de behoefte aan een eigen hoofdkantoor manifest geworden. Het luxueuze kantoor in het Hilton past niet meer bij de ambitie en de uitstraling van een snelgroeiend automatiseringsbedrijf. De directie en commissaris Smit van Newtron verlaten begin 1990 het Hilton-hotel en nemen hun intrek in het Atrium, een van de meest prestigieuze kantoorgebouwen van Amsterdam. Het gebouw deed enkele jaren eerder nog dienst als het hoofdkantoor van de NMB en is na een ingrijpende renovatie veranderd in een mondain, transparant kantorencomplex met veel glas en staal. De lijnen tussen de NMB en Newtron zijn ook bij de keuze voor deze locatie goed zichtbaar. De renovatie van het complex is verricht door MBO, de bouwdochter van NMB Postbank. Ton Soetekouw, de zakenvriend van Smit, heeft namens de NMB de verantwoordelijkheid over MBO.

Op de achtste verdieping huurt Newtron zijn kantoren. Smit heeft zich er met zijn investeringsmaatschappij Ouborg ook gevestigd, op dezelfde verdieping, precies tegenover de onder architectuur ingerichte kantoren van Newtron. Dat van Smit is veruit het grootst. Vanuit zijn zwartlederen bureaufauteuil heeft hij ruim uitzicht op de Amsterdamse ringweg. Tegenover hem, aan de andere zijde van het Atrium, bevinden zich nog een paar lege kantoren. De vraag die hem bezighoudt, is of een van die kantoren door Nina zal worden bezet. Behalve met een pakket aandelen was de motivatie van Nina ook gebaat bij haar aanstelling in de raad van bestuur van Newtron. Ze had het bij de onderhandelingen als eis neergelegd en Smit was er uiteindelijk op ingegaan.

Althans, dat is de mening van Nina. Smit denkt er al maanden heel anders over. Nina blijkt geen dame die vanzelfsprekend zijn superioriteit aanvaardt, en haar brandende ambitie gaat nooit eens vergezeld van een ontspannen moment aan de bar. Ze is zo anders dan veel van zijn relaties uit het barretje van het Hilton-hotel. Hoewel de afspraak nooit formeel op papier is gezet, is het inderdaad zo dat hij Nina die bestuurszetel heeft beloofd. Hij heeft er spijt van. Ze moet zich maar tevredenstellen met haar benoeming tot directeur van de divisie Distributie en Datacommunicatie. Door de benoeming zo lang mogelijk uit te stellen, hoopt hij ermee weg te komen. Hij vergist zich. Nina stelt weinig prijs op de gewijzigde houding van Smit, en eist haar zetel in de raad van bestuur van de holding op. Met minder zal ze geen genoegen nemen, laat ze Smit, Stam en Wiersma duidelijk weten.

De Newtron-directie en ook Smit weten inmiddels dat hun vrouwelijke collega niet met zich laat sollen en, als dat nodig is, zonder enige terughoudendheid haar advocaten aan het werk zal zetten. Stam en Wiersma vinden bovendien dat Nina in haar recht staat. Die plek in de raad van bestuur is haar toegezegd, en beloofd is beloofd.

Smit mag het zeggen. Een bestuurlijke crisis, zo vroeg in het bestaan van het bedrijf, is allesbehalve wenselijk. Het gerommel rond Datex ligt nog vers in het geheugen en nieuwe verwikkelingen zouden de door hem zo vurig gewenste beursgang van Newtron in de weg kunnen staan. De voorbereidingen daarvoor zijn al in gang gezet. De bankiers werken aan een prospectus en zijn investeerders rekenen op een spoedige gelegenheid om hun aandelen te gelde te maken.

Smit kan als grootaandeelhouder en voornaamste belanghebbende eigenlijk niet anders dan zijn zakenpartner geven waar ze om vraagt. Maar behalve dat het alsnog toegeven aan de eis van Nina Smit een persoonlijke nederlaag inhoudt, plaatst het hem ook voor een praktisch probleem: als hij een divisiedirecteur in de raad van bestuur toelaat, is hij eigenlijk verplicht ook de andere drie divisiedirecteuren een plek te geven. Daar wil Smit beslist niet aan beginnen. Zijn oorspronkelijke bedoeling was juist het bestuur zo klein mogelijk te houden.

Begin maart 1990 eist Nina in een persoonlijk gesprek met directeur Ton Stam wederom haar positie in de raad van bestuur op. Stam probeert de boot af te houden. Het probleem ligt bij Smit, niet bij hem.

Twee dagen later ligt er een brief op zijn bureau.

'Naar aanleiding van ons gesprek gisteren over mijn aanstelling in de raad van bestuur van Newtron NV bevestig ik het volgende.'[31] Waarna Nina haar onbegrip over de terughoudendheid van Stam uit: 'Jouw argumentatie daarbij is mij tot op heden niet helemaal duidelijk geworden en berust mogelijk op een onzekerheid van inschatting van de situatie. Ik respecteer dat, maar als ik het begreep, zou het makkelijker voor me zijn dit in overweging te nemen.

Ten aanzien van de emissieprospectus welke in de maak is, stel ik het echter zeer op prijs dat daarin de vermelding wordt gemaakt van het besluit tot benoeming. Het gaat hier om een feit dat niet alleen voor de investeerders, maar ook voor leveranciers of andere derden alsmede managers en personeel van belang is. Ik neem aan dat je mijn standpunt begrijpt.'

Ook op het persoonlijke vlak staat Nina op het punt een duurzame relatie met een contract te bezegelen. Dat zal ze doen met de man die al vele maanden in haar kielzog is te vinden: Ab Brink. Ze willen trouwen.

Mensen zoals Willem Smit, Ton Stam en Jan van der Veer, die het stel beter hebben leren kennen, zijn verrast. Aanvankelijk weten zij niet beter dan dat Ab de vaste adviseur is van Nina, een vertrouwenspersoon. Waar zij ook gaat, Ab is erbij aanwezig. Op de achtergrond, als steun en toeverlaat. Zelden of nooit mengt hij zich ongevraagd in gesprekken. Hij opent zijn mond alleen wanneer hem wat wordt gevraagd of wanneer hij een trekje van zijn sigaar neemt. Ab is een rustig en beschaafd type. Iemand met een dikke huid ook, want geregeld wordt hij door zijn 'opdrachtgeefster' en plein public gecommandeerd en in klare taal terechtgewezen. Hij ondergaat het zonder morren. Uitingen van wederzijdse genegenheid heeft het stel zorgvuldig voor zichzelf weten te houden, waardoor het heuglijke nieuws een element van verrassing heeft.[32]

In naam zal het huwelijk met Ab weinig te betekenen hebben. Nina wil Aka blijven heten, ook wanneer haar paspoort de achternaam Brink-Vleeschdraager vermeldt. De familienaam van haar ex-echtgenoot is een zeldzame naam die goed bij haar voornaam past en makkelijk in het gehoor ligt. Belangrijker is dat ze in de automatiseringsindustrie met de naam Aka enige bekendheid heeft verkregen. Het succes dat ze heeft gehad, redeneert Nina, klinkt als Aka, niet als Vleeschdraager of Brink. Het is een soort artiestennaam. Nina vindt daarom dat ze recht heeft op het gebruik ervan.[33]

De aanvankelijke opwinding bij Jan van der Veer over Nina Aka is na enkele maanden geleidelijk veranderd in een gevoel van benauwing. Jarenlang heeft hij ruime vrijheid gehad om zijn ideeën over bedrijfsvoering in de praktijk te brengen. Hij heeft van TM Data een goedlopende machine weten te maken, een begrip in de markt. Maar de hoop vervaagt dat hij onder de nieuwe eigenaar zijn vleugels nog verder kan uitslaan. Een belang in A-Line blijkt er voor hem niet in te zitten, en ook de naam van TM Data zal worden veranderd in A-Line. Van der Veer ziet het met lede ogen aan.

Hoewel hij zich met droefheid realiseert dat hij in zijn rol als ondernemende manager gekortwiekt is, spreekt het ambitieniveau van Nina hem aan. Ze is op een missie. Wat die missie op lange termijn behelst, is hem nog niet helemaal duidelijk, maar er kan geen misverstand over bestaan: A-Line moet zo snel mogelijk groeien, door nieuwe productlijnen toe te voegen en het liefst door het doen van overnames. De voortvarendheid die Nina iedere dag opnieuw tentoonspreidt, heeft hij nog niet eerder meegemaakt. Ze lijkt ieder ogenblik van de dag met het telefonisch managen van A-Line bezig. Alleen wanneer ze bij de kapper onder de droogkap zit, is er een gegarandeerd rustpunt.

Van der Veer is vanaf dag één geregeld met haar op pad. Naar klanten, naar leveranciers, en ook naar grote hightechbeurzen als de Cebit in het Duitse Hannover en Comdex in Las Vegas. Vooral de beurs in de Amerikaanse gokstad is van belang. Daar komen twee keer per jaar alle belangrijke leveranciers uit de computer- en software-industrie bijeen. Daar zijn de nieuwste ontwikkelingen op computergebied waar te nemen, nieuwe producten van bekende of onbekende fabrikanten die hun weg moeten vinden naar wereldwijde afzetmarkten. De Comdex is dé plek voor distributeurs om al hun bestaande leveranciers te ontmoeten en nieuwe te vinden.

Van der Veer is er al vele malen geweest en kent de routine. Dagenlang rondlopen in de enorme expositiehallen met de vele honderden stands met aanbieders van apparatuur en software. Vele handen schudden; praatjes maken met bekenden en vertegenwoordigers van producenten, documentatie en brochures verzamelen. Het is noodzakelijk – en dodelijk vermoeiend. Maar aan de zijde van Nina gaat het opeens anders. Ze beent de ene na de andere stand op, haar vizier met dodelijke precisie scherpgesteld op de belangrijkste persoon. Van der Veer: 'Ze sprak zo iemand vervolgens aan en zei: "Je bent stom als je geen zaken met mij doet."'[34]

Het opzetten van nieuwe productlijnen kan – zeker wanneer een product aanslaat – erg lucratief zijn. Maar het is een vorm van ondernemen waarbij een tijdshorizon van enkele jaren standaard is. Nina heeft haast. Ze vertelt haar managers dat ze de grootste wil worden. Het liefst had ze na de overname van TM Data nog meer bedrijven met goedlopende productlijnen opgekocht, maar daar heeft ze geen financiële armslag voor.

Dat blijkt, tot grote de grote verrassing van Van der Veer, ook niet meer nodig: Newtron heeft A-Line overgenomen. Hier en daar had hij iets over de ophanden zijnde overname gehoord, maar verder was hij er helemaal buiten gehouden. Hij snapt niettemin goed waarom Nina zich zo snel bij Newtron heeft aangesloten: Newtrons agressieve acquisitiestrategie, die gevolgd moet worden door een beursgang, spreekt haar erg aan. Het is eigenlijk precies wat ze zelf ook ambieert.

Vanaf de lente van 1990 schakelt de overnamemachine van Newtron in een volgende versnelling.[35] De aspiraties richten zich op een directe concurrentieslag met marktleider Getronics, dat in 1989 een omzet behaalt van 595 miljoen gulden. In het zakenblad *Quote* presenteert Newtron-bestuursvoorzitter Ton Stam zich zelfbewust als de uitdager van de leider.[36] Maar als de ambitie van Newtron geloofwaardig wil worden, moet het snel aan omvang winnen. Newtron boekt in 1989, mede dankzij de overname van A-Line, een omzet van 92 miljoen gulden. Stam zegt in *Quote* naar een omzet van 500 miljoen te streven in 1990, en kondigt in hetzelfde artikel de beursgang later dat jaar aan. Er is dus enige haast geboden.

Nina laat zich in dit overnamespel niet onbetuigd. Ze wil haar divisie Distributie en Datacommunicatie binnen Newtron in omvang laten toenemen, en ook zij wil graag het gevecht met Getronics aangaan. De hardwaredivisie van Getronics is ook al vele jaren een directe concurrent van TM Data, en Nina is er als geen ander op gebrand het automatiseringsbedrijf in te halen. 'Het leek wel of ze in Getronics haar erfvijand zag,' herinnert een voormalig manager van A-Line zich.

Ze is voor haar divisie hard op zoek naar geschikte bedrijven. Een van de kandidaten is Positronika uit Son, bij Eindhoven. Het bedrijf is een belangrijke en succesvolle distributeur van netwerkapparatuur, een van de sectoren in de automatisering die nog niet aangetast lijken door de teruglopende groeicijfers. Sinds netwerksoftware en -hardware het, vanaf midden jaren tachtig, mogelijk hebben gemaakt tientallen computers met elkaar te verbinden en te laten communiceren, is die markt hard gegroeid.

Met name de productlijnen van het Amerikaanse 3Com hebben een goede naam in de markt en zijn om die reden voor Nina interessant. Haar pogingen om het distributiecontract van 3Com met Positronika open te breken, zijn in een eerder stadium mislukt. De tijd is nu aangebroken om het hele bedrijf in handen te krijgen.[37]

Dat NMB Postbank de huisbankier is van Positronika en de investeringspoot van de bank, MKB Investments, een belang van 5 procent in het bedrijf heeft, werkt in haar voordeel. Mike Vredegoor, de directeur van MKB Investments, is bepaald niet onwelwillend om het bedrijf in de schoot van Newtron te laten belanden.[38] Het belang van de bank is erbij gebaat. De beursgang van Newtron staat in de laatste maanden van het jaar op de agenda. Met de acquisitie van een kwaliteitsbedrijf als Positronika neemt volgens de bankiers de kans op succes toe.

Nina en Vredegoor maken een grote stap als aandeelhouder Euroventures zijn belang van 35 procent aan MKB Investments verkoopt. Vredegoor eist een plek op in de raad van commissarissen van Positronika en laat direct weten dat Newtron een bod wil doen op de overige 60 procent van de aandelen.

De belangstelling van Newtron komt op een gevoelig moment. Positronika, ooit begonnen met de internationale handel in meet- en regelapparatuur voor nucleaire installaties, heeft vestigingen in België, Spanje, Zwitserland en Duitsland. Sommige bestaan nog maar enkele jaren en hebben amper de aanloopverliezen verwerkt.[39] Het bedrijf heeft vers kapitaal nodig. Positronika-directeur Wim Huijbregts is met de bazen van de buitenlandse vestigingen in principe al overeengekomen dat ze een meerderheidsbelang van 51 procent in hun vestiging kunnen kopen met een optie tot terugkoop. Daarmee is het bedrijf er nog niet. Een mogelijke oplossing is het bedrijf in zijn geheel door Newtron of een ander bedrijf te laten overnemen, en de nieuwe eigenaar het bedrijf met kapitaal te laten versterken.

Huijbregts, die zelf een kwart van de aandelen bezit, besluit met de beurskandidaat en de bank exclusieve onderhandelingen aan te gaan. Het is Nina die zich namens Newtron bij Huijbregts meldt. Als Positronika wordt overgenomen, zal het bedrijf onder haar divisie komen te vallen. Samen met Huijbregts maakt ze een rondgang langs de verschillende vestigingen van het bedrijf. De toer is geen succes. De directeuren van de lokale vestigingen schrikken van haar onbehouwen presentatie. Ze krijgen de indruk alsof de overname al een feit is, en Nina de nieuwe directrice. Bij de rondgang door de bedrijven stelt ze geen vragen; ze sommeert en beveelt. Vooral in België heeft het personeel weinig op met de dominante, haast vijandige stijl van de zakenvrouw. Voor directeur Huijbregts geldt hetzelfde. Nu hij haar beter heeft leren kennen, kan hij zich niet meer voorstellen met haar samen te werken. Ook Newtron maakt bij nadere beschouwing een weinig solide indruk. Het is beter als de overnamegesprekken worden afgebroken.

Hoewel hij heeft getekend voor een exclusieve onderhandelingsperiode, die nog niet is verstreken, besluit hij alvast twee andere partijen te polsen. Huijbregts voert verkennende gesprekken met Ton Risseeuw van Getronics en Mac van Schagen van het Veldhovense elektronicabedrijf Simac. Beide bedrijven zijn beursgenoteerd en bestaan al vele jaren. Getronics is, net als Positronika, actief op de markt van de computernetwerken. Simac heeft, net als Positronika, een specialistische achtergrond in de meet- en regelapparatuur en heeft ook als voordeel dat het bij Eindhoven is gevestigd. Beide bedrijven zouden een veel betere aansluiting geven dan de onsamenhangende verzameling bedrijven die onder de naam Newtron spoedig een beurgang wil maken.

Huijbregts maakt daarbij een inschattingsfout: hij heeft geen rekening gehouden met de alertheid van de dame hij eerder aan de onderhandelingstafel heeft uitgenodigd. Zo is hij zich niet bewust van de privédetectives die hem bij zijn ritjes naar de hoofdkantoren van Simac en Getronics gadeslaan. De detectives zijn door Nina ingehuurd en ze doen wat ze moeten doen: gevoelige informatie verschaffen aan hun opdrachtgever.

Een harde confrontatie is het gevolg. Huijbregts heeft volgens Nina de exclusiviteitsovereenkomst geschonden. Ze dreigt met schadeclaims het bedrijf ten gronde te richten als het zich niet laat overnemen. Ze instrueert ook Newtrons advocaat Oscar Hammerstein om juridische maatregelen tegen Getronics en Ton Risseeuw te treffen.[40] Het personeel van Positronika wordt eveneens door Nina benaderd met dwingende oproepen. Het moet voor haar kiezen en niet voor Getronics.

Grootaandeelhouder en Positronika-oprichter Klaus Stock capituleert onder de druk. Hij verkoopt zijn belang van 35 procent aan Newtron, dat daarmee samen met NMB Postbank de meerderheid van de aandelen in bezit krijgt. Nina eist onmiddellijk een plek in de raad van commissarissen op en Wim Huijbregts wordt nog dezelfde dag afgeserveerd. Jan van der Veer krijgt van Nina de opdracht hem te ontslaan, maar weigert. Nina neemt het heft vervolgens zelf in handen. Hoewel Huijbregts nog steeds officieel directeur en grootaandeelhouder is, wordt hem door beveiligingspersoneel, dat door Nina is ingehuurd, hardhandig de toegang tot het bedrijfspand ontzegd. Dat komt stevig aan. Van hoogste baas tot verschoppeling, binnen maar een paar weken. Advocatenkantoor Houthoff Buruma, dat de overname namens Newtron begeleidt en de ontwikkelingen met verbijstering heeft aanschouwd, adviseert Huijbregts zich neer te leggen bij de overname. Verzet is zinloos. Hij is uitgespeeld.

In augustus nemen ook Nina en Ab zelf weer aan de onderhandelingstafel plaats. Nina heeft inmiddels haar zin: haar positie in de raad van bestuur van Newtron is nu vastgelegd. Ze zal zich naast haar werkzaamheden als directeur van de divisie Distributie en Datacommunicatie op concernniveau met marketing- en communicatieaangelegenheden gaan bemoeien. Naast haar zal nog een andere divisiedirecteur worden benoemd, waarmee het totaal op vier bestuurders zal komen te liggen.

Wat nog afgehandeld moet worden, is de levering van de resterende 60 procent van de aandelen van A-Line aan Newtron. Die moet voor de beursgang plaatsvinden, wil Newtron de omzet van A-Line volledig voor het prospectus kunnen meerekenen. Maar de kas van Newtron is leeg na de recente reeks overnames. Afgesproken wordt dat Nina de aandelen levert en er na de beursgang, als de oorlogskas weer is gevuld, voor krijgt betaald.

Op 14 augustus komen de partijen overeen dat de overige aandelen A-Line voor 15.310.000 gulden aan Newtron worden geleverd.[41] De werkelijke prijs die Newtron voor de aandelen A-Line betaalt, is een stuk lager. Met behulp van hun advocaten hebben Nina en Willem Smit een nevenovereenkomst geconstrueerd.[42] Daarin staat dat er een flinke premie op de aandelen A-Line wordt betaald: in totaal 3.330.000 gulden. Het is de bedoeling dat de miljoenen die Newtron te veel betaalt, terugvloeien naar het bedrijf. De aankoopprijs voor de aandelen komt bij Newtron als deelneming op de balans te staan, en het geld dat Nina terugbetaalt via Master Beheer, haar beheer-bv, loopt via de resultatenrekening rechtstreeks naar het winstcijfer van Newtron. Het is een kunstmatige methode om het winstcijfer van Newtron op te pompen.

Meer winst betekent straks, als het bedrijf aan de beurs staat genoteerd, een hogere waardering. Beleggers in automatiseringsbedrijven zijn in 1990 bereid voor iedere gulden winst minstens het tienvoudige op tafel te leggen. Deze zogenaamde koers-winstverhouding is ook de belangrijkste maatstaf voor het waarderen van bedrijven. Die van concurrent Getronics staat op dat moment op twintig. Omgerekend naar beurswaarde kan de 3,33 miljoen extra winst Newtron, bij een koers-winstverhouding van tien, bijna 35 miljoen gulden aan beurswaarde opleveren. Als het geloof van de belegger in de mogelijkheden van Newtron toeneemt, kan de koers-winstverhouding toegroeien naar dat van de leider in de markt.

In de speciaal daarvoor opgestelde nevenovereenkomst staat dat de 15.310.000 gulden in contanten naar Nina's Master Beheer worden overgemaakt. In dat aankoopbedrag zit de koopsom verwerkt van 13.800.000 gulden met een 'verhoging' van 1.510.000 gulden. Een klein deel van de verhoging is aan Nina verschuldigde rente. De rest, 1.360.000 gulden, zal Newtron in twee delen met de titel 'verleende adviezen' weer bij Master Beheer in rekening brengen en op die manier 'in de resultaatsfeer' verrekenen.[43] De afspraak is dat de eerste 680.000 gulden – geantedateerd – aan de winst van de eerste helft van boekjaar 1990 zal worden toegerekend.

Ook gaat Nina akkoord om de helft van de aankoopsom bij de beursgang in aandelen Newtron om te zetten. Ze zal bij de emissie 460.000 aandelen Newtron kopen tegen 15 gulden per aandeel.[44] Die koers ligt 4,50 hoger dan de dan al vastgestelde uitgiftekoers van 10,50. Daarmee verzekert Newtron zich er niet alleen van dat een belangrijk deel van de aandelen bij de emissie bij voorbaat al succesvol worden geplaatst, de onderneming strijkt ook een bonus op van 2.070.000 gulden die als winst aangemerkt zal worden. Het is een overeenkomst die vanzelfsprekend niet in het emissieprospectus zal worden opgenomen.

Een maand later besluiten de Newtron-directie en Nina dat de ruim twee miljoen gulden die bij de aandelentransactie wordt verkregen, toch op een andere manier in de boeken van Newtron terecht moet komen. Op 12 september stuurt advocaat Oscar Hammerstein een gewijzigde nevenovereenkomst naar Nina. ZEER VERTROUWELIJK, staat boven aan de brief in onderstreepte kapitalen.[45] Er staat in dat Nina de 460.000 aandelen tegen de normale uitgiftekoers van 10,50 gulden zal kopen. De premie van 2.070.000 gulden zal nu direct bij haar beheermaatschappij in rekening worden gebracht. 'Voor adviezen door Newtron Holding NV aan Master Beheer BV verleend in verband met onder andere de verkrijging door A-Line van aandelen Wemex en Positronika.'

Bij het aangaan van de deals met Nina is het al maanden duidelijk dat de beursintroductie van Newtron eind oktober zal plaatsvinden. Het bedrijf zal een officiële notering krijgen aan de parallelmarkt van de Amsterdamse effectenbeurs. De parallelmarkt is in 1982 in het leven geroepen om jonge en kleinere bedrijven de kans te geven investeringskapitaal van beleggers te verwerven. De eisen voor een notering zijn minder stringent geformuleerd dan op de officiële markt, waardoor de notering óok voor ondernemingen met een minder gedegen achtergrond binnen bereik komt.

In 1990 valt de belangrijkste toezichthoudende taak nog toe aan een adellijke heer: Boudewijn baron van Ittersum. Hij is de voorzitter van de Vereniging voor de Effectenhandel, de eigenaar van de effectenbeurs. De kleine baron is gecharmeerd van het familiaire karakter van de beurs. Het feit dat iedereen elkaar bij de voornaam kent en zelfs weet hoe elkanders vrouwen en kinderen eruitzien, is volgens baron Van Ittersum een belangrijke voorwaarde voor de effectiviteit van de zelfregulering, het belangrijkste instrument van toezicht. Van Ittersum is een heer van stand en hij gelooft rotsvast in het hoge niveau van normen en waarden van de leden van zijn vereniging, de beurshandelaren.[46] De Vereniging voor de Effectenhandel houdt al sinds 1851 toezicht op haar leden, een goede traditie die wat hem betreft tot in lengte van jaren kan worden voortgezet.

Er zijn maar weinig mensen met wie de baron het aan de stok heeft gehad, maar Willem Smit is er toevallig een van. Dat ging natuurlijk om de beschuldiging van handel met voorkennis, in de zomer van 1987, toen Smit nog bestuursvoorzitter was van Datex – een aangelegenheid die Smit nog steeds hoog zit. Maar ook Van Ittersum heeft de kwestie nog niet helemaal verteerd. Als Newtron de aanvraag voor een notering bij de Amsterdamse effectenbeurs laat belanden, is het weer Van Ittersum die zich daar met zijn bestuur over moet buigen. De baron is niet onverdeeld enthousiast over een rentree van King William Smit. Allerminst zelfs. De bankiers van NMB Postbank moeten eraan te pas komen om het beursbestuur te overreden.[47]

Kenners van de automatiseringsmarkt tonen intussen ernstige twijfels over de kansen van Newtron. Het bedrijf wil een 'totaaloplossing' aan grote klanten kunnen aanbieden, maar hoe? Er zijn wel veel overnames gedaan, maar er is nog geen enkele aandacht besteed aan samenwerkingsverbanden tussen de in grote haast aangekochte bedrijven. De meeste werknemers van de ondernemingen die onder Newtron vallen, hebben zelfs geen enkele notie van het moederbedrijf. 'Eigenlijk kun je Newtron nog het best vergelijken met een weeshuis,' laat een oude rot uit de computerwereld zich ontvallen.[48]

De twijfel is er niet alleen bij de buitenwereld. Ook bestuursvoorzitter Stam vraagt zichzelf steeds vaker af waar het met Newtron naartoe moet. Hij staat sinds anderhalf jaar aan het hoofd van een gulzige overnamemachine die de ene na de andere acquisitie realiseert. Hoeveel het er precies zijn en wie er bij welke onderneming aan het roer staat, kan hij niet met zekerheid zeggen. Daar komt bij dat Smit zich heeft laten kennen als een onberekenbaar en bij vlagen onhandelbaar man.

Stam heeft er eigenlijk kort na zijn aantreden al geen goed gevoel meer over. Bij het uitkomen van de feiten rond de rampzalige aankoop van Miniware wilde hij er al liever meteen mee stoppen. Toen wist hij al dat er veel mis was. Maar Smit had een klemmend beroep op hem gedaan. Een directeur kon het niet maken om in de aanloop van een beursgang zijn bedrijf de rug toe te keren. Dat zou de kansen op succes aanzienlijk verkleinen. Hij stond erop dat hij zijn verantwoording nam. En bovendien: had hij niet een fantastisch salaris? Had hij niet voordelig een mooi pakket aandelen kunnen kopen?

Het is waar: het voorstel van Smit om zijn nieuwe bedrijf naar de beurs te brengen, was een aanbod dat hij anderhalf jaar eerder niet had kunnen weigeren. De aantrekkingskracht van vooral het geld was onweerstaanbaar gebleken. Maar nu hij de dag van de beursgang steeds dichterbij ziet komen, wordt Stam meer en meer geplaagd door een gevoel van onbehagen. Hij beseft goed dat hij eind oktober een in grote haast bij elkaar geraapte kluit bedrijven naar de beurs gaat brengen, waarvan er enkele al op de rand van de afgrond staan.[49] In de raad van bestuur krijgt hij ook nog eens veel kritiek te verduren. Zijn collega's vinden hem niet de juiste man op de juiste plek. Eigenlijk kan hij ze niet eens ongelijk geven.

De weerstand die Stam jegens Smit heeft opgebouwd, wordt ook bij de andere directieleden gevoeld. Bas Wiersma heeft net als Stam dan al anderhalf jaar ervaring opgedaan met de onberekenbare automatiseringstycoon. Het geritsel met rekeningen en facturen, waarvan Smit een gewoonte lijkt te maken, ergert ook hem. Hij had liever gehad dat Smit zijn investeringsmaatschappij Ouborg op een andere plek had gevestigd dan naast de Newtron-kantoren.

Ook bij de nieuwste leden van de raad van bestuur – naast Nina gaat het om

Berry Zondag – hoeft Smit niet op bijzonder veel waardering te rekenen. Maar van alle directeuren is het vooral Nina die haar onvrede met enige regelmaat openlijk laat blijken. Ze komt zelfs bij Smit op bezoek om verhaal te halen. Haar collega-bestuursleden zien haar zo nu en dan naar zijn kantoor stappen, de deur met een zwaai openen en horen haar vervolgens op hoge toon met de oprichter/grootaandeelhouder in discussie gaan. Delen van hun verhitte dispuut, doorspekt met grove beledigingen, kaatsen dan door het Atrium.

Wie wel vertrouwen heeft in Willem Smit, is effectenhandelaar Adri Strating. Hij is een van de mannen die Smit van het begin af aan nauw bij de beursplannen van Newtron heeft betrokken. Dat is niet voor niets. Strating is een belangrijk vertegenwoordiger van de nieuwe generatie beursmannen die sinds de jaren zeventig succes hebben geboekt. De in het Groningse Winschoten geboren Strating heeft met veel bravoure en hard werken een voorname plek op 's werelds oudste effectenbeurs weten te veroveren. Zijn successen met zijn effectenhuis Strating & Co. hebben van hem een vermogend en gevierd man gemaakt. In de pikorde staat hij op de Amsterdamse beurs in het bovenste rijtje.

Smit en Strating zijn al jaren gabbers, en ze delen de voor elkaar aantrekkelijke eigenschap om het leven te vieren en daarvoor dezelfde locaties te kiezen. Strating is een van die heren die ervoor zorgen dat de door Baron van Ittersum gekoesterde beursfamilie een flamboyant trekje krijgt. Met regelmaat zit de beursman op het gecapitonneerde pluche in Amsterdams bekendste herenclub van een glaasje champagne te nippen terwijl boven zijn relaties – niet zelden de vermogensbeheerders van pensioenfondsen en verzekeringsmaatschappijen – zich op zijn kosten in het zweet werken.[50] Ook Smit neemt wel eens een kijkje in het weelderig gestoffeerde amusementsbedrijf aan de Amsterdamse Singel. Het is er een komen en gaan van lieden die op vroegere tijdstippen ook in Barretje Hilton de gezelligheid zoeken. De basis van de goede relatie tussen de twee mannen is niettemin geworteld in de zakelijke sfeer. Smit maakt samen met Strating deel uit van het exclusieve investeerdersgenootschap Groupe Courtier. Het clubje bestaat uit een aantal vermogende zakenmannen, onder wie bedrijvenhandelaren Willem Cordia en Berry van den Brink. Met elkaar zijn de Courtier-leden van plan grote belangen te nemen in ondergewaardeerde beursgenoteerde bedrijven, ze eventueel over te nemen of op een andere manier de macht te grijpen, en het beleid in hun eigen belang een draai te geven. In Amerika is er een aansprekende benaming voor dit type investeerder: *corporate raider*.

Het effectenhuis van Strating was vier jaar eerder ook nauw verbonden aan Smits grootste zakelijke prestatie tot dan toe: de beursgang van zijn automatiseringsbedrijf Datex. Hoewel Smit door toedoen van Strating direct betrokken raakte bij de voor hem vernederende voorkenniszaak, zorgde hij destijds ook voor de succesvolle plaatsing van de aandelen Datex. En dat is precies wat Smit zijn vriend bij Newtron graag weer ziet doen. Vanzelfsprekend neemt Strating zelf een belang in het bedrijf van zijn kompaan. Dat gegeven speelt geen onbelangrijke rol wanneer hij, in de aanloop naar de beursgang van Newtron, zijn netwerk van institutionele beleggers probeert warm te krijgen voor de plaatsing van grote pakketten aandelen. Thuis, in zijn Vinkeveense villa aan de Baambrugse Zuwe, ontvangt hij de vertegenwoordigers van de verschillende bedrijfspensioenfondsen. Hij heeft ze wel eens enthousiaster gezien.

De automatiseringsmarkt lijdt intussen onder de teruglopende omzetten. De hausse van de jaren tachtig is definitief tot stilstand gebracht, en de steeds somber wordende stemming slaat ook terug op de verwachtingen voor Newtron. De aanhoudende stroom optimistische berichten die vanuit het Newtron-hoofdkantoor in het Atrium de wereld in worden gezonden, veranderen daar weinig aan. Het bedrijf kan niet overtuigen. Bovendien heeft het op bestuurlijk niveau nog een slag te maken. De raad van commissarissen van Newtron bestaat nog steeds uit maar één man: Willem Smit. Maar zijn aanwezigheid in het toezichthoudende gremium maakt niet veel indruk. Smit staat nou niet bepaald bekend als sober, gedisciplineerd en onafhankelijk.

Er is dringend versterking nodig. Ton Soetekouw spant zich daarom persoonlijk in om een alom gerespecteerde persoonlijkheid te verleiden om in de raad van commissarissen zitting te nemen. Hij heeft daarvoor een prominente dame op het oog, een oude bekende uit zijn Rotterdamse studententijd: voormalig minister van Verkeer en Waterstaat Neelie Smit-Kroes. Ze studeerden beiden aan de Nederlandse Economische Hogeschool in Rotterdam, die in 1973 zou opgaan in de Erasmus Universiteit. Ze kenden elkaar ook uit de Rotterdamse Studentenraad en stonden bij de gemengde protestants-christelijke studievereniging SSR-R een korte tijd onder de hoede van dezelfde 'pa', een oudere student die nieuwe leden van SSR-R in het begin van hun studententijd krijgen toegewezen bij wijze van steun en toeverlaat. Uit zulke relaties ontstaan vaak levenslange vriendschappen.[51]

Soetekouw is twee jaar eerder op uitnodiging van Smit-Kroes voorzitter geworden van de Raad van Advies voor Post en Telecommunicatie (RAPT), een adviesraad die de ontvlechting en privatisering van de PTT nauwlettend volgt en daarover analyses maakt en adviezen geeft. Op zijn beurt doet Soetekouw nu een beroep op de VVD-politica, die een jaar eerder door een kabinetscrisis van haar ministerspost afscheid heeft moeten nemen. Ze hapt toe. Smit-Kroes stelt wel enkele voorwaarden. Ze komt alleen mits grootaandeelhouder

Willem Smit geen directiefunctie krijgt, en ze niet aan de toog van Barretje Hilton hoeft te vergaderen.[52]

Soetekouw is niet de enige die Neelie Smit-Kroes persoonlijk kent. Ook Nina heeft contact met haar, onder meer langs parlementaire weg. Nina's goede vriendin Hanja Maij-Weggen is namens het CDA Smit-Kroes een jaar eerder opgevolgd als minister van Verkeer en Waterstaat in het derde kabinet-Lubbers. Haar innige contact met Maij-Weggen is een goed aanknopingspunt. In Wassenaar wonen ze niet ver bij elkaar vandaan, ze bezoeken dezelfde restaurants, en beiden kopen hun damescouture bij de chique modezaak Hardies in Den Haag.[53]

Na verschillende ontmoetingen staat Nina geregeld met haar in contact en omschrijft ze de voormalige bewindsvrouwe als een 'vriendin'.[54] Nina maakt Smit-Kroes ook een beetje wegwijs in de wereld van de automatisering. In het najaar krijgt Newtrons kersverse president-commissaris van haar Wassenaarse vriendin een uitgebreide rondleiding op de Efficiencybeurs in de Amsterdamse RAI.

Met de benoeming van Smit-Kroes tot president-commissaris van Newtron is het nog niet gedaan. Het is voor iedereen duidelijk dat naast haar nog iemand met inhoud zal worden aangesteld. De keuze valt op Peter de Ridder, econoom, zakenman en directeur van het Centraal Planbureau (CPB), net als Smit-Kroes woonachtig in Wassenaar. De Ridder is ook een goede bekende van het clubje investeerders in Groupe Courtier. Hij heeft, anders dan Smit-Kroes, een meer zakelijke kijk op de uitnodiging: De Ridder wil financieel wél profiteren van zijn betrokkenheid bij het bedrijf en accepteert tegen gunstige condities een flink pakket aandelen in Newtron.

Bij Nina's belangrijkste overname, Positronika, is vrijwel onmiddellijk na de voltrekking van de deal een chaos uitgebroken. Door de schermutselingen die aan de overname voorafgingen, is het personeel in grote staat van opwinding geraakt en heeft Nina zichzelf namens Newtron niet de kans gegeven een goed onderzoek te doen naar de toestand van het bedrijf. Positronika blijkt niet geheel in goeden doen.[55] Voorraden zijn te massaal ingekocht en ten dele verouderd, zodat er aanzienlijk op moet worden afgeschreven.

Ook de bedrijfsprocessen verkrijgen door de inbreng van Nina een geheel eigen dynamiek.[56] De aanvankelijke overeenkomsten om de lokale directeuren van de vestigingen in Zwitserland, Duitsland en Spanje voor 51 procent te laten participeren, zijn vrijwel onmiddellijk door haar afgeschoten. Ze wil voor de geboden bedragen niet meer dan 20 procent van de aandelen geven. Buitenlandse directies en personeel zeggen daarop hun vertrouwen in de nieuwe eigenaar op. Het veroorzaakt een onbeheersbaar conflict, ver buiten de landsgrenzen en buiten het gebied dat Newtron als de kern van zijn markt ziet, de Benelux. De oplossing is: direct tegen absoluut minimale opbrengsten vervreemden (boekhoudkundig nog minder elegant verwoord als: afschrijven naar nul).[57]

Er komt een ware uittocht van personeel op gang, ook in Nederland, maar vooral in België. Een aantal medewerkers wordt door Nina uit het bedrijf gewerkt,[58] een groter aantal zoekt op vrijwillige basis een beter heenkomen. De overname van Positronika draait binnen drie maanden uit op een catastrofe. In totaal moet aan de activazijde op de door Nina zo vurig gewenste overname 14,5 miljoen gulden – vrijwel de gehele overnamesom voor Positronika – worden afgeboekt. Het bedrijf lijdt bijna 9,5 miljoen gulden verlies.[59] Positronikacommissarissen Nina en Mike Vredegoor accorderen een reorganisatie. Kosten: 1,5 miljoen. Daarnaast moet Newtron het eigen vermogen van Positronika met 5 miljoen gulden aanvullen om het bedrijf overeind te houden.

De Belgische vestiging, voor de overname ook nog eens geplaagd door het vertrek van een belangrijke directeur met enkele productlijnen, is technisch failliet en loopt op zijn laatste benen. De verkoopstaf is gedecimeerd en klanten lopen er vrijwel dagelijks de deur uit. Het beste is om de vestiging in België onmiddellijk failliet te laten gaan. Smit wil niet dat dit faillissement zo kort voor de beursgang voltrokken wordt en spreekt zijn veto uit.[60]

Op 15 oktober wordt het emissieprospectus van Newtron gepubliceerd. Er staan grote kleurenfoto's in met de lachende leden van de raad van bestuur en de verschillende divisiemanagers. Topman Stam staat achter zijn directie, die aan een glanzende directietafel zit. Voor hem zit Nina, de eerste vrouw die als bestuurder een beursintroductie meemaakt sinds Sylvia Tóth in 1986 haar uitzendbureau Content naar de beurs bracht.

Het opstellen van het prospectus heeft de NMB Postbank opmerkelijk genoeg niet vergezeld laten gaan van een uitgebreid due diligence-onderzoek.[61] Normaal gesproken laten bankiers voor een beursgang van een bedrijf een diepgravend onderzoek plaatsvinden om de conditie van de onderneming naar waarde te kunnen schatten, mede om er zeker van te zijn dat de beloften die in de brochure worden gedaan, hard gemaakt kunnen worden, en dat de bestuurders inderdaad over bepaalde kwaliteiten beschikken en van onbesproken gedrag zijn. De beleggers moeten er blind op kunnen vertrouwen dat er, als de namen van verschillende gerespecteerde banken op het document staan, geen rommel wordt verkocht. Daarom is het ook van belang dat conflicten en gerechtelijke procedures zoveel mogelijk van de rol worden geveegd. Nina heeft er nog enkele lopen tegen Ben Aka en AKAM. Sinds haar vertrek in 1987 procedeert ze over de afwikkeling van de rekening-courant van de oude MCA Tronix vennootschap. Ze meent dat ze nog geld te goed heeft. Ze had enkele jaren geleden al beslag laten leggen op de rekeningen van AKAM en was na de opheffing daarvan doorgegaan om met behulp van advocaten haar recht te halen. Gecompliceerd gedoe waar een bestuurder van een beursgenoteerd bedrijf beter niet mee in verband gebracht kan worden. De procedures en claims die Nina nog tegen AKAM heeft lopen, worden om die reden teruggetrokken.

De grote ambities van Newtron zijn ook weer in het prospectus verwoord. Het bedrijf is erop gericht eerst in Nederland en België een leidende positie te verwerven, waarna het Europa in zal trekken. De concentratietendens op de automatiseringsmarkt zal de rest doen. 'Verwacht mag worden dat alleen reeds in Nederland marktpartijen zullen ontstaan met omzetten van enkele miljarden guldens,' staat in het emissieprospectus.

De geprognosticeerde omzet over 1990 is niet het half miljard waar Stam in april nog over sprak, maar ligt op 450 miljoen gulden. Nog steeds imponerend: ten opzichte van 1989 zou het bedrijf dan met bijna 500 procent zijn gegroeid, en dat zal de komende jaren doorzetten. Omzetten van meer dan een miljard liggen in het verschiet. Over het jaar 1990 stelt de directie met grote zekerheid dat er een nettowinst van 23 miljoen gulden zal worden geboekt. Met een koers-winstverhouding van tien of meer is het bedrijf een kwart miljard gulden waard. De bankiers hebben de prijs voor een aandeel maanden eerder al vastgeprikt op 10,50 gulden. De beurswaarde van Newtron zou bij die prijs op iets meer dan 200 miljoen gulden komen te liggen. Dat lijkt aan de bescheiden kant: in eerste instantie zou er voldoende ruimte voor de koers moeten zijn om na de eerste notering omhoog te bewegen.

Evengoed maken de spectaculaire groeicijfers, de goede resultaten, de optimistische prognoses en de recente versterkingen in de raad van commissarissen op de buitenwereld weinig indruk. Financiële experts betitelen het bedrijf nog steeds als een hap 'los zand'. De analisten van banken zijn ook sceptisch. 'Voor de speculatief ingestelde belegger,' meldt de analist van ABN AMRO. Die van Credit Lyonnais raadt de aankoop van het aandeel ronduit af.[62] Zelfs de analisten van NMB Postbank zijn kritisch. Pas nadat van hogerhand op enig enthousiasme wordt aangedrongen, gaan ze overstag en melden ze dat 'een aandeel Newtron een interessante belegging kan zijn'.[63]

Dat bij NMB Postbank druk op analisten wordt uitgeoefend om een aandeel positief te bespreken, is eigenlijk niet zoals het hoort. Zeker niet wanneer dezelfde bank ook nog eens een fors aandeel in het bedrijf heeft. Maar de mannen van de NMB wanen zich veilig. Toezicht op de gedragingen van banken, commissionairs, hoekmannen en investeerders is er nauwelijks. 'Zelfregulering' is in 1990 nog steeds het toverwoord en koersmanipulatie en handelen met voorwetenschap zijn nog geen strafbare feiten. Waar de spelregels in de gaten worden gehouden, gebeurt dat door collega's die overeenkomstige belangen hebben. In vergelijking met de Verenigde Staten, waar de SEC sinds

1934 toeziet op de kapitaalmarkten, hebben de banken en beurshandelaren in Nederland nog vrij spel.

Op het hoofdkantoor van Newtron zijn sommigen er goed van doordrongen dat het door de accountants van Coopers & Lybrand gecontroleerde en door bankiers van NMB Postbank opgestelde emissieprospectus allerminst een af-spiegeling biedt van de werkelijkheid. De ellende met Positronika België staat er bijvoorbeeld niet in omschreven. Gesteld wordt dat Newtron slechts voor 10 procent aandeelhouder is in het bedrijf en dat de overige aandelen in janua-ri 1991 worden overgenomen. De negatieve gevolgen worden daarmee vak-kundig naar het volgende jaar geschoven. Een ander deel van de financiële rampspoed zal via de later te publiceren jaarrekening van Positronika in het boekjaar 1989 worden verwerkt.[64] Daardoor ziet 1990 er, wat het bedrijfson-derdeel Positronika aangaat, tamelijk onbevlekt uit.

Vanzelfsprekend staat er ook geen woord in over hoe een aanzienlijk deel van de winst van het bedrijf tot stand is gekomen – over de miljoenen, bijvoor-beeld, die rechtstreeks afkomstig zijn van de beheermaatschappij van een van de bestuursleden. Op 23 oktober 1990 stuurt Newtron een factuur van 2.070.000 gulden (exclusief btw) naar Nina's Master Beheer in Wassenaar. 'Advisering inzake Wemex en Positronika' luidt de omschrijving van de reke-ning.[65] De factuur is een deel van de uitvoering van de geheime nevenover-eenkomst tussen Nina en Newtron en kent geen werkelijke grondslag.

Enkele weken later komt Nina een ander deel van de geheime deal na. Op de factuur, 680.000 gulden groot en geantedateerd op 17 mei 1990, staat: 'Advisering inzake beleggingen en rendementsoptimalisatie'. Ook hier ont-breekt, zoals de partijen met elkaar hebben afgesproken, een werkelijke grondslag. Nina verrekent het bedrag met de nog openstaande factuur voor haar managementvergoeding aan A-Line en maakt een half miljoen gulden over.[66]

Op 24 oktober sluit de inschrijving op de emissie. Volgens Newtron is er veel vraag naar de stukken, meer dan er aandelen voorhanden zijn. De inschrij-ving is overtekend, heet dat in beursjargon, en dat betekent logischerwijs dat de koers van het aandeel zal stijgen.

Twee dagen later is de notering van Newtron aan de Amsterdamse effec-tenbeurs een feit. Hoewel een koersstijging in de eerste handelsdagen uit-blijft, is de aandelenemissie volgens de Newtron-directie en de NMB Postbank succesvol verlopen. Maar achter de schermen is sprake van grote onrust, voor-al bij de bankiers van NMB Postbank. Van de drie miljoen nieuw uitgegeven stukken heeft Strating er een miljoen bij institutionele beleggers onderge-bracht. Dergelijke partijen maken daarbij doorgaans de afspraak dat ze de stukken een periode in portefeuille houden. Daarnaast zijn volgens de *side letter* van 12 september 460.000 bij directielid N.B. Aka terechtgekomen. Ze heeft er de emissieprijs van 10,50 voor betaald en zal logischerwijs pas verkopen als ze een koerswinst kan pakken.

Toch lijkt het alsof er aandelen worden gedumpt. In de eerste dagen worden honderdduizenden stukken aangeboden zonder dat er substantiële vraag tegenover staat. Een deel van het aanbod is afkomstig van een van de zakenvrienden van Willem Smit, Joep van den Nieuwenhuyzen, hoewel hij Smit had beloofd het pakket voor een langere periode in bezit te houden. Om de koers niet direct weg te laten zakken, verrichten de bankiers noodgedwongen forse steunaankopen.[67] Terwijl de buitenwereld in de waan wordt gelaten dat de introductie van Newtron aan de Amsterdamse effectenbeurs goed is verlopen, realiseren de betrokkenen bij de bank zich binnen enkele dagen dat die op een flop is uitgedraaid.

De onrust die deze mislukking veroorzaakt, maakt ook bij Newtron intern veel los. Nina maakt met grote regelmaat openlijk ruzie met Smit. Stam, Zondag en Wiersma zien haar enkele malen naar zijn kantoor benen, de deur met een ruk openen en een verhitte discussie aangaan. De gesprekken tussen Nina en Smit ontaarden stelselmatig in luidkeelse woordenwisselingen die helder door het grote Atrium galmen, waarbij Smit het gebruik van brute krachttermen niet schuwt en Nina bij herhaling 'I sue you!' schril uit haar mond laat klinken.[68]

Kort na de beursgang zegt de directie van Newtron het vertrouwen op in zijn voorzitter Ton Stam. Volgens Stams collega's heeft hij te weinig kennis van de automatiseringswereld om het bedrijf te kunnen leiden. Stam kan inderdaad niet bogen op de ervaring van Nina, zijn belangrijkste criticaster. Dat beseft hij zelf ook. De andere twee directieleden, Bas Wiersma en Berry Zondag, delen de zorgen van Nina en steunen haar in haar kritiek. Met name bij de aankoop van het Belgische automatiseringsbedrijf Topdata worden hem fouten verweten, zeker als kort na de aankoop blijkt dat het bedrijf zo goed als failliet is. Het drietal vindt ook dat hij Willem Smit niet genoeg tegenstand weet te bieden. Met name voor Nina is dat een grote bron van ergernis.[69]

Vlak voor de kerstdagen biedt Ton Stam zijn ontslag aan. Hij ziet een toekomst bij Newtron niet meer zitten. 'Verschil van inzicht over de uitvoering van het vastgestelde beleid,' luidt de in het persbericht vermelde reden. Voordat Stam het nieuws wereldkundig maakt, stelt hij president-commissaris Neelie Smit-Kroes persoonlijk van zijn besluit op de hoogte. Het gesprek dat hij met haar voert, zal grote gevolgen hebben.

3 'Tot mij wendde zich mevrouw...'

A lawyer with his briefcase can steal more than a hundred men with guns.
MARIO PUZO, *The Godfather*

Voor president-commissaris Neelie Smit-Kroes begint het nieuwe jaar met het besef dat zich bij Newtron onrustbarende ontwikkelingen voltrekken. Na een indringend gesprek met scheidend bestuursvoorzitter Ton Stam bij haar thuis in Wassenaar besluit ze zelf op onderzoek uit te gaan.

In de eerste weken van januari spreekt Smit-Kroes met de resterende directieleden Wiersma, Zondag en Nina en haar collega-commissarissen Smit en De Ridder. Ze wil weten wat er precies aan de hand is. De ontmoetingen vinden bij haar thuis in Wassenaar plaats. Eén voor één komen de betrokkenen op bezoek. De drie overgebleven directieleden beamen dat er bij Newtron het nodige mis is. Ze wijten de problemen voor het grootste deel aan het optreden van grootaandeelhouder Smit en de pas opgestapte Stam. Er zijn grove fouten gemaakt bij de overnames van enkele bedrijven. Stam krijgt het verwijt dat hij te weinig van de automatiseringsindustrie begreep om zijn verantwoordelijke taak te kunnen uitvoeren, en dat hij heeft nagelaten in te grijpen.

Willem Smit moet het nog zwaarder ontgelden. Hij is de bron van alle mismanagement en onzekerheid. Dat is al begonnen bij de start van Newtron, met de aankoop van Miniware. Een aankoop die door Smit persoonlijk was uitgevoerd, maar waarbij al na enkele weken bleek dat het bedrijf technisch failliet was. De directieleden zijn ook van mening dat Smit zijn persoonlijke belangen bij Newtron laat prevaleren. Het drietal is eensluidend over wat er moet gebeuren: wil Newtron een nieuwe weg kunnen inslaan, dan dient Smit op een grote afstand te worden geplaatst. Hij zal moeten aftreden als commissaris.

Smit heeft vanzelfsprekend andere gedachten over de ontstane situatie. Hij meent dat hij als grootaandeelhouder slecht door zijn directieleden op de hoogte wordt gehouden van de stand van zaken, dat zijn directieleden de kennis en de ervaring missen om op het niveau van een beursgenoteerd bedrijf te opereren. Hij meent dat de raad van bestuur versterkt moet worden met een ervaren manager van buiten. De Ridder deelt die mening.

Voor Neelie Smit-Kroes, de voormalige minister, staan alle seinen op rood. De gesprekken hebben haar duidelijk gemaakt dat Newtron organisatorisch een puinhoop is. Ze is er bovendien achter gekomen dat de aankoop van verschillende bedrijven op een 'ondoorzichtige' wijze heeft plaatsgevonden.[1] Ze kan niet anders concluderen dan dat bij Newtron onregelmatigheden hebben plaatsgevonden en dat door enkele van de belangrijkste mensen een web van verdichtsels is gesponnen waarmee ze zichzelf willen bevoordelen. Ze is als president-commissaris de hoogst verantwoordelijke voor het toezicht op de directie. De mogelijkheid dat onder haar ogen onoorbare transacties zijn gepleegd, maakt haar in potentie medeverantwoordelijk en medeaansprakelijk.

Het is voor Smit-Kroes een levensgevaarlijke situatie. Als pas afgezwaaid minister is haar succes meer dan ooit afhankelijk van haar reputatie. Enkele jaren eerder, in 1988, is ze nog door de *Financial Times* uitgeroepen tot machtigste vrouw van Nederland. Op het hoogtepunt van haar ministeriële macht werd ze vergeleken met de invloedrijkste vrouw uit de jaren tachtig, Margaret Thatcher. Ook bij het grote publiek was ze gewild. Bij een verkiezing van de populairste vrouw van Nederland moest ze alleen koningin Beatrix en Mies Bouwman voor zich dulden.[2] Haar imago is haar schat. Ze beschikt over een omvangrijk netwerk van politici en zakenmensen en ze wil gevraagd worden voor gewichtige commissariaten en voorname bestuursfuncties – zoals ze vijf maanden eerder door topbankier Ton Soetekouw voor het toen nog veelbelovende automatiseringsbedrijf Newtron werd gevraagd. Het laatste wat ze nu wil, is meegezogen worden in een beursschandaal. En dat is precies wat bij Newtron staat te gebeuren.

Op 17 januari breekt de eerste Golfoorlog uit. Operatie Desert Storm begint, en op het dak van het Al Rashid Hotel in Bagdad staat CNN-verslaggever Peter Arnett verslag te doen van de precisiebombardementen die de Amerikaanse luchtmacht op de Iraakse hoofdstad uitvoert.

Ook in het hoofdkantoor van Newtron aan de Amsterdamse Zuidas neemt de spanning hand over hand toe. Enkele in het kantoor aanwezige medewerkers zijn er getuige van dat Nina en Neelie Smit-Kroes elkaar in het kantoor van Nina in de haren vliegen. De twee knokkende dames in kokerrokjes geven aan dat het bedrijf nog een moeilijke tijd tegemoet gaat.[3] Smit-Kroes heeft dan haar beslissing al genomen: ze stelt per direct haar positie als president-commissaris van Newtron beschikbaar.

Op zondag 20 januari 1991 is op het kantoor van Newtron in het Atrium een crisisoverleg waarbij alle overgebleven leden van de directie en de raad van commissarissen aanwezig zijn. De opwinding is groot. In een eerdere vergadering heeft Neelie Smit-Kroes de drie directieleden, Smit en De Ridder laten weten haar functie onmiddellijk neer te leggen. Ze heeft ook duidelijk laten weten op geen enkele manier de schuld te willen krijgen van de wantoestanden die zich bij Newtron voordoen. De verantwoordelijken zullen de rotzooi zelf moeten opruimen. Ze zal een persbericht de wereld in sturen waarin ze haar vertrek bij Newtron bekendmaakt zonder op de details in te gaan.

Op dat moment is al duidelijk dat de cijfers over 1990 zullen tegenvallen. Smit hamert er niettemin op een winst te willen publiceren van 23 miljoen. Hij wordt gesteund door financieel directeur Wiersma. Nina wijst in de vergadering op een 'aantal feiten en omstandigheden' die het niet mogelijk maken met dat winstcijfer naar buiten te treden.[4] Ze doelt met name op de bedrijven waar Smits persoonlijke betrokkenheid het grootst is geweest en waar volgens haar de cijfers niet kloppen.[5] Maar er zijn meer redenen om de winstprognose te laten varen. Zo is de ravage bij Positronika groot en loopt de schade bij Topdata ook in de miljoenen.

Argumenten om hoe dan ook vast te houden aan het winstcijfer zijn er niettemin te over. De buitenwereld heeft er nog geen idee van dat de introductie van Newtron aan de Amsterdamse effectenbeurs het tegendeel van een succes is geweest. Maar wanneer nu het winstcijfer bijgesteld moet worden, zo kort na die slecht verlopen beursgang, dan zal het masker vallen. Dat zal zonder twijfel desastreuze gevolgen hebben voor de reputatie van de onderneming en, niet te vergeten, voor die van Smit zelf. Daarnaast heeft de NMB Postbank een groot belang. De bank verkeert in de laatste fase van de fusieonderhandelingen met verzekeraar Nationale Nederlanden. Als zo kort op een beursintroductie al een winstwaarschuwing volgt, kan de bank worden verweten een misleidend prospectus te hebben gepubliceerd. Geen mooi begin van een fusie. Naast de afbreuk die zo'n bericht doet aan de naam van de fusiebank, is de kans groot dat schadeclaims van beleggers zullen volgen. Besloten wordt aan de cijfers uit het prospectus vast te houden.

De houding van Nina ligt Smit zwaar op de maag. Hij ziet in haar handelen juist een van de oorzaken voor de tegenvallende resultaten van Newtron. Smit stelt dat de door Nina genoemde winstcijfers lang niet worden gehaald. Zij is bovendien de aanjager geweest van de overname van Positronika, waarvan de Belgische vestiging zo goed als bankroet is. Een schade van miljoenen guldens is het waarschijnlijke gevolg.[6] En niet in de laatste plaats: hij verwijt haar ook een van de hoofdoorzaken te zijn van het aftreden van Smit-Kroes.[7]

De met stemverheffingen gepaard gaande discussie tussen Smit en Nina wordt door commissaris Peter de Ridder afgehamerd. Er zijn andere onderwerpen die aandacht behoeven, zoals de aanstelling van Ab Brink als interimmanager van het ook al in zwaar weer verkerende beveiligingstechnologiebedrijf ID Systems uit Zwolle, en de tekst voor het persbericht dat het plotselinge vertrek van Neelie Smit-Kroes toelicht.

'Wegens een verschil van inzicht in het beleid en de te nemen maatregelen,' is de eenregelige reden die Smit-Kroes daarvoor in haar eigen bericht verschaft. Newtron zal daar, ook in een persbericht, iets aan moeten toevoegen. Directie en raad van commissarissen van het automatiseringsbedrijf menen dat het 'compleet verrassende' vertrek van hun voorname commissaris afdoende wordt uitgelegd met de bewoording 'om haar moverende redenen'. Wel onderstreept De Ridder in het persbericht dat ondanks alles nog steeds sprake is van een 'homogeen en gesloten team'.[8] Daags na haar aftreden wordt Smit-Kroes in het gebouw van de Amsterdamse Effectenbeurs gesignaleerd. Ze mag op de koffie komen bij het beursbestuur en komen uitleggen waarom ze halsoverkop het bedrijf de rug heeft toegekeerd.

Met het vertrek van zowel Stam als Smit-Kroes is Newtron bestuurlijk onthoofd. Baron Van Ittersum van de Amsterdamse effectenbeurs vindt het 'te summier' verwoorde persbericht bovendien een reden om het bedrijf op die maandag ook nog eens een hele dag van zijn beursnotering te ontdoen. De gevolgen voor het aandeel Newtron zijn niet gering. De koers maakte de vrijdag ervoor nog een scherpe daling naar 9 gulden, 15 procent onder de introductiekoers. Na de door de baron verordonneerde rustdag zakt het aandeel naar 8,20 gulden.

Voor Willem Smit kleven aan het dubbele afscheid vele consequenties. Een daarvan in het bijzonder heeft zijn aandacht. In het bestuurlijke machtsvacuüm dat zich na het vertrek van Stam en Smit-Kroes manifesteert, begint de persoonlijkheid van de enig overgebleven vrouw steeds meer de bepalende factor te worden. Nina – in de raad van bestuur verantwoordelijk voor marketing en communicatie – blijkt in toenemende mate een autonome taakopvatting te huldigen. Smit vindt dat hij steeds slechter door de directie wordt geïnformeerd en beklaagt zich erover. De directie, Nina voorop, is op haar beurt van mening dat het maar eens afgelopen moet zijn met de bemoeienissen van Smit.

Op woensdag 30 januari staat in het Amsterdamse Okura-hotel de persconferentie van de raad van bestuur op de agenda. De jaarcijfers zullen er bekend worden gemaakt. In zijn pogingen om op de hoogte te blijven van de details van de persconferentie, neemt Smit contact op met de pr-dame van Newtron, Perlita Fränkel.

Hij kent haar al jaren. Fränkel was ooit bij Datex verantwoordelijk voor alle communicatie. Sinds enkele jaren heeft ze een eigen pr-bureau en dankzij Smit is Newtron haar belangrijkste opdrachtgever. De lijnen tussen Smit en zijn vroegere medewerker zijn nog steeds kort. Te kort, volgens Nina. Als zij op de ochtend van 29 januari van Fränkel te horen krijgt dat Smit naar de voorbereidingen van de persconferentie van de raad van bestuur heeft geïnformeerd, grijpt ze in.

Hoewel ze Smit precies tegenover haar, op een afstand van enkele tientallen meters, in zijn kantoor kan zien zitten, besluit ze de oprichter, grootaandeelhouder en commissaris van Newtron een brief te schrijven. Op het geschepte briefpapier van het automatiseringsbedrijf richt ze het woord tot hem: 'Geachte heer Smit, [...] Ik zou het zeer op prijs stellen als alle contacten omtrent Newtrons pr- en reclameactiviteiten via mij verlopen. Mocht je informatie wensen, dan zijn wij altijd bereid je deze te verstrekken.'9

Met financieel directeur Bas Wiersma maakt Nina aanstalten om zich op woensdag 30 januari aan de pers te presenteren. Maar enkele uren voordat de persconferentie begint, neemt commissaris Peter de Ridder het heft bij Newtron in handen. Hij, en niet een lid van de directie, zal de komende tijd als gedelegeerd commissaris leidinggeven aan het automatiseringsbedrijf.

De beraadslagingen op het hoofdkantoor van Newtron die daaraan voorafgaan, lopen ernstig uit. Woordvoerster Fränkel moet twee verslaggevers van *Het Financieele Dagblad*, die ze een interview met de woordvoerder van de raad van bestuur heeft toegezegd, keer op keer om geduld vragen. Als de vergadering uren later is afgelopen, komt De Ridder als eerste uit de vergaderzaal naar buiten lopen. Hij is degene die als gedelegeerd commissaris de leiding in handen heeft. Hij is het die de pers te woord zal staan. Maar hij is laat.10 De persconferentie staat om halfvijf gepland. Hij heeft nog maar een paar minuten om er te komen. Even over halfvijf springt hij voor het hotel uit zijn BMW. Te laat. De twee wachtende verslaggevers van *Het Financieele Dagblad* wuift hij, zonder een woord te zeggen, met een vermoeid handgebaar weg.

Als De Ridder zijn leidende rol ten overstaan van de verzamelde pers bekendmaakt, zijn Nina en de andere twee directieleden niet aanwezig. Op vragen van journalisten of hij soms van plan is de directie te ontslaan, antwoordt hij ontkennend. De Ridder dicht ze liever een 'verstandige, krachtdadige' houding toe.11

De in het bestuursvacuüm gesprongen commissaris belooft een einde te maken aan de chaos die zich sinds de jaarwisseling van het bedrijf meester heeft gemaakt. Hij betreurt het dat Stam en Smit-Kroes niet langer bij Newtron zijn betrokken, maar weidt verder niet uit over de precieze redenen van het vertrek van de twee topbestuurders. Wel kondigt de voormalige directeur van het Centraal Planbureau het faillissement aan van een van de Belgische aankopen, Topdata. Uit de woorden van De Ridder stijgt de geur van fraude op. De financiële rapportage van Topdata 'strookte niet met de werkelijkheid'.[12] Hij zegt het niet volmondig, maar de boodschap is duidelijk: Newtron is te pakken genomen. Hij voegt daar voor de helderheid aan toe dat Smit-Kroes voor haar vertrek op de hoogte was van de situatie bij het Belgische bedrijf.

Dat ook dochter Positronika België al maanden failliet is en het bedrijf ID Systems in grote problemen verkeert, laat De Ridder buiten beschouwing. Hetzelfde geldt voor een aantal andere kwesties van boekhoudkundige aard. 'Behalve Topdata is mij geen enkel ander probleemgeval bekend,' zegt hij tegen de aanwezige financiële journalisten.[13]

De gebeurtenissen geven hem geen andere mogelijkheid: waar anderhalve week eerder Newtron nog vasthield aan de winst- en omzetprognoses, moet De Ridder nu een flinke stap terug doen. Vanwege de nieuw ontstane realiteit binnen het automatiseringsconcern, de ellende bij Topdata, meent hij dat het verstandig is de voor vandaag geplande publicatie van de jaarcijfers naar een latere datum te verplaatsen. Eerst moet maar eens met behulp van een accountantsonderzoek duidelijkheid geschapen worden over de financiële situatie bij Newtron.[14]

'Topdata is geen oorzaak van de problemen bij Newtron, maar een symptoom,' schrijft *Het Financieele Dagblad* de volgende ochtend.[15] Die gedachte heerst ook bij de Amsterdamse effectenbeurs. Onder toeziend oog van baron Van Ittersum schort de beurs de notering van Newtron voor de tweede keer op. Op het mededelingenbord op de beursvloer is te lezen dat er eerst een duidelijk financieel bericht van Newtron zal uitkomen alvorens de handel zal worden hervat. Wanneer dat in het inmiddels ook door vogels bewoonde Atrium doordringt, slaat de paniek weer toe. Newtron was voorlopig niet van plan een bericht uit te brengen. Volgens woordvoerster Fränkel is er een vergissing in het spel. De beurs blijkt de cijfers van Topdata te willen hebben. Newtron ontkent die te hebben beloofd. Verwarring alom.

Op datzelfde moment geeft directeur marketing en communicatie Nina Aka in de huiskamer van haar woonhuis in Wassenaar een uitgebreid interview aan een verslaggever van *Het Financieele Dagblad*. Smit en De Ridder hebben geen idee van Nina's initiatief om de bedrijfscommunicatie actief ter hand te nemen. Bas Wiersma en Berry Zondag zijn vanzelfsprekend wél op de hoogte van het publicitaire initiatief van hun collega. Wiersma heeft met Nina afgesproken ook naar Wassenaar te komen en de journalist te woord te staan. Hij heeft laten weten dat hij iets later komt. Nina wacht niet op hem en steekt van wal.

'Toen ik hoorde dat Neelie Smit-Kroes ontslag had genomen als president-commissaris, wilde ik ook weg,' laat Nina zich in haar eerste grote interview met het FD ontvallen. Ze zegt dat ze zich door De Ridder heeft laten overhalen om te blijven. Ze is nu gelukkig met dat besluit. 'Het is voor mijn geestelijk welzijn beter dat ik ben gebleven.' De uitspraken worden door de verslaggever, die een dag eerder nog vruchteloos op De Ridder had gewacht, gretig genoteerd.

Nina vertelt over het idee dat ze bij de aanvang van Newtron had om, net als Sylvia Tóth, als vrouw carrière te maken in het bestuur van een beursfonds 'waar eerlijk gecommuniceerd en ook nog gelachen kan worden'. Ze zegt dat ze nu alleen nog maar kan lachen als ze vanwege haar vermoeidheid per ongeluk terugvalt in het Engels. Dat gebeurt haar wel vaker, vanwege haar in Canada doorgebrachte jeugd.[16]

Het valt de journalist op dat Nina emotioneel wordt als de voormalige minister (haar 'vriendin') ter sprake komt. Nina spreekt lovend over haar, ondanks haar veelbesproken plotselinge aftocht. Zij was het immers geweest die Smit-Kroes had uitgenodigd bij Newtron president-commissaris te worden, legt Nina de verslaggever uit.[17]

Halverwege het gesprek schuift de inmiddels gearriveerde Wiersma aan. Ze hebben het over Ton Stam. De Newtron-topvrouw vertelt verder hoe teleurgesteld ze is in de capaciteiten van haar voormalige bestuursvoorzitter. 'De heer Stam voerde besluiten niet uit.' Wiersma is het daarmee eens. Wat hem betreft hoeft er ook geen nieuwe bestuursvoorzitter aan te treden. Hij wil de taak wel op zich nemen – als hij daarvoor gevraagd zou worden, tenminste. Nina zegt die ambitie te ontberen. Ze wil liever wat tijd overhouden om met haar gezin samen te kunnen zijn.

Het tweetal is ook eensgezind als het gaat over het probleem bij Newtron: dat is zonder enige twijfel het Belgische Topdata. Het bedrijf dat door Stam werd gekocht. Daar kloppen de cijfers niet.[18] Desondanks stellen de twee directieleden dat het nog 'heel goed mogelijk is dat de winstprognoses gehaald worden'.

Nina wil het hieropvolgende weekeinde gebruiken voor verder overleg over hoe met de situatie moet worden omgesprongen. Het is duidelijk dat ze door Smit en De Ridder worden uitgespeeld, terwijl zij als directie feitelijk de leiding van het bedrijf in handen zouden moeten hebben. Nina stelt voor direct een tas met kleren te pakken en een lang weekeinde in de Oostenrijkse Alpen door te brengen. Ze kent er een goed hotel – eventjes ver verwijderd van de Amsterdamse hectiek. Tussen de wintersporters zullen ze de zaken makkelijker op een rij kunnen zetten.

Terwijl de drie directieleden aanstalten maken om naar Oostenrijk te vertrekken, wordt in Amsterdam nog steeds hevig tussen Newtron en de beurs heen en weer gebeld, zonder enig vruchtbaar resultaat. De beurs besluit vrijdagmiddag dat het zekerheid wil over de financiële toestand bij Newtron en stelt het hervatten van de notering verder uit. Het bedrijf moet duidelijkheid scheppen over de vraag of het niet in zijn voortbestaan wordt bedreigd. Eerder zal de notering niet worden geactiveerd.[19]

Verschillende journalisten vragen Newtron om een reactie. 'Belachelijk,' zegt De Ridders persoonlijke woordvoerder, iemand die opeens bij Newtron op het toneel is verschenen en Perlita Fränkel naar de achtergrond heeft gedrukt. 'Er is niets aan de hand met Newtron, er is wel iets aan de hand met Topdata.'[20]

De mededeling van de beurs betekent hoe dan ook dat De Ridder, wil het aandeel Newtron maandag weer verhandelbaar zijn, voor het openen van de beurs op maandag nog een uitspraak moet doen over de toestand bij het bedrijf. Het interview van Nina en Wiersma is bij De Ridder en Smit ook niet in goede aarde gevallen. Vooral Smit is moeilijk tot bedaren te brengen wanneer hem de uitspraken van Nina en Wiersma in het FD worden voorgehouden. Mocht er nog enige twijfel zijn geweest over de bestuurlijke chaos bij Newtron, dan is die door het interview van het opstandige tweetal nu definitief verdwenen. Hij vindt dat er onmiddellijk een sterke persoon aangewezen moet worden die in de raad van bestuur orde op zaken gaat stellen. De Ridder is het met hem eens. Ze hebben ook al een geschikte kandidaat op het oog.

Maandagochtend maakt Newtron in een persbericht de voorlopige cijfers bekend. Door 'een aantal bestuurlijke en operationele problemen die de ondernemingsgang hebben bemoeilijkt' en enkele 'financiële risico's' die zich bij 'enkele kleine dochtermaatschappijen' hebben gemanifesteerd, heeft Newtron niet de beloofde 450 miljoen gulden omzet gedraaid, maar 35 miljoen minder. En de winst is geen 23 miljoen gulden, maar slechts 18 miljoen.[21] Het bericht maakt ook melding van positieve ontwikkelingen bij Nina's divisie Distributie en Datacommunicatie. Het leed wordt er iets door verzacht. Om de ontstane problemen te lijf te gaan, wordt ook het afscheid van de tijdelijk vooruitgeschoven positie van De Ridder bekendgemaakt. Hij wordt vervangen door een ervaren puinruimer: Berry van den Brink.

Van den Brink is niet zomaar een gelouterde crisismanager die van buiten is aangetrokken. Hij is al jaren goed bevriend met Adri Strating, met wie hij in 1990 nog een effectenbedrijf heeft opgezet, Gestion. Maar ook Smit kent hij goed. Behalve in de bekende uitgaansgelegenheden treffen ze elkaar ook geregeld tijdens bijeenkomsten van het exclusieve investeerdersgenootschap Groupe Courtier.

Van den Brink heeft eerder een loopbaan bij Banque Paribas afgesloten om zich te specialiseren op het gebied van reorganisaties en bedrijfsovernames. Bij de overnames die hij de afgelopen jaren heeft gedaan – dikwijls samen met het Courtier-lid Willem Cordia, een bekende investeerder – is hij degene die in het bedrijf orde op zaken komt stellen, en daar veelal ook in slaagt.

Ook de bankiers van NMB hebben hem van dichtbij aan het werk gezien. Zijn aanwezigheid stelt hen gerust. Oud-bankier Van den Brink spreekt bovendien de taal van de mannen van NMB. Hij is ervan doordrongen dat er de bank veel aan is gelegen om de rust te bewaren en de schade zoveel mogelijk beperkt te houden, zeker nu de kritische commentaren over de rol van de bank – Newtron-investeerder en financier van het eerste uur – in de financiële pers langzamerhand breder worden uitgemeten.

Dat bij Newtron schade is geleden, is hem meer dan duidelijk. De vraag is alleen hoeveel. De slechte overnames van Topdata en Positronika hebben de jaarcijfers vanzelfsprekend geen goed gedaan. Maar Van den Brink weet ook dat de verwerking van die twee miskopen hooguit de flauwe warming-up vormen voor de rest van de klus die hem wacht. Hij vermoedt dat het, als hij de definitieve cijfers in maart bekend zal maken, niet bij een winstcorrectie van 5 miljoen gulden zal blijven.

Een aantal bedrijven is niet alleen veel te snel gekocht, maar ook voor veel te veel geld. Vooral de achterliggende motieven van Newtron om meer voor bedrijven te betalen dan nodig, bezorgen hem een interessante uitdaging. Vrijwel iedere betrokkene – bestuurder, commissaris of bankier – heeft weet van de trucs waarmee omzet en winst zijn gemanipuleerd. Als er maar iets over de werkelijke toestand bij Newtron uitlekt, is het spel gespeeld. Definitief. De schade is dan niet meer te overzien, vooral niet voor NMB Postbank, dat zo graag met Nationale Nederlanden wil fuseren.

Van den Brink trekt als eerste Newtrons accountant Coopers & Lybrand erbij. Het was Coopers & Lybrand dat de boeken controleerde; het was Coopers & Lybrand dat het emissieprospectus voorzag van een goedkeurende krul. De accountants van Coopers stonden erbij en keken ernaar. Ze zagen erop toe zonder in te grijpen. Van den Brink wil daarom dat in de komende weken Coopers & Lybrand met andere mensen het bedrijf grondig doorlicht.[22]

De koers van het aandeel Newtron heeft intussen zwaar te lijden onder de affaire, die nauwlettend door de media wordt gevolgd. Begin maart is meer dan 20 procent van de waarde van het concern verdampt. Met die ontwaarding slinken ook de papieren vermogens van de aandeelhouders, van wie Willem Smit met meer dan 30 procent veruit de grootste is.

Niettemin maakt het verlies vooral bij Nina gevoelens van teleurstelling los. Ze besluit haar belofte aan Smit, die ze vaak in woordenwisselingen uitte, gestand te doen. Ze belt haar advocaat Herman Jansen en maant hem tot actie. Jansen, die zelf nauw bij de verkoop van A-Line betrokken is geweest, gehoorzaamt zijn opdrachtgeefster gewillig. Op vrijdag 15 maart, even voor vijven, laat de Haagse raadsman bij Newtrons advocaat Oscar Hammerstein een brisante brief uit de fax glijden.

Jansen schrijft dat hij in opdracht van Nina voormalig bestuursvoorzitter Ton Stam, commissaris Willem Smit en de onderneming Newtron aansprakelijk stelt voor de geleden schade van zijn cliënte.[23] Nina vindt dat ze door Smit en Stam om de tuin is geleid. Ze hebben haar bij de koop van A-Line een 'onjuist beeld' van het bedrijf Newtron gegeven en ze voelt zich nu 'ernstig misleid', schrijft Jansen. Nu eist ze niet alleen volledige compensatie van de door haar geleden schade; ze zegt bovendien zich niet langer gebonden te achten aan de koopovereenkomst tussen A-Line en Newtron.[24] Newtron krijgt drie dagen de tijd om te reageren. Maandag om vier uur wil Jansen een schriftelijke reactie op zijn bureau hebben liggen.[25]

Als Smit en Stam niet te goeder trouw hebben gehandeld – en dat is wat Jansen schrijft – dan moet er kwade trouw in het spel zijn. Met andere woorden: Smit en Stam hebben Nina bewust valse cijfers voorgeschoteld. En nu wil ze haar geld terug.

Willem Smit, die toch al snel van zijn à propos raakt wanneer het de gedragingen van zijn vrouwelijke zakenpartner betreft, is buiten zinnen van woede als Hammerstein hem bericht over de aanklacht. Hammerstein stuurt Smit een paar minuten later een fax waarin hij voor zijn cliënt de zakelijke afspraken tussen Newtron en Nina samenvattend op een rijtje zet, inclusief de in 'een side letter' beschreven afspraak dat Nina zich verplicht tot de aankoop van 460.000 aandelen en de betaling van enkele miljoenen voor 'adviezen'.[26]

Hammerstein rekent Smit in de fax ook voor waar mogelijk het motief van Nina in is gelegen: 'Aka verkreeg met de tweede transactie ruim 900.000 aandelen Newtron,' schrijft Hammerstein. 'Nu de koers van f 10,50 naar f 8,00 zakt, verloor zij (op papier) f 2,2 miljoen en daar zit de pijn.'

De onverhoedse aanval uit de eigen bestuursgelederen maakt de situatie voor Newtron niet eenvoudiger. Het beschieten van de eigen troepen, terwijl het beursfonds al zwaar onder vuur ligt, kan het bedrijf noodlottig worden. Er hoeft onder deze omstandigheden maar een snipper van Nina's aanklacht in de media terecht te komen, en Newtron kan worden opgedoekt.

In het weekeinde begint het bij Hammerstein te dagen dat voor Newtron grote risico's kleven aan de brief die Nina haar advocaat heeft laten schrijven. Hij kan de logica ervan maar niet bevatten. Maandagochtend stuurt hij een fax aan Smit, Wiersma en Van den Brink waarin hij zijn verbijstering uit over de actie van Nina. 'Feitelijk stelt mevrouw Aka zichzelf aansprakelijk voor het geven van een misleidende voorstelling van de toestand waarin de vennootschap verkeert. Het is beslist een volstrekt onzinnige en verkeerde stellingname, die eigenlijk niet eens serieus genomen kan worden.'[27]

De fax gaat vergezeld van een conceptbrief die hij diezelfde dag nog naar advocaat Jansen wil faxen. Hammerstein legt uit wat hij met de brief wil bereiken: 'Het is niet de bedoeling mevrouw Aka met mijn brief te kwetsen, doch uitsluitend om haar tot inkeer te brengen op de besluiten die kennelijk door haar zijn genomen,' schrijft Hammerstein. 'Het komt mij oprecht voor dat de bedoelde stellingname is ingegeven door emoties en dat daarover verder niet is nagedacht.'

Hammerstein kent de boosheid van Smit, die bijna onophoudelijk in hoofdstedelijk Bargoens zijn afkeuring over Nina uitspreekt.[28] Hij wil de woede van Smit echter niet in zijn brief laten doorklinken. Integendeel. Het is nu voor Newtron van levensbelang dat de harde confrontatie met Nina uit de weg wordt gegaan, om zo verdere escalatie van het conflict te voorkomen. De nabije toekomst van het bedrijf hangt ervan af. Tegelijkertijd moet hij Jansen proberen duidelijk te maken dat zijn cliënte een grote vergissing begaat als ze deze actie wil voortzetten. Hij waarschuwt Smit, Wiersma en Van den Brink er niettemin voor dat wanneer de inhoud van zijn brief uitlekt, dat 'onvoorstelbare gevolgen kan hebben voor Newtron Holding NV'.[29] Daarom verzekert hij het drietal dat hij Jansen, als hij de brief later die dag naar hem faxt, telefonisch zal verzoeken de fax direct van het apparaat te halen.

'Sedert september en oktober 1989, toen ik met mevrouw Aka kennismaakte, heb ik met stijgende waardering kennis gekregen van haar capaciteiten en zijn er in elk geval van mijn zijde gevoelens van vriendschap ontstaan,' begint Hammerstein zijn negen pagina's tellende brief.[30] 'Die band werd versterkt in de bijzonder moeilijke periode vanaf medio december, waarin ik als huisadvocaat van Newtron ook mevrouw Aka van advies heb gediend.'

Na deze vleiende openingswoorden somt hij enkele feiten op die tot de overeenkomsten en side letters hebben geleid en waarover 'algehele overeenstemming' bestond. Voordat Hammerstein tot de essentie overgaat, stipt hij nog even aan dat ook Jansen zelf en confrère Rob Laret bij de totstandkoming van die bewuste contracten een wezenlijke rol hebben gespeeld. Beide partijen, gaat Hammerstein verder, zijn van mening geweest dat met de betaling met aandelen 'wederzijds voordeel' behaald kon worden. Hij voert de druk langzaam op. Hij stelt dat Nina als statutair directeur van Newtron 'nauw betrokken' is geweest bij de totstandkoming van de cijfers die mede 'onder haar verantwoording' gestalte hebben gekregen. 'De prospectus waarin die cijfers staan, is mede door mevrouw Aka onderschreven.'

Het zijn volgens Hammerstein vooral de 'onverwachte gebeurtenissen' geweest waar de koers van Newtron onder heeft geleden. Onverwachte gebeurtenissen zoals het vertrek van Stam en het vertrek van Smit-Kroes, die steeds werden gevolgd door een koersdaling. Ten aanzien van die voor Newtron minder gelukkige voorvallen merkt de advocaat op dat 'mevrouw Aka daarbij ten nauwste betrokken is geweest'.[31]

Hij vraagt Jansen of Nina zich wel realiseert dat zij Newtron aansprakelijk stelt voor 'vermeend geleden schade' terwijl ze zelf als statutair directeur aansprakelijk is. Nina zal dus, redeneert hij, 'namens Newtron haar eigen standpunt dienen te bestrijden', en waar Newtron door haar aanklacht schade lijdt zal zij die deels persoonlijk moeten vergoeden.

'Ik kom derhalve tot de slotsom dat de stellingname van mevrouw Aka als door u verwoord, is ingegeven door emoties en niet door het gezonde verstand. Ik vertrouw er dan ook op dat u mijn inzicht zult delen en uw cliënte van de onzinnigheid van deze stellingname zult overtuigen.'

Terwijl de advocaten van Newtron en Nina elkaar met brieven bestoken, komen de accountants van Coopers & Lybrand op basis van hun onderzoekingen langzaam maar zeker tot de conclusie dat Newtron een doodziek bedrijf is.[32] Niet alleen zijn omzet en resultaten ver bij de voorspellingen achtergebleven, het eigen vermogen blijkt eigenlijk voor de beursgang al onder nul te zijn gegleden. Dat houdt in dat Newtron technisch failliet is, een detail dat Coopers & Lybrand eerder bij het controleren van de cijfers van het emissieprospectus was ontgaan.

Dat prospectus is in feite een ernstig misleidend document waar ze een halfjaar eerder nooit de handtekening onder hadden mogen zetten. Dat de accountant van Coopers die de boeken van Newtron controleert, Harry Rörik, al sinds de periode-Datex een vertrouwenspersoon is van Willem Smit,[33] maakt de zaak niet eenvoudiger. De accountants zijn daarom verheugd dat ze door De Ridder en Berry van den Brink in de gelegenheid zijn gesteld eigenhandig de eerdere fouten te herstellen.

Accountant Rörik krijgt bij deze missie versterking van een collega.[34] Logischerwijs slaan de rekenaars van Coopers & Lybrand in hun nieuwe beoordeling een andere toon aan. Het onderzoek heeft hun duidelijk gemaakt dat Newtron op een roekeloze wijze de ene na de andere overname heeft gedaan. De meeste acquisities werden gedaan zonder deugdelijke due diligence. Sterker, van enig onderzoek vooraf was in veel gevallen überhaupt geen sprake.[35] Illustratief is de situatie bij de Belgische vestigingen van de bedrijven Topdata en Positronika, die kort na de overname al in doodsnood verkeren.

Toch zijn het vooral de torenhoge bedragen die voor een aantal bedrijven op tafel zijn gelegd, die een afwijkend beeld van de financiële toestand bij Newtron hebben doen ontstaan. De accountants menen bij nader inzien dat de betaalde bedragen niet in verhouding staan tot de winsten die de bedrijven genereren.[36] De duur betaalde acquisities – waaronder ook Nina's A-Line – staan dus voor te hoge bedragen op de balans. Het recept om deze vergissing ongedaan te maken, is eenvoudig. De overwaarderingen, op de balans als goodwill omschreven, moeten ten koste van het eigen vermogen versneld worden afgeschreven.[37] Ook een paar daarmee samenhangende neventransacties die de winst op een voordelige manier beïnvloedden, moeten worden doorgehaald.

Op donderdagavond 21 maart neemt financieel directeur Bas Wiersma de beslissing om zijn functie beschikbaar te stellen. Hij heeft al maanden grote problemen met de druk die op hem wordt gelegd om de cijfers kloppend te krijgen. De schimmige deals, het totale gebrek aan transparantie en de verregaande wispelturigheid van Smit zijn een permanente bron van onrust. Het ene moment is Smit slechts commissaris, het andere moment bemoeit hij zich met het kleinste detail. Wiersma vindt dat hij al veel te ver met Smit is meegegaan. Hij kan niet meer. Hij wil zijn handtekening niet meer onder de cijfers zetten. Nina is het met hem eens. Met behulp van een van de advocaten van Nina schrijft hij zijn ontslagbrief.[38]

De volgende dag meldt Van den Brink bij de NMB dat financieel directeur Wiersma afscheid heeft genomen. Hij licht de bankiers ook nader in over de ernst van de situatie bij het bedrijf. De extra accountantscontrole heeft uitgewezen dat het bedrijf een serie afboekingen dient te maken, waardoor de winst aanzienlijk lager zal uitvallen. De Ridder sprak begin februari nog over 18 miljoen gulden winst; Van den Brink kan er volgens de sommetjes van de accountants niet meer dan 6 miljoen van maken. En dat betekent dat Newtron opnieuw een eerder gedane uitspraak moet corrigeren. De zoveelste. Erger is dat het onvermijdelijk is dat Van den Brink ook nog eens aan de buitenwereld duidelijk moet maken dat door aanzienlijke afschrijvingen op goodwill het eigen vermogen onder nul is gezakt. Newtron is, technisch gesproken, failliet. Deze naakte feiten leggen wat hem betreft de verregaande incompetentie van het management bloot. Het vertrek van Wiersma was hoe dan ook onvermijdelijk.

Voor Wiersma valt het afscheid niet zwaar. Hij kan eindelijk een donker hoofdstuk in zijn loopbaan afsluiten. In het weekeinde heeft hij voor zijn afscheid een volzin geconstrueerd die hij maandagochtend via een eigen persbericht de wereld in stuurt: 'Van de vereiste vertrouwensbasis voor het zinvol voortzetten en kunnen uitoefenen van deze functie is niet langer sprake.'[39]

De Ridder verklaart maandagochtend dat hij het vertrek van Wiersma niet heeft zien aankomen. 'Ik heb het pas in het weekeinde gehoord,' zegt hij tegen het FD. 'Voor mij is het een complete verrassing.' Van de opgegeven reden van Wiersma's ontslag snapt hij weinig. 'Het is een enigszins cryptische formulering waar ik de betekenis niet van begrijp.' Hij suggereert dat Wiersma's vertrek iets met geknakte ambities heeft te maken – hij voelde er immers veel voor om bestuursvoorzitter te worden.

Met het vertrek van Wiersma legt de Amsterdamse effectenbeurs opnieuw de handel in het aandeel Newtron stil. Het wachten is op de definitieve cijfers, die een paar dagen later bekendgemaakt zullen worden. De Ridder verwacht niet dat die zullen afwijken van de cijfers van februari.[40]

In en rondom de directievertrekken van het bedrijf doen intussen de vreemdste verhalen de ronde. In het huis van Nina in Wassenaar zou op een nacht in maart een merkwaardige inbraak plaats hebben gehad. Laden zouden zijn opengetrokken, kasten doorzocht, maar uiteindelijk zouden de inbrekers geen spullen van waarde mee hebben genomen. Zelfs de Cobra-schilderijen werden ongemoeid gelaten. In de tuin lagen nog wel wat van Nina's eigendommen, die er schijnbaar opzettelijk waren achtergelaten. Smit zou achter de inbraak zitten, zo gaat al snel het verhaal. Hij zou enkele Joegoslaven hebben ingehuurd om Nina een waarschuwing te geven.[41]

Woensdag 27 maart wordt de laatste marathonsessie in een serie van noodbesprekingen gehouden in Amsterdam-Zuidoost, in het vermaarde hoofdkantoor van NMB Postbank. Bestuursvoorzitter Wim Scherpenhuijsen Rom, aanhanger van de pseudowetenschappelijke antroposofische wereldbeschouwing, is de grote pleitbezorger geweest van het spraakmakende organische ontwerp van het gebouw. De grillige vormen en de schuine muren ervan zijn gestoeld op antroposofische beginselen waar de bevlogen Scherpenhuijsen Rom zo op is gesteld. Ze dienen harmonie en verbondenheid met de natuur uit te drukken.

Maar de hoofdrolspelers in die vergadering, het duo Willem Smit en Nina Aka, vormen niet de ideale ingrediënten voor een harmonieus samenzijn. Het tweetal bevindt zich na een aantal incidenten op voet van oorlog met elkaar. De strijd is inmiddels zo geëscaleerd, dat het voortbestaan van Newtron ermee is gemoeid. Smit heeft de hand gehad in de voor Nina vernederende ingreep om Peter de Ridder voor het bestuur te plaatsen. Nina heeft op haar beurt met een juridische kamikazeactie Smit en Newtron van ernstige misleiding en kwade trouw beschuldigd.

Samen zitten ze in het schuitje dat Newtron heet en dat vijf maanden na de beursgang al aan de grond is gelopen. Maar hun lotsverbondenheid reikt nog verder. Het tweetal heeft samen met zijn advocaten en bestuursleden illegale transacties verricht bij de aankoop van A-Line. Die zijn inmiddels, waar mogelijk, in de financiële reorganisatie ongedaan gemaakt met het afboeken van miljoenen guldens aan goodwill als gevolg. Ook op een paar dramatisch slechte overnames is miljoenen afgeschreven, en dat alles, hebben de accountants berekend, heeft ertoe geleid dat het complete eigen vermogen is verdampt. En met de kelderende beurskoers vervliegen ook de miljoenen van het duo – en die van NMB Postbank.

Voor de bank staat behalve geld nog meer op het spel: reputatie. Daaruit put een klant vertrouwen. En zonder dat vuurvaste vertrouwen kan een bankier niet leven. De ellende rond Newtron betekent al aanzienlijk gezichtsverlies voor de bank. Maar het kan nog erger. Ton Soetekouw, Mike Vredegoor en andere verantwoordelijke NMB'ers zullen de feiten onder ogen moeten zien. Zij zijn het die Newtron naar de beurs hebben gebracht. Wat een soepele operatie had moeten worden, zou met een claim van Nina wel eens uit kunnen lopen op een totale catastrofe. De direct betrokken bankiers hebben bovendien allen aandelen in Newtron in hun bezit. Ze dachten er op een snelle en makkelijke manier financieel beter van te kunnen worden. Die belangenverstrengeling in de top van de bank begint ook nog eens langzaam naar de buitenwereld door te druppelen: het nieuwe nummer van *Quote*, net uitgekomen, licht een tip van de sluier op.

In de voorgaande dagen is iedere betrokkene al eens op het hoofdkantoor langs geweest. Berry van den Brink heeft al een principeakkoord bereikt over de herfinanciering van Newtron. Willem Smit en Adri Strating pompen ieder 5 miljoen gulden in het bedrijf, en de bank zet 39 miljoen gulden aan leningen om in aandelen. De bank is daarmee in één klap de op één na grootste aandeelhouder in Newtron. De bankiers stellen wel een voorwaarde: Smit moet zitting nemen in de raad van bestuur van Newtron. Niet als hoogste baas – dat zou baron Van Ittersum niet tolereren – maar wel als steun voor Van den Brink.

Dinsdagochtend heeft het derde bestuurslid Berry Zondag zich ziek gemeld. De kans dat hij terugkeert, is verwaarloosbaar. Met alleen Van den Brink en Nina in het bestuur ontbeert het bedrijf deskundigheid op het gebied van automatisering, vinden de bankiers. Van den Brink is een goede crisismanager, maar hij heeft nauwelijks kennis van de automatiseringsindustrie. Bovendien moet het vertrouwen van de belegger herwonnen worden, zeker als een dag later de dramatische cijfers bekendgemaakt zullen worden. De persoonlijke inzet van de oprichter en grootaandeelhouder is daarbij zeer gewenst.

Smit heeft zo zijn bedenkingen. De gedachte dat hij binnenkort met Nina aan dezelfde bestuurstafel zit, laat hem niet van enthousiasme opveren. Maar hij weet dat hij geen andere keus heeft. De bank wil het, en hij zal zich moeten schikken. Zijn positie in de raad van commissarissen zal worden ingenomen door de kantoorgenoot van Newtrons raadsman Oscar Hammerstein, Frits Salomonson. Salomonson is een gerespecteerde topadvocaat, niet in het minst vanwege die ene dame die zich onder zijn clientèle bevindt: Hare Majesteit de Koningin der Nederlanden.

Een ander onderdeel van het reddingsplan is dat de grootaandeelhouders met elkaar afspreken dat geen van hen in de komende maanden aandelen zal verkopen. Ze willen daarmee voorkomen dat de koers van het aandeel Newtron nog verder wegzakt. De bank heeft er nog een ander doel mee. Als de koers zo kort na de beursgang nog verder daalt, wordt de kans groter dat benadeelde beleggers schadeclaims indienen vanwege een misleidend emissieprospectus.[42]

De grootste aandeelhouders maken de geheime afspraak dat ze op straffe van een boete van 10 gulden per aandeel tot aan de publicatie van de jaarcijfers van Newtron, in het voorjaar van 1992, geen stukken meer zullen verkopen, tenzij aan elkaar. Als de koers beneden de 5,70 daalt, zal de bank stukken inkopen om op die manier de koers weer te corrigeren.[43] Hoewel dit type koersmanipulerende handelingen op Wall Street al sinds 1934 als frauduleus wordt bestempeld, bestaat er in Nederland nog geen regelgeving voor. De raad van bestuur van NMB Postbank is er juist van overtuigd dat de actie geoorloofd is. Het belang van het bedrijf en de aandeelhouders is er immers mee gemoeid.

Het is wel essentieel dat de belangrijkste aandeelhouders instemmen, dus wordt ook Nina, die bijna 6 procent van de aandelen bezit,[44] om medewerking gevraagd. Als Nina in een weinig opgewekte stemming bij NMB Postbank arriveert, weet Van den Brink dat een soepel gesprek niet tot de mogelijkheden behoort. Nina is woedend. Vooral op Smit, die ze onder meer verantwoordelijk houdt voor haar snel slinkende papieren vermogen.

Ten overstaan van de bijna voltallige raad van bestuur van de bank, met natuurlijk Ton Soetekouw en de voor Newtron verantwoordelijke Mike Vredegoor, Adri Strating, Peter de Ridder, Willem Smit, Berry van den Brink en de namens Coopers & Lybrand aanwezige topaccountant Cees van Luijk, stemt Nina in met het geheime moratorium op de handel in aandelen Newtron. Er is alleen één maar: ze kan die toezegging niet voor haar personeel doen.[45] Enkele managers van A-Line hebben bij de overname van het bedrijf op een koers van 9 gulden aandelen gekocht. In totaal gaat het om 25.000 aandelen. Nina wijst op de koers van Newtron, die inmiddels onder de 7 gulden is gedoken, en zegt dat ze moeilijk kan verhinderen dat haar personeel de schade voor zichzelf beperkt houdt.

De bankiers dringen aan, net als Smit, De Ridder en Van den Brink. Ze eisen dat ook de personeelsaandelen het komende jaar niet zullen worden verkocht. Maar de enige vrouw in de volle vergaderzaal toont zich onverzettelijk en blijft weigeren. Om uit de onderhandelingsimpasse te komen, ziet Smit zich genoodzaakt haar een aanbod te doen. Hij belooft haar dat hij, als de managers van A-Line zouden willen verkopen, de aandelen van hen overneemt.

Nina is gecharmeerd van het gebaar en accepteert. Het is haar eerste kleine overwinning op Smit. Maar ze wil meer. 6,9 miljoen gulden meer. Ze vindt dat ze er recht op heeft. Ze had nooit in een met mannen gevulde vergaderzaal in het NMB Postbank-hoofdkantoor een crisisoverleg hoeven voeren als Smit haar vorig jaar eerlijk had gezegd hoe de werkelijke toestand van Newtron was. Haar naam was dan nooit bij al het negatieve nieuws rondom Newtron genoemd. Het hele avontuur met Smits Newtron heeft haar alles bij elkaar veel schade berokkend. De claim die ze twaalf dagen eerder bij Newtron en Smit heeft laten belanden, is daar een logisch uitvloeisel van.

Nina's kennelijke bereidheid om Newtron, en daarmee ook zichzelf, een schadeproces aan te doen, wordt door niemand anders in de zaal als begrijpelijk ervaren. De meeste aanwezigen hebben de afgelopen dagen alles in het werk gesteld om Newtron van de ondergang te redden. Met succes: het bedrijf krijgt een kapitaalinjectie van tientallen miljoenen guldens. Daarmee is ook het belang van Nina als aandeelhouder gediend.

De beschuldiging dat oprichter en grootaandeelhouder Smit – haar nieuwe collega in de raad van bestuur – haar ernstig heeft misleid, heeft een voorspelbaar effect. De bankiers houden Nina voor dat de schade aan de vennootschap 'onherstelbaar' zal zijn en daarmee de 'deconfiture' van Newtron onafwendbaar zal worden, als ze in haar schadeclaim volhardt.[46] Alleen al het uitlekken van haar juridische actie kan desastreuze gevolgen hebben. Wil de reddingsoperatie van Newtron kunnen slagen, dan zal Nina eerst 'gaaf en onvoorwaardelijk' afstand moeten doen van de schadeclaim.[47]

Als ze ten slotte haar handtekening onder de afstandsverklaring heeft gezet en de laatste details over de reddingsoperatie zijn doorgenomen, kan Van den Brink eindelijk de definitieve jaarcijfers naar buiten brengen. De bankiers vergaderen verder. Gerrit Tammes, de vicevoorzitter van de raad van bestuur van de bank, is woedend. Hij heeft in de internationale schuldenhandel veel geld voor de bank verdiend en begrijpt niets van de roekeloze wijze waarop het in de kwestie-Newtron weer wordt verspeeld. Hij vindt dat het drama rondom Newtron voor de belangrijkste verantwoordelijken niet zonder gevolgen kan blijven.

Later op de avond wordt het persbericht van Newtron de deur uit gedaan. In tegenstelling tot wat De Ridder twee dagen eerder nog dacht, heeft Newtron geen 18 miljoen, maar 6 miljoen gulden winst gemaakt. Er is in totaal 50 miljoen gulden op de goodwill afgeboekt. Volgens Van den Brink is 20 miljoen afkomstig van de te dure aankoop ID Systems. Het verlies op Topdata is ongeveer 5 miljoen. Met welke bedrijven de resterende 25 miljoen aan afboekingen te maken hebben, blijft ongewis.

Het jaarverslag meldt ook een paar lichtpunten. De divisie Consultancy & Software, waar het bedrijf Ordina deel van uitmaakt, heeft goed gepresteerd. Net als Nina's divisie Distributie en Datacommunicatie, waar ook Positronika onder valt. Volgens het jaarverslag zouden zich daar 'enkele problemen van bestuurlijke en organisatorische aard' hebben voorgedaan, die dankzij het treffen van 'passende maatregelen' een positieve draai hebben gekregen.[48]

Ton Soetekouw, de belangrijkste zakenbankier van NMB Postbank, worstelt met het probleem-Newtron. Hij is het die de totstandkoming van het automatiseringsbedrijf van het begin af aan heeft omarmd. Feitelijk was het door hem bij NMB opgezette Alpha Computerdiensten er zelfs het begin van.

In het nieuw gevormde bestuur van de ING is hij verantwoordelijk voor de investmentbank die door de beschamende verwikkelingen rondom Newtron veel krediet aan het verspelen is. Behalve dat er schadeclaims loeren, is vooral het gezichtsverlies voor de bank een punt van zorg – met name voor Soetekouw. De zakenbankiers willen de stap naar voren maken en een geduchte concurrent van ABN AMRO worden, en ook Soetekouw heeft de ambitie de grotere bedrijven naar de effectenbeurs te brengen. Daar zijn voor de bank aantrekkelijke commissies mee te verdienen. Op zichzelf is NMB daar altijd te klein voor geweest, maar nu zowel de Postbank als het verzekeringsbedrijf Nationale Nederlanden tot het concern behoort, komen de deals binnen handbereik. Tenminste, als de bank de markt daarvan kan overtuigen. Precies op dat punt beginnen de taferelen rondom Newtron steeds pijnlijker te worden. Als de bank niet eens een automatiseringsbedrijf van bescheiden omvang zonder ongelukken naar de beurs kan brengen, blijft er weinig over.

Ook op een heel ander gebied begint Soetekouw de druk te voelen. In de voorgaande maanden is in de raad van bestuur veelvuldig over Newtron vergaderd. Vooral de aandelen Newtron die in het bezit zijn van de verschillende bankiers, zijn het onderwerp van gesprek. Na een onthulling in *Quote* over zijn privéaandelenbezit in Newtron en een kritisch commentaar in *Het Financieele Dagblad* over de morele verloedering in de top van de bank is Nout Wellink, directeur van De Nederlandsche Bank, in actie gekomen. Hij eist van Wim Scherpenhuijsen Rom een diepgaand onderzoek.[49]

Het grote tumult bij Newtron vindt ver buiten de kantoren van A-Line plaats. Van enige integratie of samenwerking met de andere onderdelen van het beursgenoteerde automatiseringsbedrijf is geen sprake. Bezoekjes van het Newtron-management aan het A-Line-kantoor vinden bijna ongezien plaats. Newtron is een entiteit die de meeste A-Line-werknemers slechts van naam kennen en waarover de verhalen uit de kranten moeten worden gehaald.

Een van de weinigen die nog wel eens iets horen en af en toe in het hoofdkantoor van Newtron zijn te vinden, is Jan van der Veer. Het mahonie, marmer en glas van het Atrium staan ver weg van de tapijttegels en het kunststoffineer van zijn eigen kantoor in Naarden. Van der Veer vergezelt Nina geregeld op haar tochten door het land, meestal achter het stuur van zijn eigen auto, Nina in de bijrijdersstoel. Hij laat het rijden liever niet aan haar over. Ze heeft een onbedwingbare neiging de hoorn van haar autotelefoon aan haar oor te laten kleven, waardoor haar rijvaardigheden, die hij toch al niet bijzonder hoog aanslaat, op een verontrustende wijze in het geding komen.

Door de regelmatige omgang met Nina zijn de spanningen op het hoofdkantoor hem in een vroeg stadium bekend. Nina wil het liefst weer weg uit Newtron. Ze heeft hem verscheidende malen op niet mis te verstane wijze duidelijk gemaakt dat Willem Smit niet haar gedroomde zakenpartner is. Op een of andere manier wil ze een buy-out bewerkstelligen, zodat ze weer zelfstandig verder kan. Van der Veer moet haar daarbij helpen. Ze wil dat hij Van den Brink duidelijk maakt dat het personeel van A-Line met haar mee wil en dat de directie, indien een buy-out wordt verhinderd, zal vertrekken.

Van der Veer voelt er eigenlijk bitter weinig voor om een verhaal op te hangen waar hij niet achter staat, maar de overredingskracht van Nina laat hem geen andere keus. Hij volgt haar met Ab Brink naar een afspraak met Berry van den Brink in diens villa in Hilversum. In de huiskamer beginnen Nina en Ab een verbeten gesprek met de crisismanager van Newtron. Van der Veer zwijgt en wacht tot hij van de loyaliteit van het A-Line-personeel mag komen getuigen. Het zal er niet van komen. Het gesprek wordt voortijdig afgebroken. Het komt tot enig misbaar bij de voordeur, en over en weer vallen woorden.

Als Van der Veer het stuurwiel van zijn bmw weer in zijn handen heeft geklemd, begint Nina druk te telefoneren met haar echtgenoot, die in zijn eigen auto zit. Ze huilt van woede. Al snel hoort Van der Veer waarom. Van den Brink heeft haar op een botte manier te verstaan gegeven dat hij van haar en haar bedrijf verlost wil worden. Ze vindt het onacceptabel. Nina vraagt zich luidkeels af waarom Ab op dat moment niet voor haar is opgekomen. Ab is slap. Waarom heeft hij Van den Brink niet op zijn bek getimmerd?

De laatste week van juni is het op het Damrak 'kneuzenweek'. De meeste beursgenoteerde bedrijven hebben in de maanden februari, maart en april hun jaarcijfers al gepresenteerd en enkele weken later op de algemene vergadering van aandeelhouders (ava's) de jaarrekening vastgesteld.

Het is een teken van kwaliteit wanneer een bedrijf vroeg in het jaar zijn jaarcijfers kan presenteren. Zomerse ava's daarentegen zijn een goede voorspeller van slecht weer. Bedrijven waar het afgelopen boekjaar minder of zelfs desastreus is gepresteerd, stellen de confrontatie met hun aandeelhouders het liefst zo lang mogelijk uit. De ava biedt de aandeelhouder de gelegenheid het bestuur van kritiek te voorzien, sommige belangrijke besluiten van het bestuur te torpederen en al of niet in te stemmen met de goedkeuring van de jaarcijfers. Een ava kan vanzelfsprekend niet eindeloos op de lange baan worden geschoven – juni is de laatste maand waarin de Amsterdamse effectenbeurs bedrijven de gelegenheid biedt hun vergadering te organiseren. De grootste beurskneuzen plannen hun vergadering in de laatste week, die dit jaar op vrijdag de 28ste eindigt.

Op donderdag 27 juni, de dag waarop topcrimineel Klaas Bruinsma in de vroege ochtenduren voor het Hilton in Amsterdam wordt geliquideerd, is het de beurt aan Newtron. Om halfdrie 's middags verzamelt het bestuur van het automatiseringsconcern zich in het Amsterdamse hotel Krasnapolsky voor zijn eerste en mogelijk laatste jaarvergadering. Het zijn Van den Brink en De Ridder die afwisselend het woord nemen en namens het bedrijf het boetekleed aantrekken. Hoewel de malaise in de automatiseringswereld overal heeft toegeslagen, zijn de ontwikkelingen bij Newtron wel erg negatief. Driekwart jaar eerder werd nog van hypergroei en miljardenomzetten gesproken; nu moet Newtron vechten om te overleven. Enkele aandeelhouders laten weten dat ze zich misleid voelen. Het emissieprospectus heeft een veel te rooskleurig beeld van Newtron geschetst. 'Ik deel uw verwijt dat het geld van de aandeelhouders over de balk is gegooid,' antwoordt De Ridder, die de aandeelhouders in aanwezigheid van de verzamelde pers deemoedig tegemoet treedt. 'Daarom zitten we hier ook met een nieuwe directie.'[50]

Van den Brink herhaalt nog maar eens dat de aankoop van Topdata, inmiddels failliet gegaan, een van de belangrijkste oorzaken is van de ellende. Het was een zeldzaam slechte overname. De groei heeft zich te snel voltrokken, waardoor fouten zijn gemaakt. Grove fouten. De analyse van de crisismanager is simpel: de agressieve overnamestrategie deugde niet en het oude management was niet competent genoeg.[51]

De problemen die zich op dat moment bij de divisie Distributie en Datacommunicatie voordoen, houdt hij voor zich. Nina's divisie wordt in het jaarverslag nog als winstgevend voorgesteld, maar op dat moment stapelen de problemen zich al op. De miljoenenverliezen bij Positronika en de tegenvallende resultaten van A-Line hebben inmiddels een zorgelijk niveau bereikt. Er moet geld bij, maar over dat geld beschikt de onderneming niet. En als het er al zou zijn, dan zou Van den Brink het liever in een ander onderdeel van Newtron investeren.[52] Dat is ook de reden waarom hij Nina te kennen heeft gegeven dat hij van haar bedrijf verlost wil worden, inclusief de aankopen die namens A-Line onder de vlag van Newtron hebben plaatsgevonden. Aan de andere kant heeft hij haar nog steeds geen decharge kunnen geven. De cijfers van A-Line blijken nog steeds niet helemaal te kloppen, en slechter bovendien dan Nina in eerste instantie heeft laten weten.

Een nadere uitleg over het plotse vertrek van Neelie Smit-Kroes geeft hij ook niet. De aanwezige aandeelhouders vragen er ook nauwelijks naar.[53] Al te kritische vragen zijn ook niet in het belang van de overgrote meerderheid van die groep belanghebbenden.

De Ridder en Van den Brink menen dat ze weinig tot niets hebben kunnen doen om de 'puinhoop' bij Newtron te voorkomen. Van den Brink kwam pas binnen toen de brokken er al lagen. De Ridder wist er eenvoudigweg niets van af. Smit, die een aangeslagen indruk maakt, vertelt de aanwezigen dat ook hij er te ver vanaf heeft gezeten om iets preventiefs uit te kunnen halen. Het spijt hem zeer. Nu hij zelf een positie in de directie heeft en over zijn geesteskind kan hoeden, belooft hij het beter te doen.

Nina zit naast de pratende heren en kijkt zwijgend de zaal in. 'Het enige nog overgebleven "oude" directielid van Newtron, mevrouw N.B. Aka, houdt wijselijk haar mond,' schrijft het FD de volgende dag. 'Geen moment wordt ze in de discussie betrokken. Van persoonlijke aanvallen op haar functioneren is geen sprake. Ze kleurt slechts als De Ridder de "afslanking" van de directie op haar ietwat gezette postuur betrekt. Zij fungeert in haar felroze ensemble slechts als een kleurrijke figurant.'

Nina is allesbehalve geamuseerd wanneer ze de bewuste kolommen van het FD heeft doorgenomen. Dat gevoel wordt verergerd door de almaar dalende koers van het aandeel Newtron. De koers staat die dag, ondanks de belofte van de grootaandeelhouders om geen stukken te verkopen en ondanks de belofte van de bank om bij een koers van 5,70 gulden in te grijpen, op 5,30. Daarmee is bijna de helft van de oorspronkelijke waarde van haar aandelen vervlogen, ofwel 4,5 miljoen gulden. Met dank aan Willem Smit, haar nieuwe collega in de raad van bestuur.

De communicatie tussen Nina en Smit is anders dan buitenstaanders van bestuursleden van een getroebleerd beursbedrijf zouden mogen verwachten. Ze mijden elkaar waar mogelijk. Voor zover er communicatielijnen zijn, lopen die via allerlei tussenpersonen (met name Berry van den Brink), memo's en brieven. Nina's vragen en wensen zijn niet zelden op het briefpapier van haar advocatenkantoor Barents & Krans gesteld.

Ook de onderhandelingen over de managementbuy-out van A-Line, die intussen in volle gang zijn, verlopen niet direct tussen de twee Newtron-directeuren. Van den Brink is er niet rouwig om. De gesprekken verlopen toch al stroef. Er zijn van de kant van Newtron vragen over de cijfers van Nina's divisie Distributie en Datacommunicatie. De antwoorden die Van den Brink krijgt, stemmen hem niet tevreden. De steeds dringender wordende geldbehoefte die A-Line heeft, kan hij op zijn beurt ook niet beantwoorden.

Eind juli zoek Nina niettemin actief contact met Smit. Ze benadert Van den Brink met de wens dat ze de regeling in wil laten gaan die betrekking heeft op de 25.000 aandelen van het A-Line-management. Nina zegt dat ze haar managers een bodemgarantie van 9 gulden op de stukken heeft gegeven. De koers is inmiddels op 5 gulden beland. Ze wil dat Smit het hele pakket aandelen terugneemt voor de afgesproken bodemprijs.

Smit laat Van den Brink weten dat hij er niet over peinst om op haar verzoek in te gaan. Hij weet niets van afspraken die zijn gemaakt over het compenseren van een bodemgarantie van 9 gulden. Om te voorkomen dat er pakketten aandelen Newtron op de markt zouden komen, heeft hij aangeboden als kopende partij op te treden – niet om de door haar gegeven garantie over te nemen.

Nina had op een ander antwoord gehoopt. Zeker nadat ze zelf enkele maanden eerder haar goede wil had getoond en ten behoeve van de onderneming een forse schadeclaim had laten vallen. 'Beste Willem,' schrijft ze in een persoonlijke fax aan Smit,[54] 'dit is niet de manier waarop ik mij voorstel dat wij met elkaar omgaan. Van mij wordt op verscheidene punten inschikkelijkheid en toegeeflijkheid gevraagd die zeker niet in de eerste plaats in mijn belang is. Dan weigeren een gemaakte afspraak na te komen, gaat te ver. Dan is er van mijn kant ook niets meer te verwachten. Ik verneem daarom graag per omgaande van je dat je de gemaakte afspraak nakomt en dat je tegen gelijktijdige betaling van f 225.000,– de 25.000 aandelen terugneemt.'

Smit reageert niet op het schrijven. Vijf dagen later is Nina het wachten beu. Ze schrijft hem een korte brief met een duidelijke boodschap: 'Aangezien ik nog niets van je heb vernomen, draag ik deze zaak nu over aan mijn juridische adviseurs.'[55]

Met de dreiging van een kort geding verschijnt ook advocaat Hammerstein weer op het toneel. Het is een uitkomst dat het kantoor van Hammerstein, Boekel de Nerée, ook in het Atrium is gevestigd. De advocaat hoeft alleen maar door een paar gangen te lopen en een lift te nemen om bij de kantoren van zijn opdrachtgevers uit te komen.

Vanzelfsprekend ontkent ook hij namens Smit dat er afspraken zijn gemaakt omtrent het overnemen van de koersgarantie. Hij benadrukt in zijn reactie aan Brinks advocaat Rob Laret dat de afspraak waar Nina het over heeft, niet schriftelijk is vastgelegd. Belangrijker vindt Hammerstein het oordeel van de commissarissen De Ridder en Salomonson, aan wie het geschil intussen is voorgelegd. Ze zijn tot de conclusie gekomen dat het door Nina gekozen moment om de zaak door 'dreigementen en onmiddellijke rechtsmaatregelen' te laten escaleren, voor beide partijen bijzonder ongelukkig is.[56] De onderhandelingen over de verkoop van A-Line zijn immers in volle gang. Voor zowel Newtron als Nina is het van vitaal belang dat die onderhandelingen succesvol kunnen worden afgesloten. Het gewicht daarvan moet ook voor Nina groter zijn dan de paar honderdduizend gulden die met de aandelen van haar managers is gemoeid.

Hammerstein stelt dat ze 'ten onrechte haar persoonlijke belangen laat prevaleren' en ook de 'zeer dringende adviezen' negeert van de raad van commissarissen om eerst de onderhandelingen over de verkoop van A-Line af te ronden. Een kort geding betekent bovendien een openbare rechtszitting, met alle mogelijke publicitaire gevolgen van dien. Ook daar is volgens de raadsman van Newtron geen partij bij gebaat. Hij verzoekt Laret de door hem genoemde argumenten om af te zien van een rechtszaak 'dringend bij mevrouw Aka aan te bevelen'.

Terwijl de brieven en faxen van de twee kijvende bestuursleden heen en weer gaan, verkeert Berry van den Brink voor een vakantie in het buitenland. Hij zit er niet op te wachten om eerder thuis te komen voor een kort geding tussen zakenvriend en collega Smit en zijn andere bestuurscollega Nina. Van den Brink is na vier enerverende maanden toe aan rust. Laverend langs Newtrons afgrond heeft hij veel energie moeten steken in het uit elkaar houden van Nina en Smit. De zaak mag gedurende zijn afwezigheid niet ontaarden. Hij laat het stel daarom weten dat hij er prijs op stelt dat, in het geval een gevecht onvermijdelijk dreigt te worden, de vijandelijkheden pas bij zijn terugkomst in Nederland zullen worden hervat.

Hammerstein is intussen bezig bij enkele getuigen van het crisisoverleg dat zich in maart op het hoofdkantoor van NMB Postbank plaatsvond, verklaringen los te peuteren die het verhaal van Smit kunnen stutten. Een van de gegadigden is accountant Cees van Luijk van Coopers & Lybrand.

Maar nog voordat Hammerstein zijn verzoek bij Van Luijk kan neerleggen, heeft het door Nina ingehuurde advocatenkantoor Barents & Krans weer van zich laten horen. In een korte brief laat een van Nina's raadsmannen weten dat cliënte onverminderd op de rechten van de schadeclaim van 6,9 miljoen gulden op Newtron en Smit aanspraak zal blijven maken.[57] Het feit dat ze in aanwezigheid van de vrijwel complete raad van bestuur van NMB Postbank een overeenkomst heeft getekend waarin ze afziet van die claim, betekent dat ze in een rechtszaal weinig kans maakt om te winnen. Hammerstein en Smit zijn niettemin gewaarschuwd. Ze weten nu dat Nina niet zal aarzelen om de brisante claim nog een keer in te zetten wanneer de tijd daarvoor rijp is.

Eind augustus stuurt Cees van Luijk zijn getuigenverklaring naar Berry van den Brink. 'Strikt vertrouwelijk', staat er in vette, onderstreepte letters boven aan de brief. Van Luijk stelt dat hij zich kan herinneren dat Smit in het kader van de regulering van de beurskoers aandelen van mensen van Newtron zou opkopen als die zouden worden aangeboden. Ook van de mensen van A-Line. Van Luijk herinnert zich niet dat er door Nina aantallen aandelen werden genoemd, of dat sprake zou zijn van een bodemprijs die haar mensen eerder zou zijn gegarandeerd.[58]

De verwikkelingen bij Newtron lijken Smit niet zoveel meer te kunnen schelen. Terwijl het bij Newtron alle hens aan dek is en de druk om bedrijven af te stoten wekelijks toeneemt, dobbert hij het grootste deel van de nazomer op een plezierjacht in de Middellandse Zee. Zowel Van den Brink als commissarissen De Ridder en Salomonson ergeren zich aan de houding van de automatiseringstycoon.

Eind september staat er een vergadering van de raad van bestuur en de raad van commissarissen op de agenda. De regeling met betrekking tot de personeelsaandelen van A-Line is het belangrijkste punt dat aan de orde zal komen. Het geschil moet op een of andere manier opgelost worden om de onderhandelingen over de verkoop van A-Line te versoepelen. Van den Brink wil liefst zo snel mogelijk tot een schikking komen. Smit houdt er andere ideeën op na. Ondanks het feit dat de bestuursvergadering twee maanden eerder al is afgesproken en voor Newtron van groot belang is, meldt hij zich twee dagen van tevoren af. Hij heeft elders verplichtingen. In het buitenland. Welke belangrijke mensen er op de plek van bestemming aanwezig zullen zijn, laat hij in het midden.

Het doet weinig ter zake. Van den Brink kan Smits onverwachte afzegging sowieso niet bevatten. Niet alleen is Smit directeur-grootaandeelhouder, zijn geschil met Nina vormt ook een risico voor het bedrijf. En als er iemand is die het kan neutraliseren, dan is hij het. Van den Brink zegt Smit dat hij misschien beter zijn functie van directeur kan neerleggen als hij zijn verantwoordelijkheden niet kan nemen.[59]

Tijdens de vergadering die 's ochtends in het Atrium wordt gehouden, is het Nina die de toon zet. Ze zet de afspraken die volgens haar zijn gemaakt nog eens op een rij. Volgens haar is er maar één conclusie: Smit moet betalen. Hij kan niet zeggen dat hij niet van een koersgarantie heeft geweten, beweert ze. Toen ze de aandelencontracten met haar managers opstelde, moesten Ton Stam en Bas Wiersma namens Newtron meetekenen. Zij waren dus precies op de hoogte van de afspraken, Smit moet het dus ook hebben geweten, is haar redenering. Dat er niet over precieze bedragen is gesproken, zoals Van Luijk verklaarde, zegt haar weinig. 'Ik neem dit van je over,' had Smit immers bij de herfinancieringsbesprekingen met NMB Postbank gezegd. Daarmee bedoelde hij vanzelfsprekend dat hij haar hele verplichting over zou nemen.[60]

Salomonson en De Ridder knikken. Ze kunnen de lijn van het betoog van Nina wel volgen. Van den Brink ook, maar hij weet ook dat Smit geen centimeter zal wijken. Hij houdt vol geen weet te hebben gehad van de garantiestelling, en Nina zomaar geld betalen, daar heeft Smit bijzonder weinig trek in.

Van den Brink probeert de patstelling te doorbreken. Hij wil van het geschil worden verlost om zich volledig te kunnen concentreren op de redding van Newtron. Daar zijn vele tientallen miljoenen guldens en honderden banen mee gemoeid. Hij stelt voor dat Smit dan maar 5 gulden per aandeel betaalt, de koers van Newtron op de dag dat Nina haar deal met Smit wenste te verzilveren, en dat Newtron de andere vier gulden bijpast. Het gaat tenslotte om een bedrag van maar 100.000 gulden.

Nina slaat het voorstel af. Ze wil niet dat Newtron de schade op zich neemt voor iets waar Smit persoonlijk voor verantwoordelijk is. Het bedrijf heeft door zijn toedoen al genoeg geleden, zegt ze. Het zwakke management had hij aangetrokken, er zijn met zijn inbreng slechte overnames gedaan en hij heeft ook nog eens een aantal 'minder zuivere transacties' verricht. De details zijn haar bekend, stelt ze zonder omhalen. Ze noemt er enkele. Dit alles rechtvaardigt volgens Nina de conclusie dat Smit als directeur moet terugtreden. Hoe sneller hoe beter, 'in het belang van Newtron'.[61]

Van den Brink benadrukt nog maar eens dat het van belang is dat de pers geen hoogte krijgt van de interne strubbelingen, en al helemaal niet van 'minder zuivere transacties'. Voor de verandering kan iedereen zich daarin vinden. Na drie kwartier loopt de vergaderzaal leeg – zonder dat president-commissaris Salomonson een besluit heeft kunnen afhameren.[62]

In de weken die volgen, verslechtert de situatie bij Newtron. De automatiseringswereld lijdt steeds meer onder de teruglopende vraag, en op de divisie Software & Consultancy na verkeren alle onderdelen in de problemen. De in maart verkregen contanten zijn er praktisch geheel doorheen gejaagd, waardoor de onderneming langzaam maar zeker op een faillissement afstevent.[63] De noodzaak wordt steeds groter om bedrijven af te stoten, en daarmee de verliezen in te dammen en geld los te krijgen.

A-Line heeft het nog steeds zwaar te stellen met de gevolgen van de overname van Positronika. Het bedrijf heeft grote moeite zich aan de minder gunstige marktomstandigheden aan te passen. De vraag naar de producten loopt snel terug en de marges vlakken af. Binnen het bedrijf zijn ook de psychische wonden nog niet geheeld die de reorganisatie heeft veroorzaakt. Ook bij het vroegere TM Data vlakken de marges af tot op het niveau dat de resultaten rood beginnen te kleuren. De situatie is eind 1991 zo ernstig dat A-Line niet meer aan zijn verplichtingen kan voldoen.[64] Nina beseft dat ze geld nodig heeft om haar bedrijf overeind te houden. Van Newtron hoeft ze weinig meer te verwachten. Dat heeft zelf het geld niet meer, en al zou Van den Brink over miljoenen kunnen beschikken, de motivatie is verdwenen om A-Line boven aan zijn lijst van prioriteiten te zetten.

De redding van A-Line en de bedrijven die er het laatste jaar bij zijn gekomen, hangt volledig af van de hulp van buiten. En Nina heeft al maanden iemand op het oog die haar daarbij kan helpen: de populaire bedrijvendokter Joep van den Nieuwenhuyzen.

De Brabantse investeerder Joep van den Nieuwenhuyzen was al een bekende Nederlander voordat hij de zakelijke successen aan elkaar begon te rijgen. Hij is de schoonzoon van Gerrit van der Valk, een van de grootste horecaondernemers van Nederland. Als in november 1982 Gerrits vrouw Toos door drie Italianen uit de echtelijke woning wordt ontvoerd, mag Joep namens de familie de onderhandelingen met de kidnappers doen en de media informeren. Van den Nieuwenhuyzen blijkt over communicatieve gaven te beschikken. Hij is behendig in het gesprek, straalt autoriteit uit en is behept met een jongensachtige blik die door zijn lange oogwimpers van een zachtaardige kwaliteit wordt voorzien.

Vanaf het moment dat zijn schoonmoeder weer veilig thuis op de bank heeft plaatsgenomen, wordt de loopbaan van Joep van den Nieuwenhuyzen gelanceerd. Met het vertrouwen van zijn huisbank NMB Postbank ontwikkelt hij zich in een uitzonderlijk hoog tempo tot succesvol koper van noodlijdende metaalbedrijven. Onder het motto 'er bestaan geen slechte bedrijven, er bestaan alleen slechte managers' ontfermt hij zich over de ene na de andere zinkende onderneming, tot ver achter het vroegere IJzeren Gordijn. En niet zonder succes. Met een combinatie van diep snijden, financieel kunst- en vliegwerk, motiverende peptalks en geluk weet hij het ene na het andere bedrijf op de rails te helpen.

Hoewel schoonvader Gerrit hem nog steeds liefkozend 'metaalboer' noemt, is de slechts 36-jarige Van den Nieuwenhuyzen in 1991 veel meer dan alleen een investeerder met een voorliefde voor de metaalindustrie. Samen met zijn jongere broer Jeroen is hij voor meer dan 80 procent eigenaar van het beursgenoteerde Koninklijke Begemann. Onder de paraplu van Begemann wordt inmiddels van alles geproduceerd: van betonmixers, windmolens, computerchips, ketels en vrachtwagens tot compact discs.

Joep is de grote aanjager. Door zijn bijna manisch aandoende verzamelwoede bezitten de twee broers, privé en via Begemann, participaties in meer dan honderdvijftig bedrijven. Er is geen sector op te noemen waarin ze geen rol spelen, waardoor de naam Van den Nieuwenhuyzen bijna wekelijks in de kranten wordt gespeld. Joep wordt gezien als de redder van noodlijdende bedrijven. En omdat hij ook nog als geen ander de uitbundige hardwerkende Brabander verbeeldt, is hij veruit de populairste zakenman van Nederland. Dat hij daarnaast een harde saneerder is en zonder omwegen lange rijen werknemers de straat op stuurt, wordt hem zelfs door de vakbonden vergeven. Ook het doen van vijandige overnames en het incidenteel versturen van een forse schadeclaim doen nauwelijks afbreuk aan zijn joviale imago.[65]

Van den Nieuwenhuyzen kent de twee jaar oudere Nina uit het receptie- en feestencircuit. Niet goed, maar goed genoeg om door haar geïntrigeerd te zijn geraakt. Op het Midsummer Night's Dream-feest van Willem Smit wordt hij voor het eerst aan haar voorgesteld.[66] Haar bravoure maakt indruk op hem. Ze is zelfbewust en brutaal, en net als hijzelf lijkt ze te zijn voorzien van een onuitputtelijk reservoir aan energie. Hij vermoedt dat de 'kleine kittige tante' met het Amerikaanse accent wel eens tot bijzondere dingen in staat zou kunnen zijn.[67] Wanneer Nina hem belt, is een afspraak snel gemaakt.

Van den Nieuwenhuyzen komt bij die ontmoeting en de afspraken die daarop volgen tot de conclusie dat Nina met haar rug tegen de muur staat. De banken willen haar geen geld meer geven en Newtron heeft haar in financieel opzicht ook niets meer te bieden. Met de financiële positie van A-Line is het zo slecht gesteld dat het bedrijf, als er niet snel geld op tafel komt, onherroepelijk zijn ondergang tegemoet gaat. Doodzonde, vindt Van den Nieuwenhuyzen, want A-Line heeft nog voldoende potentie. In het afgelopen jaar zijn er verschillende bedrijven aan toegevoegd – het bedrijf is dus eigenlijk groter geworden. A-Line kon wel eens een koopje worden.

Natuurlijk ziet Nina ook nog volop kansen voor haar onderneming. Ze wil groeien, overnames doen. Het liefst vandaag nog. Die jagersinstelling begrijpt Van den Nieuwenhuyzen als geen ander. Hijzelf leeft voor de acquisitie. Hij meent bovendien dat de timing voor investeringen in automatiseringsbedrijven ideaal is. Na een korte, heftige gang naar beneden zal de cyclus in de computerindustrie weer snel aantrekken, is zijn overtuiging.

De bedrijvendokter is goed op de hoogte van de marktomstandigheden in de sector. Dankzij een grote privé-investering in het automatiseringsbedrijf HCS Technologies heeft hij, toen de cyclus in de automatisering neerwaarts ging, al een aardige rit meegereden. Net als Newtron bestaat HCS uit een groep bij elkaar geveegde bedrijven die onder één vlag naar de beurs zijn gebracht. En evenals Newtron bevindt HCS zich in zwaar weer. Eind juli heeft Van den Nieuwenhuyzen in samenwerking met ABN AMRO en twee andere grote investeerders zelfs een reddingspoging moeten ondernemen.

Op advies van ABN AMRO-bankier Rijkman Groenink heeft het vermogende drietal een kapitaalinjectie van 50 miljoen gulden gedaan. Om bij die investering zo veel mogelijk aandelen van HCS in bezit te krijgen, is Van den Nieuwenhuyzen op advies van Groenink eerst grote aantallen aandelen gaan verkopen, om zo de beurskoers te drukken. De manipulatie van de beurskoers van HCS vertoont grote overeenkomsten met de 'regulerende' afspraken die de aandeelhouders van Newtron met NMB Postbank hebben gemaakt. In beide gevallen betreft het een reddingsoperatie die in samenwerking met de bank tot stand komt en waarbij de beurskoers wordt georkestreerd. Er is alleen een groot verschil: Van den Nieuwenhuyzen en zijn twee partners zijn dankzij hun manipulaties het onderwerp van een justitieel onderzoek. Ze zouden bij hun transacties op de beurs misbruik hebben gemaakt van voorkennis.

Dankzij de grote strategische overeenkomsten tussen Newtron en HCS weet de bedrijvendokter ook dat met het aloude 'dozen schuiven' het geld niet meer kan worden verdiend. A-Line zal een draai in de richting van de dienstverlening moeten maken, wil het op langere termijn weer een gezond bedrijf kunnen worden. Daar liggen volgens Van den Nieuwenhuyzen de kansen. Maar het is bovenal de persoon van Nina die hem doet besluiten haar te helpen bij het uitkopen van A-Line: 'Ik zag Nina als een zeer hard werkende, een zeer gedreven vrouw. Ik geloofde wel dat ze nog wat van A-Line kon maken en had een goed gevoel bij haar: zij was een vrouw die iets voor elkaar kon krijgen, een echte onderneemster. Dáár geloofde ik in.'[68]

Willem Smit is verrast als Van den Nieuwenhuyzen zich aandient als financier van de buy-out van A-Line. De twee kennen elkaar goed en koesteren een groot wederzijds respect. Tot 1989 waren ze zakenpartners in het automatiseringsbedrijf Industrial Services Group (ISG). Smit verkocht zijn belang aan Van den Nieuwenhuyzen toen Newtron serieuze vormen begon aan te nemen, om belangenconflicten te voorkomen.[69] Nog steeds zien ze elkaar geregeld in Barretje Hilton, bezoeken ze elkaars feesten en nodigen ze elkaar uit voor evenementen als Jumping Amsterdam. Ook hun echtgenotes, 'de meisjes', mogen af en toe mee. Zoals enkele jaren eerder, toen ze in Rotterdam The Ultimate Event met Frank Sinatra bezochten.

Smit is bijzonder op Van den Nieuwenhuyzen gesteld en waarschuwt hem voor Nina. Hij snapt niet hoe het mogelijk is dat zijn Brabantse maat met haar in zaken gaat. Hoewel het bepaald niet in zijn eigen zakelijke belang is, wijdt Smit een ongezouten tirade aan het nieuwe investeringsproject van zijn vriend. Van den Nieuwenhuyzen neemt de waarschuwingen lachend in ontvangst.

Al snel krijgt de altijd opgewekte bedrijvendokter een proeve van de bijzondere tijd die hem te wachten staat. Eind november heeft *Het Financieele Dagblad* weer eens een Newtron-primeur te pakken. Op de voorpagina van de krant staat in stevige kapitalen: 'Ontmanteling van noodlijdend Newtron dreigt, bestuurder Aka wil weg met A-Line'.[70] Volgens anonieme bronnen bij Newtron die de krant heeft gesproken, wil mevrouw N.B. Aka het door haar opgerichte bedrijf van Newtron afsplitsen.

'Aka wil weg met A-Line omdat zij van mening is dat A-Line beter buiten de Newtron-organisatie kan functioneren,' weet de krant te melden. 'A-Line zal dit jaar een omzet boeken van naar schatting 150 miljoen gulden en een nettowinstmarge van 3 à 4 procent, hetgeen gezien de malaise in de automatiseringsbranche als een uitstekende prestatie mag worden beschouwd.' De waarde van A-Line ligt volgens het FD tussen de 35 en de 40 miljoen gulden. De krant weet ook dat Nina 'al tijden' bezig is met het onderzoeken van de mogelijkheden om te vertrekken. Behalve dat de voornemens van Nina en de mooie cijfers van A-Line op straat liggen, zijn ook de toekomstplannen van de Newtron-directie gelekt. De directie heeft serieus geopperd Newtron in het andere winstgevende deel te laten opgaan: dochter Ordina.

In een haastig uitgebracht persbericht bevestigt de Newtron-directie het bericht over de verkooponderhandelingen met Nina. Het zegt ook dat het opgaan in dochter Ordina tot de 'theoretische mogelijkheden' behoort, maar distantieert zich nadrukkelijk van de in het FD genoemde getallen over omzet, winstgevendheid en verkoopprijs. 'Zowel omzet als resultaat van A-Line over 1991 zullen lager uitkomen. Ook de genoemde verwachte opbrengstprijs van f 35 à f 40 miljoen zal naar verwachting aanmerkelijk lager uitvallen.'

Een dag later staan ook in *De Telegraaf* en *de Volkskrant* artikelen over Nina's uitgelekte plannen om het 'winstgevende' A-Line uit Newtron te tillen. In *De Telegraaf* ontkent Nina dat er sprake is van een conflict met de rest van de Newtron-top: 'Ik heb geen hekel aan Newtron.'[71]

Een maand later is de buy-out van A-Line een feit. Met de steun van A-Lines huisbankier ABN AMRO doet Joep van den Nieuwenhuyzen namens Begemann een kapitaalinjectie van 5 miljoen gulden in A-Line, waarvoor hij 40 procent van de aandelen in handen krijgt.[72] Zijn broer Jeroen, die Begemann operationeel en financieel aanstuurt, weet nergens van. Ook de commissarissen bij Begemann weten niet dat er een nieuw automatiseringsbedrijf in de uitgebreide portfolio van bedrijven is opgenomen.[73]

Op maandag 23 december maakt Nina bekend dat de afsplitsing van Newtron een feit is.[74] Op de geruchten dat de overnamesom 35 miljoen gulden zou bedragen, wil ze niet reageren. Wel zegt ze dat A-Line 'een redelijk' jaar achter de rug heeft. Ze denkt over 1991 uit te komen op een nettowinst van 3,6 miljoen gulden bij een omzet van 120 miljoen. Ze verwacht dat in 1992 het omzetcijfer naar 150 miljoen gulden kan opschuiven. 'We willen beheersbaar groeien.'

Ton Soetekouw en Mike Vredegoor van NMB Postbank zijn ook blij dat met de hulp van hun goede relatie Van den Nieuwenhuyzen de lont uit het kruitvat Newtron is getrokken. Berry van den Brink is ook opgelucht. Van den Nieuwenhuyzen, met wie hij in de investeringsclub Capercaillie zit, heeft hem van een fors probleem verlost. Newtron boekt dan wel een fors verlies op de verkoop van A-Line, maar de redding voor het automatiseringsconcern is naderbij gekomen.

Toch twijfelt Van den Brink nog. De kwestie met de personeelsaandelen van A-Line zit hem dwars. Hij wil voorkomen dat hij nog meer last krijgt van de advocaten van Nina en maakt namens Newtron ongevraagd 100.000 gulden over naar haar beheermaatschappij.

Nina is niet erg over het gebaar van Newtron te spreken. Ze eist dat Smit haar persoonlijk betaalt. Zo heeft ze het afgesproken, en zo moet haar recht zijn loop krijgen.[75] Koste wat kost.

4 Newtrons nucleaire optie

The tragedy of machismo is that a man is never quite man enough.
GERMAINE GREER, *The Madwoman's Underclothes*

De eerste week van februari 1992 houdt Nina in haar woning op de Van der Oudermeulenlaan in Wassenaar open huis voor schrijvende journalisten. Ze heeft met haar pr-dame een persbericht naar buiten gebracht waarin ze de investering van een van Nederlands bekendste zakenmannen in A-Line bekendmaakt. Dat op de exit van Willem Smit de entree van Joep van den Nieuwenhuyzen volgt, is een garantie voor een druk interviewprogramma. Dat weet ook het pr-bureau dat Nina heeft ingehuurd: het bureau van Perlita Fränkel, de voormalige pr-assistente van Willem Smit.

De publiciteitscampagne van Nina gaat opmerkelijk genoeg buiten het beursgenoteerde Begemann om. Normaal gesproken nemen bedrijven met een publieke notering het voortouw bij het bekendmaken van koersgevoelige informatie als een belangwekkende deelneming. Hoewel de investering in A-Line – ongeveer 5 miljoen gulden – voor Begemann relatief klein is, betekent de participatie mogelijk een koerswijziging van het concern. Het is het eerste handelsbedrijf in automatisering dat in Begemanns portfolio komt te zitten. Daarnaast heeft Van den Nieuwenhuyzen aan zijn privé-investering in HCS Technologies tot nu toe weinig plezier beleefd. Maar voor zover bij de aankoop van het belang in A-Line van enig beleid sprake is, is dat beleid voor de volle honderd procent in het hoofd van Joep van den Nieuwenhuyzen ontstaan en uitgewerkt. Zijn broer Jeroen noch de raad van commissarissen van Begemann is van tevoren op de hoogte gesteld van de nieuwe investering.[1] Joep van den Nieuwenhuyzen, op zijn beurt, is weer volstrekt onwetend over de aanstaande serie mediamomenten van zijn nieuwste investeringsproject.[2]

Op maandag mogen twee journalisten van *Het Financieele Dagblad* in de met Cobra-schilderijen behangen huiskamer van Nina's woning plaatsnemen voor een uitgebreid interview. Nina poseert ontspannen voor de fotograaf in de zithoek bij de open haard. De krant wijdt dinsdag twee verhalen aan de vrijge-vochten onderneemster en haar bedrijf A-Line.[3] De kop van het interview geeft aan dat Nina zich van haar gevoelige zijde heeft getoond: 'Nina "A-Line" Aka verlaat Newtron zonder wrok. Familieband sleepte Aka door zakelijke dip'.

De eerste zin van de inleiding luidt: 'Voor Nina Aka is het familieverband de kern van de maatschappij.' Dan gaat het verder: 'Eigenlijk runt ze "haar" bedrijf A-Line Technologies op dezelfde manier. Al haar directeuren kennen elkaar privé heel goed, beschikken over een gelukkig gezinsleven en hebben elkaar in de moeilijke Newtron-tijd geestelijk gesteund. Het geluk is weer compleet nu Nina Aka zonder wrok afscheid heeft genomen van het noodlij-dende Newtron, dat in de ontbindingsfase verkeert.'

De journalisten schetsen de 'huiselijke sfeer' in de Wassenaarse villa, en hoe in die huiselijkheid het noemen van de naam Willem Smit toch een licht detonerende factor blijkt te kunnen worden. 'Alleen dan verstrakt ze zicht-baar en zegt bits: "Ik wil niet over Willem Smit praten. Ik heb mijn manier van werken en hij de zijne. En verder zeg ik er niets over."'

Nina heeft het over een 'periode van stagnatie' die A-Line in de Newtron-periode is overkomen, en over het koersverlies dat ze op haar aandelen moest incasseren. Ze haalt haar schouders erover op. 'Ach, je wint wat en je verliest wat. Ik vind dat allemaal niet zo belangrijk. Financiële redenen waren niet mijn belangrijkste motief om me bij Newtron aan te sluiten.' Ze kan het loslaten. Het afscheid van Newtron is mede daarom voor geen van de betrokkenen een bezoeking geweest. 'Ik ben ermee gekomen en we hebben er heel rustig, zakelijk en professioneel over gesproken.'

De periode-Newtron is voor Nina nu 'gelukkig voorbij', schrijft het *FD* ver-der. De journalisten zijn ook voorgelicht over de wijze waarop de scheiding heeft plaatsgevonden. 'Nina Aka is een vermogende vrouw, dus heeft zij A-Line cash uit eigen middelen teruggekocht.' Waarna Van den Nieuwenhuy-zen in beeld kwam. Nina voegt daaraan toe: 'Financiën zijn ook niet mijn be-langrijkste reden om 40 procent aan Begemann te verkopen. Ik had elders veel meer kunnen krijgen.'

Want ondanks de 'stagnatie' en de overige problemen bij Newtron gaat het goed met A-Line. Nina beweert met een omzet van 125 miljoen gulden bijna 9 procent meer omzet te hebben gemaakt dan in 1990. En daar waar de mees-te bedrijven in de automatiseringsbranche in de rode cijfers terecht zijn geko-men, maakt Nina met haar A-Line 2,8 miljoen nettowinst. Het komende jaar denkt ze minimaal 150 miljoen gulden omzet te maken. Binnen een paar jaar moet dat 300 miljoen zijn. Via fusies en overnames. Over de toekomstige net-towinst wil ze zich niet uitlaten. 'Ik bewijs liever met harde cijfers dat het goed gaat, dan ik erover praat.'

Het interview eindigt even vreedzaam als het begon. 'Als persoon wil Aka een "low profile" houden. Ze streeft er bepaald niet naar om de Sylvia Tóth (bestuursvoorzitter Content Beheer) van de automatiseringsbranche te worden. Integendeel. Voor haar geen publiciteit, glamour en dure feesten. Of het moet een goed doel dienen als het milieu. "Dit jaar wil ik een fundraiser organiseren voor Jane Goodall, die veel doet voor de bescherming van de chimpansees en de conservering van het regenwoud. Dat past veel meer bij A-Line." En Nina Aka,' besluit de krant.

Diezelfde dag geeft de A-Line-frontvrouw ook aan *De Telegraaf*, NRC *Handelsblad* en het *Algemeen Dagblad* commentaar. Overal worden haar omzet- en winstcijfers genoemd en de omzetverdubbeling die ze binnen de kortste keren wil realiseren, vooral door het plegen van overnames en door buitenlandse expansie.

In NRC zegt ze dat ze op de 'bagagedrager van Begemann', dat al grote belangen in de omgeving van Moskou heeft, mee naar Rusland wil fietsen. De Oost-Europese markten zijn klaar om door A-Line te worden bewerkt.[4] NRC haalt ook de minder rooskleurige situatie bij Newtron aan, het bedrijf dat ze heeft achtergelaten. Newtron heeft twee weken eerder aangekondigd op termijn van de beurs te zullen verdwijnen via een zogenaamde *reverse take-over* met de succesvolle dochter Ordina. Wat Nina betreft is dat een goede zaak. 'Newtrons naam was toch al besmet,' zegt ze, waarna de krant Nina's kijk op het recente zakelijke verleden kort samenvat. 'Volgens haar zijn daardoor ook de omzet en winst van haar bedrijf A-Line onder druk komen te staan.'

In het *Algemeen Dagblad* komt ook Van den Nieuwenhuyzen kort aan het woord. Hij blijkt een andere kijk op de expansieve ambities van A-Line te hebben dan Nina. 'Voor ons is A-Line geen startpunt voor het uitbreiden van belangen in de automatiseringsbranche. Dat zeker niet.'[5] Aan het *Eindhovens Dagblad* laat hij weten dat hij er vertrouwen in heeft. 'A-Line had al een prima rendement op investering; dat kan nu alleen maar beter worden.'[6]

Donderdags verschijnt in *Het Parool* in de rubriek 'Buitenbeentjes' een interview met Nina, thuis in Wassenaar. 'Afscheid Newtron doet A-Line goed' luidt de kop van het stuk. Ze beaamt daarin dat de wereld van de automatisering een slechte naam heeft gekregen. 'Voorheen durfde je er openlijk voor uit te komen dat je iets in de computers deed,' zegt Nina. 'Nu overheerst de gedachte aan oplichting en snelle, maar niet-professionele jongens. In de branche overheerst de mentaliteit van meteen uit de heup schieten, zonder op het doel te letten. Terwijl de automatisering het juist van degelijk management moet hebben.'[7]

Voor dat degelijke management staat zij: Nina Aka. Zij was degene die met A-Line verantwoordelijk was voor bijna 85 procent van de uiteindelijke nettowinst van Newtron in 1990. Zij was ook geen voorstander van de hoge snelheid van acquireren bij Newtron. De diversiteit van de overnames was bovendien veel te groot. En wat haar betreft hoefde Newtron ook niet naar de beurs. Achteraf moet ze bekennen dat het een 'beetje dom' was om met Newtron in zee te gaan. Natuurlijk komt het gesprek ook even op de prominente Amsterdammer Willem Smit. Een 'glamourfiguur', volgens Nina. 'Ik had en heb geen tijd voor dat wereldje. Bovendien, ik ben geen pennypincher. Als ik een feest geef dan doe ik dat privé en niet op kosten van de zaak.'

Een dag later is een interview in *de Volkskrant* het voorlopige slotakkoord van het persoffensief. 'Bij Newtron was het soms echt te bar' luidt de kop in de vrijdagkrant. En 'Succesvolle zakenvrouw Nina Aka ruilt Smit om voor Van den Nieuwenhuyzen'.[8] Ze wil niet met modder gooien naar Newtron. 'Want daar is niemand bij gebaat.' De zakenvrouw vertelt wel dat ze zich heeft kunnen wijden aan het schrijven van gedichten, als middel om de stress te bevechten. En dat 1991 voor haar als dichteres een 'absoluut topjaar' was. Want Newtron, dat was los zand. Het is bij haar weten het eerste bedrijf in de geschiedenis dat naar de beurs ging zonder dat het bestuur eerst bij elkaar was gekomen om dat besluit te nemen.

Nina zegt blij te zijn dat ze Van den Nieuwenhuyzen als investeerder heeft, iemand die ze op elk moment van de dag kan bellen. En ze is blij met Begemann, waarmee de onderhandelingen 'redelijk vlot' waren verlopen. 'Al zegt Aka wel "gegrild" te zijn door de raad van commissarissen van Begemann,' schrijft *de Volkskrant*. 'Die gaven uiteindelijk hun fiat omdat A-Line het redelijk goed doet, ondanks de malaise in de automatiseringssector.'

Directie en raad van commissarissen van Newtron hebben de publicaties op de voet gevolgd. De gepeperde uitspraken van Nina over het bedrijf maken de besprekingen met Ordina over de omgekeerde overname niet eenvoudiger. Ook de persoonlijke aanval op Smit sorteert enig effect: de Amsterdammer raakt buiten zinnen van woede.

De bestuurders bij Newtron worden enkele dagen later ook door een ander bericht opgeschrikt: NMB Postbank-bestuurder Ton Soetekouw heeft zijn ontslag bij de bank ingediend. Rondom zijn vertrek gonst het van de geruchten. Met name zijn bemoeienissen met Newtron en zijn aandelenbelang in het automatiseringsbedrijf zouden er debet aan zijn geweest.[9]

In Barretje Hilton en in sommige Amsterdamse cafés en clubs doen ook vele verhalen over Smit de ronde. Hij zou door de problemen met Newtron in grote financiële problemen verkeren. Het landgoed in het Belgische Wavre zou te koop staan, evenals een deel van zijn verzameling Cobra-schilderijen. Ook de uitbundige vliegbewegingen van de Falcon 20 van WMS Air zouden op dringend advies van zijn accountant een halt zijn toegeroepen.[10]

Twee weken na de artikelenstroom over Nina en A-Line, op donderdag 20 februari, mag Smit weer eens een aan hem gericht schrijven van Nina in ontvangst nemen. Althans, van haar advocaat. Ze eist per onmiddellijk de betaling op van de 25.000 personeelsaandelen waarvoor ze een jaar eerder garant was gaan staan en waarvoor Smit haar zou compenseren. De procedure was vanwege de verkoop van A-Line uitgesteld, maar nu die definitief is afgewikkeld, moet Smit snel over de brug komen. Binnen tien dagen moet hij 125.000 gulden betalen, anders kan hij gepaste rechtsmaatregelen tegemoet zien.[11]

Twee dagen later staat er een omvangrijk interview met Willem Smit in De Telegraaf dat hij enkele dagen voor het ontvangen van de brief van Nina heeft gegeven. Het is zijn eerste grote interview in vijf jaar. Tegenover de journalist zet de vroegere King William graag even een paar zaken recht en probeert hij zich tegelijkertijd in het boetekleed te hullen.

'Aan mijn graf weet ik pas wie mijn vrienden zijn,' luidt het in een vette kop verpakte citaat onder een foto van een deemoedig kijkende Smit. Het stuk is opgesierd met gescheurde krantenknipsels van koppen over de zakelijke affaires waarin Smit de laatste jaren verzeild is geraakt. Het lichtpunt voor Smit staat boven aan het artikel in een enkele zin weergegeven: 'Computertycoon Willem Smit door nieuw financieel debacle toch wijzer geworden'.

Smit kijkt terug op de hele affaire. Hij heeft 'een flinke scheur in zijn broek' aan het Newtron-avontuur overgehouden. De schade is 'enkele tientallen miljoenen' groot. Hij snapt inmiddels wat hij fout heeft gedaan. 'Ik heb een slechte hand gehad in het aantrekken van directieleden. Ik heb me te veel aan de kant laten zetten,' legt hij uit. 'Er werden overnames gedaan waarvan ik al van tevoren had gezegd dat ik er niets in zag. Die worden dan toch achter mijn rug doorgedrukt. De directie stelde mij niet op de hoogte van de werkelijke stand van zaken. In februari vorig jaar kreeg ik nog een brief van de directie dat er helemaal niets aan de hand was. De winstprognoses zouden gewoon gehaald worden.'

Erger dan de financiële schade vindt hij de 'emotionele schade' die hij heeft geleden. Nina Aka? 'Het gezicht van Smit vertrekt bij het noemen van haar naam,' schrijft de journalist. Smit: 'We hadden eigenlijk afgesproken nooit meer over haar te praten. Er ging een zucht van verlichting op toen zij eind vorig jaar opstapte.'

Ook de mooie winstcijfers die Nina in haar gesprekken met de media eerder herhaaldelijk heeft genoemd, worden aangehaald. Smit reageert verbolgen: 'Haar bedrijf ging bijna ten onder. Newtron heeft 15 miljoen gulden aan extra middelen in A-Line gestopt, exclusief de strop van 5 miljoen als gevolg van het faillissement van dochter Positronika in België.'

Smit is door de hele affaire in liquiditeitsproblemen gekomen. Zijn landgoed staat inderdaad te koop en hij heeft voor een bedrag van 'ongeveer 12 miljoen gulden' schilderijen op de markt gebracht. Via een bekende kunsthandelaar zou er zelfs een werkje bij Nina terecht zijn gekomen. Smit lacht. 'Er schijnt er inderdaad nu een in Wassenaar te hangen.'

De gevallen tycoon mijmert in het stuk nog wat over de rustgevende werking van natuurrecreatie, verre horizonten, zijn twintig meter lange kotter, zijn vishengel en zijn kinderen, om vervolgens met de journalist in Barretje Hilton te belanden. Zijn vrienden hangen er al aan het drankbuffet. 'Die scheur in mijn broek stop ik wel weer,' zegt Smit de nodige pilsjes later. Op de slotvraag of geld gelukkig maakt, schudt hij na een korte overpeinzing zijn hoofd. 'Nee, maar ook niet ongelukkig.'

Als het aan Nina ligt, wordt de scheur in de broek van Smit alleen maar groter. Op maandag 24 februari, kort na de lunch, spuugt de fax in het hoofdkantoor van Newtron een brief van Nina's advocaat Herman Jansen uit.[12] Het schrijven is gericht aan Smit. Zijn interview in De Telegraaf van twee dagen eerder is bij Nina niet geheel in goede aarde gevallen. 'Cliënte' blijkt 'ten zeerste gegriefd' over de 'onjuiste' uitlatingen van Smit en ze meent dat haar bedrijven 'aanzienlijke schade' lijden door de publicatie die Smit mogelijk heeft gemaakt. Met name de uitspraak 'haar bedrijf A-Line ging bijna ten onder' wordt Smit bijzonder kwalijk genomen. Ze stelt dat 'A-Line binnen het Newtron-concern een der weinige ondernemingen was die duurzaam positieve resultaten behaalde' en ontkent dat er ooit van een dreigende ondergang sprake was. Sterker, ondanks het 'negatieve imago' waarmee haar bedrijf moest kampen sinds het onderdeel was van Newtron, wist het zijn 'positie als winstgevende onderneming ten volle te handhaven'. Dat zou Smit moeten weten, want hij heeft de halfjaarcijfers gezien, schrijft de advocaat.

De 15 miljoen gulden kostende overname van het bedrijf Positronika gebeurde niet ook op haar initiatief. De overname was volgens Nina eerder al door Newtron beklonken, en zij had van het begin af aan de financiële verantwoordelijkheid voor die beslissing afgewezen. Tegen de overname van het Belgische deel van Positronika heeft ze zelfs 'verzet' gepleegd.

Verder mag volgens Nina de 'zucht van verlichting' die klonk toen zij afscheid nam, niet in verhouding staan met het gebrekkige functioneren van Smit, die, stipt de advocaat aan, in september vorig jaar nog gevraagd werd op te stappen. In contrast daarmee staat de waardering voor het optreden van Nina. Die spreekt uit het feit dat ze haar functie meerdere malen ter beschikking had gesteld, en dat ze net zo vaak gevraagd was om aan te blijven.

De uitspraken van Smit laten de indruk ontstaan dat hij eropuit is om haar bedrijven en haar relaties met banken en leveranciers 'aan te tasten en te ondermijnen' en Nina publiekelijk in diskrediet te brengen door haar als zondebok aan te wijzen voor de 'deplorabele toestand' van Newtron.

Nina stelt Smit voor alle schade aansprakelijk en sommeert hem zijn uitspraken publiekelijk te herroepen. Ze wil binnen vier uur een bevestigend antwoord op haar eis ontvangen. Anders wordt een gang naar de rechter onvermijdelijk.

Oscar Hammerstein laat dezelfde dag nog per koerier zijn antwoord bij Jansen bezorgen.[13] Hij herinnert advocaat Herman Jansen eraan dat hij drie maanden eerder aan Newtron had bericht dat 'A-Line niet in staat was aan haar opeisbare verplichtingen te voldoen en het aanvragen van surseance van betaling voor de betreffende vennootschappen onvermijdelijk leek'. Dat had een reden. A-Line had weliswaar een 'nettowinst' van 957.000 gulden getoond, maar had daarin niet het miljoenenverlies (5 miljoen) bij Positronika en de miljoenenafschrijving (2 miljoen) bij TM Data meegerekend. Er waren nog meer grote kostenposten die ze vergeten was in haar verlies-en-winstrekening op te nemen. Dat A-Line bijna ten onder ging, zoals Smit in *De Telegraaf* had geroepen, is dan ook juist, stelt Hammerstein. 'Overigens heeft de directie van Newtron met betrekking tot de mededelingen van Smit geen enkele feitelijke onjuistheid opgemerkt.'

Dat geldt ook voor commissaris Frits Salomonson, die feiten over de financiële toestand van A-Line diezelfde dag telefonisch met Jansen bespreekt.[14] Hammerstein sluit zijn brief af door de bal terug te kaatsen. 'Ten slotte merk ik op dat mevrouw Vleeschdraager zelf eerder de publiciteit heeft gezocht in tal van dagbladen en daarbij manifeste onwaarheden in de publiciteit heeft gebracht.'[15] De zaak ligt zo: de verdichtsels van Nina hebben juist schade aan Newtron toegebracht!

Hammerstein vermeldt ook de data in de tweede week van maart waarop hij niet beschikbaar is, maar zo lang zal hij niet hoeven wachten. De volgende dag stuurt Jansen zijn antwoord: de aankondiging van een kort geding, dat vrijdag nog moet plaatsvinden.

In plaats van op die aanvalsverklaring van Jansen te reageren, schrijft Hammerstein een brief aan Jansens kantoorgenoot Rob Laret. Laret was Nina's adviseur bij het opmaken van de schimmige side letter-constructie bij de verkoop van A-Line aan Newtron. Hammerstein zet de afspraken die anderhalf jaar eerder op papier werden gezet nog eens gedetailleerd voor de advocaat van Barents & Krans uiteen.[16] Hij wijst de raadsman ook nog op een openstaande post van 680.000 gulden van zijn cliënte, een bedrag waarvan het ooit de bedoeling was dat het via een spookfactuur een bestemming kreeg in de resultatenrekening van Newtron. Neelie Smit-Kroes heeft er weliswaar in januari 1991 voor gezorgd dat een einde werd gemaakt aan deze frauduleuze praktijken, maar volgens Hammerstein moet Nina het bewuste bedrag nog wel betalen. Hammerstein vordert de som geld namens Newtron en eist dat het binnen acht dagen op de derdengeldenrekening van zijn kantoor Boekel de Nerée wordt overgemaakt. Wanneer Nina daar niet aan voldoet, kan ook zij rechtsmaatregelen tegemoet zien.

Confrère Jansen op zijn beurt stuurt de volgende dag, woensdag 26 februari, aan het einde van de middag zijn conceptdagvaarding naar Hammerstein.[17] Als het aan Nina ligt, zal vrijdagmiddag de strijd voor de Amsterdamse rechtbank in haar voordeel worden beslecht.

Jansen wil Smit aanpakken op 'feitelijk onjuiste', 'misleidende' en daarom 'onrechtmatige' uitspraken die hij in het interview in De Telegraaf heeft gedaan en die hij ook al in zijn eerdere brief aan de orde heeft gesteld. Het spoedeisende belang van de zaak zit hem volgens Jansen in het feit dat er bij het A-Line-personeel en de leveranciers 'grote ongerustheid' is ontstaan die schade kan toebrengen aan de onderneming. Daarom eist Jansen namens Nina dat Smit zich zal onthouden van uitspraken, handelingen of suggesties die de 'geloofwaardigheid' van haar persoon dan wel haar vennootschappen zouden kunnen aantasten. Dit alles op straffe van een dwangsom van 1 miljoen gulden per overtreding.

Daar blijft het niet bij. Smit moet ook schriftelijk bevestigen dat Nina ten tijde van de overname van Positronika niet in het bestuur van Newtron zat, dat ze ten aanzien van die overname financieel geheel gevrijwaard werd en dat zijn uitlatingen over de winstcijfers van A-Line niet kloppen. Zulks op straffe van een dwangsom van 500.000 gulden voor iedere dag dat hij in gebreke blijft.

Voor Hammerstein en enkele van zijn medewerkers heeft bij het binnenkomen van de officiële dagvaarding de bel geklonken. Alle hens aan dek, cliënt Smit moet binnen 36 uur voor de rechter verschijnen. Ook voor Newtron staat er veel op het spel. Het bedrijf is nog volop bezig de omgekeerde overname met Ordina mogelijk te maken. Een rel in een openbare zitting in de rechtbank is hoe dan ook schadelijk. Newtron-commissaris Frits Salomonson, net als Hammerstein partner bij advocatenkantoor Boekel de Nerée, meldt zich ook aan het front. Hij zal in de komende 24 uur een conceptpleitnota fabriceren.

De volgende middag wordt Hammerstein aan de telefoon geroepen. Het is Jansen. Tot zijn grote verbazing hoort hij dat amice Jansen de zaak wil uitstellen. Hammerstein legt het voorstel honend naast zich neer. Als het buiten donker begint te worden ontvangen Hammerstein en zijn team een 'rectificatie dagvaarding' van de rechtbank. In de eerste versie zijn enkele foutjes geslopen. De rechtbank vraagt namens Jansen om uitstel. Nog geen kwartier later rolt het antwoord van Hammerstein uit de fax van de rechtbankpresident: van uitstel kan geen sprake zijn – Jansen trekt namens Nina de zaak in, of we verschijnen gewoon morgen om 15.30 uur in de rechtszaal.[18]

Frits Salomonson heeft inmiddels een gepeperde pleitnota gecomponeerd waarin hij aftrapt met de prikkelende stelling dat de persoon met de achternaam Aka-Vleeschdraager – 'een door haar gekoesterde nom de plume' – niet bestaat.[19] Nina dient daarom formeel als 'spookpartij' te worden aangemerkt. Brink-Vleeschdraager, zoals ze in werkelijkheid heet, gebruikt immers de naam van haar ex-man terwijl ze al jaren officieel van hem is gescheiden.

De argumenten van de oude raadsman krijgen al snel meer lading. Hij wijst erop dat Smit als bestuurder van het beursgenoteerde Newtron wettelijk verplicht is over het pas verkochte A-Line te berichten, met name over de cijfers van het bedrijf. Salomonson refereert daarbij aan het telefonische gesprek dat hij enkele dagen eerder met Jansen voerde over de financiële toestand van A-Line, kort voordat Jansen zijn dagvaarding de deur uit deed. 'De spijtige conclusie dringt zich op dat eiseres niet alleen een manifeste onwaarheid stelt, maar dat zij welbewust door middel van de dagvaarding een misleidende voorstelling van zaken heeft gegeven.'

Ook alle beweringen van Nina over Positronika zijn 'onwaar', meldt Salomonson. 'Uit eigen wetenschap kan ik verklaren, dat de wens tot overname van Positronika gerezen is uitsluitend in hoofde van mevrouw Brink, die deze onzalige acquisitie met alle geweld wenste, omdat zij een rivaal de voet dwars wilde zetten.' De overname is 'een drama' geworden die een verlies van vele miljoenen veroorzaakte.

Ter verduidelijking van de deplorabele staat van A-Line noemt Salomonson behalve de voortdurend naar beneden bijgestelde cijfers van haar divisie Distributie en Datacommunicatie ook weer de brief van Rob Laret waarin die schrijft een surseance van A-Line onvermijdelijk te achten. De raadsman illustreert het eerste met een anekdote. Toen Nina, enkele weken nadat ze in een commissarissenvergadering had geroepen dat ze winst had gemaakt, terugkwam met de mededeling dat de winst aanzienlijk lager was, 'riep zij tegen de president-directeur de heer Van den Brink en de vennootschapssecretaris (Joost) Hulshoff, onder het plengen van tranen: "Ontsla mij maar, ontsla mij maar."'

Nina toonde zich daarnaast een bestuurder 'waarmee de overige directieleden en de raad van commissarissen het nodige te stellen hebben gehad wegens haar onbedwingbare hang naar publiciteit omtrent haar persoon'. De advocaat stelt dat Brink 'in strijd met haar verplichtingen als oud-bestuurslid van Newtron, kort na de managementbuy-out tegenover de door haar opgetrommelde pers volstrekt onware mededelingen heeft gedaan over het winstniveau van A-Line. Die grootspraak van mevrouw Brink is door de uitlatingen van de heer Smit doorgeprikt en mevrouw Brink stond te kijk – in haar eigen ogen waarschijnlijk nog het meest – als de keizerin zonder kleren.

Mevrouw heeft door haar – ik zeg het met understatement, hoewel het belang van mijn cliënt eigenlijk veel duidelijker uitlatingen vergt – gebrek aan stressbestendigheid en onvermogen om in kritische situaties het hoofd koel te houden, door haar verregaande wispelturigheid en haar behoefte haar eigen persoonlijkheid te profileren, degenen die tot taak hadden om orde op zaken te stellen, hoorndol gemaakt. De avond van haar vertrek zijn de heren Van den Brink en Hulshoff van vreugde over deze succesvolle verlossing diep doorgezakt in een Haags etablissement.'

Salomonson concludeert dan ook dat de dagvaarding van Jansen nietig is.

Smit en Hammerstein verheugen zich inmiddels handenwrijvend op het juridische treffen. Ze hebben verschillende vertegenwoordigers van de pers, die in het bezit lijken te zijn van Nina's dagvaarding,[20] al over de aanstaande zitting te woord gestaan. Smit ziet het gevecht met veel vertrouwen tegemoet – eindelijk bevindt hij zich weer eens in een positie van waaruit hij een tik kan uitdelen. Maar de voorpret wordt kortgesloten wanneer Nina zich enkele uren voor de zitting terugtrekt.

Om toch enigszins tegemoet te komen aan Smits verlangen naar genoegdoening, stuurt Hammerstein dezelfde middag nog een persbericht naar alle grote krantenredacties.[21] Slotzin van zijn tienregelige bericht: 'De heer Smit betreurt dat hij niet in de gelegenheid is geweest de onware beschuldigingen in de dagvaarding tegen te spreken en hij handhaaft volledig al zijn uitlatingen in het bewuste artikel.'[22]

Zaak gesloten? Nee, allesbehalve. Twee uur nadat Smit zijn faxapparaat heeft laten malen om triomfantelijk de pers in te lichten over Nina's aftocht, stuurt haar advocaat Herman Jansen hem een bericht waarin hij laat weten Smit nog steeds in verband met de publicatie in *De Telegraaf* in kort geding te willen dagen. Ook werkt hij diezelfde dag nog een brief uit die in potentie de omgekeerde overname van Newtron door Ordina volledig kan ondermijnen.[23] Jansen herinnert de directie en de raad van commissarissen van Newtron nog eens aan de brief die hij een jaar eerder heeft gestuurd en waarin Nina Smit beschuldigt van het geven van valse informatie over de financiële toestand van het bedrijf Newtron. Belangrijker: hij herinnert de leiding van het bedrijf aan de miljoenenclaim die zij in verband daarmee bij Newtron en Smit heeft neergelegd.

Jansen refereert aan de reddingsoperatie die zich een jaar eerder afspeelde en aan de besprekingen op het hoofdkantoor van NMB Postbank. Hij schetst de situatie waarbij Nina in aanwezigheid van de bijna voltallige raad van bestuur van de bank afstand moest doen van haar schadeclaim. Onterecht en onjuist, stelt de advocaat. 'Cliënte heeft onder druk der omstandigheden een verklaring getekend.' Haar werd verteld dat Newtron onherstelbare schade zou oplopen als ze niet akkoord zou gaan. Die verklaring heeft daarom geen geldingsrecht, aldus Jansen, die spreekt van 'misbruik van omstandigheden'. Nina heeft door de 'ernstige misleiding' van Smit minimaal 6 miljoen gulden schade geleden bij de verkoop van A-Line. Ze stelt Newtron daarvoor 'volledig aansprakelijk'. Jansen eist dat Newtron voor 6,9 miljoen gulden Nina's pakket Newtron-aandelen overneemt. Binnen een week moet de betaling schriftelijk worden bevestigd, anders zullen er juridische maatregelen worden genomen.

Hoewel Hammerstein de juridische waarde van de zojuist gereïncarneerde miljoenenclaim op termijn laag inschat, vormt een eventuele schadeprocedure in zijn ogen een acuut gevaar voor het voortbestaan van Newtron. 'U heeft thans het probleem dat in de voorgenomen transactie Newtron-Ordina een claim van deze omvang die transactie hindert,' meldt hij het bestuur en de raad van commissarissen.[24] Hij adviseert bij de rechtbank een 'verklaring voor recht' te vragen dat Nina een jaar eerder onvoorwaardelijk afstand heeft gedaan van de claim. 'U raakt anders in een procedure betrokken waarvan de afloop eerst over enkele jaren bekend zou kunnen zijn.'

Wat het kort geding tegen Smit betreft ziet Hammerstein geen enkel probleem. Hij is zelfs blij dat hij toch nog de kans krijgt in een openbare zitting met aanwezige journalisten het door Salomonson voorgekookte pleidooi uit te spreken. Hij eist ook onmiddellijk een bevestiging van Jansens voornemen om de zaak alsnog voor te laten komen. Jansen reageert en in overleg met de rechtbank wordt een nieuwe datum bepaald voor het kort geding. Op 17 maart om 13.30 uur zullen de partijen weer voor de rechter verschijnen.

Dezelfde week verschijnt in het tijdschrift *Management Team* weer een uitgebreid interview met Nina, dat enkele weken eerder al is afgenomen.[25] Weer gaat ze in op haar ongelukkige tijd bij Newtron en maakt ze duidelijk dat de problemen bij het bedrijf niet aan haar optreden waren te wijten. Alle acquisities waren voltooid op het moment dat zij in het management werd opgenomen, zegt ze.[26] Als oud-Newtron-bestuurder toont ze ook enige zelfkritiek. 'Ze wil best toegeven dat Newtron zich anders zou hebben ontwikkeld als ze eerder in functie was geweest,' schrijft het blad.

Hoewel het een ellendige tijd is geweest, blijven er voor Nina toch redenen over om de tropenjaren bij Newtron niet als geheel verloren te beschouwen. Ze heeft er immers veel geleerd: 'Je moet niet heel snel bedrijven willen kopen, maar stap voor stap gaan, kijken of de *chemistry* er is, integreren en als het dan goed loopt aan de volgende acquisitie beginnen.'

Behoedzaam manoeuvreren met weldoordachte strategieën en een scherp oog voor de mens achter de werknemer, dat is waar de 'meest besproken vrouw in het automatiseringswereldje' in *Management Team* voor zegt te staan. Ze vindt het daarom bepaald geen aangenaam idee dat ze als 'keiharde tante' te boek staat. Ze heeft zelf een heel ander beeld van haar persoonlijke karaktereigenschappen, en ze wil daar graag iets over vertellen.

'Ik vind het prettig om met mannen samen te werken en ik weet van die mannen dat ze het prettig vinden om met een vrouw samen te werken. We hebben andere invalshoeken, letten meer op kleine dingen. Ik probeer altijd de zachte kantjes te vinden, we lachen ook veel tijdens vergaderingen. Ik kan soms heel emotioneel zijn. Ooit barstte ik in een vergadering in huilen uit. Dat is bij Newtron gebeurd, ja. Gewoon een verschil in reactiepatroon, meer niet.

Er is me wel eens gevraagd of ik zit te acteren met zo'n huilbui, of dat het echt is. Nou, ik kan je verzekeren: die huilbuien zijn echt. Succesvol zijn is een kwestie van jezelf zijn.'

Het interview sluit af met een blik op de nabije toekomst. Ze is met een ander bedrijf in gesprek. 'Als die strategische alliantie van de grond komt, dan verdubbelen we onze omzet.'

Vijf dagen voor de zitting trekt Jansen zich weer terug uit het kort geding.[27] Daarmee is de procedure over Smits interview in *De Telegraaf* definitief verleden tijd. Hammerstein stuurt zes dagen later een kort afsluitend briefje per fax naar Nina's Haagse raadsman. 'Het gemak waarmee u spoedkortgedingen aanhangig maakt, wordt alleen nog overtroffen door het gemak waarmee u dergelijke vorderingen intrekt.'[28]

Diezelfde dag krijgt ook de verdedigingslinie inzake Nina's miljoenenclaim zijn beslag. Hammerstein legt zijn tactiek eerst voor aan het bestuur en de raad van commissarissen van Newtron.[29] Nina heeft met haar claim de inzet aanzienlijk verhoogd en dat verdient volgens de Amsterdamse advocaat een gepaste tegenzet. De basis voor een eventuele vergeldingsmaatregel heeft hij drie weken eerder al gelegd.

Als eerste behandelt hij Jansens belangrijkste argument: Nina zou vanwege 'misbruik van omstandigheden' gedwongen zijn om af te zien van de claim. Daarvan kan volgens Hammerstein geen sprake zijn. Daarmee zou Jansen zich immers beroepen op bijzondere omstandigheden als 'noodtoestand, afhankelijkheid, lichtzinnigheid, abnormale geestestoestand of onervarenheid'. In de kwestie rondom de schadeclaim zou bij Jansens cliënte inderdaad wel eens sprake kunnen zijn van lichtzinnigheid, maar dat geldt zeker niet voor het moment waarop ze haar handtekening onder de onvoorwaardelijke afstandsverklaring zette, meent Hammerstein.

De toon is gezet. De raadsman kan nu het zwaardere geschut in stelling brengen.

'Uw cliënte heeft de wetenschap van de voorgenomen transactie Ordina-Newtron, waarbij Ordina een opeisbaar bod op aandelen Newtron zal uitbrengen,' gaat Hammerstein verder. 'Derhalve heeft zij er ook wetenschap van dat zij Newtron grote schade toebrengt met het instellen van een vordering in deze omvang, hoe ongegrond die vordering ook is.' De schade die daaruit kan voortkomen, loopt volgens zijn schattingen in de 'miljoenen'. Newtron zal Nina daarvoor aansprakelijk houden. Nina moet de claim binnen twee dagen terugtrekken, anders volgen er repercussies.

Hammerstein schudt daartoe een kachelzwarte troef uit zijn mouw, de nucleaire optie van Newtron: de frauduleuze deal betreffende de koop van A-Line. In verband daarmee moet Nina nog steeds een fors bedrag betalen: 680.000 gulden. Hij stelt vast dat, ondanks zijn eerdere dringende verzoek dat bedrag snel over te maken, er nog geen cent is betaald.

'Ik acht mij thans vrij om rechtsmaatregelen in te leiden en wijs u er reeds op dat in die procedure niet onvermeld kan blijven dat uw cliënte met bedoelde transactie – mede in hoedanigheid van bestuurder – heeft beoogd het bedrijfsresultaat van Newtron te verhogen, dusdanig dat daarover een vals beeld zou ontstaan; althans, zij is zich daarvan terdege bewust geweest en heeft haar medewerking daaraan gegeven.'

De advocaat laat er geen twijfel over bestaan. Als Nina de verwoesting van Newtron wil bewerkstelligen, dan zal ze ook met haar eigen ondergang rekening moeten houden.

5 Benelux' grootste

Een bestaand bedrijf zorgvuldig van dag tot dag managen, is een eentonige aangelegenheid, hard werk en veel detail. Een verse acquisitie (daarentegen) voelt aan als een eerste liefde.
ROGER LOWENSTEIN, *Origins of the Crash*

Hammersteins kamikazetactiek heeft zijn uitwerking niet gemist. Nina staakt haar procedure en daarmee is de voor Newtron levensgevaarlijke miljoenenclaim van tafel. Berry van den Brink kan zich weer volop concentreren op het eindspel van Newtron. Met succes: Smits gedroomde Europese aanbieder van totaaloplossingen zal, voor een ruilverhouding van één aandeel Ordina tot tien aandelen Newtron, opgaan in zijn succesvolle dochter. Daarna zal de notering van Newtron aan de Amsterdamse effectenbeurs worden opgeheven.

Ab Brink is 'gelukkig', laat hij als bestuurder van beveiligingsbedrijf ID Systems aan NRC *Handelsblad* weten. 'Er was geen synergie. Er was geen support van het management. We waren in feite een zelfstandig bedrijf in een holding met een negatieve uitstraling. We onttrekken ons nu aan de negatieve uitstraling.'[1] Op 29 april wordt het biedingsbericht voor de omgekeerde overname van Newtron door Ordina publiekelijk gemaakt. Een maand later moet 95 procent van de stukken Newtron bij commissionairshuis Van Meer James Capel zijn aangemeld, luidt de vooraf bepaalde eis. Het korte tijdperk-Newtron stevent daarmee af op een einde.

Toch lijkt niet iedereen zich daarbij neer te kunnen leggen. Twee weken na de publicatie van het aanbiedingsbericht, enkele uren voor de algemene vergadering van aandeelhouders van Newtron, glijdt in het hoofdkantoor van Newtron weer een briefje uit de fax. Op het brievenhoofd de naam van een bekend advocatenkantoor: Barents & Krans. Nina en Ab, die optreedt als bestuurder van ID Systems, laten weten zich niet met de inhoud van het biedingsbericht te kunnen verenigen. 'Zij behouden zich ter zake alle rechten voor.'[2] Het protest van Nina en Ab is slechts een laatste stuiptrekking en heeft weinig meer te betekenen. Op 12 juni 1992, twintig maanden na de beursgang, gaan de overblijfselen van Newtron geruisloos op in Ordina. Zo komt aan een geruchtmakend beursavontuur definitief een einde.

De spanningen rondom het vertrek uit Newtron en de juridische schermutselingen vanwege het interview met Smit zijn Nina begin 1992 te veel geworden. Ze beleeft een mentale inzinking en blijft thuis in Wassenaar. Wekenlang is ze nauwelijks bereikbaar en laat ze vrijwel niets van zich horen. Ze zoekt hulp bij een deskundige en laat zich analyseren.[3] Ze komt met de geestelijk hulpverlener tot het inzicht dat ze moeite heeft zaken los te laten en zich over te geven. Ze blijkt over een dwangmatige behoefte te beschikken altijd en overal de controle in handen te willen hebben. 'Zonder controle raak ik in paniek,' zal ze jaren later zeggen.[4]

Ondanks het feit dat de zenuwen opspelen, kan ze terugkijken op een paar successen. Ze heeft tot haar grote opluchting Newtron de rug kunnen toekeren en in dezelfde manoeuvre de steun van Nederlands populairste zakenman verkregen. De daarmee gepaard gaande publiciteit heeft haar zichtbaarheid aanzienlijk vergroot, in positieve zin. Op de als aangeschoten wild rondlopende Willem Smit na is er niemand die haar uitspraken publiekelijk in twijfel heeft getrokken.

Ook op ander publicitair terrein heeft Nina de voorbije maanden opmerkelijke resultaten geboekt. Sinds ze op een van haar buitenlandse reizen in contact is gekomen met de wereldberoemde primatologe Jane Goodall, heeft ze zich tot haar vreedzame onderzoeks- en stichtingswerk bekend. Goodall had in de jaren zestig grote opwinding veroorzaakt met haar publicaties over de gedragingen van chimpansees. Voor het eerst stelde zij vast dat de apen bij het verzamelen van voedsel gebruikmaken van instrumenten. Meer recentelijk heeft Goodall uitgebreid onderzoek gedaan naar de dominante gedragingen van enkele apen in de door haar bestudeerde groep. Het boek waarin ze uitgebreid op haar baanbrekende bevindingen ingaat, bezorgt haar nog meer faam.[5] De Britse wetenschapster is nog steeds actief als onderzoekster en vecht tegelijkertijd voor een grotere bewustwording ten aanzien van het kwetsbare ecosysteem. Goodall is een groot deel van het jaar op reis om haar missie onder de aandacht van de mensen te brengen. Vooral de meer vermogende variant van deze soort vergt een belangrijk deel van haar aandacht. Er is immers geld nodig om haar werk voort te kunnen zetten.

In Nina heeft Goodall een bereidwillige zakenvrouw gevonden die haar graag verder wil helpen, bijvoorbeeld met de organisatie van een grote fundraiser, en ook met promotionele activiteiten. Juist toen Nina haar advocaten het gevecht over het *Telegraaf*-interview met Willem Smit liet voeren, organiseerde ze voor Goodall een persconferentie in de Amsterdamse dierentuin Artis. Ook haar huis in Wassenaar stelde de zakenvrouw open voor ontmoetingen met de pers. De sober geklede wetenschapster was ook nog te gast bij de *Tros tv Show*, het populaire interviewprogramma van Ivo Niehe.[6] Nina begeleidde haar persoonlijk tot in de studio en zat in het publiek toen de opnamen plaatsvonden.

Het bezoek van Goodall werd besloten met een groot diner ter ere van haar persoon in het bekende Haagse Italiaanse restaurant Da Roberto. Nina, die de organisatie op zich had genomen, had er verschillende prominenten uit de politiek, cultuur en het zakenleven voor uitgenodigd.

Zelfs op operationeel-zakelijk gebied wist Nina vlak voor het afscheid van Newtron nog een positief resultaat te boeken. In de maanden waarin ze bezig was van Newtron los te komen, werd ook opeens bekend dat het computerbedrijf Infotheek van it-ondernemer Wim van Leenen een onvermijdelijke ondergang tegemoet ging. Nina kende Van Leenen goed. Hij behoorde tot de categorie bekende en succesvolle mannen in de computerindustrie voor wie ze in de jaren tachtig nog een groot ontzag koesterde en waarmee ze ooit nog had geprobeerd het distributeurschap van Epson in handen te krijgen.

Eind 1991 was het moment gekomen waarop Van Leenen zelf werd omringd door de aaseters uit de Nederlandse automatiseringsindustrie. Bij het instorten van zijn aan de Amsterdamse beurs genoteerde Infotheek, een typische dozenschuiver, kwam ook de dochtervennootschap MicroMacro in de problemen. MicroMacro was een distributeur met onder andere een succesvolle productlijn van het merk Maynard. Het Amerikaanse Maynard produceert zogenaamde tapestreamers, digitale cassetterecorders waarop de belangrijkste bedrijfsgegevens als back-up opgeslagen kunnen worden. Met de handel in Maynard-producten waren nog steeds gezonde marges gemoeid. Dat was binnen de distributiewereld algemeen bekend – de verschillende distributeurs stonden in de rij om Maynard over te nemen. Ook Nina. Op de beste plek: vooraan. Ze had de signalen over het in problemen verkerende Infotheek in een vroeg stadium opgevangen en was met een van haar directeuren al bezig geweest de productlijn binnen te halen. Nina ging in de slag met de leveranciers, de directeur met de verantwoordelijken bij MicroMacro.

Bij MicroMacro werkten drie mannen die over sterke banden beschikten met Maynard. Daar was bekend hoe succesvol het trio met zijn tapestreamers was geweest, en het voor Europa verantwoordelijke management van Maynard wilde dat de drie ermee doorgingen. Ze wilden ook bij elkaar blijven. Dat betekende dat het bedrijf dat Maynard wilde hebben, het hele team van MicroMacro zou moeten overnemen. Met die insteek werd nog wel met andere geïnteresseerde partijen gesproken, maar de keuze voor A-Line stond eigenlijk al vast. De no-nonsense-uitstraling van Nina maakte indruk op het team. Ze had al naam voor zichzelf gemaakt, gedroeg zich als een winnaar, en straalde dat ook uit. 'We hebben hier geen tijd voor praatjes,' hoorden ze haar zeggen. Nadat de overige voorwaarden met betrekking tot salaris en bonussen ook door Nina waren ingevuld, was de overgang alleen nog een formaliteit. A-Line was weer een productlijn rijker.

De Maynard-mannen vestigen zich met Main-Line, hun nieuwe A-Line-dochter, bij Nina in Hoofddorp. Daar huurt ze kantoorruimte in het gebouw van het Gemeentelijk Administratiekantoor (GAK), een uitvoerder van socialeverzekeringswetten. Het ingetogen transfer op de ruiten van de aan de straatzijde gelegen vergaderkamer van A-Line staat in schril contrast met de drie manshoge blauwe letters van de uitkeringsfabriek.[7] Het onderkomen van de hoofdzetel van het computerbedrijf ademt bescheidenheid. Alleen de grote zwartleren bureaufauteuil in Nina's kamer, van het prijzige Italiaanse designmerk Poltrona Frau, verraadt de geregelde aanwezigheid van een ambitieus mens.

Buiten het kantoor zijn de aspiraties van Nina opvallender. Haar nieuwe rode BMW uit de 7-serie wordt meestal door een chauffeur bestuurd. Het is een opvallende luxe, die vrijwel geen enkele ondernemer achter een bedrijf met de omvang en het rentabiliteitsniveau van A-Line zich op dat moment kan of wil permitteren. Verder heeft de 39-jarige Nina een conservatief ministeriabel voorkomen, dat door sommigen in haar omgeving, als het in verband wordt gebracht met haar leeftijd, ook wel als 'truttig' wordt omschreven. Ze draagt buiten vaak een lange camelkleurige regenjas met een hoge kraag en ze loopt het liefst op klassieke pumps. Ze kleedt zich doorgaans in voorbeeldige deux-pièces – de rok net iets boven de knieën – met glimmende zijden blouses en een grote strik of een sjaal. In combinatie met haar gewatergolfde kapsel vertoont haar uiterlijk gelijkenissen met dat van haar goede vriendin Hanja Maij-Weggen, én met dat van de machtigste politica van de jaren tachtig: de Britse premier Margaret Thatcher.

Ook op andere gebieden vertonen ze overeenkomsten. Maij-Weggen staat op het Binnenhof bekend als een doortastende machtspolitica die niet bang is conflicten aan te gaan. Haar reputatie is nauw verweven met haar uitspraak: 'Er is maar één minister van Verkeer en Waterstaat, en dat ben ik.'[8]

Ook van Nina is bekend dat ze haar mannetje staat. In haar bedrijf toont ze dat met een opmerkelijk kordate stijl van leidinggeven. De meeste werknemers die haar leren kennen, hebben enige tijd nodig om te wennen aan de op strenge toon uitgesproken directieven van het type 'hang jij mijn jas eens even op'.

Hoewel ze op een bruuske manier met haar mensen kan omgaan, stelt ze omwille van de saamhorigheid een persoonlijke en vertrouwelijke band op prijs. Zeker met haar naaste medewerkers, zoals Jan van der Veer, haar controller Loes Bierenbroodspot en Bernard Demarsin, de directeur van A-Line België. Wanneer ze zich op haar gemak voelt, schroomt ze niet haar in Bally-hakjes gestoken voeten op het bureau te leggen en zo een gesprek te voeren. Ze nodigt ook geregeld belangrijke medewerkers bij haar thuis in Wassenaar uit. Even eten in het op loopafstand van haar woning gelegen hotel-restaurant Auberge De Kievit, met een afsluitende borrel thuis bij het haardvuur. Het familiegevoel wordt zo nu en dan extra gestut door de aanwezigheid van Nina's moeder en haar jongere zus Marijke. Ook op de feestjes en recepties die ze organiseert en waarop meestal veel prominenten aanwezig zijn, nodigt ze haar oogappels uit, zoals op de persconferentie van Jane Goodall in Artis. Jan van der Veer en enkele andere managers vergezellen haar ook op skivakantie naar Kitzbühel in Oostenrijk.

Eind mei staat er een trip naar de Zuid-Franse badplaats Cannes op het programma. Nina, Ab en een zestal belangrijke A-Line-medewerkers met aanhang vliegen businessclass naar Nice, om enkele uren later de geüniformeerde bellboys van het Carlton Hotel op de Boulevard de la Croisette de bagage te mogen overhandigen.

In het vijfsterrenhotel is ook een zaaltje gehuurd waar Nina met haar belangrijkste mensen even wil vergaderen. Op de agenda staat onder andere wat voor kostenbesparende maatregelen er genomen zullen moeten worden. De almaar slinkende winstmarges dwingen ook A-Line tot een groter kostenbewustzijn. Bovendien wordt gesproken over de recente berichten waaruit voor de buitenwacht moet blijken dat het goed gaat met het bedrijf: enkele dagen voor het vertrek naar Cannes heeft Nina in een persbericht de gang naar een nieuw bedrijfspand aangekondigd en een kwartaalwinst van 1 miljoen gulden bekendgemaakt.[9]

Bij A-Line is verheugd gereageerd op de positieve kwartaalcijfers. Nina vindt dat het bedrijf daarmee op een gepaste manier definitief de periode-Newtron achter zich heeft gelaten. Maar een paar aanwezigen wantrouwen de gepresenteerde cijfers. Ze zijn te mooi om waar te zijn, maar de twijfelaars kunnen er hun vinger niet op leggen. Vrijwel niemand bij A-Line weet precies hoe het bedrijf er financieel voor staat. De financiën zijn het exclusieve domein van Nina en Ab, en van de financieel directeur Loes Bierenbroodspot, die al sinds het begin bij A-Line werkzaam is. Ook zij is in Cannes aanwezig en koestert zo haar eigen gedachten over de toestand van het bedrijf en de manier waarop het wordt geleid. Ze vraagt zich af hoeveel langer ze nog voor A-Line wil werken.

De stemming tijdens de vergadering is er niet minder om. De setting in het Carlton in Cannes veroorzaakt een vrolijk gevoel van opwinding en aan tafel kan iedereen zijn ideeën spuien. De interrupties en bevliegingen van Nina zorgen, zoals vaker, voor een chaotisch verloop. Dit keer wordt daar ook vaak bij gelachen.

Buiten het beraadslagen om is er vooral tijd voor ontspanning, zoals een uitgebreide lunch aan het strand, en een exquise diner in een dorpje dat iets verder landinwaarts is gelegen. Met een klein gehuurd luxejacht vaart het gezelschap de volgende dag naar Monaco, waar op dat moment de trainingen voor de Grand Prix in volle gang zijn. Hoewel er van tevoren geen vergunning is aangevraagd om in de haven aan te leggen, laat Nina, onder begeleiding van het oorverdovende gehuil van de Formule 1-racewagens, het scheepje afmeren. De personeelsleden stappen aan wal en genieten. Even maken ze deel uit van het glamourbestaan van hun bazin. Enkelen beseffen goed dat ze misschien niet de gedroomde werkgever is, maar dat de kans verwaarloosbaar klein is dat ze zich met haar ooit zullen gaan vervelen. Nina, die door het trommelvliesteisterende motorgeluid langzaam maar zeker in een staat van paniek geraakt, blijft aan boord en geeft de kapitein het commando de haven weer uit te varen.

Enkele maanden na de binnenkomst van investeerder Joep van den Nieuwenhuyzen krijgt Nina de behoefte zich dichter in de nabijheid van de bedrijvendokter te vestigen. Ze wil in eerste instantie de bestuurszetel van A-Line Holding naar Breda verhuizen, waar ook het hoofdkantoor van Begemann zit. Hoewel de gebroeders hun Begemann-activiteiten officieel vanuit Breda bestieren, zitten ze in de praktijk meestal enige tientallen kilometers verderop in kasteel Withof in het Belgische Brasschaat, dicht bij het vliegveld Deurne, waar hun privévliegtuig, een tweemotorige Cessna-turbopropeller, staat geparkeerd.

Het vroegtwintigste-eeuwse paleisje is privé-eigendom van Joep van den Nieuwenhuyzen. Het is een comfortabele werkplek voor de beide broers, die al enige tijd in het fiscaal aantrekkelijke België wonen. Als ze niet op pad zijn naar nieuwe deals of naar een van hun vele bedrijven, is de gang naar kasteel Withof snel gemaakt. De volledig wit geschilderde zakenresidentie beschikt over grote vensterpartijen en twee uitbundig hoge torenspitsen, die uitsteken boven het bosrijke domein dat vlak aan de drukke weg ligt die Brasschaat met Breda verbindt.

De broers Van den Nieuwenhuyzen bezetten de begane grond van het gebouw. De eerste verdieping hebben ze verhuurd aan een goede zakenvriend: havenbaron en investeerder Willem Cordia. De bovenste verdieping van het kasteel is nog vrij. Wanneer Nina dat ter ore komt, weet ze dat ze voor een persoonlijk gesprek met haar investeerder slechts de telefoon ter hand hoeft te nemen.

Joep van den Nieuwenhuyzen huivert als hij Nina spreekt. Hij vindt haar voorstel om zich in zijn kasteel te vestigen van uitzonderlijke brutaliteit getuigen. Er zijn meer dan honderdvijftig andere directeuren, vaak van veel grotere ondernemingen, die ook onder Begemann vallen of deel uitmaken van zijn private investeringsportefeuille. Mogelijk zouden die precies hetzelfde willen. Maar geen van hen heeft het hem ooit gevraagd, en Nina wel – en het is precies deze instelling die hij zo in haar waardeert. Om die reden zag hij het ook met haar zitten; om die reden heeft hij namens Begemann in haar geïnvesteerd. Daarom mag ze wat hem betreft naar Brasschaat komen. Voor een huur van 54.625 gulden per jaar kan ze haar intrek nemen in zijn kasteel.[10]

De instemming van Van den Nieuwenhuyzen betekent dat Nina de verhuiswagen uit Hoofddorp, met daarin haar zwarte Poltrona Frau, de lange oprijlaan van het Brasschaatse landgoed op kan sturen. Ter plaatse heeft Nina al haar maatregelen genomen. Ze heeft acht kilometer verderop een villa gehuurd waar ze met Ab en haar dochter Karen zal gaan wonen. Om vanuit de keuken in haar kantoor te komen, hoeft ze niet meer dan tien minuten reistijd te overbruggen. Vergaderen doet ze voortaan in een zaal die ze door de bekende ontwerper Jan des Bouvrie – een goede bekende uit het receptiecircuit – zal laten vormgeven. Als ze achter haar bureau zit, heeft ze uitzicht op de met rechthoekige buxushagen en vijvers ingerichte kasteeltuinen. Beneden op de ruim bemeten parkeerplaats staan de BMW van Nina en de Jaguar van Ab. De chauffeurs van de beide echtelieden wachten binnen geduldig op hun volgende rit.

In Wassenaar heeft Ben Aka inmiddels weer bezit genomen van zijn oude woning. Op advies van kennissen heeft hij een slotenmaker ingehuurd en zich toegang verschaft tot de villa aan de Van der Oudermeulenlaan. De relatie met zijn ex is vanaf het moment dat hij afscheid van haar nam uiterst vijandig. Aka ondervond onmiddellijk grote problemen om een omgangsregeling voor zijn dochter te treffen. De regeling die hij had werd door Nina gefrustreerd. Vaak was Karen opeens ziek of waren er andere redenen waarom Aka zijn dochter niet kon zien. Jarenlang procedeerde hij hierover. Het was een lange en bittere strijd. Aka zou Nina hebben mishandeld, hij zou ook voor Karen een slechte vader zijn geweest. Ernst & Young-accountant Chris Westerman, een goede kennis van zowel Nina als Ben, probeert nog te bemiddelen. Het helpt niet. Het laatste wat hem nog rest is een gang naar de Hoge Raad. Zijn omgeving heeft hem er echter op gewezen dat het jarenlange gevecht om Karen het meisje onmogelijk goed kan hebben gedaan. Aanhoudende rechtszaken zullen dat niet beter maken. Aka ziet ook in dat de strijd die hij voert niet meer in het belang van zijn dochter is. En nu ze naar België is verhuisd zal het afdwingen van een omgangsregeling er zeker niet eenvoudiger op worden. Hij besluit daarom de handdoek in de ring te gooien.

Als Aka na jaren weer het huis in Wassenaar betreedt, maakt hij een kleine ronde langs alle kamers in het huis. Bij de kamer van zijn dochter slaat hem de schrik om het hart. Op de muren zijn zwarte doodskoppen en teksten geschilderd. I HATE MY DADDY. Karen zou hij na haar vertrek naar België nooit meer zien.

Vanuit Brasschaat stuurt Nina haar cluster van distributiebedrijven aan. Met twaalf vestigingen in plaatsen als Son, Hoofddorp, Naarden, Nieuwegein, Zeist en Brussel ligt er een interessante casus voor het aanbrengen van meer bedrijfsmatige doelmatigheid.

Distributeur zijn van technologieproducten is steeds meer een zaak van schaalgrootte en efficiënte logistiek aan het worden. A-Line zou op dat punt synergievoordelen kunnen behalen als het de opslag en distributie van de verschillende productlijnen zou samenvoegen. Nu is nog steeds sprake van verschillende magazijnen met eigen voorraden die over twee landen zijn verspreid. De administraties van de verschillende grote productlijnen zijn ook van elkaar gescheiden en hebben een eigen systematiek.

De overnames van de afgelopen jaren hebben nog niet tot een integratieproces geleid. In feite heeft zich binnen A-Line nog op geen enkele manier een rationalisering van de bedrijfsprocessen voltrokken. De managers van de verschillende productlijnen richten zich vanuit hun eigen standplaats op de eigen activiteit, die in de meeste gevallen nog steeds de oorspronkelijke naam draagt. De noodzaak daartoe wordt nog eens onderstreept door het feit dat de verschillende bedrijfsonderdelen voor het grootste deel dezelfde klanten bedienen. Van goede afstemming is geen sprake. Er lopen te veel verkopers rond die producten met afkalvende marges verkopen. Er is ook sprake van interne concurrentie om de gunst van dezelfde klanten. De wekelijkse vergaderingen waarbij Nina met de verschillende managers bij elkaar komt verlopen chaotisch en er heerst een sfeer van wantrouwen. Op het vergroten van het productaanbod na is er geen lijn in de bedrijfsvoering te ontdekken. Sommigen vinden A-Line organisatorisch een grote puinhoop.

Zakendoen in de wereld van distributeurs is er tegelijkertijd niet eenvoudiger op geworden. Fabrikanten van soft- en hardware brengen steeds sneller nieuwe versies uit van hun producten, waardoor voorraden van distributeurs steeds sneller verouderen. Fabrikanten nemen verouderde producten niet terug, waardoor het aanzienlijke voorraadrisico volledig bij de distributeur ligt. Tegelijkertijd verleiden ze hun netwerk elk kwartaal om tegen forse kortingen grote partijen in te kopen. Sommige concurrenten, zoals het door de voormalige Koning & Hartman-manager Paul Kuiken opgerichte Landis, benaderen de markt erg agressief. Kuiken is iemand die het risico aangaat om bij zijn leveranciers groot in te kopen, en daarmee aanzienlijke kortingen weet te bedingen. Landis, net als Positronika actief op de markt van netwerken, biedt de producten vervolgens aan tegen lage prijzen. Met enig succes: Positronika, waar verschillende verkopers nog in een Mercedes rondrijden, wordt door de geïntensiveerde concurrentie hard getroffen.

Er is geen aansturing vanaf een hoger niveau, waar gericht gedacht wordt over hoe A-Line zich als relatief kleine lokale distributeur in de komende jaren staande kan houden ondanks almaar afkalvende marges en snel verouderende voorraden, bij de snel toenemende concurrentie van grote, efficiënt opererende internationale distributeurs als Ingram Micro en Computer 2000. Dat de urgentie daartoe groot is, wordt al tijden betoogd door onder anderen Jan van der Veer en Bernard Demarsin.

Het pure dozenschuiven is op termijn alleen levensvatbaar als er heldere keuzes worden gemaakt voor bepaalde productlijnen en er een hyperefficiënte organisatie wordt neergezet. Misschien moet A-Line zich op langere termijn specialiseren op nicheproducten, om zo bij de grote internationale distributeurs uit het vaarwater te blijven. Er moet hoe dan ook fors in de kosten worden gesneden. De andere mogelijkheid zou het voeren van een bedrijfsstrategie zijn die er vooral op gericht is met behulp van hoogopgeleide automatiseringsdeskundigen meer toegevoegde waarde te bieden. Minder handel, meer hoogwaardige dienstverlening in combinatie met een specialisatie op een bepaald terrein, zoals computernetwerken. Maar voor die optie kunnen de voorstanders binnen A-Line nog steeds weinig gehoor vinden bij hun bazin, die zich nadrukkelijk richt op het verwerven van nog meer distributierechten, liefst van grote merken.

Sinds Nina zich bij de gebroeders Van den Nieuwenhuyzen heeft genesteld, wordt ze weinig meer bij de Nederlandse vestigingen gezien. Het managen van haar verschillende Nederlandse directeuren verloopt uitsluitend nog via doorlopend telefonisch contact dat vanaf het ochtendgloren tot de middernachtelijke uren plaatsvindt. Fysiek richt ze zich vanuit Brasschaat vooral op het Belgische deel van A-Line, waarvoor ze snelle groeimogelijkheden ziet. Ze heeft al maanden een andere Belgische distributeur in haar vizier waar ze heel graag een belang in zou willen nemen: Tritech. Het bedrijf, dat ook in Nederland en Duitsland actief is, heeft de laatste jaren een snelle groei doorgemaakt, vooral dankzij enkele bijzonder aansprekende softwareproductlijnen: Microsoft, WordPerfect, Borland en Lotus. En software – waarop, in tegenstelling tot hardware, nog steeds aantrekkelijke winstmarges behaald worden – is een productsoort waarvan A-Line vrijwel niets in huis heeft.

Met een omzet van ongeveer 3,5 miljard Belgische frank is Tritech in omvang aanzienlijk groter dan A-Line. Maar het bedrijf verkeert in moeilijkheden. De via een overname tot stand gekomen expansie naar Duitsland heeft een zware wissel getrokken op de financiën van de onderneming. In het magazijn van Tritech liggen aanzienlijke voorraden die mede met het oog op aanhoudende groei zijn ingekocht. Maar net als veel andere bedrijven heeft Tritech last van een inzakkende vraag en voelt het de hinder van een gevuld magazijn met snel verouderende producten.

Samen met Joep van den Nieuwenhuyzen heeft Nina een plan opgesteld om door middel van een kapitaalinjectie het bedrijf te herfinancieren en op basis van gelijkwaardigheid met Tritech te fuseren. Nina rekent op de alliantie met Tritech, die de geconsolideerde omzet van A-Line zal verdubbelen. Ze heeft de deal al een paar keer in bedekte termen in de Nederlandse pers aangekondigd.

Behalve met het telefonisch managen en de expansie van A-Line houdt Nina zich ook bezig met verschillende juridische kwesties en de presentatie van het bedrijf in de media en naar klanten. De rijkelijk geïllustreerde imagobrochures die ze laat maken zijn, net als in haar AKAM-tijd, voor een breed internationaal publiek bestemd. Engels is vanzelfsprekend de gebezigde voertaal. In zinnen die een groot zelfbewustzijn etaleren, worden de kwaliteiten en de identiteit van het bedrijf geschetst: 'A-Line Technologies Holding has grown to become the largest distributor of high technology products. It has carefully assembled a group of companies which complement and support each other both technically and logistically... A-Line is demonstrating the art of growing sensibly.' En: 'The key investment (again), at A-Line, is in people. For those without a positive approach, a commitment to serve and deliver, there is no employment.'

Nina licht haar eigen rol binnen A-Line ook nader toe: 'Management is a process of influencing the human spirit. One must lead less and inspire more.' De tekst is in sierlijke letters op een doorzichtig vloeiblad afgedrukt, waardoorheen ze te zien is op een foto met haar belangrijkste managers, Bernard Demarsin en Jan van der Veer.

Bij het naar buiten toe presenteren van A-Line ondervindt Nina hinder van een van haar handicaps: ze vindt spreken voor grote groepen mensen geen prettige aangelegenheid. Bij bedrijfspresentaties, recepties en borrels laat ze meestal een van haar directeuren het woord nemen. Ze slaat ook geregeld aanvragen af om als bekende zakenvrouw op bijeenkomsten of congressen te komen spreken. In juni maakt ze op een avond een keer een uitzondering, voor een forum dat door een vereniging van academische ondernemers op de Vrije Universiteit in Amsterdam wordt georganiseerd. 'Succes is één keer meer opstaan dan vallen', luidt het thema van de avond. Het centrale onderwerp is de psychologie van de succesvolle ondernemer. 'Moet iemand een bepaald karakter hebben om carrière te maken als ondernemer, of is succes vooral een kwestie van geluk?' Die vraag probeert Nina te beantwoorden in het met studenten, ondernemers en oud-studenten gevulde auditorium van de universiteit, samen met professor in de bedrijfspsychologie Paul Jansen.[11]

Nina houdt als gastspreker een exposé over haar ervaringen in het zakenleven en de ingrediënten die iemand zoals zij tot een succesvol onderneemster maken. Ze zegt dat het onontbeerlijk is om kennis van zaken te hebben en over bepaalde vaardigheden te beschikken die haar bijvoorbeeld in staat stellen een balans goed te lezen. Intuïtie is onmisbaar, net als het vermogen om capabele mensen om zich heen te verzamelen die ze kan vertrouwen. Zelfverzekerd handelen is goed, maar een te grote mate van zelfverzekerdheid kan ook problemen geven. Een goede ondernemer is immers bereid naar anderen te luisteren, stelt ze. Tegelijkertijd is ze ervan overtuigd dat snelheid – timing – van het grootste belang is.

Dit alles is in de ideale situatie ingebed in een competitieve cultuur waarin een tolerantie bestaat voor falen – een mislukking mag niet direct keihard worden afgestraft. Succesvolle ondernemers komen tot een optimale beheersing van deze verzameling van vaardigheden en kunnen daardoor concurrenten overtroeven in snelheid van denken, handelen en beslissen.

Wat haar eigen persoon aangaat, concludeert ze dat ze de afgelopen jaren nog niets aan snelheid heeft ingeboet. Integendeel. Ze vertrouwt de zaal wel toe dat ze bij zichzelf heeft gemerkt dat ze steeds iets minder genegen is om grote risico's aan te gaan. Haar ondernemerschap is tot rijping gekomen, volwassener geworden.[12]

Het applaus na haar toespraak neemt Nina dankbaar in ontvangst. Na afloop heeft ze een kort gesprek met de andere spreker op het forum, de bedrijfspsycholoog Paul Jansen. Ze informeert of hij zelf ook ondernemer is. De professor antwoordt ontkennend en legt uit dat hij fulltime wetenschapper en hoogleraar is. Kort daarna neemt Nina afscheid, draait zich om en loopt verder. De bedrijfspsycholoog interpreteert de korte ontmoeting met de onderneemster als het vaststellen van de pikorde, 'zoals dominante apen ook hun terrein afbakenen', in de trant van: 'U bent dan wel hoogleraar, maar wat kunt u nou eigenlijk?'[13]

Nina heeft, met het oog op de overname van Maynard en haar nieuwe onderkomen in kasteel Withof, net de opdracht gegeven om weer een nieuwe brochure te laten maken. Het is de bedoeling dat alle verantwoordelijken voor de verschillende productielijnen erin worden afgebeeld.

Voor Jan van der Veer is het nog maar de vraag of hij de volgende folder gaat halen. Hij ontwikkelt een steeds grotere weerzin tegen de wijze waarop Nina A-Line leidt en met mensen omgaat. Hij heeft de afgelopen jaren meerdere directeuren en ander personeel met het nodige kabaal zien vertrekken, en vrijwel elk ontslag ging gepaard met agressieve juridische procedures vanwe-

Het pand van MCA Tronix aan de Delftweg in Rijswijk. De witte Alfa Romeo Alfetta GTV is van Ben Aka. Op de voorgrond de sloot waarin Nina's auto belandde.

Nina met Epson-directeur Hans de Goede. De Goede smeekte Ben Aka herhaaldelijk of hij zijn echtgenote bij hem uit de buurt kon houden.
Foto: Folder Akam International

Ben Aka gezeten in zijn kantoor aan de Delftweg. De foto is afkomstig uit de folder die Nina in 1986 liet maken nadat het distributeurschap van Novell werd binnengehaald. Aka scheidde in 1987 van Nina. De boedelscheiding is 23 jaar na dato nog niet afgewikkeld.
Foto: Folder Akam International

Willem – 'King William' – Smit gezeten in zijn favoriete hangplek: Barretje Hilton. Hij sloot een opmerkelijke deal met Nina bij de aankoop van haar bedrijf A-Line, die zorgvuldig buiten het aanbiedingsprospectus van Newtron werd gehouden. Al snel raakte hij met zijn vrouwelijke zakenpartner in onmin. De juridische strijd zou zich jarenlang voortslepen.
Foto: Bert Verhoeff

Op 27 juni 1991 woont Nina als bestuurder van Newtron in hotel Krasnapolsky in Amsterdam de algemene vergadering van aandeelhouders bij. Ze staat op dat moment al maanden op voet van oorlog met Willem Smit, die ze van misleiding heeft beschuldigd.
Foto: ANP

Nina in februari 1992 in de met moderne kunst behangen huiskamer van haar villa aan de Van der Oudermeulenlaan in Wassenaar, vlak voor haar interview met *Het Financieele Dagblad*, waarin ze aangeeft dat ze het winstgevende A-Line met eigen middelen uit Newtron heeft gekocht.
Foto: Maarten Brinkgreve

Joep van den Nieuwenhuyzen was aanvankelijk zeer gecharmeerd van de bravoure van Nina. Het zakelijke avontuur met Nina zou de ooit gevierde bedrijvendokter vele miljoenen kosten.
Foto: Collectie Spaarnestad Photo/Dijkstra/Fotograaf onbekend

Advocaat Oscar Hammerstein was zeer goed op de hoogte van Nina's zakelijke verleden toen hij samen met zijn kantoorgenoot Gerard Spong in mei 2000 aangifte tegen haar deed bij het Openbaar Ministerie.
Foto: Peter Boer

'Overleven in een jungle' was in oktober 1993 het darwinistische thema voor het klantenevenement van A-Line in het Brusselse bioscoopcomplex Kinopolis. De Belgische activiteiten van Nina's distributiebedrijf zouden een jaar later zijn uitgestorven.

Het eerste brochuremateriaal van de Nederlandse tak van het Spaanse Servicom, het latere World Online. Het gebruik van de naam Servicom werd op last van handelsbedrijf Hagemeyer verboden.

• Nina Brink en Michael Schulhof zijn vastbesloten met World Online door te stoten naar de top van de Europese internet-wereld.
FOTO: THEO TERWIEL

Nina liet zich begin 1998 met president-commissaris van World Online Michael – Mickey – Schulhof door *De Telegraaf* op het bordes van het Amstel Hotel vereeuwigen. Met Schulhof zou Nina aan het einde van datzelfde jaar zeer ernstig gebrouilleerd raken. *De Telegraaf* wilde uit vrees voor juridische repercussies geen foto's uit zijn archief voor dit boek beschikbaar stellen.

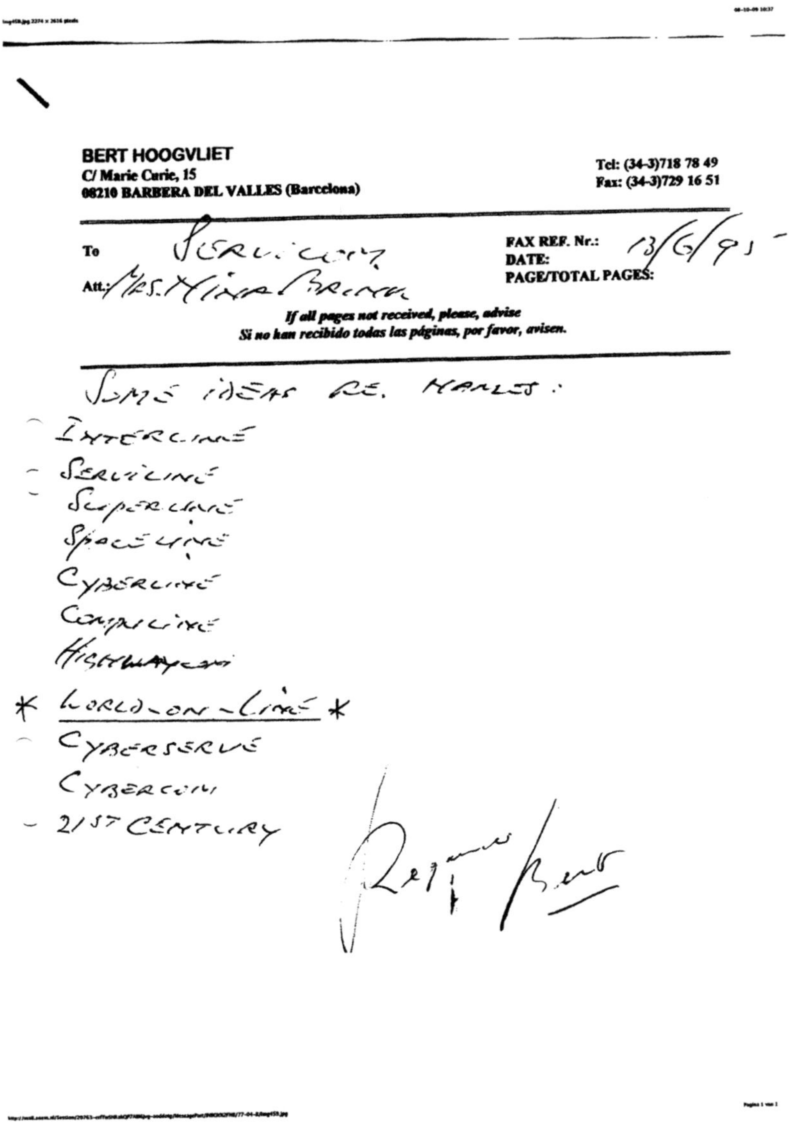

BERT HOOGVLIET
C/ Marie Curie, 15
08210 BARBERA DEL VALLES (Barcelona)

Tel: (34-3)718 78 49
Fax: (34-3)729 16 51

To _Servicom_

Att.: _Mrs. Nina Brink_

FAX REF. Nr.: _13/6/95_
DATE:
PAGE/TOTAL PAGES:

If all pages not received, please, advise
Si no han recibido todas las páginas, por favor, avisen.

SOME IDEAS RE. NAMES:

- _INTERLINE_
- _SERVILINE_
- _SUPERLINE_
  SPACELINE
  CYBERLINE
  COMPULINE
  HIGHWAY...

* _WORLD-ON-LINE_ *
- _CYBERSERVE_
  CYBERCOM
- _21ST CENTURY_

Regards Bert

De fax van handelaar in weegschalen Bert 'El Hollandes' Hoogvliet aan Nina waarin
hij zijn ideeën voor een nieuwe naam voor het internetbedrijf aan haar voorlegde.
Hoogvliet zelf zag de naam World-on-line nog het meest zitten.

Op maandagavond 14 juni 1999 woonde Nina met haar vriendinnen Connie – Vanessa – Breukhoven en de Duchess of York Sarah Ferguson een door World Online gesponsord concert van Céline Dion bij. Na het concert werd er in het Amsterdamse restaurant Le Garage gesoupeerd. *Privé*-journalist Henk van der Meyden deed uitgebreid verslag. Foto: Anko Stoffels

In 1999 ontmoette Nina meerdere malen Nobelprijswinnaar Nelson Mandela. In november 1999 zou ze samen met hem en met Sarah Ferguson, Jack Spijkerman en een televisieploeg een bezoek brengen aan het voormalige thuisland Transkei, de geboortegrond van Mandela.

ge Nina's vrees voor personeel dat bij vertrek productlijnen mee wil nemen. Het geld, de tijd en de moeite die hij haar aan het advocatengeweld ziet besteden, zijn in zijn ogen een gruwel voor de betrokkenen en een roekeloze verspilling van schaarse middelen.

Hoewel ze hem en ook anderen nadrukkelijk bij haar gedachtevorming betrekt, blijkt meestal dat ze zich daar maar weinig van aantrekt en haar eigen zin doordrijft, ook al is eerst anders besloten. Hij heeft vele malen moeten constateren dat ze achter zijn rug om – en niet alleen achter de zijne – zaken probeerde te regelen als ze het ergens niet mee eens was. Het ene moment geeft ze bevelen als een generaal in oorlogstijd, het andere moment doet ze zich voor als hulpbehoevend, kwetsbaar meisje dat zich tegen hem wil aanschurken. Hij weet het immers zo goed, hij is zo ervaren...

Van der Veer kan haar huilbuien, wanneer ze in haar slachtofferrol kruipt, allang niet meer als geloofwaardig beschouwen. Ze doet het erom. Leidinggevend personeel handelt uit angst en opportunisme. Het laat zich meesleuren met de verdeel-en-heersspelletjes die Nina tot de kern van haar managementinstrumentarium rekent. Het bedrijf verkeert door haar wijze van leidinggeven in een permanente staat van ordeloosheid. A-Line is een jungle. Haar gekmakende telefonades, haar stemmingmakerij, de bluf, het gevlei, het gevloek, de manipulaties, haar commando's, de complimenten, de schreeuwpartijen – niet in het minst tegen haar echtgenoot – en haar onnavolgbare besluiten: Van der Veer heeft er genoeg van. De apaiserende gesprekjes met Ab, die overal in het bedrijf de door zijn vrouw aangestoken brandjes probeert te blussen, hebben op hem geen effect meer. Te lang is hij gedwee met haar meegelopen zonder haar serieus tegenspel te bieden. Een goed salaris, de feestjes, de borrels en de incidentele vijfsterrentripjes naar Cannes of naar Kitzbühel kunnen de kwellingen niet meer zalven. De energie waar hij jarenlang overvloedig over kon beschikken, lijkt op. Hij is uitgeput. Er moet wat gebeuren.

Binnen het bedrijf is hij lang niet de enige leidinggevende die er zo over denkt. De meesten weten ook dat het openlijk ter discussie stellen van Nina's plannen gelijkstaat aan vragen om grote moeilijkheden. Toch is dat wat hij niet langer meer kan nalaten. Haar grote gebrek aan inhoudelijke kennis van de markt en de producten en haar aanhoudende focus op het overnemen van nog meer productlijnen zonder dat die op een zinnige manier worden gemanaged, zijn een constante bron van ergernis en zorg. Maar Nina is doof voor zijn adviezen en die van anderen. Ze doet waar ze zin in heeft. Zo ook op die zomerse dag waarop ze Van der Veer vertelt dat hij niet meer terug hoeft te komen.

Hoewel de desillusie om het gedwongen afscheid van 'zijn' TM Data groot is, voelt het ontslag ook aan als een bevrijding. De pijn wordt mede verzacht door de wetenschap dat hij als statutair directeur van het meest succesvolle onderdeel van A-Line sterke kaarten in handen heeft om een royale ontslagregeling uit te onderhandelen.

Jan van der Veer heeft het bedrijf meer dan twaalf jaar op bijzonder rendabele wijze geleid. Maar over de hoogte van het bedrag dat hij mee naar huis mag nemen, kunnen de partijen het niet eens worden. Van der Veer ziet zich genoodzaakt naar de rechter te stappen. Dat doet Nina ook. Ze betwist de hoogte van de winsten van TM Data, waarop zijn bonussen de afgelopen jaren waren gebaseerd. Van der Veer heeft volgens haar gerommeld met de cijfers om zo zijn eigen zakken te vullen. Ze eist dat geld terug en laat tegelijkertijd beslag leggen op zijn bankrekeningen. Het gevoel van bevrijding waar Van der Veer even van mocht genieten, heeft dan al plaatsgemaakt voor de zenuwslopende stress van het juridische gevecht.[14]

De uitspraken van Nina in de media, de imagobrochure, de gechauffeerde auto's van de directie en de chique vertrekken van het hoofdkantoor in Brasschaat bieden een weinig representatief beeld van de financiële gesteldheid van A-Line. Het bedrijf ondervindt hinder van de slappe automatiseringsmarkt en heeft daarom aan de omzetzijde nog geen opgaande lijn kunnen vinden.

Aan de kostenkant is de verbetering ook nog niet ingezet. De luxe groepsreis naar Cannes, en ook een gebaar als de sponsoring van het zogeheten Huis van de Toekomst van Nina's oude kennis, wetenschapsenthousiast en televisiepresentator Chriet Titulaer, zijn uitgaven die het bedrijf zich zelfs eenvoudig had kunnen besparen. De inefficiënties die er op grote schaal plaatshebben, worden nauwelijks of helemaal niet het hoofd geboden. De investeringsimpuls van Van den Nieuwenhuyzen heeft het bedrijf een korte adempauze geboden, maar Nina heeft intussen het verzoek gekregen zich bij haar huisbank ABN AMRO te melden.

Het gaat niet om een amicaal gesprek met haar vertrouwensman Piet van der Werf, de directeur van een tegenover het beursgebouw van de RAI in Amsterdam gelegen ABN AMRO-kantoor, maar met de afdeling Bijzondere Kredieten.[15] Slecht betalende bedrijven die structureel hun aflossingstermijnen niet halen of zelfs helemaal niet meer aan hun verplichtingen voldoen, dalen onverbiddelijk af naar deze klamme kerkers van de kredietverlening. De afdeling Bijzondere Kredieten (BK) wordt binnen de bank ook wel gekscherend de 'wrakkencentrale' genoemd. Het is nog niet zo dat de bedrijven die er binnentreden hun hoop beter kunnen laten varen, maar veel scheelt het niet. De bankiers die er de dienst uitmaken zijn – zacht uitgedrukt – minder vergevingsgezind dan hun vakgenoten die zich aan de zonnige zijde van het kredietverleningsspectrum bevinden.

Daar hebben ze doorgaans ook alle redenen toe: het geld dat de bank heeft uitgeleend, is dankzij de slechte gang van zaken bij de bewuste bedrijven aan een substantieel groter risico onderhevig. In de regel is er sprake van onkundig management dat roekeloos met de bedrijfsmiddelen omspringt. Het is de taak van deze bankiers om het risico in te dammen en zo het geld van de bank veilig te stellen. Ze eisen serieuze maatregelen die de financiële ratio's snel laten verbeteren. Dat kunnen ze omdat ze de kredietkraan bedienen, die, wil het bedrijf blijven voortbestaan, niet dichtgedraaid mag worden. Afhankelijk van de situatie moeten er ook, indien voorhanden, meer zekerheden worden geboden voor de leningen die nog uitstaan. Meestal wordt eerst naar de bezittingen gekeken die een hoge waarde vertegenwoordigen en het snelst in contanten zijn om te zetten: de debiteuren en de voorraden. Voor een distributiebedrijf als A-Line is het in deze situatie vanzelfsprekend dat de bank zijn greep op de hightechgoederen in het magazijn verstevigt.

Nina's bedrijf is overigens bepaald niet het enige automatiseringsbedrijf dat met de afdeling BK te maken heeft. De bekendste BK-klant van ABN AMRO is HCS Technologies. Het bedrijf waarvan Joep van den Nieuwenhuyzen een van de grote aandeelhouders is, bevindt zich al meer dan een jaar in ernstige problemen.

De noodzaak om A-Line efficiënter te organiseren, is sinds de gesprekken met de heren van Bijzondere Kredieten manifest geworden. Er zal een sanering moeten komen waarbij de verschillende bedrijfsonderdelen bij elkaar worden gevoegd – het liefst onder één dak en onder één naam. TM Data en Positronika versmelten in A-Line Technologies, TM Systems wordt A-Line Consult, en zo vormen zich nog enkele divisies.

Na jaren van overnames wordt daarmee het startschot gegeven voor het smeden van de losse delen tot één geheel. Althans: in Nederland. Bij de Belgische vestigingen wordt weliswaar een soortgelijke ontwikkeling in gang gezet, maar die blijven in de nieuwe opzet los van de Nederlandse opereren. Wel is het, vanuit logistiek oogpunt, van groot belang dat de voorraden vanuit één plek gedistribueerd gaan worden. Beide maatregelen zullen tientallen banen gaan kosten.[16]

Voor beide vraagstukken dienen zich oplossingen aan. In Nederland zullen alle vestigingen naar een nieuw groot pand in Naarden verhuizen. Jan van der Veer heeft jaren eerder namens TM Data een optie genomen op een kavel op de toen nog te ontwikkelen uitbreiding van het industrieterrein Gooimeer, pal naast de snelweg A1. Het pand, inmiddels in aanbouw, zal al spoedig betrokken kunnen worden. Ook de andere werkmaatschappijen moeten erbij: het is een groot gebouw en er is sprake van een aanzienlijk ruimteoverschot. Voor een groot centraal magazijn lijkt, met het oog op een mogelijke fusie met Tritech, een pand ergens in het Vlaamse land een serieuze optie. Van daaruit kunnen de leveringen aan de Belgische en Nederlandse klanten worden verzorgd.

Het afslankende A-Line heeft, met het oog op het nog te betrekken centrale onderkomen in Naarden en het verdwijnen van een bekende naam als TM Data, ook een nieuw pr-bureau in de arm genomen. Met het nieuwe pr- en communicatiebureau komt zo nu en dan ook een jongedame langs om Nina's afdeling marketing en communicatie te versterken. Haar onervarenheid valt snel op, maar de moederlijke wijze waarop Nina zich over het meisje ontfermt en de hartelijke manier waarop het meisje Nina's houding beantwoordt, geeft enkelen enige tijd het idee dat ze te doen hebben met familie van Nina. Ze hebben het mis. De ietwat onhandige communicatiemedewerkster is Hester Maij, de dochter van de minister van Verkeer en Waterstaat.

Er is ook weer presentatiemateriaal nodig. Een grafisch bureau uit Rotterdam heeft zich inmiddels op het maken van A-Lines nieuwe imagobrochure gestort. Het bureau was eerder al verantwoordelijk voor het prospectus van Newtron, en ook de vorige, met kunstige illustraties en Engelse teksten gevulde folder was het product van de Rotterdamse creatieven. De klus voor A-Line is niet de makkelijkste, weet het bureau uit eerdere ervaringen. Willem Smit kon zich bij Newtron met de onbenulligste details bemoeien, maar Nina is geen haar beter. Ze is veeleisend en heeft een manier van communiceren die nogal zwaar op de maag kan vallen. Daar staat gelukkig tegenover dat ze goed betaalt.

De foto's die het binnenwerk van de nieuwe brochure moeten verfraaien, zullen voor het grootste deel op kasteel Withof worden genomen. Nina houdt de regie strak in handen. Het voorstel van de fotograaf om een kussentje op Nina's riante bureaustoel te leggen om haar zo iets meer boven het bureaublad uit te laten stijgen, slaat ze beledigd af. Liever laat ze zich op een bank fotograferen.

Het weelderige trappenhuis is volgens haar een passende plek om het management van de verschillende bedrijfsonderdelen te laten fotograferen. Als het team al enige tijd bezig is en de eerste proefopnamen van een zestal managers zijn gemaakt, komt Joep van den Nieuwenhuyzen binnen. Hij kijkt ontstemd naar de camerakoffers, de statieven, de kabels en de belichtingsapparatuur die zijn trappenhuis in een rommelige studio hebben veranderd en vliegt de trap op naar boven. Luttele ogenblikken later daalt hij de traptreden weer af met Nina in zijn kielzog. Van den Nieuwenhuyzen verdwijnt door de deur die toegang biedt tot zijn kantoren.

Het wordt stil. Nina loopt op een van de bureaumedewerkers af. Ze grist een van de als proefopname gemaakte polaroidafdrukken uit zijn hand en bestudeert deze enige ogenblikken. Ze kijkt vervolgens naar de trap waar de

A-Line-managers nog zwijgend staan opgesteld. De zakenvrouw steekt haar linkerarm omhoog. Met een priemende wijsvinger geeft ze drie kaderleden in het Engels één voor één hun ontslag en gebiedt ze hun onmiddellijke vertrek. Daarna loopt ze zonder iets te zeggen de trap weer op naar haar kantoor, de Rotterdamse creatieven en de A-Line-mensen verbluft achterlatend.[17]

In een paar gevallen is voor het vertrek van een manager meer nodig dan een enkel commando in een vestibule annex trappenhuis. Rond de verkoopdirecteur van de vestiging in Son escaleert de situatie zodanig dat Nina zich genoodzaakt ziet advocaten en privédetectives in de arm te nemen. Zelfs na zijn rumoerige vertrek is Nina's angst voor onregelmatigheden nog zo groot dat ze een andere verkoopdirecteur 's nachts uit zijn bed belt om poolshoogte te nemen bij het gebouw. Ze zou een tip voor een inbraak hebben ontvangen. Ze belooft onmiddellijk een beveiligingsbedrijf te bellen en kondigt aan dat ze zelf ook naar Son komt rijden.

Een andere directeur heeft het aangedurfd in zijn prognoses voor het komende boekjaar een klein verlies te laten zien. De marktomstandigheden en de situatie bij A-Line zijn bepaald ongunstig, meer kan hij er niet van maken. Voor Nina is zelfs het geringste verlies in een begroting onacceptabel en ze wil zich daarom van de man ontdoen, liefst op een goedkope manier. Wanneer de manager zijn vakantie in het buitenland doorbrengt, komt er een lobby op gang naar de centrale ondernemingsraad die het verregaand ondeugdelijk functioneren van de directeur als hoofdthema heeft. De ondernemingsraad produceert een brief waarin een aantal vermeende feiten staan vermeld die duiden op verwijtbare handelingen en nalatigheid.

De directeur krijgt vervolgens op staande voet zijn ontslag. Een ontslagregeling ontbreekt. De directeur stapt naar de rechter en een procedure is het gevolg. De smadelijke brief van de ondernemingsraad wordt ook ingebracht. De directeur kan een belangrijk aantal feitelijke onjuistheden in het schrijven aantonen, wint de rechtszaak en krijgt uiteindelijk een schadevergoeding uitgekeerd.

Op 4 oktober wordt Nederland opgeschrikt door een vliegramp. In de Amsterdamse wijk Bijlmer heeft een Boeing 747 van de Israëlische luchtvaartmaatschappij El Al zich in een flat geboord. Bij de crash en de enorme vuurzee die daarop volgt, verliezen tientallen mensen het leven. Nederland is even volledig in de ban van de ramp – niet in het minst de minister van Verkeer en Waterstaat, die als het hoogst verantwoordelijke aanspreekpunt veelvuldig in het nieuws is.

Een dag na de ramp neemt Oscar Hammerstein een conceptdagvaarding van Nina's advocaat Rob Laret in ontvangst, die, namens Nina, de betaling eist van 125.000 gulden met rente in verband met de personeelsaandelen van Newtron.[18] De advocaat stuurt daarop een korte brief naar zijn opdrachtgever waarin hij de juridische aanval van Nina bekendmaakt. 'De blaadjes vallen van de bomen en voor Nina Aka is dat de reden de oorlogskleuren weer op te doen,' merkt hij daarbij op. Hammerstein wil het Nina niet te makkelijk maken en adviseert Smit elders domicilie te kiezen. 'Dan zal men de nodige problemen hebben de dagvaarding te betekenen c.q. de bevoegde rechter te vinden.'[19]

Met het invallen van de herfst lopen ook in België de spanningen op. Hoewel de ABN AMRO-bankiers er sterk op hebben aangedrongen vooral binnen A-Line spoedig met verbeteringen te komen, is er Nina vooral veel aan gelegen de expansie van het bedrijf door te zetten. Expansie betekent vooral: meer productlijnen. De lijnen waarop ze haar zinnen heeft gezet, worden gedistribueerd door Tritech, het bedrijf dat door de Vlaming Dany Mestdag wordt geleid.

Met zijn bedrijf is Mestdag een van de grote succesverhalen in de automatiseringssector. Samen met zijn partners heeft hij sinds de oprichting van het bedrijf voor een fenomenale groei gezorgd en aan de sterke merken Microsoft, WordPerfect en Lotus is pas nog de distributie toegevoegd van de pc's van Ambra, het vechtmerk van 'Big Blue' IBM. Het zijn merken waar Nina koste wat kost de A-Line-vlag op wil planten. Eerdere fusieplannen met A-Line die op gelijkwaardige basis zouden plaatsvinden, mislukken door toedoen van een van de aandeelhouders van Tritech. Die aandeelhouder, een Frans distributiebedrijf, wil het bedrijf zelf overnemen maar is niet bij machte om het geld op tafel te leggen. Mestdag is inmiddels tot het inzicht gekomen dat er van gelijkwaardigheid geen sprake meer zal zijn als de fusie alsnog zal slagen. Intussen stevent Tritech door het uitblijven van een deal met grote vaart op een bankroet af. Als het bedrijf inderdaad failliet gaat, breekt er een strijd uit om de restanten.

De Fransen melden zich als eerste bij de curator om het bedrijf door te starten. Nina doet enkele dagen later namens A-Line hetzelfde. Joep van den Nieuwenhuyzen is nauw bij het bod betrokken. Niet alleen met geld, Begemann zal de doorstart immers voor een deel moeten financieren, ook met zijn adviezen staat hij Nina terzijde. Het feit dat hij zich in Nederland met zijn andere investering in de automatiseringsindustrie in grote problemen bevindt – in verband met HCS Technologies wordt hij officieel verdacht van handel met voorkennis – heeft geen remmende werking op hem. Van den Nieuwenhuyzen kan zich juist uitstekend vinden in de agressieve expansiestrategie van Nina. Zo zou hij het zelf ook doen. Hij wil net als Nina dat de doorstart van Tritech onder de A-Line-vlag zal plaatsvinden. Dany Mestdag moet daar al niet meer aan denken, het liefst gaat hij alleen met zijn bedrijf door.

Met enige regelmaat klinken de tikkende hakjes van Nina door de lange gangen van het enorme Paleis van Justitie in Brussel, waar bijna twee weken lang een gevecht plaatsvindt om de restanten van het Belgische distributiebedrijf. Van de vriendschappelijke sfeer die er aanvankelijk tussen beide partijen bestond, is inmiddels weinig meer over. Het gemoedelijke fusiespel is ontaard in een vijandige overnamestrijd waarbij A-Line, de Franse distributeur en Mestdag het met elkaar aan de stok krijgen. Maar met de hulp van Begemann en de steun van de Generale Bank wordt het gevecht om Tritech beslecht in het voordeel van A-Line.[20]

Hoewel Mestdag door Nina op het schild wordt gehesen en naast haar en Ab de belangrijkste man van het bedrijf wordt, moet hij van nabij aanschouwen hoe ze het bijeengeroepen personeel van Tritech als een overwinnaar toespreekt. Zij, Nina Aka, is de nieuwe baas van Tritech. Maar haar presentatie gaat voorbij aan de gevoeligheden van Belgen voor de gedragingen van hun noorderburen in het algemeen en de populariteit van Mestdag in het bijzonder. Een aantal Tritech-medewerkers beschouwt de overname meer als een annexatie. Als het Nina's plan was sympathie te winnen bij het personeel van Tritech, mag ze haar bezoek aan het bedrijf als mislukt beschouwen.

Op 26 november verschijnt een opmerkelijk interview met Neelie Smit-Kroes in NRC Handelsblad. De voormalig president-commissaris van Newtron kijkt na bijna twee jaar stilzwijgen op een onthullende wijze terug op haar korte periode bij het automatiseringsbedrijf. Ze uit grote kritiek op de dubieuze praktijken van enkele direct betrokkenen, die ze verder niet bij name noemt.

'Bij Newtron gingen grote bedragen om in de persoonlijke sfeer. Op een gegeven moment wist ik niet meer wat in het belang van het bedrijf was en wat in het belang van sommige personen. Zij overtraden mijn spelregels van het mijn en het dijn.' En: 'Ik vind dat ik mij achteraf geen verwijten hoef te maken. Het is zoals met alle zonden: het begint nooit met de grote zonde. Bij Newtron zaten mensen met wie je best een kop koffie kunt drinken. Je krijgt pas langzaam het inzicht dat zij er niet dezelfde moraal op na houden. Ze zijn gebiologeerd door geld verdienen. Ik ben ook voor geld verdienen. Dat moet zelfs, maar niet ten koste van alles, zeker niet ten koste van normen en waarden.'[21]

De uitspraken van Smit-Kroes, die suggereren dat ze getuige is geweest van een of meer economische delicten, veroorzaken een kortstondige deining, maar leiden niet tot nadere onthullende publicaties. Newtron lijkt voor de pers een afgesloten hoofdstuk.

Dat is het voor Nina beslist niet. De kwestie van de personeelsaandelen van Newtron heeft nog niet geleid tot een schikking of een terugbetaling. Ze wil haar geld terug, en Willem Smit weigert haar ook maar een cent te betalen. Aan het begin van het nieuwe jaar wil Nina de dagvaarding in de zaak aan

Smit betekenen, maar die heeft op advies van Hammerstein de wijk naar het buitenland genomen en staat niet toe dat de dagvaarding op zijn kantoor wordt uitgebracht. De truc dwingt Nina om zijn adres te achterhalen en dat levert tijdverlies, kosten en ergernis op.

Maar er is ook een andere methode waarmee ze kan zorgen dat de dagvaarding aan Smit wordt uitgebracht: via een aankondiging in de krant. De Haagse rechtbank verleent toestemming voor deze wijze van dagvaarden en op 17 februari staat een kleine advertentie in NRC *Handelsblad* waarin Smit gesommeerd wordt over zes dagen om tien uur 's ochtends voor de rechtbank in Den Haag te verschijnen teneinde te worden veroordeeld tot het betalen van een som geld.[22] Het ANP maakt er een bericht van dat onder andere door *Het Parool* wordt overgenomen: '"Overspannen" Brink-Aka eist geld van Willem Smit'.[23] Het hele verhaal over de personeelsopties van A-Line staat erin. Hammerstein geeft een reactie. Wat hem betreft is er weinig aan de hand, niet meer dan het 'zoveelste pesterijtje' van Nina. Cliënt Smit heeft de advertentie 'op het kleinste kamertje gelezen en daarna onmiddellijk doorgespoeld'.

Willem Smit gaat in werkelijkheid iets minder laconiek met de advertentie om en doet bij de griffier van de Haagse rechtbank zijn beklag over 'Nina Brink-Vleeschdraager, zich noemende Nina Aka'. 'Ik neem in de hoogste mate aanstoot aan deze wijze van dagvaarding, omdat zij mij daarmee opzettelijk als een soort zwerver zonder woonplaats heeft willen afschilderen, terwijl men heel goed weet waar ik woon.'[24]

De griffier stuurt de brief weer aan Smit terug. De wet staat hem niet toe om acht te slaan op stukken die buiten het geding zonder tussenkomst van een advocaat worden overlegd.[25] De zaak krijgt nu definitief zijn beslag. De advocaten van Nina eisen onverkort de gedeeltelijke compensatie voor de personeelsaandelen. Smit moet 125.000 gulden betalen, exclusief een jaar rente.[26] Smit weet dat hij de afspraak gemaakt heeft en dat Nina op grond daarvan het bedrag kan opeisen, maar hij kan er zich met geen mogelijkheid toe zetten de handdoek in de ring te gooien en zijn grote kwelgeest het geld te betalen. Als Nina rechtszaken met hem wil voeren, dan moet het maar zo zijn.

In de briefwisselingen die aan de eerste zitting voorafgaan, waarschuwt Hammerstein de advocaat van Nina nog wel even voor haar neiging om via de media Smit en Newtron te kastijden. Hij wijst daarbij op haar geheimhoudingsplicht inzake Newtron en meldt dat op ongeoorloofde uitspraken rechtsmaatregelen zullen volgen.[27]

Eind februari staat er een interview met Nina Aka in het glossy magazine *Avenue*. In de rubriek 'Geld Etc.' spreekt ze zich op een on-Nederlandse manier uit over haar drijfveren. De belangrijkste: geld. Het intense verlangen naar financiële onafhankelijkheid werd gevormd in haar jeugd, vertelt ze. 'Ik heb altijd rijk willen worden. Al toen ik elf was, schreef ik in een schriftje: "Wat ik later doen wil: een hoop geld verdienen."'[28]

Ze had daar haar redenen voor. Als kind had ze de arbeiders bij hen thuis aan de deur zien komen, mensen die geen geld hadden om hun kinderen naar het ziekenhuis te sturen. Vanaf dat moment nam ze zich voor dat zoiets haar nooit zou gebeuren. Dat voornemen heeft ze waargemaakt. Sinds ze zich bij AKAM liet uitkopen, is ze een vermogende vrouw, beaamt ze. Maar ze wil er meer van maken. Om later leuke dingen van te kunnen doen. 'Iets als Biosphere van Edward Bass, die koepel waarin enkele mannen en vrouwen een soort overlevingsexperiment doen. Ik heb natuurlijk geen honderd miljoen, maar iets in die trant lijkt me wel wat.'[29]

Ze kijkt er ook naar uit om straks weer tijd te hebben voor een van haar favoriete hobby's, waarin ze zich als kind al bekwaamde: de kunst van het dichten. 'Ik schreef op mijn vijftiende een gedicht over geld. Ik vroeg me af waarom mensen niet kunnen genieten van bomen in de herfst, als de bladeren verkleuren en vallen. Waarom altijd dat lyrische gedoe over het prille lentegroen? Dat trek ik dan door naar de liefde van de meeste mensen voor het groen van geld, van dollars. Mooi, hè? Dat is nog steeds mijn overtuiging. Ik geniet van bruin én groen.'

Toch plaatst ze ook haar kanttekeningen bij al te grote financiële welstand, die volgens haar gepaard kan gaan met uitwassen. 'Rijke mensen die hun geld demonstratief etaleren, zijn walgelijk.' Ze heeft er zelf enige ervaring mee opgedaan. 'Ik gebruik mijn geld niet om vrienden of aanzien te kopen. Zoals Willem Smit indertijd uitpakte met zijn Midsummer Night's Dream, dat was gewoon banaal. Toen hij binnen enkele minuten voor één miljoen aan vuurwerk de lucht in schoot, ben ik van misselijkheid naar huis gegaan.'

In dezelfde maand laat Nina een verslaggeefster en een fotograaf van het zakenblad *Elan* met haar meelopen voor een uitgebreid portret van haarzelf en A-Line.[30] Ze vraagt of ze met haar mee naar huis willen komen, waar haar werkdag al vroeg begint.

's Ochtends aan de keukentafel in de gehuurde villa in Brasschaat mogen de journalisten met Ab Brink en dochter Karen aanschuiven. Ab heeft het als directeur van het ooit veelbelovende ID Systems zwaar. Het bedrijf, dat enkele jaren eerder nog de krantenkolommen haalde toen het de beveiligingspoortjes van het beroemde Londense warenhuis Harrods leverde, lijdt zwaar verlies. Ab zal snel maatregelen moeten treffen, wil het bedrijf niet failliet gaan.[31] De werkzaamheden van Nina's echtgenoot zijn echter niet de reden waarom de journalisten naar Brasschaat zijn gekomen.

De woning van de familie is wel kortstondig het onderwerp van gesprek. Nina vertelt dat het gehuurde onderkomen binnen niet al te lange tijd weer verlaten zal worden. Het echtpaar heeft een groot bebost perceel aan de Voshollei gekocht. 'We laten iets bouwen naar onze eigen smaak.'

Terwijl Ab de hond met een boterham in zijn kennel lokt, een blik op het huiswerk van Karen werpt en de journalisten een kopje thee inschenkt, komt bij Nina de woordenstroom op gang. Ze vindt het erg dat de vakpers Nina Aka als de 'Iron Lady van de automatiseringswereld' omschrijft. 'Ik ben helemaal geen ijzeren dame. Wie mij portretteert als keihard, maakt een fout. Ik weet niet waarom men zoiets van mij zegt, ik ben een heel gevoelig mens.' Die sensibiliteit uit ze onder andere door gedichten te schrijven die door haarzelf als 'kafkaësk' worden omschreven. Ze dicht graag over onderwerpen als de 'biosphere' en de 'malicious world'. Ze zegt dat de aandrang om haar diepere gedachten en emoties in dichtregels te vatten iets met haar achtergrond heeft te maken. 'Mijn ene opa was diamant- en parelimporteur, de andere een echte intellectueel, en ik ben iets daartussen.' Kortstondig staat ze stil bij Newtron, 'haar grote fout', en bij Willem Smit, met wie ze nooit meer een woord wil wisselen.

Nadat ze Karen naar school heeft gebracht, is kasteel Withof de volgende bestemming. De enorme kantoorvilla maakt indruk op de journalisten. Maar volgens Nina geeft de chique omgeving mogelijk een verkeerde indruk van de werkelijke situatie. A-Line is geen bedrijf waar met geld wordt gesmeten en de huur voor de bovenverdieping van het kasteel is dan ook alleszins betaalbaar. 'Zuinig aan doen' is haar adagium, dat ze de rest van de dag in het bijzijn van de journalisten in alle toonaarden uitdraagt.

Dat was wel eens anders. 'Bezuinigen was tot voor kort heel ongebruikelijk in de automatiseringsbranche,' zegt Nina. 'Snel rijk worden en dan riant leven, zakelijk en privé, deed vrijwel iedereen. Maar de tijden dat *the sky the limit* was zijn wat mij betreft allang voorbij. De personeelsfeesten waarvoor internationale sterren werden overgevlogen, de gigantische salarissen, de dikke auto's en de super-de-luxe zakenreizen: op den duur ondergraaft dat de continuïteit van een bedrijf. Als de markt verslechtert, vallen de *gunslingers* om. Alleen de echte professionelen, die hun zaakjes kennen en rustig doorploeteren, kunnen blijven draaien.'

Nina rekent zichzelf tot de laatste groep. Ze wil niettemin beamen dat ze in het verleden ook de neiging had om *royal class* door het leven te schrijden. 'De hele industrie deed het, en op een of andere manier is het erg moeilijk om je aan zo'n sfeer te onttrekken. Je wilt door je concurrenten niet aangezien worden voor een dummy. Maar ik heb altijd wel gevoeld dat er ergens iets niet deugde. Dat die overdaad *pretty sick* was.'

's Middags worden vergaderingen in de kantoren in Son en Naarden bijgewoond. In Son is onder anderen Tritech-directeur Dany Mestdag Nina's gesprekspartner. Op de agenda staat onder andere de locatiekeuze voor een groot centraal magazijn. De vergadering verloopt rommelig. Steeds wordt de Nederlandse werkwijze vergeleken met de Belgische. En iedereen denkt hardop, wikt en weegt, totdat Nina per onderwerp een keuze formuleert, een tijdpad vaststelt en opdrachten uitdeelt: 'Het begin van het jaar en een krimpende markt. Dit is een goede tijd om te onderhandelen met leveranciers. Ze zullen gretig zijn en competitief. Ga erachteraan, speel ze tegen elkaar uit!' Even later moedigt ze een manager aan een standbouwer 'uit te knijpen' om het onderste uit de kan te krijgen.

Tussen de vergaderingen door denkt ze hardop na over de toekomst van A-Line. Een overname als Tritech zou ze vaker willen doen. Het bedrijf moet binnen niet al te lange tijd meer schaalgrootte zien te verwerven om de concurrentie met de grote internationale distributeurs te kunnen volhouden. Meer buitenlandse acquisities dus. Ze vliegt al geregeld door heel Europa om overnamekandidaten te lokaliseren. 'Als ik van 350 miljoen naar een omzet van een miljard wil, snap je wel dat dit niet op korte termijn mogelijk is door autonome groei. Er wordt aan een mooie deal gewerkt. Verder zeg ik niets.'

Toch is het grote overnamespel niet waar ze haar grootste voldoening uit zegt te halen. Genieten doet ze vooral door hard te werken aan de voltooiing van de reorganisatie en de medewerking die ze daarbij krijgt van de ondernemingsraad. 'Dat zijn nu mijn leuke dingen. Toen ik begon, deed ik het voor het geld. Daarna wilde ik laten zien dat ik een bedrijf kon opbouwen. En nu het moeilijker wordt en de succesjes kleiner zijn, nu zal ik bewijzen dat ik ook een manager kan zijn en niet alleen een entrepreneur.'[32]

Een ander deel van haar bevrediging vindt Nina in charitatieve activiteiten die ze voor Jane Goodall aan het opzetten is. In de interviews die ze de afgelopen tijd heeft gegeven, is Goodall een terugkerend thema. 'Binnenkort organiseer ik een enorme happening voor Jane Goodall, die zich al jaren inzet voor het regenwoud en de chimpansees,' zegt ze tegen het modeblad *Avenue*. 'Een goede vriendin van me, Jane. Ik bewonder haar zeer, zoals ze alles geeft voor het goede doel... Ze bewondert mij ook, hoor, ik ben tenslotte de enige vrouw met een bedrijf dat 300 miljoen per jaar omzet.'[33]

Ze is al meer dan een jaar van plan een groot evenement te organiseren waarvan de opbrengsten aan de projecten van Goodall zullen toekomen. De happening moet een belangrijk artiestengala worden in het Rotterdamse Ahoy. Behalve de directie van Ahoy is ook het productiebedrijf van Ivo Niehe benaderd. Er moet een grote televisieproductie van het gala worden gemaakt. Wekenlang is Nina druk bezig met het bedenken van plannen en het voeren van gesprekken. Haar secretaresse heeft inmiddels de opdracht gekregen haar beleidslijnen naar de directeuren te communiceren. Die kijken vreemd op als de hulpvaardige assistente van de baas ze komt vertellen wat ze moeten doen.

Nina is ervan overtuigd geraakt dat het evenement alleen een doorslaand succes kan worden als er een grote publiekstrekker wordt binnengehaald. Daarvoor heeft ze een andere 'goede kennis' op het oog: Elton John. Nina is de Britse popster enkele maanden eerder op een van haar reizen tegengekomen en sindsdien prijkt zijn naam in haar adressenboekje.[34] Nina's assistente krijgt enkele telefoonnummers, en de opdracht om Elton te strikken voor het gala. Maar in plaats van de wereldster krijgt ze zijn management aan de telefoon, dat haar duidelijk maakt dat mister John voorlopig geen tijd heeft om naar Nederland te komen.

Behalve dat het aantrekken van een wereldster de nodige kopzorgen veroorzaakt, blijken ook de kosten van het hele project aan de hoge kant te zijn en zijn de inkomsten ongewis. Het is nog maar de vraag of er überhaupt geld voor Goodall overblijft als alle kosten voor het organiseren van het artiestengala zijn verdisconteerd. Voor het welslagen van een dergelijk evenement zijn geen garanties te geven, en iemand zal voor de financiële risico's garant moeten staan. Het met veel enthousiasme omarmde project sterft uiteindelijk een zachte dood.

De teleurstelling van het stranden van haar fundraiserinitiatief wordt al snel verwerkt doordat Nina een bijzondere benoeming ten deel is gevallen. Minister van Verkeer en Waterstaat Maij-Weggen heeft een aantal prominente mensen uitgenodigd zitting te nemen in de Commissie van Advies inzake Post en Telecommunicatie (CAPT). De CAPT is een voortzetting van de Raad van Advies inzake Post en Telecom (RAPT), die bij de privatisering van de PTT door minister Neelie Smit-Kroes werd ingesteld. De RAPT behandelde als centrale vraag hoe na de verzelfstandiging van de PTT moest worden omgegaan met post- en telecommunicatievraagstukken. Het CAPT borduurt als onafhankelijk adviescollege aan de minister voort op die centrale vraag.

Maij-Weggen is een vurig pleitbezorgster voor meer vrouwen op invloedrijke posities en nodigt haar vriendin persoonlijk uit lid te worden van het adviesorgaan.[35] Nina doet geen moeite haar vreugde over haar benoeming in de adviescommissie in het bijzijn van haar ondergeschikten te onderdrukken. Haar lidmaatschap van dit selecte en voorname gezelschap betekent een grote erkenning van haar ondernemerschap. Dat een minister een beroep op haar doet, strekt tot grote eer, die vele deuren voor haar zal kunnen openen. Haar netwerk zal zich in een hoog tempo kunnen uitbreiden en vooral in soortelijk gewicht kunnen toenemen.

Voor de buitenwereld betekent haar uitverkiezing ook dat ze zich voor de minister in dezelfde pikorde bevindt als enkele professoren, ex-politici en bekende ondernemers die ook door Maij-Weggen zijn benoemd. Verschillende personeelsleden horen ervan op, wetende dat het echtpaar Brink innige banden onderhoudt met de familie Maij en zelfs met hen in Zwitserland op ski-vakantie gaat.[36]

De samenstelling van het CAPT is van een hoog niveau. Nina mag zich met hooggeleerde heren als rechtenprofessor Hendrik Jan de Ru en communicatiewetenschapper Jan van Cuilenburg buigen over de toekomst van de post- en telecommunicatiemarkt. Met Nina denken onder anderen ook Paul Nouwen, topman van de toeristenbond ANWB, voormalig VVD-parlementariër Loek Hermans en de succesvolle automatiseringsondernemers Eckart Wintzen van BSO en Ton Risseeuw mee over onderwerpen als de veelomvattende opkomst van de *information super highway*.

Risseeuw in het bijzonder is bepaald geen onbekende voor Nina. Bij A-Line heeft ze in het nabije verleden geregeld hardop haar vijandschap jegens de Getronics-topman verkondigd. Haar is er veel aan gelegen om hem zakelijk voorbij te streven. Andersom is Risseeuw ook goed op de hoogte van het bestaan van Nina. Net als vele anderen in de automatiseringsbranche kent hij de verhalen over hoe ze bijvoorbeeld ooit het distributeurschap van Epson verwierf. Zelf heeft hij met Getronics rondom A-Lines overname van Positronika rechtstreekse ervaring opgedaan met de zakenvrouw. Hij heeft bepaald geen hoge dunk van haar manier van zakendoen, die volgens hem bijna altijd ten koste van anderen gaat. Maar tijdens de vergaderingen van de commissie, in het statige Johan de Witthuis op de Haagse Kneuterdijk, laat Risseeuw niets van zijn afkeer voor haar persoon blijken.

Risseeuw is niet de enige persoon bij de CAPT met wie Nina eerder te maken heeft gehad. Die vergaderingen van de commissie worden door iemand voorgezeten wiens naam ruim een halfjaar eerder geregeld in de kranten stond: het voormalige lid van de raad van bestuur van ING, Ton Soetekouw. Soetekouw en Nina zijn, mede dankzij het Newtron-avontuur, zeker geen vreemden meer voor elkaar.

In Naarden is het nieuwe pand al enige maanden in gebruik. Alle Nederlandse bedrijfsonderdelen van A-Line zijn er onder één dak gevoegd. Ook de vestigingen in Son en Zeist zijn opgeheven; de panden zijn verlaten en leeggeruimd. Bureaus, stoelen en kasten krijgen in het nieuwe pand weer een plek en de medewerkers mogen zich voortaan in Naarden melden.

Dat gaat niet bij iedereen van harte. De meeste werknemers uit Zeist zijn minder hoog opgeleid dan de rest en woonden in de buurt van hun bedrijf, het voormalige Wemex. De dagelijkse rit naar het industrieterrein aan het Gooimeer is een ongewenste verandering in hun alledaagse routine. Voor de medewerkers van het vroegere Positronika in Son geldt dat ze opeens meer dan honderd kilometer moeten afleggen om op hun werkplek te komen. Ook in Brabant kunnen de betrokkenen weinig enthousiasme opbrengen voor de verhuizing. Voor A-Line is de centralisatie niettemin een belangrijke stap om een geheel te smeden van de ongestructureerde verzameling bedrijven waaruit A-Line bestaat.

Op 10 juni 1993 opent staatssecretaris van Economische Zaken Yvonne van Rooij het nieuwe pand van A-Line in Naarden. De staatssecretaris – die onder het Nederlandse journaille beter bekendstaat als de 'koningin onder de kaasmeisjes' – heeft, op voorspraak van minister en partijgenote Maij-Weggen, de uitnodiging voor de feestelijke openingsceremonie van Nina geaccepteerd. De minister zelf moet verstek laten gaan, maar wordt vertegenwoordigd door haar echtgenoot Peter Maij en haar dochter Hester, die voor A-Line werkt. Enkele vertegenwoordigers van de pers, waaronder *De Telegraaf*, zijn uitgenodigd om de gebeurtenis te verslaan. Vanzelfsprekend geven een paar prominente zakenrelaties van Nina acte de présence. Zo zijn daar weer de gebroeders Van den Nieuwenhuyzen en het echtpaar Hans en Conny Breukhoven. Daarnaast is het leveranciers- en klantennetwerk goed op het A-Line-feest vertegenwoordigd. Verschillende leveranciers hebben al maanden met hardnekkige krediet-overschrijdingen van A-Line te maken.

Na het formele deel is er, volgens de uitnodigingen die Nina heeft laten versturen, 'verrassend topentertainment onder het genot van een hapje en een drankje'.[37] Het echtpaar Nina en Ab zorgt zelf ook voor enige verstrooiing als de aanwezige gasten gevraagd wordt naar de parkeerplaats van het nieuwe pand te komen. Daar presenteert Ab een cadeau voor zijn vrouw, de drijvende kracht achter de succesvolle onderneming A-Line: een gloednieuwe blauw-metallic Mercedes 600 SL-sportwagen. Een paar managers die op de hoogte zijn van de ware grootte van de schuldenlast van het bedrijf, voelen zich licht ongemakkelijk bij het vertoon op de parkeerplaats.

Het kleurrijke, kinderlijk ogende schilderij dat het echtpaar eerder die dag met een royaal gebaar aan het personeel van het bedrijf heeft aangeboden, gaat dezelfde avond weer mee terug naar Brasschaat.

Terwijl in Naarden uitgebreid wordt stilgestaan bij het ondernemerschap van Nina, zijn er in België mensen die zich steeds meer zorgen maken over Tritech, A-Lines meest recente aankoop. De onderneming, nog geen halfjaar eerder door Nina en Begemann met tromgeroffel overgenomen, wordt met argwaan bekeken. De opgegeven omzetten van het bedrijf lijken niet te kloppen en ook doemen uit de mist langzaam maar zeker de contouren op van een aanzienlijke voorraad incourante producten.

Kenners van de automatiseringsbranche weten dat Dany Mestdag als geen ander in het verleden veelal grote partijen inkocht om zo de aantrekkelijkste kortingen van de leveranciers te bemachtigen. Zo was hij jarenlang in staat de markt agressiever te kunnen bewerken. Zijn succes was er voor een belangrijk deel op gestoeld. Het Mestdag-model werkte goed in een opgaande markt, maar blijkt desastreus zodra die begint af te koelen.

De gevolgen van tegenvallende verkopen zijn voor het oog van de kenner goed zichtbaar. In het magazijn van Tritech staan tientallen pallets vol gedateerde hard- en software die de verkopers aan de straatstenen niet meer kwijt kunnen. Hoewel ze nog voor de historische aanschafprijs op de balans staan, hadden ze net zo goed aan een afvalverwerker meegegeven kunnen worden. Dat is niet gebeurd. De goederen staan nog steeds in de hoogste schappen van het magazijn stof te verzamelen, terwijl ze de bezittingen van Tritech op papier een verleidelijke glans geven. Als iemand van A-Line het magazijn voor de overname aan een zorgvuldige inspectie had onderworpen, had Nina op zijn minst geweten dat ze het bedrijf, met de bekende productlijnen en al, voor een habbekrats had kunnen overnemen.

De oorspronkelijke opzet om Tritech een zelfstandige status te laten behouden, wordt na enige maanden in twijfel getrokken. Er gaapt een fysieke kloof tussen de bedrijven. A-Line heeft zijn Belgische hoofdvestiging op een industrieterrein in Zaventem bij Brussel; Tritech is gevestigd aan de andere kant van Brussel, in Groot-Bijgaarden. In de praktijk blijven het twee volledig apart opererende ondernemingen en wordt er op geen enkele manier geprofiteerd van mogelijke schaalvoordelen. Ook de financiële administratie is nog gescheiden, waardoor een goed overzicht op de gang van zaken ontbreekt. Nina is met betrekking tot Tritech zelfs in belangrijke mate van de rapportages van Mestdag afhankelijk.

Ook psychologisch is de afstand tussen de bedrijven nog groot. Het personeel van de Belgische onderneming heeft zich nog niet kunnen vereenzelvigen met de nieuwe eigenaar. Bij A-Line merken mensen dat er grote weerstand bestaat tegen alles wat met het Nederlandse bedrijf te maken heeft. Andersom is het wantrouwen ook groot.

Het opstandige gevoel maakt zich in toenemende mate van Mestdag zelf meester. Hij heeft al snel ondervonden dat zijn nieuwe baas erg op controle is gesteld. Hijzelf is juist verknocht aan zijn vrijheid en onafhankelijkheid. Mestdag is dan ook niet bijzonder gecharmeerd van de vele telefoontjes van Nina en besluit na enige tijd niet meer op haar oproepen te reageren.

In de lente worden aanstalten gemaakt om de integratie van de bedrijven op gang te helpen. Om daar een serieus begin mee te kunnen maken, moeten de bedrijfsactiviteiten, net als in Nederland, worden samengevoegd. Zowel het personeel als de voorraden moeten onder één dak terechtkomen. Na maanden zoeken wordt in het plaatsje Londerzeel, precies tussen Antwerpen en Brussel, een geschikte ruimte gevonden om als centraal magazijn in gebruik te nemen. Ook de Nederlandse voorraad zal ernaartoe worden verscheept. Een deel van het Tritech-personeel zal in het ruime pand van A-Line Data in Zaventem trekken, een deel in een dependance aan de overkant van de parkeerplaats.

Ook in de belettering aan de gevel en in de vennootschappelijke papierwinkel verandert het nodige. De naam Tritech verdwijnt. Tritech Corporation, eind 1992 speciaal voor de doorstart opgericht, fuseert in april officieel met het pas in februari opgerichte A-Line Technologies. A-Line Technologies wordt vervolgens weer ontbonden en geliquideerd.[38] De naam A-Line Technologies blijft niettemin bestaan: de vennootschap Tritech gaat zo heten. Er wordt alleen 'Belgium' aan toegevoegd.[39]

Voor de buitenwereld is het een beetje verwarrend, want er bestond al eens een A-Line Technologies, dat enkele jaren daarvoor betrokken was geweest bij de overname van TM Data. Die vennootschap ging in 1992 verder onder de naam A-Line Communications.[40] In kasteel Withof in Brasschaat staat voorts de A-Line Technologies International Holding geregistreerd.

In Nederland is een nog imposantere kerstboom van vennootschappen opgetuigd met op elkaar lijkende namen die ook in België voorkomen. Juridisch zijn de vestigingen in beide landen nu van elkaar gescheiden, zodat eventuele negatieve zakelijke ontwikkelingen in het ene land geen financiële repercussies kunnen hebben voor de activiteiten in het andere land. Daarnaast vinden bij de verschillende vennootschappen met grote regelmaat naamsveranderingen, benoemingen, ontslagen en andere statutaire wijzigingen plaats die het voor leveranciers en klanten lastig maken om te zien met welke onderneming er nu zaken worden gedaan en wie daar precies de baas is.

Ook bij A-Line heerst verwarring. Hoewel met het nieuwe centrale magazijn in Londerzeel in potentie een aanzienlijke efficiencyslag wordt gemaakt, blijkt bij de ingebruikname ervan dat er over een nieuw, goed werkend voorraadbeheer- en administratiesysteem niet is nagedacht. De voorraden van A-Line Nederland en België en de verschillende daaronder vallende werkmaatschappijen liggen er naast elkaar zonder dat goed zichtbaar is welke producten precies bij welke bedrijfseenheid horen en waar überhaupt de specifieke voorraaditems te vinden zijn.

Bij de levering van producten worden standaard veel fouten gemaakt die vaak kostbaar uitpakken. De afhandelingen van retourzendingen en de retouradministratie haperen bijvoorbeeld. Dealers die verkeerd geleverde producten terugsturen, stoppen daar ook een creditfactuur bij, die vervolgens vaak niet in de administratie verwerkt wordt. Daardoor lijkt het alsof er omzet is gefactureerd, terwijl in werkelijkheid de levering al ongedaan is gemaakt. De ontevreden klanten die hun geld willen terugzien en daarover bellen, veroorzaken voor de boekhouding vervolgens weer onnodig werk. Voor een bedrijf dat steeds meer productlijnen voert en het in toenemende mate moet hebben van een vlekkeloos voorraadbeheer, is er nog veel ruimte om vooruitgang te boeken.

De grote voorraadverhuizing heeft nog iets anders aan het licht gebracht: enorme hoeveelheden waardeloze producten. De omvang is groter dan verschillende mensen bij A-Line al vermoedden. Dat is niet het enige. Het heeft er ook alle schijn van dat aanzienlijke delen van de courante voorraad van Tritech niet meer aanwezig zijn. Waardevolle producten die op voorraadlijsten staan, zijn niet meer terug te vinden. De conclusie ligt voor de hand: er zijn mensen van Tritech die zich aan de producten hebben vergrepen.

6 Va Banque

Zij heeft de heilige siddering van de vrome dweperij, van de ridderlijke geestdrift, van de kleinburgerlijke weemoed in het ijskoude water van egoïstische berekening verdronken.

KARL MARX EN FRIEDRICH ENGELS, *Het communistisch manifest*[1]

Nina laat zich door de, vooral die in België, zorgelijke ontwikkelingen niet van haar à propos brengen. Vanuit het hoofdkantoor klinken aanhoudend optimistische geluiden. Bernard Demarsin, directeur van A-Line Data, spreekt in juni nog over een verwachte omzet van 5 à 6 miljard frank (250 à 300 miljoen gulden) en deelt mee dat het eerste kwartaal 20 miljoen frank (1 miljoen gulden) winst is gemaakt.[2] Het signaal dat ze aan haar omgeving wil uitzenden: kracht, onafhankelijkheid en succes. Oftewel: hoge omzetten en winst. Dat beeld weet ze met verve uit te dragen. Het moet ook door de andere verantwoordelijken binnen het bedrijf worden gecommuniceerd.

Mensen die het bedrijf goed kennen – leveranciers, bankiers, voormalig werknemers, iemand als Willem Smit – schieten in de lach als ze de krantenartikelen zien waarin over grote omzetten en winsten wordt gesproken. Maar Nina's houding levert haar, behalve hoon, ook bewondering op. Als vrouw weet ze zich uitstekend staande te houden in de volledig door mannen gedomineerde wereld van de automatisering. Zelfs de meest kritische geesten binnen A-Line, en ook daarbuiten, hebben ontzag voor haar ondernemingszin, haar durf en haar mentale veerkracht. En niet in het minst: haar sterk ontwikkelde vermogen om contacten te leggen met de *movers and shakers* uit de zakenwereld en politiek.

Nina begeeft zich graag en veel tussen hen. Door bijvoorbeeld een tafel te kopen bij een gala van het Ronald McDonald Kinderfonds en daarbij dan bekende mensen en relaties uit te nodigen. Ze heeft er ook weinig moeite mee om zich, na een bezoek aan de kapper, in een elegant ensemble te hijsen, zich in een bekend restaurant of de lobby of de bar van een vijfsterrenhotel te positioneren en vervolgens bekende mensen aan te spreken. Liever nog laat ze haar assistente (of een manager, of haar eigen Ab) het eerste contact met een bekend persoon leggen – om die dan vervolgens zelf uit te nodigen voor een drankje, een maaltijd of een feest.

Want ook Nina is, als vaardig netwerker, goed doordrongen geraakt van de statusverhogende potentie van een feestelijk samenzijn. Het geven van een partij, receptie of diner is een van haar belangrijkste instrumenten om haar groep van kennissen en vrienden te plezieren en uit te breiden. Bekende mensen mogen daarbij niet ontbreken. Sterker: het bezoek van een vermaarde relatie vormt niet zelden de aanleiding voor een feest of een feestmaal. Gelegenheden om goede vriendinnen als Jane Goodall aan de rest van haar netwerk voor te stellen, met of zonder charitatieve activiteit, laat ze zelden of nooit liggen.

Natuurlijk vormen gebeurtenissen als de overname van een bedrijf of de verwerving van een nieuwe productlijn ook een uitstekende aanleiding om de champagne te laten vloeien. De zomer van 1993 biedt, naast de opening van het pand in Naarden, nog een bijzondere mogelijkheid: haar veertigste verjaardag. Maar omdat die vrijwel op hetzelfde moment plaatsvindt als de opening van het pand, besluit ze die gelegenheid nog even aan te houden.

Eind juni speelt bovendien een kwestie die haar investeringen in haar naam in groot gevaar brengen. De rechtbank in Den Haag doet uitspraak in de zaak die haar eerste man Ben Aka tegen haar heeft aangespannen. Hij wil dat ze ophoudt nog langer zijn familienaam te gebruiken.

In augustus stuurt advocaat Hammerstein Willem Smit een bericht dat opgetogen van toon is. Hammerstein heeft de hand kunnen leggen op een vonnis van de Haagse rechtbank van anderhalve maand eerder. 'Ter vermaak zend ik je bijgaand een beslissing van de rechtbank te Den Haag, waarbij Nina Aka wordt veroordeeld om de naam Aka niet meer te gebruiken.'[3]

Nina heeft in de procedure, bij monde van haar advocaat Herman Jansen, aangevoerd dat ze recht heeft op de naam Aka. Ze stelt dat ze een succesvolle zakenvrouw is die in Nederland grote bekendheid geniet – als mevrouw Aka of Nina Aka, niet als Nina Vleeschdraager of Brink. Haar reputatie bouwde ze voor een deel op gedurende de periode dat ze met Aka getrouwd was, en voor een belangrijk deel daarna. Maar haar ex-man heeft eerder geen bezwaar gemaakt tegen het gebruik van zijn naam, en daarom meent ze dat ze zijn toestemming daarvoor niet meer nodig heeft. De naam, eigenlijk een soort van artiestennaam geworden, is nu ook van haar. Ze wijst er ook op dat haar dochter Karen gediend is bij de 'eenheid van naam' tussen moeder en dochter.[4]

De rechter heeft geen oor voor haar argumenten en veroordeelt haar. Met onmiddellijke ingang wordt haar verboden nog langer de naam Aka te gebruiken. De uitspraak gaat vergezeld van een dwangsom van vijfduizend gulden per overtreding, met een maximum van 250.000 gulden. Eventuele fouten van Nina mogen van de zijde van Ben Aka in de media met advertenties op kosten van zijn vroegere echtgenote worden gecorrigeerd. Dit tot grote tevredenheid van de nieuwe levensgezellin van Ben Aka, die het vonnis uiteindelijk uit het faxapparaat van Oscar Hammerstein laat rollen.

Hoewel de in aanbouw zijnde villa van Nina en Ab aan de Brasschaatse Voshollei geregeld voor aangename afleiding zorgt, spelen op het hetzelfde moment dringende kwesties die Nina zonder meer het hoofd moet bieden. Verreweg de belangrijkste heeft met A-Line België te maken: de bedrijfsmatige situatie verslechtert daar in hoog tempo. A-Line Data maakt nog steeds te veel kosten en ondervindt sinds de overname steeds grotere moeite om zijn schulden terug te betalen. Voor het voortbestaan van het bedrijf moet worden gevreesd. De situatie bij A-Line Technologies heeft zelfs desperate vormen aangenomen. A-Line Technologies – het oude Tritech – betaalt al maanden geen btw meer. De schuld aan de Belgische belastingdienst loopt inmiddels in de tientallen miljoenen frank.[5]

Het personeel dat met de overname van Tritech is meegekomen, begint steeds zwaarder op de begroting van het bedrijf te drukken. Onder hen zijn veel mensen die nog steeds niet kunnen accepteren dat ze door A-Line zijn opgeslokt. Er hangt een sfeer van wantrouwen en er is niemand die deze kan wegnemen. Mestdag lijkt het niet veel te kunnen schelen; hij grijpt niet in. De geaffecteerd sprekende Ab Brink, die zo nu en dan orde op zaken probeert te stellen, weet daar weinig aan te veranderen. In de ogen van een groot deel van het personeel is hij een typische 'Hollandse dikke nek' zonder een zweem van autoriteit, want Ab geniet weinig respect bij de Belgen. De getuigenissen die verhalen over hoe hij met enige regelmaat door Nina publiekelijk als een lijfeigene wordt behandeld, zijn legio. En telkens laat hij zich als een zwijgzame butler de grillen van zijn vrouw welgevallen. Ab wordt gezien als Nina's willoze ordonnans.

Dany Mestdag heeft zijn conclusies getrokken: hij zal het bedrijf verlaten. Samen met zijn verkoopdirecteur heeft hij in stilte voorbereidingen getroffen om weer voor zichzelf te beginnen. Mestdag wekt daarbij een van Nina's grootste angsten tot leven: hij begint een eigen distributiebedrijf en neemt enkele nog goed renderende productlijnen van A-Line Technologies mee.[6] Zijn vertrek gaat gepaard met vuurwerk: er zouden aanzienlijke delen van de voorraad van het vroegere Tritech zijn verdwenen, en Nina en anderen bij A-Line zijn ervan overtuigd dat hij daar de hand in heeft gehad. Nina huurt een detectivebureau in en laat een aantal Tritech-mensen volgen, onder wie natuurlijk Mestdag. Veel moeite doen ze niet om hem onopvallend te schaduwen. De detectives zetten hun auto recht voor de ingang van het pand van het nieuwe bedrijf van Mestdag en houden in de gaten wie er in en uit gaan. Er volgt ook een aangifte van diefstal bij de politie, en Mestdag mag zich op het bureau komen melden.

De schermutselingen rondom zijn vertrek doen de gemoederen bij A-Line Technologies en A-Line Data flink oplaaien. Een groep van enkele tientallen voormalige Tritech-medewerkers laat zich daarbij het meest gelden. Voor hen is eind augustus een oplossing bedacht. Bij de verhuizing naar Zaventem worden ze in de dependance aan de overkant van de parkeerplaats gehuisvest, tegenover het pand van A-Line Data. Hun activiteiten, en ook die van de andere voormalige Tritech-medewerkers, zullen zich ook in een andere vennootschappelijke samenhang afspelen.

In een in allerijl bijeengeroepen buitengewone algemene vergadering van aandeelhouders van A-Line Technologies wordt besloten dat de bedrijfsnaam A-Line Technologies wordt omgezet in Tech Cash & Carry. De statutaire zetel van het bedrijf verhuist naar de overkant van de parkeerplaats. Er vindt ook een rigoureuze bestuurswisseling plaats: Nina treedt af als bestuurder, net als Mestdag – die het bedrijf al verlaten heeft – en Demarsin. Voor hen in de plaats wordt onder anderen Jean-Pierre Rampaille als bestuurder ingeschreven.[7] Een vreemde, maar volgens de vergadering van aandeelhouders van A-Line Technologies woont hij op hetzelfde Haagse adres als Marijke Vleeschdraager, de jongere zus van Nina, en hoewel Rampaille klaarblijkelijk met haar samenwoont en waarschijnlijk haar geliefde is,[8] is hij bij A-Line een grote onbekende.

De tweede bestuurder die wordt benoemd, is de mysterieuze naamloze vennootschap Lextor SA uit Luxemburg. Wie precies achter Lextor schuilt, is voor de buitenwereld niet duidelijk. De werkelijke eigenaren van Luxemburgse naamloze vennootschappen hoeven zich niet bekend te maken. Het bankgeheim is in het groothertogdom in de grondwet verankerd. Wel openbaar is wie de bestuurders van de ondernemingen zijn. In het geval van Lextor SA zijn dat twee vennootschappen die in handen zijn van het trustbedrijf van A-Lines Nederlandse huisbankier ABN AMRO.[9] Maar er zijn maar een paar mensen die daar op dat moment enige notie van hebben. De enige persoon die onveranderd in de statuten ingeschreven blijft staan en van wie het bestaan voor de mensen binnen en buiten A-Line feitelijk is vast te stellen, is Nina's echtgenoot Ab Brink.[10]

Nina en Ab verkondigen dat A-Line Technologies, nu Tech Cash & Carry (TC&C), aan een andere eigenaar is verkocht. Wie het is, hoeveel ervoor is betaald en of er überhaupt iets voor is betaald, maken ze niet bekend.[11] Bij A-Line is er niemand die iets weet van de details van deze transactie. Wat wel zeker is: in TC&C liggen de aanzienlijke schulden van Tritech begraven, en bij de onderneming bevinden zich enkele tientallen werknemers die het topmanagement van A-Line liever kwijt dan rijk is. En het is ook wel duidelijk dat de belangrijkste activiteiten en bezittingen van het vroegere Tritech, waaronder de voorraden en de distributierechten van onder andere Microsoft en Lotus, naar A-Line Data zijn verhuisd.

Er doen zich ook een paar bijzondere omstandigheden voor. Het TC&C-pand blijkt zo goed als leeg te zijn. Er zijn geen prijslijsten in het distributiebedrijf aanwezig, en erger: er is geen enkele voorraad die verkocht kan worden. Tech Cash & Carry verkeert, vanaf de dag dat het zijn naam heeft gekregen, in een staat van schijndood. Toevallige bellers worden opgevangen aan de overkant van de straat, bij A-Line, waarnaar het telefoonverkeer is doorgeschakeld.

Er zit voor de mensen van TC&C die er tijdens hun eerste werkdag arriveren weinig anders op dan in het pand te gaan zitten en te wachten op de dingen die komen gaan. Aan de overkant van de parkeerplaats zien ze hun voormalige Tritech-collega's die zich de afgelopen periode soepeler hebben opgesteld hun auto's parkeren, het pand betreden en achter hun bureaus plaatsnemen.

Een groot deel van de TC&C-personeelsleden beseft al snel dat er iets moet gebeuren. Ze kunnen en willen niet accepteren dat ze als verstotenen in een nagenoeg leeg bedrijfspand aan hun lot worden overgelaten, en zoeken daarom contact met een paar Belgische vakbonden (syndicaten). De vertegenwoordigers van de christelijke vakbond LBC-NVK en de vakbond voor technici, kaders en dienstverlenend personeel BBTK-ABVV vinden het een onwezenlijk verhaal. Ze hebben veel bij bedrijven meegemaakt, maar wat ze bij TC&C in Zaventem aantreffen, is volkomen nieuw voor hen: ze kunnen alleen maar concluderen dat A-Line op een goedkope manier van een aanzienlijk deel van zijn personeelsleden verlost wil worden door ze simpelweg in een leeg pand te zetten, te wachten tot ze weglopen en het bedrijf ten slotte in alle stilte te liquideren. Het aanvankelijke ongeloof over de situatie heeft plaatsgemaakt voor boosheid, en de dringende behoefte om de directie in kwestie ter verantwoording te roepen – vooral hun vroegere directeur Nina Brink-Vleeschdraager, die volgens het personeel het onmiskenbare brein is achter de hele operatie. Daar denkt de betrokkene zelf anders over. Ten overstaan van de pers, die inmiddels lucht van de zaak heeft gekregen, beweren Nina en Ab dat A-Line op geen enkele manier banden heeft met Tech Cash & Carry.[12]

Op aandringen van de vakbonden komt eind september een gerechtsdeurwaarder langs om van de situatie in het pand van TC&C officieel notie te nemen en er een proces-verbaal van op te maken.[13] Bij zijn aankomst in het kantoor wordt de deurwaarder eerst door enkele magazijnmedewerkers van TC&C ontvangen. Ze tonen hem 'het lokaal waar zij verondersteld worden hun activiteit uit te oefenen'.

De deurwaarder noteert: 'In dit lokaal bevinden zich naast een paar bure-len slechts een scherm, een printer en een kopieermachine die in staat van werking zijn; drie andere schermen en een kopieermachine zijn stuk. In het lokaal is geen voorraad goederen te bespeuren. De voormelde magazijniers verklaren mij dat zij de opdracht kregen uit hun vroegere magazijn te vertrek-ken om in het voormelde lokaal hun werkzaamheden voort te zetten. Aange-zien er zich echter geen voorraad goederen in dit lokaal bevindt, dienen zij werkloos te wachten. Op hun vragen aan de directie wordt volgens hun verkla-ring ontwijkend of niet geantwoord.'

De deurwaarder vervolgt zijn weg door het pand. 'In de gang bevindt zich een vergaderzaal. De toegangsdeur van dit lokaal is gesloten. Er wordt mij ver-klaard dat de toegang tot de vergaderruimte werd afgesloten als direct gevolg van een vergadering tussen het personeel en een syndicaatsvertegenwoordi-ger.'

In de overige kantoren zijn nog drie andere computers die werken; de rest doet het niet. Niemand in het gebouw kan zijn functie nog uitoefenen – de verkopers hebben geen producten om te leveren, de inkopers kunnen niets kopen, voor de boekhouder valt er niets meer te administreren en zelfs de te-lefoniste heeft niets meer te doen, want alle telefoonverkeer voor TC&C wordt bij A-Line opgevangen. De vele vragen aan de bazen, die zich zo nu en dan aan de overkant van de parkeerplaats vertonen, blijven intussen onbeantwoord.

De omstandigheden bij TC&C nodigen de vakbonden uit om zich hard op te stellen: het personeel behoudt in principe zijn baan. Wanneer dat geen optie is voor A-Line, zal een collectieve ontslagregeling moeten worden getroffen. De bereidheid van het personeel om de eisen met acties te ondersteunen is groot. Vanuit A-Line wordt op de inmenging van de vakbonden aanvankelijk niet gereageerd. Na enkele dagen, en na het voeren van veel telefoongesprek-ken, zit er nog geen schot in de zaak. De onderhandelaars aan de kant van het personeel laten er geen misverstand over bestaan: A-Line moet snel met een voorstel komen.

Er volgt een ontmoeting met een afvaardiging van A-Line in het Crest Ho-tel, vlak naast de Antwerpse ring. Directeur Ab Brink wordt vergezeld door A-Line Data-directeur Bernard Demarsin en een advocaat van het bekende kan-toor Schiltz Doevenspeck & Vennoten. Ab heeft een vergaderzaal gehuurd, waar het gezelschap aan tafel schuift. Aan de andere kant van de tafel nemen twee vertegenwoordigers van vakbonden plaats. Ook zij hebben een advocaat meegenomen. Ab laat zich achterover hangen en steekt een sigaartje op.

De situatie bij TC&C is, ondanks de ontspannen en uitnodigende pose van Ab, niet te kenschetsen als een die bol staat van de goede bedoelingen. De sfeer is daarom vanaf het begin van de ontmoeting geladen. De vakbondsmannen zetten de hakken in het zand met een harde eis die niet onderhandelbaar is: ontslag met vertrekregeling of behoud van baan. Kiezen of delen. Anders volgen er acties.

Ab Brink en Bernard Demarsin horen het onbewogen aan. Maar op de advocaat van A-Line heeft de onbuigzame houding van de vakbondsvertegenwoordigers een brisante uitwerking. Woedend wijst hij de mannen op de mogelijke gevolgen van acties voor A-Line. Hij dreigt ze privé te zullen overladen met processen, claims en beslagleggingen als ze hun plannen tot uitvoering brengen. Het gesprek ontaardt in een heftige woordenwisseling. De vakbondsmannen en hun advocaat staan vervolgens op, en verlaten met lege handen het hotel.

Een journalist van het automatiseringstijdschrift cm *Corporate* heeft zich inmiddels in de zaak verdiept en er een omslagverhaal aan gewijd. Daarin doet hij de twijfelachtige ontwikkelingen bij tc&c uit de doeken en zet hij vraagtekens bij de voornemens van A-Line en de mogelijke gevolgen voor het personeel. Hij stelt ook Nina kritische vragen. Nog voor publicatie ontvangt de journalist een brief van het advocatenkantoor Schiltz Doevenspeck, waarin hem een weinig malse juridische procedure in het vooruitzicht wordt gesteld. Ook wordt hij onverwachts door een Nederlandse collega van een bekend computerblad gebeld, die hem tot grote voorzichtigheid aanspoort.[14]

Terwijl de journalistieke druk langzamerhand begint toe te nemen en Ab als directeur van Tech Cash & Carry mag prakkiseren over hoe het bedrijf zich op de toekomst moet voorbereiden, is Nina druk bezig met de voorbereidingen van het volgende public relations-evenement. Nina's Belgische directeur Bernard Demarsin nodigt daartoe een grote groep klanten en relaties uit om op vrijdag 8 oktober naar het nieuwe bioscoopcomplex Kinepolis in Brussel te komen.

'Automatiseren met A-Line Data: Overleven in een jungle', staat op de tropisch vormgegeven uitnodiging gedrukt.[15] Het bedrijf wil zijn relaties een beeld geven van de 'kleurrijke en vruchtbare perspectieven' in de automatiseringsjungle en heeft daartoe in het gebouw een grote stand opgebouwd waar het uitgebreide productassortiment voordelig wordt gepresenteerd.

Als speciale gastspreker is een goede relatie van Nina uitgenodigd: voormalig minister Hugo Schiltz. Schiltz is een bijzondere figuur en geniet in België een grote bekendheid en veel aanzien. Hij was als tiener in de oorlogsjaren hoofdtrommelaar bij de Dietsche Blauwvoetvendels, een onderdeel van de Nationaal-Socialistische Jeugd in Vlaanderen, maar ontwikkelde zich na een korte naoorlogse detentie tot een geëngageerd progressief democraat van Vlaams-nationalistische snit. Naast een voorspoedige carrière als advocaat – hij is medeoprichter van het kantoor Schiltz Doevenspeck & Vennoten – wist hij als politicus tot grote hoogte te stijgen. Schiltz was van 1988 tot 1991 namens de Volksunie minister van Begroting en Wetenschapsbeleid in het achtste en laatste kabinet van Wilfried Martens.

Na de toespraak van senator Schiltz staat in het kolossale Imax-theater van Kinepolis de vertoning van de film *Rainforest* op het programma, en een buffet met een smakelijke 'junglecocktail'. De avond wordt afgesloten met een 'spectaculair feest', meldt de uitnodiging. Wat daarin niet staat vermeld, en wat directeur Demarsin ook niet weet, is dat Nina van de gelegenheid gebruik zal maken om de nieuwe directeur publiekelijk aan te kondigen: Dirk De Waegeneire. Deze Vlaming, die daarvoor in Nederland een succesvolle reorganisatie bij het computermerk Commodore heeft doorgevoerd, moet het bedrijf tot een eenheid smeden en naar nieuwe successen voeren.

Op de bewuste vrijdag dreigt het vrolijke evenement al vroegtijdig te ontsporen. De vakbonden en het personeel van TC&C – dat al ruim vier weken in een leeg kantoorpand zit en zijn salaris over de maand september nog niet heeft ontvangen – hebben het junglefeest van A-Line als gelegenheid uitgekozen om in actie te komen. De vorige dag zijn er persberichten uitgegaan om de media te mobiliseren, en er zijn pamfletten opgesteld die bij Kinepolis aan de gasten uitgedeeld zullen worden.

'Na de overname van het failliete Tritech door A-Line werd het overtollige personeel gedumpt in de firma Tech Cash & Carry,' citeert die ochtend *De Tijd* het persbericht. 'In plaats van over klassieke opzegtermijnen te praten, rekent men erop dat de meesten psychologisch gekraakt en ontmoedigd de firma zullen verlaten. Zijn de groep-Begemann en haar bestuurders op de hoogte van dergelijke wantoestanden?'[16]

Dat de actie daadwerkelijk staat te gebeuren, is Nina dan ook al ter ore gekomen. Woedend belt ze met de vertegenwoordigers van het actiecomité. Ze eist dat ze hun plannen staken. Zij heeft immers niets met TC&C te maken, A-Line heeft er niets mee te maken, het is de schuld van Ab, haar man, die directeur is van TC&C. De mannen van de vakbond horen het emotionele relaas verbaasd aan.

Als later die dag de eerste gasten zich bij Kinepolis melden, verzamelen zich ook de protesterende werknemers van TC&C bij het bioscoopcomplex. Personeelsleden gaan verkleed in gestreepte gevangenispakken en scanderen: 'Geen fuif, wel ons loon', en: 'Wij protesteren, die Brinkjes profiteren', terwijl ze een groot spandoek met de tekst TCC EN A-LINE PERSONEEL: GEEN DUMPPRODUCT!! met zich meedragen.[17]

Arriverende gasten krijgen het computertijdschrift CM *Corporate* in handen gedrukt, waarin het uitgebreide verhaal over de dubieuze sterfhuisconstructie van A-Line is opgenomen. De journalist van het tijdschrift is, ondanks de dreigementen van de door Nina ingehuurde advocaten, ter plaatse om verslag te doen. Journalisten van kranten zijn er ook. Met fotografen. Zelfs de Vlaamse televiesiezender vtm is aanwezig en maakt opnamen voor de nieuwsuitzending later die avond. Wat als een prestigieus pr-evenement was opgezet, dreigt voor A-Line op een publicitaire catastrofe uit te draaien.

Nina en Ab Brink proberen bij de ingang van Kinepolis de demonstrerende personeelsleden te negeren. Het duurt niet lang voordat Ab Brink door dezelfde ingang weer naar buiten komt. Hij wil overleg. Met de vakbondsmannen en enkele personeelsleden spoedt hij zich naar het nabijgelegen Quick-hamburgerrestaurant. Lang hoeft er niet te worden gepraat: Brink is bereid aan de eisen tegemoet te komen. Uit het faxapparaat van het hamburgerrestaurant wordt een stuk papier gepakt waarop met ballpoint een cao en een ontslagregeling worden opgesteld. Brink zet er zijn handtekening op en haast zich terug naar Kinepolis.

Bij het personeel en de mensen van de vakbond heerst vreugde. Dat waar normaal weken over wordt onderhandeld, hebben ze in een enkele gehaaste sessie in een hamburgerrestaurant weten klaar te spelen. De mannen van de vakbond hebben nog nooit op zo'n sensationele manier een gunstig akkoord weten af te dwingen.

De volgende dag ontvangt het personeel een aangetekend schrijven van Ab Brink met daarin de mededeling: 'Zoals overeengekomen met de vakbonden, verbreken wij hierbij met directe ingang de met u bestaande arbeidsovereenkomst. De verbrekingsvergoeding wordt berekend volgens de formule-Claeys en wordt u eerstdaags medegedeeld. Wij wensen u succes met uw verdere loopbaan.'[18] Het personeel zal uitbetaald krijgen, ze hebben het zwart op wit. Denken ze.

A-Line biedt publicitair tegenspel. Er verschijnt een advertentie in een grote Belgische krant die, blijkens de tekst, van het personeel van A-Line afkomstig is. 'Sommige mensen willen niet werken, wij wel,' luidt de boodschap. De advertentie is op initiatief van Nina en Ab in de krant geplaatst.

Vier dagen na de demonstratie bij Kinepolis, op dinsdagavond 12 oktober om 18.00 uur, komt de raad van bestuur van tc&c in een vergaderzaaltje in het inmiddels geheel verlaten pand in Zaventem bijeen. Het zal de laatste bestuursvergadering zijn. 'Gelet op de negatieve ingesteldheid van het personeel en het door de syndicaten afgedwongen gezamenlijk ontslag, is de werking van de vennootschap volkomen onmogelijk geworden en is de nieuwe oriëntatie van het bedrijf niet ten uitvoer te brengen,' schrijft de dienstdoende notulist. 'De financiële toestand evolueert negatief en noch de aandeelhouders, noch de financiers blijken bereid bijkomende inspanningen te leveren.'

Wie die financiers precies zijn, blijft een vraagteken. Op de notulen van de vergadering worden de namen van de aanwezige bestuurders afgetekend: Ab Brink, de mysterieuze J.P. Rampaille, en twee heren van ABN AMRO Trust, die optreden namens de derde bestuurder, Lextor SA.[19]

Ab Brink krijgt van de identiteitsloze Luxemburgse bestuurder Lextor en van bestuurder J.P. Rampaille nog een laatste opdracht mee. Hij mag als directeur de zaak bij de Rechtbank van Koophandel in Brussel laten ploffen. Maar voordat hij zijn opdracht ten uitvoer brengt, laat hij donderdags aan het personeel weten hoe de beslissing van de directie van TC&C is uitgevallen.

De verontwaardiging bij personeel en vakbonden is groot als ze horen dat het faillissement van TC&C zal worden aangevraagd. Een faillissement betekent: geen ontslagregeling. Wel een uitkering die uit het daarvoor bestemde Fonds voor Sluitingen van Ondernemingen wordt betaald, ofwel door de gemeenschap wordt bekostigd. De kwade opzet gutst volgens hen uit alle gaten: hier is sprake van een frauduleus faillissement. Waardevolle bezittingen zijn uit de onderneming gehaald. Onwelgevallig personeel, verliezen en belastingschulden zijn in een klassiek sterfhuis met katvangers begraven en harde afspraken worden geschonden.

De vakbondsmannen hebben een simpele benaming voor het geheel van gedragingen: 'crimineel'.[20] Dat 'criminele' gedrag blijkt volgens hen ook uit de intimidaties aan hun adres en aan dat van anderen. De woordvoerder van het personeel die openlijk met de pers over het dubieuze faillissement spreekt, heeft inmiddels 'dreigementen' ontvangen van de advocaten van A-Line.[21]

Het tumult over de betrokkenheid van Nina bij een vermeend frauduleus faillissement dringt ook door tot de burelen van *De Telegraaf,* waar het meest recente gevecht met Willem Smit nog vers in het geheugen ligt. 'Nina Brink (ex-Newtron) ruziet verder in België,' schrijft de krant op zaterdagochtend.[22] 'Zakenvrouw Nina Brink – voorheen Nina Aka – rolt van het ene conflict in het andere conflict.'

Na deze droge constatering en een korte beschrijving van de vermeende feiten komt Nina aan het woord. Ze is boos. 'Ik word geterroriseerd door de vakbonden,' zegt ze tegen *De Telegraaf.* 'Het is allemaal niet prettig gelopen. Ik begin dan ook een proces tegen de bonden. Dit is allemaal zo oneerlijk. Ik pik het niet. Maar je begrijpt, dit is België, hè...'

De volgende dag ontmoet dezelfde verslaggever in Wassenaar de zakenvrouw. Hij krijgt de gelegenheid het hele verhaal uit haar mond op te tekenen.[23] Ze ontvouwt in het kort haar kijk op de gebeurtenissen die leidden tot het omstreden faillissement.[24] Het begon allemaal bij de overname van Tritech. Al snel bleek het personeel over een andersoortige 'bedrijfsfilosofie' te beschikken. Agressief met de prijs en onoordacht met klanten. Heel anders dan A-Line. Een deel van het Tritech-personeel wilde zonder A-Line verder. 'Besloten werd hen buiten het bedrijf te plaatsen.' Tritech kreeg vervolgens een andere naam, en de aandelen werden 'overgedragen' aan een Luxemburgse vennootschap. De nieuwe aandeelhouders wilden wel dat haar man Ab Brink deel bleef uitmaken van de directie. Op tijdelijke basis. Wie de aandeelhouders precies zijn, wil ze niet vertellen.

De situatie bij Tech Cash & Carry was ernstig. 'Via mijn echtgenoot kreeg ik berichten binnen dat het personeel botweg weigerde te werken.' Dat geldt niet voor de rest van het personeel, benadrukt ze. Nina toont de journalist als bewijs de advertentie van het personeel die eerder in een Belgische krant heeft gestaan.

De aantijging dat er sprake is van een frauduleus faillissement, is volgens Nina 'totaal ongegrond'. Ze zegt: 'Frauduleus faillissement betekent dat je jezelf privé hebt bevoordeeld ten koste van je bedrijf. Die beschuldiging is te gek om los te lopen. Ik ben er privé alleen maar bij ingeschoten. A-Line stortte in mei een miljoen, terwijl ik er later een miljoen aan privégeld heb ingestopt om de salarissen en de crediteuren te betalen. Mijn man Ab Brink werd ad-interimdirecteur, dan denk je toch niet dat ik niet geloofde in de toekomst van deze onderneming?'

Ze heeft van hem begrepen dat hij het faillissement van het bedrijf zal aanvragen. 'De curator zal dan wel beginnen met een onderzoek. Tech Cash & Carry kan echter alles staven met cijfers.'

Over de vakbonden heeft ze weinig goeds te vertellen. Ze wilden maar één ding: dat TC&C de afvloeiingsregelingen ging betalen, of dat A-Line dat anders ging doen. 'Ik weigerde en bood de Tech Cash & Carry-mensen zelfs nog een vaste baan aan. Ik laat me echter niet chanteren.'

Na het afnemen van het interview met *De Telegraaf* is er tijd voor verpozing. Nina heeft kasteel Oud-Wassenaar als locatie gekozen om samen met haar beste vrienden en relaties toch nog haar veertigste verjaardag te vieren. Behalve een paar van haar directeuren staan op de gastenlijst enkele voorname klanten en leveranciers. Een respectabel aantal uitnodigingen is gestuurd naar haar almaar uitdijende netwerk van bekende zakenmensen en politici. Gerrit en Toos van der Valk zijn er, Hans en Conny Breukhoven, evenals Joep en Jeroen van den Nieuwenhuyzen.

Maar verreweg het grootste deel van de naar schatting vijfhonderd aanwezigen, onder wie een grote afvaardiging van het godvruchtige deel van kabinet-Lubbers III, komt voor Hanja Maij-Weggen. Nina heeft de gelegenheid te baat genomen om haar vriendin eens goed in het zonnetje te zetten. Hoewel de minister pas in december jarig is, staat het feest vooral in het teken van haar vijftigste verjaardag. Het feest is The Indian Summer Party gedoopt, verwijzend naar een oude indianencultuur waarin het bereiken van die leeftijd het teken is dat de laatste twee seizoenen van het leven een aanvang hebben genomen.

Dochter Hester, die met haar met Nina gedeelde pr-bureau de organisatie van het feest op zich heeft genomen, heeft een bijzondere verrassing voor haar moeder bedacht. 'Het leek wel de *Surprise Show,*' jubelt later het bekende societytijdschrift *Privé*, dat ook een uitnodiging heeft ontvangen. Nog voordat het feest losbarst, wordt in een van de salons van het kasteel een video aan de minister vertoond. 'Op de tape was haar in Argentinië verblijvende dochter Marit te zien. Zij wenste haar moeder een bruisend verjaardagsfeest toe. Ze sloot haar boodschap af met de woorden: "Wat jammer dat ik er niet bij kan zijn." Maar daarop riepen alle aanwezigen in koor: "Waarom kom je dan ook niet?" Op dat moment, helemaal in de stijl van Henny Huisman, ging de deur open en stormde Marit, gehuld in een fraai avondtoilet, naar binnen. Toen zij haar verbouwereerde moeder in de armen viel, kon de politica haar tranen niet meer bedwingen.[25]

Op haar verjaardagsfeest vergat de minister even de problemen met de Betuwelijn, de hogesnelheidstrein en het carpoolen. Zij maakte ook duidelijk heel goed te beseffen hoe belangrijk goede vrienden in het leven zijn, goede vrienden als het echtpaar Brink.'

Maandagochtend staat het interview met Nina in *De Telegraaf.* 'Belgische Tritech kost Nina Brink een miljoen,' schrijft de krant van wakker Nederland. Dezelfde ochtend begeeft Ab zich in het centrum van Brussel naar de rue de la Régence, waar hij in de daar gevestigde rechtbank met het ondertekenen van enkele formulieren het bedrijf het genadeschot geeft. Bij het invullen van de faillissementsaanvraag blijken de herinneringen van de TC&C-directeur Ab Brink aan zijn bedrijf alweer enigszins vervaagd. Volgens hem werken er niet meer dan zestien personeelsleden voor TC&C en bedragen de schulden hooguit 180 miljoen Belgische frank (8 miljoen gulden).[26] In werkelijkheid was hij de maanden ervoor verantwoordelijk voor niet minder dan 28 mensen en bedraagt de schuld meer dan het tweevoudige.[27]

Voor de curator zal snel duidelijk worden dat er geen enkele waarde in TC&C zit die op enig moment de belangstelling van een koper had kunnen rechtvaardigen, tenzij ook deze op grove wijze werd misleid.[28] De grootste financiële slachtoffers van het faillissement zijn hoe dan ook de Generale Bank en de Belgische belastingdienst, die een forse btw-vordering op de vennootschap heeft. Gezamenlijk schieten ze er voor bijna 350 miljoen frank bij in, bijna het dubbele van wat de gehele Tritech-overname eind december 1992 kostte.[29]

Vertegenwoordigers van het personeel en de vakbonden kloppen daags daarna aan bij de curator. Ze leveren een uitgebreid dossier af waaruit een panklare casus van faillissementsfraude zou blijken en waaruit zonder meer de malicieuze motieven van Nina en Ab zijn af te leiden. Ze willen dat de curator er onderzoek naar doet en dat ze aangifte doet bij justitie. De personen die alles in gang hebben gezet, moeten strafrechtelijk worden vervolgd en zo mogelijk worden veroordeeld.[30] Dat de Luxemburgse firma Lextor door vennootschappen van A-Lines Nederlandse huisbankier ABN AMRO wordt bestuurd en dat TC&C-bestuurder J.P. Rampaille volgens de vennootschapsstatuten in het huis van Nina's zus Marijke staat ingeschreven, is niet tot de pers doorgedrongen. Ook de volle omvang van het faillissement is nog niet zichtbaar. Het computertijdschrift CM *Corporate* wijdt nog een artikel aan de zaak: 'Personeel beschuldigt A-Line van frauduleus faillissement'.[31] Daarna blijft het stil. Ook uit de hoek van de curator van TC&C wordt niets meer vernomen.[32]

De affaires in België blijven het grootste deel van het Nederlandse bedrijf bespaard. Het management en enkele andere medewerkers kennen flarden van de strubbelingen; het meeste blijft verborgen of sneeuwt onder tijdens de feestelijkheden in kasteel Oud-Wassenaar. Het is een Belgische aangelegenheid en daar heeft het Nederlandse deel weinig of niets mee te maken.

Een soortgelijk mechaniek treedt in werking als het om geldkwesties gaat. Die worden niet of nauwelijks met het operationele en commerciële management gedeeld. De directeuren van de verschillende bedrijfsonderdelen zien weliswaar facturen binnenkomen waarop ze handtekeningen moeten zetten, en ook hebben ze een goed idee van wat maandelijks verkocht wordt, maar hoeveel er met hun omzet verdiend wordt of hoe het bedrijf er financieel precies voor staat, is een groot vraagteken. Soms wordt hun gevraagd prijzige declaraties te tekenen voor allerhande onkosten die Nina en Ab maken. Een enkeling weigert. Zo'n declaratie komt vervolgens bij een andere vennootschap te liggen, waar een andere directeur zich wel bereidwillig toont om zijn handtekening te plaatsen.

Nina en Ab overleggen geldzaken zo nu en dan met de externe accountant van Deloitte & Touche, maar vooral ook met hun financieel directeur. Dat moet een veeleisende baan zijn. Binnen het bedrijf ontgaat vrijwel niemand de beperkte houdbaarheidsdatum van de gemiddelde financieel directeur die actief is voor A-Line. Bijna om de anderhalf jaar zit op die plek iemand anders.

Omdat het management precieze financiële informatie wordt onthouden en het zonneklaar is dat bij A-Line op onorthodoxe wijze zaken worden gedaan, zijn er mensen die bij hun promotie of aanstelling hebben geweigerd statutaire verantwoordelijkheid te nemen. Puur uit lijfsbehoud. Als er iets misgaat, hebben ze geen zin om aan de pan te blijven plakken. Nina accepteert dat in de meeste gevallen en schuift dan een nieuwe financiële man naar voren, of echtgenoot Ab. Zelfs de echtgenote van een meegaande manager is even statutair directeur van een vennootschap. Een enkele statutaire directeur krijgt pas na verloop van tijd in de gaten wat de risico's van zijn directeurschap zijn, en besluit vervolgens zich stilzwijgend uit het register van de Kamer van Koophandel te laten schrijven.

Het gevoel van onbehagen heerst zeker niet overal in de organisatie. Zo is bij Hester Maij eind 1993 nog steeds sprake van een groot vertrouwen in het ondernemerschap van Nina. Hun werkrelatie is in een volgende fase beland. Het plan is opgevat om Hester meer zelfstandigheid te geven en haar kennis te laten maken met het ondernemerschap. Ze zal voortaan haar communicatieve diensten ook aan andere bedrijven verlenen. Sinds begin oktober heeft de ministersdochter een eigen communicatieadviesbureau. De naam ervan, Perfect Partners, is afkomstig van een voormalig A-Line-bedrijf, dat handelde in kassasystemen. Ze krijgt haar eigen kantoor in het ruim bemeten A-Line-pand in Naarden,[33] en Nina, die met een van haar vennootschappen zakelijk in haar bureau participeert, is met A-Line ook nog eens haar belangrijkste klant. Minister Maij-Weggen, die eerder geen gelegenheid had om bij de opening van het pand aanwezig te zijn, komt in Naarden op bezoek om te zien hoe het haar dochter daar vergaat.

Een van de klussen die Hester Maij wacht, is zorgen dat er eindelijk een mooie imagobrochure van A-Line wordt gemaakt. Het grafische bureau uit Rotterdam dat ermee bezig was, heeft de opdracht niet willen volbrengen, na er bijna een jaar aan te hebben gewerkt. Na de scène op de trappen van kasteel Withof wisten de heren van het bureau dat hun nog het een en ander boven het hoofd hing. Dat bleek een juiste inschatting: de voortdurende wisselingen in het management die in de volgende maanden plaatshadden, leidden ertoe dat er steeds opnieuw foto's van het opgeschoonde managementteam gemaakt moesten worden. Telkens wanneer het leek alsof de foto's eindelijk compleet waren, werd er weer iemand ontslagen. Nina eiste vervolgens dat de persoon in kwestie uit de brochure zou worden verwijderd. De mannen van het grafische bureau protesteerden en er werden oplossingen bedacht. Nina deed zowaar concessies. Er hoefde geen nieuwe foto gemaakt te worden, zolang de ontslagen manager maar onherkenbaar op de foto kwam te staan. De mannen sloegen aan het retoucheren en plakten een snor op de bovenlip van het vroegere kaderlid, waarna dan toch weer iemand bleek te zijn gesneuveld die nog met geen haarlok in de brochure zichtbaar mocht zijn.

Wijzigingen in de vennootschappelijke structuur en toevoegingen aan het assortiment waren ook redenen om het Project Imagebrochure A-Line van nieuwe input te voorzien. En met haar ongewenste maar aanhoudende persoonlijke inmenging, die op de meest uiteenlopende tijdstippen plaatsvond, wist Nina er steeds een temperamentvolle draai aan te geven. Totdat ze besloot haar assistent Hester Maij het project in handen te geven. Die maakte, tot grote schrik van de Rotterdammers, een onervaren indruk. Toen ook nog eens bleek dat de foto's van het management waren zoekgeraakt en feitelijk opnieuw begonnen moest worden met het hele project, besloten ze de opdracht terug te geven. Een van de partners van het grafisch bureau laadde al het tot dan toe geproduceerde materiaal in twee grote blauwe vuilniszakken, reed ermee naar Naarden, zette de zakken bij de receptie van A-Line neer, verliet het pand en keerde er nooit meer terug.

A-Line en zijn bekendste bestuurders, Nina en Ab Brink en Bernard Demarsin, hebben de laatste maanden van 1993 in België veel kwaad bloed gezet. Het 'frauduleuze' faillissement van Tech Cash & Carry, de protesten van het personeel en het gevecht met de vakbonden hebben veel negatieve aandacht in de media veroorzaakt en het bedrijf reputatieschade berokkend.

In de automatiseringsbranche zijn de problemen van A-Line niet onopgemerkt gebleven. Hoewel Nina naar de buitenwereld toe blijft benadrukken dat het bedrijf zowel in Nederland als in België winst maakt, doen hardnekkige geruchten de ronde dat ook A-Line Data Belgium financieel in hoge nood verkeert. De geruchten kloppen. A-Line Data verkeert zelfs in ernstige problemen. De omzetten van het Nederlands-Belgische bedrijf zijn maar een fractie van de 5 tot 6 miljard frank die A-Line als groep een jaar eerder nog beloofde te maken.[34] Volgens de verlies-en-winstrekening is de omzet van de Belgische activiteiten – waar na de overname van Tritech verreweg de meeste omzet gemaakt zou worden – in 1993 blijven steken op 776 miljoen frank. De bedrijfsresultaten, waarover het afgelopen jaar in de media herhaaldelijk werd gezegd dat ze in vette zwarte cijfers geschreven zouden worden, zijn in feite bloedrood gekleurd.[35]

Na een inventarisatie blijkt voor meer dan 300 miljoen frank (ongeveer 13 miljoen gulden) aan voorraad op de balans van A-Line Data te staan. Het is voorraad die voor een belangrijk deel waardeloos is, en allang had moeten worden afgeschreven. Maar de goederen in het magazijn in Londerzeel zijn het belangrijkste onderpand voor de kredietverschaffers, van wie A-Line meer dan ooit afhankelijk is. A-Line heeft bij verschillende kredietinstellingen en leveranciers een schuld van 530 miljoen frank, waarvan het merendeel bij de Generale Bank. Afschrijven betekent dat het eigen vermogen op de jaarrekening tussen haakjes komt te staan. Afschrijven betekent dat het eigen vermogen negatief wordt, en dat de fictie van een succesvolle onderneming aan stukken wordt gereten. A-Line Data Belgium is technisch failliet. Daar zijn alleen weinig mensen feitelijk van op de hoogte.

De gebroeders Van den Nieuwenhuyzen behoren tot de selecte groep van ingewijden die wél enige kennis hebben over hoe beroerd A-Line Data Belgium ervoor staat. Sinds december zijn ze met Nina, De Waegeneire en de Generale Bank in onderhandeling om het bedrijf voor de ondergang te behoeden.[36] Eind januari hebben KBG en de Generale Bank met A-Line afspraken gemaakt over een reddingsoperatie. Het is duidelijk wat er moet gebeuren. Twee bureaus hebben dan al onderzoek gedaan naar de toestand van het bedrijf. Voorraden afschrijven en het bedrijf herfinancieren om het eigen vermogen weer op peil te brengen: dat is de enige mogelijkheid om het bedrijf te redden. Hoewel de Generale Bank recentelijk met de plotse ondergang van Tech Cash & Carry nog honderden miljoenen frank op een aan A-Line gelieerde activiteit heeft moeten afschrijven, is de bank bereid het bedrijf tegemoet te treden. Begemann maakt met de Generale Bank tegelijkertijd afspraken over de herfinanciering van een andere Begemann-vennootschap: het metaalbedrijf G&G International.[37]

In het voorlopige akkoord, waar De Waegeneire namens A-Line zijn handtekening onder zet, zal Begemann 45 miljoen frank investeren en de Generale Bank voor 150 miljoen frank de schulden saneren die A-Line Data bij de bank heeft. Waar nog definitieve afspraken over moeten worden gemaakt, zijn de zekerheden die Nina en A-Line moeten leveren. Veel heeft Nina niet te bieden aan Van den Nieuwenhuyzen, op één ding na: haar eigen aandelenpakket in A-Line. Ze zal creatiever moeten zijn om de Generale Bank nog iets aan zekerheden te kunnen verstrekken.

De voorlopige overeenkomst met Begemann en de bank is voor Nina hoe dan ook een goede aanleiding om naar de pers te stappen. Samen met De Waegeneire vertelt ze aan een verslaggever van het financiële dagblad *De Tijd* dat Begemann en zijzelf samen met een niet bij name genoemde investeringsbank 200 miljoen frank in A-Line hebben gepompt.[38] Het geld zal worden aangewend om de voorraden te saneren en de liquiditeitspositie te verstevigen, zegt Nina, maar ook om het aantal productlijnen uit te breiden. Ze stelt de spoedige aanstelling van zes nieuwe productmanagers in het vooruitzicht. De omzet van A-Line moet dit jaar op 4 miljard frank uitkomen, is haar overtuiging.

'Ondanks alle problemen die wij in de voorbije maanden gekend hebben, blijven wij toch nog altijd een van de grootste distributeurs van het land,' zegt De Waegeneire. Hij ziet net als Nina ruimte voor expansie.

Maar Nina en De Waegeneire weten dat de financiering die ze net wereldkundig hebben gemaakt, nog lang geen zekerheid is. Er doet zich een ingewikkeld probleem voor: Nina weigert de overeenkomst te ondertekenen. Ze heeft met Van den Nieuwenhuyzen weliswaar mondeling afspraken gemaakt over pandstelling van haar aandelen, maar eenmaal geconfronteerd met de papieren representatie daarvan, meent ze dat ze met een wurgcontract wordt afgescheept.[39]

Haar plotse terugtrekkende beweging wekt bij de gebroeders Van den Nieuwenhuyzen wrevel. Nina vormt al langer een bron van ergernis voor het tweetal. Met steeds grotere regelmaat melden zich allerlei schuldeisers van A-Line of van Nina. Ze kunnen zich goed voorstellen dat er nog meer rondlopen. Zelf krijgen ze ook nog geld van haar. Ondanks herhaalde verzoeken heeft ze nog niet één keer de maandhuur van haar kantoor in kasteel Withof betaald.

Vervelender is dat verschillende leveranciers van A-Line Data Belgium geld willen zien en dreigen niets meer te leveren zolang niet eerst wordt betaald. A-Line kan niet betalen zolang de herfinanciering nog niet heeft plaatsgevonden. Van den Nieuwenhuyzen wil op zijn beurt geen geld overmaken als Nina niet eerst de overeenkomst ondertekend terugstuurt. De Generale Bank heeft intussen nog geen enkele aanvullende zekerheid aangeboden gekregen en kan dus ook niet overgaan tot de herschikking van de schulden.

Uiteindelijk stort Begemann eind maart de 45 miljoen frank. De 150 miljoen van de Generale Bank blijft een vraagteken. Het bedrijf is dus allerminst uit de zorgen. Van de problemen die tussen Nina en Van den Nieuwenhuyzen/Begemann hebben gespeeld, is dan nog niets uitgelekt. Iemand die goed op de hoogte is van de desolate toestand waarin A-Line Data Belgium verkeert, is directeur Bernard Demarsin. Hij gelooft niet dat het ooit nog goed komt met A-Line in België. Datzelfde geldt voor zijn loopbaanperspectieven in het bedrijf, die sinds de komst van De Waegeneire snel zijn afgenomen. Demarsin verdwijnt uiteindelijk geruisloos via de achterdeur.

In april kondigt ook Nina haar vertrek aan als bestuurder van A-Line Data Belgium. 'Om persoonlijke redenen,' zegt ze in het Vlaamse financiële dagblad De Tijd – en ook om aan de buitenwereld duidelijk te maken dat A-Line Data Belgium een echt Belgisch bedrijf is, met een lokale leiding en een eigen cultuur.[40] De Waegeneire wordt nu de belangrijkste persoon bij de Belgische tak van A-Line. Ongenoemd blijft de promotie van een 32-jarige topverkoper die enkele maanden eerder samen met De Waegeneire naar A-Line is gekomen. Hij mag de bestuursfunctie van Nina overnemen en zichzelf statutair directeur noemen.[41]

Nina meent dat De Waegeneire de juiste man is om het bedrijf, dat zich sinds de affaire met Tritech in de problemen bevindt, weer op de rails te zetten. De Belg ziet het ook zitten en etaleert zijn ambitieuze plannen. Hij heeft het over het betreden van de telecommunicatiemarkt, het 'agressief' bewerken van de multimediamarkt en het opwaarderen van de kwaliteit van de technische dienstverlening van het bedrijf.

Nina zelf wil zich vooral weer gaan richten op het zoeken van nieuwe horizonten. 'In het voorbije jaar ben ik te veel bezig geweest met de dagelijkse bedrijfsproblematiek, maar nu wil ik me vooral concentreren op het afsluiten van samenwerkingsakkoorden in binnen- en buitenland, eventueel zelfs fusies en overnames.' A-Line Data Belgium 'zal nu ongetwijfeld ook met een sterker Belgisch profiel voor de dag komen', voegt ze toe. 'Een profiel dat ook verschilt van andere grote distributeurs in België omdat het bedrijf een ideale mengeling is van *box moving* en toegevoegde waarde.'

Het florissante beeld van een op internationale expansie gerichte automatiseringsonderneming die naast het leveren van producten ook 'toegevoegde waarde' biedt voor zijn klanten en zich op nieuwe veelbelovende markten wil richten, verhoudt zich moeilijk met de boekhoudkundige werkelijkheid. De storting van Begemann heeft het probleem nog lang niet verholpen. De toestand is door verdere waardedalingen van de voorraad nog niet wezenlijk verbeterd.[42] Er moet nog meer geld bij. Het wachten is op de Generale Bank. Of eigenlijk is het wachten op Nina. Tot het moment dat ze de Generale Bank meer zekerheden kan bieden. De grote vraag is alleen waar ze die vandaan moet halen. Haar vertrek als statutair directeur is een veeg teken, dat doet denken aan de situatie bij A-Line Technologies, een halfjaar eerder.

Zowel in Nederland als in België wordt bij A-Line met de voorraden geschoven om de zogenaamde *loan base* te vergroten. Voorraden die aan A-Line Systems toebehoren, worden in het weekeinde bij A-Line Technologies gezet, waarna die vennootschap met een paar boekhoudkundige kunstgrepen een noordwaartse voorraadherwaardering kan laten plaatsvinden. Zo heeft A-Line Data Belgium ook de Nederlandse voorraden, die als onderpand dienen voor de kredieten van ABN AMRO, tijdelijk als zekerheid ingebracht om het krediet bij de Generale Bank te kunnen oprekken. Op vrijdag 20 mei neemt De Waegeneire ontslag en stuurt A-Line Technologies Nederland een brief aan zijn klanten waarin het aangeeft dat in België het uitstel van de kapitaalverhoging van het bedrijf voor 'grote problemen' zorgt.[43]

De Generale Bank geeft na het ontslag van De Waegeneire opdracht de zekerheden veilig te stellen. De voorraden in Londerzeel zijn het onderpand van de kredieten die de bank bij A-Line heeft uitstaan. Op dinsdag geeft de bank het bedrijf Warrant, dat is gespecialiseerd in het beslag leggen op onderpanden en vooral op voorraden, de opdracht het magazijn te verzegelen. Het is een extreme maatregel, die een bank alleen neemt als het vreest dat de magazijnen nog vóór de schuldenschikking worden geplunderd.

De verzegeling is een ramp voor A-Line. Een technologiedistributeur die niet over zijn voorraad kan beschikken, is als een bakker zonder meel. Voor A-Line België is het zonder twijfel de genadeslag, maar ook voor de Nederlandse tak heeft de verzegeling mogelijk rampzalige gevolgen. Bij de Generale Bank zijn ze zich daar goed van bewust.

De grote vraag voor A-Line is hoe lang de bank zijn greep op de voorraden zal aanhouden. De vooruitzichten zijn grauw. De Generale Bank zal elke mogelijkheid aanwenden om iets van het geld terug te zien dat aan A-Line Data Belgium is uitgeleend. Door de voorraden van Nederland in gijzeling te houden, kunnen ze het Nederlandse bedrijf dwingen een serieus bod te doen op de goederen. Anders gaan ze naar de hoogste bieder, en dat betekent het einde voor Nina's bedrijf. Het probleem voor A-Line als geheel is dat het allang niet meer over de middelen beschikt om ook maar iets met de Generale Bank in der minne te schikken. Nina en haar Nederlandse managementteam hebben een gecompliceerd probleem, dat op korte termijn een passende oplossing behoeft.

De volgende dag houdt een deel van het inmiddels nogal ongeruste personeel van A-Line een demonstratie voor het hoofdkantoor van Begemann in Breda. Door het vermeende getreuzel van Begemann staan zeventig banen op het spel. Het personeel eist dat Begemann zijn afspraken nakomt en het bedrijf herfinanciert. Op dat moment zitten de raad van bestuur en de raad van commissarissen van het conglomeraat in vergadering. Na de ontstane reuring in het bedrijf schetst Joep van den Nieuwenhuyzen hoe A-Line in deze uitzichtloze situatie verzeild is geraakt. De notulist noteert.

'Op basis van mondelinge afspraken tussen de heer J.A.J. van den Nieuwenhuyzen (Joep) en mevrouw N. Brink werd door KBG (Begemann) onder bepaalde voorwaarden een bedrag van Bef 45 mln gestort in A-Line Beheer BV, welk bedrag vervolgens via A-Line aan A-Line Data Belgium ter leen is verstrekt. Op het moment van vastleggen van deze afspraken in een afzonderlijk schrijven, werd door mevrouw Brink echter geweigerd deze te ondertekenen. Ook werd door KBG gevraagde informatie over de dagelijkse (financiële) gang van zaken niet of laattijdig ontvangen.' En: 'De RvB is van mening dat de houding van A-Line en mevrouw N. Brink in het bijzonder ongehoord is. Daar waar KBG aan haar verplichtingen voldaan heeft, werd door A-Line aan alle kanten elke vorm van medewerking om tot een reële oplossing te komen, geweigerd,' schrijft de notulist.[44]

Het protesterende A-Line-personeel krijgt buiten te horen dat Begemann weinig aan de situatie kan doen. Het heeft aan zijn verplichtingen voldaan, de afgesproken miljoenen zijn aan A-Line overgemaakt.[45]

Door de verzegeling van het magazijn in Londerzeel is bij het Nederlandse deel van A-Line de hoogste alarmfase ingegaan. De komende dagen zijn mogelijk van beslissend belang. Op een of andere wijze moet het bedrijf weer de beschikking krijgen over zijn voorraden om de klanten te kunnen blijven leveren. Nina heeft er uitvoerig met haar Nederlandse management over gesproken. Een van haar directeuren heeft een mogelijke oplossing in een retorische vraag verwoord: 'Waarom halen we de voorraad niet gewoon op?'

Het idee valt bij Nina in vruchtbare bodem. Ook bij de andere managers. Iedereen is het erover eens dat dit voor A-Line een zaak is van leven of dood, en dat het een gerechtvaardigde zaak is. De voorraden die in Londerzeel liggen, zijn immers voor een groot deel van de Nederlandse vestiging. De Generale Bank maakt daar officieel geen aanspraak op. Pandrechthebbende over de Nederlandse voorraden is ABN AMRO.

Ook in het magazijn is het onderscheid zichtbaar. Het Nederlandse en het Belgische deel van de voorraden worden sinds enige tijd, op last van de Belgische belastingdienst, gescheiden door een groot hek. De verzegeling zou dus alleen horen te gelden voor de voorraad die in het deel van het magazijn ligt van A-Line Data Belgium. Althans, dat is de mening van Nina. De Generale Bank meent dat die voorraden ook tot hun onderpand behoren. Tijd om een ingewikkelde juridische procedure in België aan te spannen ontbreekt. Er moet direct worden ingegrepen. Als de voorraden eenmaal in het bezit zijn van A-Line Nederland en over de grens zijn gebracht, is er voor de Generale Bank niets meer aan te doen. Verzegeld magazijn of niet, de voorraden moeten uit Londerzeel worden weggehaald.

Het leeghalen van het Nederlandse deel van het magazijn is een omvangrijke logistieke operatie. Er staan lange rijen met hoge magazijnstellingen vol apparatuur en software. Het gaat om honderden pallets. Met het huren van een paar busjes van een autoverhuurbedrijf zal de klus vele dagen duren. Zelf doen is geen optie, er zal een professioneel logistiek bedrijf aan te pas moeten komen om de voorraad in zo kort mogelijke tijd te evacueren. Het bedrijf moet voldoende vrachtwagencapaciteit hebben, die ook 's nachts kan worden gemobiliseerd. De transporteur moet bovendien over een eigen magazijn met voldoende ruimte beschikken om de A-Line-voorraad in op te slaan.

De Amsterdamse firma Wegtransport voldoet aan alle eisen en is direct inzetbaar. Maar voordat de trucks kunnen aanrijden, is er nog een essentieel element waarvan Nina zich vooraf wil verzekeren: de goedkeuring van ABN AMRO. De bank heeft immers het pandrecht over de goederen en het heeft er ook belang bij dat ze weer naar Nederland worden verscheept. Met de instemming van de bank is er iets om op terug te vallen, mocht er iets misgaan. Nina's vertrouwensman bij de bank, Piet van der Werf, geeft de verlossende autorisatie. De actie kan beginnen.

Vrijdagmiddag 27 mei, drie dagen nadat het magazijn werd verzegeld, rijdt een kleine colonne blauw-oranje trucks naar Londerzeel. De trucks verzamelen zich aan de andere kant van het industrieterrein en wachten totdat de chef logistiek in het magazijn het sein op groen zet. Rond de klok van zes verkrijgt een groep A-Line-medewerkers toegang tot de voorraden, waarna het laden kan beginnen. Tot diep in de nacht wordt er doorgewerkt. Ontdekking kan desastreuze gevolgen hebben. Dan kan de Generale Bank alsnog zijn claim op de nog aanwezige voorraad laten gelden, en is het spel voor A-Line mogelijk voorbij.

Managers van A-Line zijn ter plaatse om te helpen bij het inladen. Volle trucks rijden weg en leveren de meest courante voorraden af in het magazijn van Wegtransport op een industrieterrein in Amsterdam-West. De tapestreamers, monitoren, printers en de in dozen verpakte softwarepakketten van A-Line liggen er vlak naast de prijzige voorraden van een van de bekendste wijnkopers van Nederland, Jacobus Boelen. Het incourante deel wordt in een depot van Wegtransport in Helmond ondergebracht. De lege trucks keren weer terug naar Londerzeel om een volgende lading te halen. De werkzaamheden nemen de hele nacht en de volgende ochtend in beslag, tot de voorraad in veiligheid is gebracht. A-Line Nederland kan doorgaan met leveren, het acute en levensbedreigende gevaar is het hoofd geboden.

Nina is in het weekeinde ten prooi gevallen aan angstaanvallen. Ze is er even van overtuigd dat de verhuurder van het magazijn, die niet ver van het pand woonachtig is, foto's heeft genomen van hun geheime operatie. De schrik slaat maandag, vroeg in de ochtend, ook een van de Nederlandse directeuren om het hart. Wanneer hij in Londerzeel de magazijnwerkers op de hoogte wil brengen van de terughaalactie, wordt hem daar door een vertegenwoordiger van de Generale Bank (Warrant bv) verteld dat hij onder arrest staat. Hij mag onder geen beding het pand verlaten en moet wachten tot de politie is gearriveerd.

De Nederlandse A-Line-manager wordt na een felle woordenwisseling de gelegenheid geboden om de thuisbasis te informeren. Hij krijgt Ab Brink aan de lijn, die een advocaat inschakelt. Na uren telefoneren beseft de Generale Bank uiteindelijk dat het zich juridisch gewonnen moet geven. Hoewel de voorraad door A-Line ook aan de bank in onderpand was gegeven, zijn de goederen nu aan de andere kant van de Belgisch-Nederlandse grens. A-Line Nederland is de bank te slim af geweest. Vijf uur later mag de manager weer in zijn auto stappen en naar Naarden rijden.

Joep en Jeroen van den Nieuwenhuyzen hebben geen idee wat zich dat weekeinde heeft afgespeeld. Hoewel ze als grootaandeelhouders van A-Line meeliften op de terughaalactie van Nina – A-Line Nederland blijft immers voortbestaan – voelen ze zich ten opzichte van de Generale Bank ernstig in verlegenheid gebracht. De Belgische bank is voor Van den Nieuwenhuyzen persoonlijk, en voor Begemann, van eminent belang voor hun zakelijke belangen in België. Niet alleen als financier, ook als sociaal netwerk. De Generale Bank vertegenwoordigt in België een ongekend bolwerk van economische macht, dat Van den Nieuwenhuyzen graag te vriend wil houden en wil uitbreiden.

Begemann heeft in André Deleye al een bekende Vlaamse bestuurder aan boord gehaald, en dankzij Deleye heeft ook voormalig Belgisch premier Wilfried Martens een plek in de raad van commissarissen van Begemann ingenomen. Van den Nieuwenhuyzen wil de directeur van De Generale Bank duidelijk maken dat Begemann op geen enkele manier direct betrokken is bij de wantoestanden die zich de laatste tijd bij het bedrijf hebben afgespeeld. Ze zijn slechts minderheidsaandeelhouder, en ook Begemann heeft geld verloren: van de 45 miljoen die ze in maart nog in het bedrijf hebben gepompt, zien ze vrijwel zeker niets meer terug.

Diezelfde dag verschijnt een onrustbarend artikel in het Belgische zakenblad *Trends*: 'A-Line Data op sterven na dood'.[46] Het tijdschrift merkt op dat A-Line onder grote druk moet staan omdat de Generale Bank het magazijn heeft laten verzegelen. Leveranciers die A-Line geleverd hebben en nog niet zijn betaald, hebben een probleem. Twee leveranciers hebben de problemen zien aankomen, lijkt het. Vlak voor de verzegeling van het magazijn zouden Compaq en Microsoft hun complete voorraad hebben teruggehaald, meldt *Trends*. In het artikel spreken bronnen ook over de problemen met de herfinanciering. De sombere verwachting is dat het doek voor A-Line Data Belgium de volgende dag zal vallen.

Het blad zit er niet ver naast. De jonge directeur die in april nog meende de promotie van zijn leven te maken, meldt zich woensdag, twee dagen later, in Brussel bij de Rechtbank van Koophandel. Hij mag tot zijn ontsteltenis zijn directeurschap van A-Line Data Belgium, dat dan net anderhalve maand duurt, afsluiten door het faillissement van het bedrijf aan te vragen. Als belangrijkste redenen voor de ondergang noemt hij de 'aankoop van goederen' van A-Line Technologies (het voormalige Tritech), de weigerachtigheid van de Generale Bank, die niet met de herfinanciering over de brug kwam, en de uiteindelijke verzegeling van het magazijn.[47]

Twee dagen later is zijn daad voorpaginanieuws. 'A-Line Data Belgium is failliet' kopt *De Tijd*, die de primeur heeft.[48] Verderop in de krant staat een reconstructie. 'Manipulaties van Begemann hebben A-Line de das omgedaan' luidt de kop van het verhaal, die over de schuldvraag geen twijfel laat bestaan. 'Indien het bedrijf de beloofde kapitaalverhoging gekregen had, zou het ongetwijfeld nu altijd nog meedraaien en mogelijk zelfs gezond zijn. Maar het financiële pingpongspel tussen de kapitaalverschaffers, met Begemann als hoofdrolspeler, is A-Line uiteindelijk fataal geworden,' schrijft de krant.

De Telegraaf heeft het rumoer in België weer opgepikt. 'De kwestie is inmiddels uitgedraaid op een wespennest vol tegenstrijdige verhalen,' staat erin.[49] Nina spreekt over een schadeclaim die ze bij Begemann heeft neergelegd. 'Ik heb harde bewijzen voor de beschuldiging dat Begemann nalatig is geweest. Er is een omvangrijk dossier aangelegd.'

Van den Nieuwenhuyzen reageert ontstemd als hem de uitspraken over een schadeclaim van Nina in *De Tijd* worden voorgehouden. Nina's beweringen over lopende rechtszaken zijn volgens hem verzinsels. 'Er is helemaal geen schadeclaim en daar is ook helemaal geen aanleiding toe.' Hij legt uit dat ze A-Line als enige met geld te hulp zijn geschoten toen het bedrijf daarom vroeg. Nina hield zich, toen het erop aankwam, niet aan de afspraken die waren gemaakt over de zekerheidsstelling voor de financiële ondersteuning door Begemann. Hij voegt eraan toe dat A-Line voor Begemann 'een soort kleindochter' is omdat het slechts voor 40 procent aandeelhouder is.

Nina geeft een radicaal andere lezing van de gebeurtenissen en wil ook even de bewering van Van den Nieuwenhuyzen rechtzetten over het belang van Begemann in A-Line. Dat is geen 40 procent, maar 70 procent. Ze moet achteraf bekennen dat het misschien verstandiger was geweest als ze geen financiële steun van Begemann had ontvangen, om een persoonlijk conflict met haar goede zakenvriend Joep van den Nieuwenhuyzen te voorkomen. Ze had de vriendschappelijke relatie en de zakelijke relatie met de bedrijvendokter liever zoveel mogelijk gescheiden willen houden. Daarom, zegt ze tegen *De Telegraaf*, is ze ook nooit directeur geweest van A-Line Data.

De media-aandacht komt Van den Nieuwenhuyzen niet erg gelegen. Zijn populariteit is het laatste anderhalf jaar duidelijk aan slijtage onderhevig. Joep is nog altijd zijn charmante innemende zelf, maar de aanhoudende stroom aan conflictueuze berichten begint hem langzamerhand op te breken. Begemanns raad van commissarissen heeft al geruime tijd grote kritiek op het eigenzinnige handelen van de topman, die vaak grote transacties aangaat en investeringen doet zonder daarvan zijn commissarissen op de hoogte te stellen. Zelfs zijn broer Jeroen is vaak onwetend over zijn acties.

Van den Nieuwenhuyzens investering in Nina's A-Line is een typisch voorbeeld van zijn onberekenbaarheid. Niemand in het concern wist ervan. En zo weet ook niemand beter of Begemann heeft slechts een belang van 40 procent in A-Line. Dat Joep ook privé nog eens 30 procent in A-Line bezit, en dus feitelijk een controlerend belang in Nina's bedrijf heeft, was in eerste instantie bij Begemann niet bekend.

Feit is ook dat bij Begemann niemand duidelijk zicht heeft op wat zich in het distributiebedrijf van de kleine zakenvrouw afspeelt. Ook Van den Nieuwenhuyzen niet. In de filosofie van Begemann, die volgens de bedrijvendokter uitgaat van een grote mate van zelfstandigheid van de directeuren van de werkmaatschappijen, kan dat volgens Van den Nieuwenhuyzen gebeuren. Het conglomeraat wil de top zo smal mogelijk houden. Het heeft geen uitgebreide concernstaf, en er staan geen bedrijfsjuristen klaar om toezicht te houden op de gemaakte overeenkomsten. Het is een filosofie die volgens Joep van den Nieuwenhuyzen uitgaat van goed onderling vertrouwen. Gemaakte afspraken worden in die cultuur als vanzelfsprekend gehonoreerd. Directeuren rapporteren regelmatig en verstrekken betrouwbare informatie. Zelf geeft hij overigens vrijwel dagelijks blijk van een opmerkelijk tegengesteld aandoende interpretatie van dat vertrouwensprincipe. Het grote risico van de Begemann-filosofie is dat zijn directeuren hem relatief eenvoudig kunnen misleiden. Als het misgaat, laat Van den Nieuwenhuyzen zich graag van die kwetsbare zijde zien.

In de praktijk is het zo dat de directeuren van de werkmaatschappijen van Begemann door André Deleye en Jeroen van den Nieuwenhuyzen dicht op de huid worden gezeten. Er bestaat bij Begemann al enige tijd geen ruimte meer voor het ondernemerschap van de hoogste bazen. Bij A-Line werkt het anders. Nina is iemand die zich als ondernemer nog steeds alle ruimte veroorlooft. Ze laat zich daarvan door niemand afhouden. Ook niet door Van den Nieuwenhuyzen. Die heeft geen enkele greep op de dame die hij ruim een jaar eerder nog welgezind als een brutale onderneemster kenschetste en een plek in zijn kasteel Withof te huur aanbood.

De schadelijke publiciteit voor Begemann die vanwege het A-Line-faillissement is ontstaan, roept in de raad van commissarissen weer vragen op. Vooral voor Wilfried Martens – die in de kwestie rond Tech Cash & Carry door de vakbonden met name wordt genoemd – begint het rumoer pijnlijke proporties te krijgen. In een vergadering met de toezichthouders mogen Joep van den Nieuwenhuyzen en het nieuwe bestuurslid van Begemann, de Belg André Deleye, een nadere toelichting op de A-Line-crisis geven. Volgens het tweetal is er sprake van een aanzienlijk vertrouwensprobleem met Nina, die stelselmatig haar afspraken niet nakomt en Begemann willens en wetens schade berokkent.[50]

Ergens moet haar een halt worden toegeroepen. De gebroeders Van den Nieuwenhuyzen trekken wat Nina's aanwezigheid in kasteel Withof betreft alvast de lijn. Huurders die niet betalen, moeten vertrekken. De twee kalende mannen tillen hoogstpersoonlijk het meubilair uit haar kantoor en zetten het in de tuin.

Op 20 juni publiceert het zakenblad *Trends* een reconstructie van het faillissement van A-Line Data Belgium.[51] De curator laat weten dat de Generale Bank met een schuld van rond de 400 miljoen frank veruit de grootste benadeelde partij is. De Waegeneire benadrukt nogmaals de laakbare rol van de financiers. Volgens hem was Begemann met de Generale Bank ook bezig voor zichzelf een herfinanciering overeen te komen. 'Er waren *bigger issues* dan een kleine informaticadoorn in de Belgische teen van Begemann.'

Het blad heeft niettemin de indruk dat het eenvoudigweg beschuldigen van Begemann kort door de bocht is. Het heeft voor die stellingname enkele opvallende details boven water weten te halen. Zo heeft *Trends* uitgevonden dat de Belgische vestiging van A-Line ondanks de aanhoudende verliezen en de extreem grote liquiditeitsnood 'trouw' zijn bijdragen aan de Nederlandse holding bleef betalen. In 1994 ging dat in totaal al om 3,3 miljoen frank (178.000 gulden). Het blad merkt op dat die betalingen vreemd zijn, omdat de A-Line-groep al in 1993 gesplitst werd in een Nederlandse en een Belgische houdstermaatschappij.

Vreemd vindt het blad ook dat enkele belangrijke leveranciers in staat zijn geweest net op tijd hun voorraden, in totaal voor 14 miljoen frank, uit het magazijn terug te trekken, ten nadele van de Generale Bank, die er pandrecht op had. Het weghalen van de voorraden is ook een belangrijk aandachtspunt van de curator die het faillissement van A-Line Data op zich neemt. Die komt snel tot de conclusie dat er bij A-Line zaken zijn voorgevallen die in zijn ogen onwettig zijn. Hij zal het dossier uiteindelijk aan de officier van justitie doorgeven.[52]

Het grote fiasco van het Belgische avontuur van A-Line laat Nina niet onberoerd. Met enige regelmaat wordt ze geteisterd door angstaanvallen. Zo is ze ervan overtuigd dat ze wordt achtervolgd en dat iemand haar iets wil aandoen. Ze mist afslagen op snelwegen omdat haar ogen voortdurend op de achteruitkijkspiegel zijn gericht. Verschillende A-Line-directeuren die geregeld tijd met haar doorbrengen, hebben ook ervaring opgedaan met Nina's plotse paniekaanvallen. Met een van hen rijdt ze in de auto mee naar een afspraak. Als de auto voor een stoplicht op een groot kruispunt stil komt te staan, opent Nina opeens het portier en rent de straat op. Ze heeft onder aan de console een rood lampje zien flikkeren. Ze denkt dat het een bom is. Consternatie op het kruispunt. Pas als de bestuurder duidelijk heeft gemaakt dat het flikkerende lampje een functie heeft, stapt ze weer in de auto.

Hoewel ze er bij vlagen van overtuigd is dat iemand jacht op haar maakt, blijkt in de praktijk dat Nina de jager is. Productlijnen van bekende merken zijn nog steeds haar favoriete prooi. Daar hebben de tegenslagen in België niets aan veranderd.

Ze richt haar vizier onder meer op het kwakkelende bedrijf Amtron, dat deel uitmaakt van de investeringsportfolio van de confectiemiljonair Max Abram, de man achter m&s Mode. Abram heeft er vele miljoenen in geïnvesteerd, maar het nooit van de grond kunnen krijgen. De boel simpelweg failliet laten gaan is geen optie voor hem. Het bedrijf is jarenlang slecht gemanaged en heeft schulden. Maar Amtron heeft ook een paar interessante productlijnen, waarvan die van het Amerikaanse AT&T het meest aansprekend zijn. Nina weet zeker dat ze Amtron wil inlijven. Het probleem is alleen dat er bij A-Line geen middelen voorhanden zijn om een overname te financieren.

Dat blijkt ook niet nodig. Na een ronde van onderhandelingen mag Nina het bedrijf voor een gulden onder de A-Line-paraplu voegen.

Grootaandeelhouder Begemann krijgt het nieuws over de verse acquisitie van Nina niet te horen. De vraag is of er bij het concern iemand is die enthousiast op het nieuws had kunnen reageren. De resultaten van A-Line stemmen bepaald niet opgewekt. De deelneming heeft tot nu toe alleen nog maar geld gekost en met name in België ook een niet te onderschatten reputatieschade veroorzaakt.

Er dient zich een mogelijkheid aan om A-Line uit de bedrijvenportfolio weg te strepen. Een koper heeft zich bij Begemann gemeld voor de hard- en softwaredistributeur uit Naarden. Er wordt alleen een harde voorwaarde verbonden aan de eventuele overname: die moet zonder Nina plaatsvinden.[53] De eis van de aspirant-koper is een logisch gevolg van haar reputatie. In de automatiseringsindustrie zijn vrijwel geen ondernemers meer die samen met Nina in een bedrijf zouden willen zitten.

Dat kan Joep van den Nieuwenhuyzen zich intussen ook goed voorstellen. Hij heeft wel oren naar een exit van A-Line, net als de rest van het Begemannbestuur. Het probleem is alleen dat de medewerking van Nina vereist is. Ze heeft 30 procent van de aandelen. Zonder haar instemming komt er geen deal. En de kans dat Nina vrijwillig afstand zal doen van haar belang in A-Line is minimaal – tenzij de hoofdprijs geboden gaat worden, maar dat is gezien de toestand bij A-Line een ondenkbaar scenario.

Alles bij elkaar genomen betekent het dat de verkoop van A-Line, met of zonder Nina, een hachelijke zaak wordt. Tenzij Begemann aanspraak zou kunnen maken op het belang dat Nina nog in bezit heeft – en daar liggen volgens Joep van den Nieuwenhuyzen mogelijkheden. Hij meent aanspraak te kunnen maken op haar aandelen want die vielen als zekerheid onder de reddingsoperatie voor A-Line Data Belgium. Zo ziet Van den Nieuwenhuyzen dat althans. Het probleem is alleen dat Nina nooit een handtekening onder de herfinancieringsovereenkomst heeft gezet, maar dat heeft overgelaten aan een tekenbevoegde ondergeschikte. Volgens Joep biedt dat genoeg houvast. Hij belooft de commissarissen dat er een gesprek zal plaatsvinden met Nina over het inleveren van haar aandelen.

In oktober moet de ooit ongenaakbare Van den Nieuwenhuyzen een mokerslag incasseren. Het gerechtshof in Amsterdam heeft de vrolijke Brabantse zakenman schuldig bevonden aan handel met voorkennis in de zaak-HCS. Hij wordt veroordeeld tot zes maanden gevangenisstraf, waarvan drie voorwaardelijk, en een geldboete van 100.000 gulden. Alle kranten staan er vol mee. Het is de eerste keer in de Nederlandse geschiedenis dat iemand is veroordeeld voor het misbruiken van voorkennis. Van den Nieuwenhuyzen gaat onmiddellijk in cassatie bij de Hoge Raad en treedt voorlopig af als hoogste baas van Begemann.

Als toegift op alle negatieve aandacht verschijnt eind oktober een stuk in NRC *Handelsblad* dat de belangenverstrengelende activiteiten van Joep van den Nieuwenhuyzen tegen het licht houdt.[54] De krant onthult zijn privébelang in A-Line en stelt vast dat hij de belofte niet is nagekomen die hij een jaar eerder heeft gedaan om privézaken en Begemann-zaken te scheiden. Een week later legt Van den Nieuwenhuyzen de raad van commissarissen van Begemann nog eens uit hoe het zo is gekomen. Dat de 30 procent die op naam van zijn persoonlijke vennootschap staan, 'destijds buiten Begemann zijn gehouden omdat (deze) geen meerderheid wenste'.[55]

Willem Smit kan in veel opzichten meevoelen met de problemen van Joep van den Nieuwenhuyzen. Een voorkennisschandaal, overstelpende media-aandacht, het onder druk opgeven van het bestuursvoorzitterschap, een dalende beurskoers... en Nina. Smit heeft de verwikkelingen rondom A-Line nauwlettend in de media gevolgd. Wanneer ze elkaar ontmoeten, kan Smit het niet nalaten Van den Nieuwenhuyzen nog eens terloops te wijzen op zijn waarschuwingen ten aanzien van de betrouwbaarheid van de onderneemster.

Het onderwerp Nina Brink wordt intussen bij Smit en zijn advocaat Oscar Hammerstein niet meer ter sprake gebracht zonder dat de zakenvrouw minstens als vliegend op een bezem wordt afgeschilderd. Voor wie het horen wil, heeft Hammerstein ook de anekdote paraat die hem terugvoert naar de periode waarin hij nog hartelijke banden met haar onderhield: het begin van Newtron. Dan verhaalt de advocaat over die keer dat Nina in zijn bijzijn onwel werd en hij haar naar de eerste hulp van het VU-ziekenhuis moest brengen. Toen Nina voor een onderzoek achter de gordijnen moest plaatsnemen, vroeg een van de zusters aan Hammerstein: 'Gebeurt dit vaker met uw moeder?'[56]

De onverdraagzaamheid van beide partijen blijft niet beperkt tot een gebbetje aan de lunch- of borreltafel. In de zaak met de personeelsaandelen heeft Hammerstein het afgelopen jaar met succes een aantal juridische barrières weten op te werpen die de advocaten van Nina geruime tijd hebben beziggehouden. Hammerstein weet ook dat Nina een keiharde zaak heeft tegen Smit. De afspraak om garant te staan voor de personeelsaandelen is Smit eigenlijk alleen vergeten om Nina zoveel mogelijk te sarren. De inzet van het spel is 125.000 gulden, exclusief rente. Voor Smit is zo'n bedrag, ondanks de financiële klappen die hij in verband met Newtron heeft moeten incasseren, nog steeds wisselgeld. Maar hij peinst er niet over om Nina's bankrekening ermee te spekken. Ze heeft hem al te veel geld en energie gekost.

Op 10 januari 1994 hadden de partijen eindelijk tegenover elkaar gestaan in de rechtbank in Den Haag. De verwachtingen om zegevierend de zaak te kunnen besluiten, waren bij Smit noch Hammerstein hooggespannen. Toch boekte Smit weer een klein succes. Op 18 februari 1994 stuurde Hammerstein Smit het onverwacht gunstige vonnis van de Haagse rechtbank. Daarin werd de eis van Brink volgens Hammerstein 'misschien een beetje ten onrechte' afgewezen. Nina had volgens de rechter destijds te lang geaarzeld om het aanbod van Smit te aanvaarden, en werd daarom in het ongelijk gesteld en veroordeeld tot het betalen van Smits kosten: 5555 gulden.

'Mevrouw Aka is hyperventilerend opgenomen in de gesloten afdeling van een of andere inrichting, althans (is) waarschijnlijk wel aan een dergelijke opname toe,' schreef Hammerstein Smit daarop.[57] Enkele dagen later mocht de advocaat van Brink een briefje van Hammerstein in ontvangst nemen waarin hem werd opgedragen het bedrag spoedig over te maken. Die weigerde dit vanzelfsprekend, en ging tegen de uitspraak van de rechtbank in hoger beroep.

Uiteindelijk moet Smit in juni 1995 – bijna vier jaar na het eerste briefje van Nina – bakzeil halen.[58] Met enig leedwezen stelt Hammerstein zijn cliënt daarvan in kennis. 'Ofschoon de uitkomst van de procedure niet onverwacht is, is het toch zeer spijtig dat het niet geheel juiste, maar overigens veel betere vonnis van de rechtbank geen stand heeft gehouden.'[59] Hij adviseert Smit te berusten en niet in cassatie te gaan. De strijd is over, hij heeft verloren.* Maar Smit laat zijn raadsheer in het ongewisse over zijn voornemens.

Een maand later schrijft Hammerstein opnieuw een brief aan cliënt Smit. De raadsman wijst hem erop dat het slim is niet te lang te wachten met het betalen van het intussen tot 191.000 gulden opgelopen bedrag.[60] 'Ofschoon het

* Voormalig A-Line-bestuurder Jan van der Veer is op 28 mei met Master Beheer overeengekomen om 3300 Newtron-aandelen te kopen voor 9,50 gulden per aandeel. De aandelen dienen contractueel na betaling door de houder Master Beheer te worden geleverd, inclusief een tweejarige garantiestelling voor de aankoopprijs, blijkt uit de overeenkomst tussen Master Beheer en Van der Veer 'inzake aandelen Newtron, Naarden', gedateerd 28 mei 1990. Van der Veer heeft geen herinnering aan het bezit van die aandelen, heeft nergens betalingsbewijzen van de bewuste transactie gevonden en heeft geen stukken die aangeven dat de aandelen ooit aan hem zijn geleverd. Logischerwijs heeft hij ook van de aandelenlevering terug aan Master Beheer, die in verband met de garantieregeling zou moeten hebben plaatsgevonden, geen documenten of betalingsbewijzen kunnen terugvinden. Andere belangrijke A-Line-managers uit de periode 1990 ontkennen ten stelligste ooit aandelen Newtron in bezit te hebben gehad.

pijn doet aan vrouwtje Aka te betalen, moet zij niet het genoegen smaken om de betaling middels executiemaatregelen binnen te krijgen,' schrijft Hammerstein aan Smit. 'Bij niet-betaling volgt ongetwijfeld de meest schandelijke methode, namelijk door een faillissementsaanvraag.'[61]

Smit gaat niet direct in op het advies van Hammerstein en krijgt inderdaad in augustus te horen dat er een faillissementsaanvraag zal volgen als hij niet snel het bedrag overmaakt. Uiteindelijk betaalt hij in oktober. Advocaat Jansen bevestigt bij Hammerstein de betaling, in een brief die hij in stijl afsluit: 'Gaarne tot ziens!'[62]

7 Stairway to the digital highway

Pleased to meet you, hope you guessed my name. But what's puzzling
you, is the nature of my game.
THE ROLLING STONES, 'Sympathy for the Devil'

Voormalig topbankier Ton Soetekouw weet niet helemaal wat hij van Nina
moet denken. Sinds ze lid is van de Commissie van Advies inzake Post en Telecommunicatie (CAPT), ziet hij haar geregeld op de vergaderingen verschijnen. Ze gedraagt zich daar anders dan hij van haar gewend is: onopvallend.
Met een strak gelaat zit ze aan tafel. Schijnbaar geconcentreerd. Haar priemende donkerbruine ogen lijken alles te registreren. Toch is ze zwijgzaam en
draagt ze weinig bij aan de academisch getinte beraadslagingen die onder zijn
voorzitterschap in het statige pand aan de Haagse Kneuterdijk worden gehouden. Collega-ondernemers Eckart Wintzen en Ton Risseeuw zijn wel prominent aanwezig. Zij laten zich in de geanimeerde gesprekken met de hooglera-
ren en andere bestuurders in de commissie gelden als mensen die een goed
idee hebben van waar het in de wereld van de informatica en telecommunicatie naartoe zal gaan.

Het zijn spannende tijden. Er is geen aansprekend technologie- en telecommunicatiebedrijf op aarde dat niet serieus nadenkt over wat de *information super highway* wordt genoemd. In Nederland is dat vooral de PTT, de monopolist op de telecommunicatiemarkt. Het bestaan van CAPT is direct gelieerd
aan de privatisering van het staatsbedrijf en de daarmee gepaard gaande liberalisering van de Nederlandse telecommarkt. Logischerwijs mengen de belangrijke mannen van de PTT, bestuursvoorzitter Wim Dik en Ben Verwaayen,
de algemeen directeur van PTT Telecom, zich af en toe in de gesprekken.

De opwinding rondom de digitale informatiesnelweg heeft in Amerika al grote vormen aangenomen. Er is daar geen krant of tijdschrift dat geen aandacht
besteedt aan de grote belofte van *The I-Way*, *The Net* of *The Infobahn*. Dankzij
de Amerikaanse vicepresident Al Gore is *The I-Way* zelfs een politiek agenda-

punt geworden. Gore vertelt zijn electoraat al jaren dat er een informatierevolutie ophanden is. Hij schetst het plaatje dat ieder Amerikaans huishouden via een glasvezelkabel binnen afzienbare tijd een eigen oprit krijgt naar de grote digitale informatiesnelweg, en zo toegang zal hebben tot een onuitputtelijke bron van kennis en mogelijkheden. De informatierevolutie zal het onderwijs en de democratie bevorderen, levens redden en vooral heel veel nieuwe banen creëren, verkondigt hij. Het zijn florissante perspectieven voor het bedrijfsleven die sinds enkele jaren steeds luider in de media beginnen door te klinken.

De elektronische snelweg dankt zijn ontstaan aan de Koude Oorlog. Eind jaren zestig was het Amerikaanse ministerie van Defensie begonnen aan de aanleg van een landelijk computernetwerk, ARPANET. Wetenschappers die aan militaire projecten werkten, moesten beter en sneller informatie met elkaar kunnen uitwisselen om in de technologische wedloop met de Sovjet-Unie voorop te kunnen blijven lopen.

Het netwerk verloor al snel zijn exclusief militaire functie. In de jaren zeventig en tachtig werden steeds meer netwerken van grote organisaties actief en met elkaar verbonden, vooral die van universiteiten en onderzoekscentra. Het duizelingwekkende tempo waarmee de chiptechnologie zich ontwikkelde, zorgde ervoor dat de rekenkracht en geheugencapaciteit van computers in hoog tempo verbeterde. Computers werden kleiner, krachtiger en goedkoper. De stormachtige opkomst van de personal computer en netwerktechnologie in de jaren tachtig leidde ertoe dat vrijwel elk middelgroot bedrijf al over een eigen gesloten netwerk beschikte. Tegelijkertijd werden de informatietransportwegen – telefoon-, kabeltelevisie- en satellietnetwerken – fijnmaziger en nam de capaciteit ervan explosief toe.

Het rumoer over een snel uitdijend internationaal computernetwerk begon in de late jaren tachtig langzaam aan te zwellen. Eerst bij de wiskunde-, natuurkunde- en informaticafaculteiten van universiteiten en in kringen van computerfanaten. In Nederland bouwden in de Amsterdamse wijk Watergraafsmeer de systeembeheerders van het Centrum voor Wiskunde en Informatica (CWI) en het Nationaal Instituut voor Kernfysica en Hoge Energiefysica (Nikhef) aan de eerste Europese verbindingen met wat dan nog het ARPANET heet. Ze legden verbindingen met andere universiteiten in Europa en via het knooppunt in Amsterdam – het belangrijkste in Europa – communiceerden die weer met het netwerk in de Verenigde Staten. Het doel was in eerste instantie om een goed, eenvoudig en snelwerkend communicatiemiddel voor wetenschappers te creëren,[1] maar gaandeweg ontstond het besef dat het netwerk niet uitsluitend de wetenschap verder kan helpen.

De onbekendheid over wat de elektronische snelweg nu precies is en wat de mogelijkheden zullen zijn is nog groot. Er wordt vooral aan elektronische post gedacht als belangrijkste toepassing. Veelal gaat dat nog via elektronische prikborden, de *bulletin board systems* (BBS), plekken op een open netwerk waar berichten achtergelaten kunnen worden die anderen weer kunnen lezen. Er wordt ook al veel gesproken over mogelijkheden als elektronisch bankieren, vanuit huis een reis boeken en toegang verschaffen tot elektronische media als bibliotheken. Ook thuiswerken via een aansluiting thuis moet in de nabije toekomst voor iedereen tot de mogelijkheden gaan behoren, via de kabel of het telefoonnet. Maar dan moeten wel overal de lokale kabelnetten en telefoonnetwerken aan elkaar worden gekoppeld, en de computersystemen in huizen en kantoorgebouwen daarop worden aangesloten.

In de Verenigde Staten is in februari 1990 het bedrijf Cisco Systems naar de beurs gegaan. Het belangrijkste product van het bedrijf is een router, een apparaatje waarmee computernetwerken met elkaar kunnen worden verbonden. Het apparaatje doet vooral één ding heel erg goed: pakketjes digitale informatie ontvangen en doorsturen.

In cyberspace zijn tegelijkertijd nog de nodige hindernissen te nemen. In het digitale universum bestaan verschillende manieren waarop machines met elkaar in contact kunnen komen en informatie uitwisselen. Er zijn verschillende protocollen in gebruik die de onderlinge communicatie bemoeilijken. Eén standaard heeft de laatste jaren sterk aan populariteit gewonnen: internetprotocol. Het protocol is een set van afspraken die erin voorziet dat digitale informatie in gestandaardiseerde pakketjes wordt opgehakt en over alle typen communicatielijnen kan worden verstuurd. Om communicatie tussen twee computers op gang te helpen, moet aan beide kanten wel van hetzelfde protocol gebruik worden gemaakt.

De opmars van het internetprotocol, oftewel IP, en de snel toenemende vraag naar routers zorgen er mede voor dat het wereldwijde netwerk steeds toegankelijker wordt en almaar in omvang toeneemt. Vaker en vaker wordt gesproken over 'het Internet' als benaming van het netwerk – nog met een hoofdletter. De inhoud ervan wordt steeds zichtbaarder, mede dankzij het menuprogramma Gopher, dat de informatie op het net vanaf 1989 indexeert en overzichtelijk presenteert. Dankzij de ontwikkeling van hypertext, die het onder meer mogelijk maakt informatie te linken aan informatie op de computer van iemand anders, wordt twee jaar later de basis gelegd van het World Wide Web, een snel expanderend universum zonder machthebber en zonder bindende regels. 'Information wants to be free,' declameren de computerhackers, die al jaren nadrukkelijk de grenzen van het mijn en het dijn op de elektronische netwerken verkennen.

De mogelijkheden om al die informatie te bekijken en wereldwijde contacten te leggen, zijn aanvankelijk vooral voorbehouden aan een relatief kleine elite van wetenschappers, studenten en computerfanaten. In 1994 is er in Nederland nog maar een gering aantal clubjes die tegen een vergoeding toegang tot internet aanbieden. De oudste en bekendste is NLnet, de in de Watergraafsmeer gevestigde internetaanbieder die in 1988 uit activiteiten van de universiteiten was voortgesproten.

De Hobby Computer Club (HCC) was in 1991 de eerste commerciële klant van NLnet, en HCC bood vanaf toen zijn eigen leden toegang tot internet. Het aantal aansluitingen in Nederland groeit vanaf 1993 vooral door een groep gebruikers die via het hackersblad *Hack-Tic* en de daaraan gelieerde internetaanbieder XS4ALL toegang tot het net verkrijgen. Via krakerige modems bellen ze in met hun computer en kunnen zo hun eerste e-mails versturen en alle informatie gebruiken die ze kunnen vinden. Het bedrijf is nog klein, en beperkt zijn diensten tot Amsterdam en omgeving.

Op vergelijkbare wijze komen overal in Europa kleine internetaanbieders van de grond die op commerciële basis toegang tot het net aanbieden. De Catalaan Eudald Domènech is zo iemand die op het idee is gekomen om, in navolging van grote Amerikaanse aanbieders als America Online en CompuServe, de toegang tot internet voor het grote publiek mogelijk te maken. Domènech werkt als reclameman al jaren met computers. Hij heeft een bescheiden bureau in Vic, een kleine stad zeventig kilometer ten noorden van Barcelona. Uit pure nieuwsgierigheid bezoekt hij begin 1993 in een zaal van het stadhuis van Vic een bijeenkomst van computerfanaten. Hij ziet er voor het eerst hoe computers over grote afstanden met elkaar in verbinding worden gesteld en hoe via BBS, het systeem van elektronische prikborden, met elkaar kan worden gecommuniceerd.

Het duurt een paar weken voordat hem de implicaties van deze technologieën duidelijk worden. Ontwerpen en voorstellen die hij als reclameman bedenkt en vaak persoonlijk, via de fax of per post bij zijn klanten in Barcelona of zelfs Madrid pleegt af te leveren, kan hij daar via BBS veel nauwkeuriger en efficiënter terecht laten komen. Het enige waar hij voor moet zorgen, is dat ook zijn klanten via een BBS-account en een modem aansluiting krijgen op dat bijzondere elektronische netwerk.

Domènech weet een groot deel van zijn clientèle van de zin van het elektronisch communiceren te overtuigen. Zijn nieuwe rol van BBS-predikant past de verbaal getalenteerde Catalaan goed. De media beginnen zijn verhaal op te pikken, hij geeft interviews waarin hij zijn visie op de elektronische snelweg uiteenzet, en eind 1993 hoort hij op een beurs voor het eerst van een journalist over CompuServe, een Amerikaans bedrijf dat toegang tot internet aanbiedt. Domènech besluit meteen dat hij hetzelfde type interactieve diensten moet gaan aanbieden.

Eudald Domènech is een dromer. Hij wil de grootste worden. De grootste internetaanbieder van Europa. Zoals America Online het grote publiek in de Verenigde Staten van een aansluiting op internet voorziet, zo wil hij dat in Spanje en de rest van Europa doen. De jonge gezette dertiger deelt zijn ambitieuze plannen met een paar van zijn klanten van wie hij weet dat ze over meer zakelijke ervaring beschikken dan hij. En, niet onbelangrijk: over meer geld. Een bedrijf beginnen en snel willen groeien, betekent ook dat er eerst geïnvesteerd moet worden. Daar heeft hij investeerders voor nodig die zijn plan zien zitten.

Bert Hoogvliet is zo iemand. De in Nijmegen geboren zakenman is eind jaren zestig via omzwervingen door Afrika in Barcelona terechtgekomen. Sinds 1980 heeft hij een succesvol bedrijf in huishoudelijke artikelen. Potten, pannen, thermosflessen en vooral de weegschalen van het Zweedse merk EKS verkoopt hij bij honderdduizenden. Hoogvliet, die voor Spanjaarden een onuitsprekelijke naam heeft, staat in kleine kring bekend als 'El Holandes', de man die Spanje op de weegschaal wist te zetten.

Hoogvliet heeft Domènech een groot aantal van zijn reclamecampagnes laten vormgeven. De verhalen die hij sinds kort van zijn reclameman over 'het Internet' hoort, fascineren hem. Hoewel Hoogvliet geen sjoege heeft van digitale technologie, is het zakelijke idee achter het plan van Domènech eenvoudig te doorgronden. Het werkt volgens hem net als bij andere media waarop een abonnement genomen kan worden. Hij snapt ook dat de aanstaande internetondernemer flink in technologische infrastructuur moet investeren om op gang te komen.

Servicom heet de eerste internetaanbieder van Spanje. En Hoogvliet realiseert zich goed dat hij met zijn investering in het bedrijf van enkele tientallen miljoenen peseta's (ongeveer 500.000 gulden) tot de eerste zakenmannen behoort die in Spanje, en ook Europa, hun geld in een internetonderneming stoppen.

Hoogvliet heeft een bedrijfskundige achtergrond en wordt door Domènech nauw betrokken bij de bedrijfsvoering. Ook in officiële zin. El Holandes wordt *el presidente* van Servicom. Van de potten, pannen en de weegschalen naar de gewichtloze wereld van internet – Hoogvliet heeft er zin in. Domènech en Hoogvliet zijn het erover eens dat het bedrijf internationaal zijn vleugels moet uitslaan. Daar wil de Nederlandse Catalaan zich graag op richten. Hij is financieel goed onderlegd, heeft veel internationale ervaring en spreekt – in tegenstelling tot Domènech – verschillende andere talen. Hij heeft daarnaast goede ingangen in Zwitserland, en ook op sommige plekken in Nederland kennen ze hem nog steeds.

Nog voordat Servicom in Spanje zijn marktintroductie heeft beleefd, heeft Hoogvliet in Nederland de eerste stap gezet. Een oude zakenvriend uit Nieuwegein, de advocaat Carl de Vries, mag namens Servicom proberen in Nederland een partner te vinden.

De Vries heeft het verhaal van Hoogvliet aangehoord, en hoewel hij geen idee heeft wat een router of een modem voor apparaten zijn, ziet hij de mogelijkheden. Als De Vries op zijn beurt een zakenvriend benadert, weet hij nauwelijks onder woorden te brengen waar Servicom zich mee bezighoudt: 'Het gaat om heel snel informatie van de ene kant naar de andere kant van de wereld te sturen.' Er bestaat een soort nylonkous van telefoon- en kabelnetwerken die over de aarde heen is getrokken. En alles staat in potentie met alles in verbinding. Servicom wil daar geld mee verdienen. Veel geld.

De vriend die De Vries heeft benaderd, Bart van Rheenen, werkt sinds een jaar bij A-Line. Hij is allang in de automatiseringswereld actief, ook als ondernemer. Hij heeft het druk met reorganisaties die hij bij A-Line moet doorvoeren, en ook op het persoonlijke vlak is hij bezig met een herschikking. Hij kan daarom moeilijk enthousiast reageren op het voorstel van De Vries of hij misschien zin heeft om 'de kar te trekken'. Hij wil wel helpen verder over het businessplan mee te denken en waar mogelijk zijn netwerk in te zetten om partners en financiers te vinden. Hij kent ook nog mensen die goed thuis zijn op het gebied van het computerbesturingssysteem Unix. Hij weet dat uit de Unix-wereld ook de pioniers afkomstig zijn die aan de beginselen hebben gewerkt van wat nu dan het Internet wordt genoemd. Wellicht dat hij er contacten kan leggen.

De Watergraafsmeer is de plek waar een paar van de grootste Nederlandse Unix-experts dagelijks achter hun toetsenborden en monitoren schuiven. In het kaalste en guurste deel van deze Amsterdamse wijk staan de gebouwen van de Universiteit van Amsterdam.

In die gebouwen bevindt zich ook een computersysteem dat een van de belangrijkste centrale knooppunten vormt van het Europese deel van internet. De universiteitsgebouwen staan vlak bij een rangeeremplacement van de Nederlandse Spoorwegen. Langs het spoortracé lopen door heel Nederland communicatiekabels, voornamelijk van glasvezel, die het overheidsbedrijf voor eigen gebruik in de grond heeft liggen. Althans, tot voor kort – de NS levert sinds enige tijd ook capaciteit aan derden, waaronder de Universiteit van Amsterdam, die een verbinding heeft laten leggen naar de spoordijk.

Dit past in het beleid van minister Maij-Weggen van Verkeer en Waterstaat. Het is de bedoeling dat de NS, net als de PTT, wordt verzelfstandigd. In dat kader heeft ze eind 1993 aangekondigd dat ze ook paal en perk wil stellen aan het monopolie van KPN op telefonie. Door kunstmatig een concurrent in het leven te roepen, wil ze KPN tot competitie dwingen. De NS, de energiebedrijven en de televisiekabelbedrijven zijn daartoe in een samenwerkingverband gegoten: Enertel.

Maar de NS heeft alleen maar kabels langs het spoor liggen. Het beschikt niet over een fijnmazig netwerk dat bij bedrijven of huishoudens naar binnen komt. Datzelfde geldt voor de energiebedrijven, die ook alleen 'lange lijnen' hebben. De kabelbedrijven beschikken wel over een netwerk dat bij het grootste deel van de huishoudens in Nederland naar binnen komt, maar daarbij is het probleem dat het qua eigendomsstructuur is gefragmenteerd. Erger: voor een groot deel is monopolist KPN de eigenaar. Sommige delen zijn ook al geprivatiseerd: een van de grootste kabelbedrijven is ten dele in handen van Philips. De belangen van de verschillende partners in Enertel lopen nogal uiteen, en niemand verwacht dat er snel een grote concurrent voor KPN op zal staan.

Niettemin wordt hard nagedacht over de noodzakelijke liberalisering van de Nederlandse telecommarkt. Niet in het minst bij de leden van de Commissie van Advies inzake Post en Telecommunicatie (CAPT). Iedereen is ervan doordrongen dat Nederland, als dichtst bekabelde land van Europa, een voorsprong heeft. Het is zaak die voorsprong te consolideren door die telecommunicatie-infrastructuur zo snel mogelijk tot een open netwerk om te smeden waarop vrijelijk geconcurreerd kan worden.

Nina, die op weg naar de CAPT-vergaderingen in Den Haag vanuit Naarden in haar rode gechauffeerde BMW, met op de hoedenplank twee sierkussentjes met paardentafereeltjes, praktisch langs het internetbolwerk in de Watergraafsmeer rijdt, lijkt zich vooral om andere zaken te bekommeren. Hoewel ze met haar bedrijven al jaren producten als netwerkkabels, computers, modems en routers verhandelt en daarmee heeft bijgedragen aan de opbouw van het geraamte van internet, toont ze opvallend weinig inhoudelijke belangstelling voor de vraagstukken die in de commissievergaderingen aan de orde komen. Ze maakt ook geen gemakkelijke periode door: in België staat een groot deel van haar bedrijf op het punt failliet te gaan.

Hoewel ze met haar gedachten dus niet nadrukkelijk met de toekomst van de elektronische snelweg bezig lijkt, zijn er wel een paar aspirant-internetondernemers die aan haar denken. Zowel Bart van Rheenen als advocaat Carl de Vries denkt dat Nina eventueel een goede partner zou kunnen zijn om Servicom Nederland mee op te zetten. De Vries heeft hier en daar al gesprekken lopen, maar daar zit weinig vooruitgang in. De mensen die van internet hebben gehoord, zijn dun gezaaid. Besef van de zakelijke mogelijkheden is nog schaarser. Er nog harder aan trekken, door bijvoorbeeld zijn advocatenpraktijk op te geven en zich vol op het internetavontuur te storten, is voor De Vries geen optie. Misschien dat Nina er wel wat in ziet.

De Vries, die wel eens wat juridische klussen voor Nina heeft uitgevoerd, is onder de indruk van haar ondernemende vitaliteit. Van Rheenen ook. Hij heeft blijvende indrukken opgedaan in de anderhalf jaar waarin hij voor haar actief is. Als ze iets in haar hoofd heeft, talmt ze niet, maar komt ze in actie.

Onmiddellijk. Is ze opeens geïnteresseerd in het uitrollen van mobiele netwerken? Dan zegt ze: 'Let's go Bart, we stappen in het vliegtuig naar Amerika', om vervolgens dezelfde dag nog in de businessclass plaats te nemen. Doel: de hoogste baas van een leverancier spreken en hem ertoe bewegen zijn producten via A-Line te laten distribueren. Afspraak niet noodzakelijk, ze regelt de ontmoeting eventueel ter plekke wel. Telefonerend vanuit een vijfsterrenhotel met het hoofdkantoor van het beoogde bedrijf. 'Hi, this is Nina Brink from A-Line Technologies Netherlands.'[2] Of ze even met de CEO in verbinding kan worden gesteld. Ze wil hem een voorstel doen. Hij is in een meeting? Geen punt, ze wacht in haar suite op zijn belletje. Welk hotel? The Plaza op Fifth Avenue. Dezelfde avond zal ze nog voor het hoofdgerecht haar plannen bij de CEO op zijn bord leggen.

De Vries en Van Rheenen weten dat Nina als geen ander de zaak in beweging kan zetten. En vaart zou een project als dat van internetaanbieder Servicom heel goed kunnen gebruiken. Maar er is nog een reden waarom Nina misschien wel de ideale partner is voor Servicom: ze heeft onmiskenbaar de beschikking over een omvangrijk netwerk. Helemaal sinds ze lid is van de CAPT. Het gezelschap dat daar aan tafel zit, heeft op een of andere manier banden met de wereld van de telecommunicatie. Sterker, de commissie rapporteert aan het ministerie dat de facto eigenaar is van vrijwel alle telecommunicatiekabels die er in Nederland liggen. Er wordt binnen de commissie over weinig anders gesproken dan de elektronische snelweg. Van Rheenen kent ook de namen van enkele personen die er lid van zijn; hij heeft er Nina meerdere malen over horen praten. Wintzen en Risseeuw zijn interessante namen. Die van de voorzitter van de commissie is er ook een.

Ton Soetekouw is kort na zijn geruchtmakende vertrek bij de ING Groep met de Rotterdamse broers Joel en Danny Wyler een corporate finance-boetiek begonnen. De zakenbankier doet in het klein waar hij bij de NMB bekend om was geworden. Hij geeft advies op het gebied van financieringen, beursgangen, fusies en overnames en zoekt ook voor opdrachtgevers naar investeerders. Wyler Soetekouw & Wyler heet het kantoor, dat aan de Coolsingel in Rotterdam is gevestigd.

De connectie met de naam Wyler maakt de bankier zo mogelijk nog interessanter. De gebroeders Wyler, die evenals Soetekouw een Rotterdamse achtergrond hebben, zijn in de handel met de opslag en het vervoer van noten, granen en veevoer rijk geworden. Dankzij de successen van het oude familiebedrijf Granaria genieten ze een hoog aanzien in de havenstad. De broers danken hun grootste bekendheid niettemin aan de kwestie die als de 'duwbakkencrisis' of de 'Granaria-affaire' de geschiedenis in zou gaan: Granaria was in 1988 dankzij toenmalig minister Neelie Smit-Kroes in het bezit gekomen van een speciale vergunning om de binnenschippersbeurs te passeren en zelf het vervoer via duwbakken te organiseren. Binnenschippers zagen een deel van hun inkomsten wegvloeien en voerden harde acties om de duwbakken van Granaria tegen te houden. Uiteindelijk leverde Granaria zijn vergunning weer in en werd het met 9,4 miljoen gulden door het ministerie van Verkeer en Waterstaat gecompenseerd voor de daardoor geleden schade.

De broers Wyler hebben de activiteiten van de onderneming een paar jaar daarvoor voor enkele honderden miljoenen verkocht en zijn sindsdien bezig met investeringsactiviteiten. Ze beschikken over veel contacten in het zakenleven. Eind jaren tachtig waren ze bijvoorbeeld betrokken bij het investeringsgenootschap Capercaillie, waar een paar goede bekenden van Nina – Joep van den Nieuwenhuyzen en Berry van den Brink – eveneens deel van uitmaakten.

Van de twee broers is met name Joel als netwerker actief. Hij vertoont zich graag op goededoelengala's, een incidenteel concours hippique en uitvoeringen van het Amsterdamse Concertgebouworkest, de plek waar de fine fleur van corporate Nederland zich het liefst vertoont. Hij beschikt over uitstekende contacten bij de grootste bank van Nederland, ABN AMRO. Nina kent hij ook. Ze nodigen elkaar al enige tijd uit voor hun afzonderlijke feestjes en borrels.

In oktober, wanneer De Vries, Hoogvliet en Van Rheenen nog geen aansprekende vooruitgang hebben geboekt, besluiten ze Nina voor een gesprek uit te nodigen. Op woensdag 12 oktober is de topvrouw van A-Line in het kantoor van De Vries in Nieuwegein te gast. Ook Eudald Domènech is aanwezig. Hij is speciaal voor de gelegenheid overgevlogen uit Barcelona en wordt vergezeld door Rodolfo Carpintier, een voormalig manager van de Spaanse telefoonmaatschappij Telefónica.

Carpintier heeft het concept voor een internationaal opererende internetaanbieder stevig omarmd en is in opdracht van Domènech in Spanje op zoek gegaan naar investeerders voor Servicom. Met succes. Hij heeft enkele maanden eerder de interesse van de gebroeders Pedro en Fernando Ballvé, eigenaren van de grote vleeswarenfabrikant Campofrio, weten om te smelten tot een aanzienlijke investering in het bedrijf van Domènech.

De jonge ondernemer mag de presentatie doen. Hij is geestdriftiger dan ooit tevoren. Niet alleen weet hij zijn bedrijf gesteund door een van de rijkste families van Spanje, hij is ook kort daarvoor teruggekeerd uit Amerika, waar hij op een beurs voor het eerst een jonge Amerikaan met een kinderlijk gezicht in een klein standje met een zelf ontwikkelde webbrowser heeft zien werken. Mozaic heet het programma. Het is een stuk gereedschap dat een internetgebruiker in staat stelt pagina's op het world wide web op een toegankelijke manier te zoeken en te bekijken. Met Mozaic kan moeiteloos in de digitale wereld worden genavigeerd, ook door mensen die niet handig zijn met computers. Door het bestaan van webbrowsers als Mozaic zal internet niet langer een exclusieve biotoop voor baardige nerds en brildragende whizz-kids zijn. Ook grootmoeder kan op internet leren surfen. Domènech is ervan overtuigd dat er nu geen twijfel meer mogelijk kan zijn: internet zal in een kort tijdsbestek tot een rage uitgroeien. En iedereen wil er toegang toe krijgen.

Hij heeft als reclameman vanzelfsprekend allang de beschikking over goed vormgegeven documentatiemateriaal: folders, mappen, brochures – hij heeft zelfs een informatief magazine laten maken. In het logo is een illustratie van een van bovenaf belicht aardbolletje verwerkt waarop een raster van lijnen ligt. Domènech heeft de in het Engels en Spaans geschreven Servicom-folders meegenomen. 'If you want to make communication inside and outside your company profitable, if you need information in real time to make quick decisions, if your work tool is a computer, if you want to exchange information with users in all corners of the world...'[3] Hij vertelt er in het Engels hortend en stotend zijn verhaal bij. Over hoe dankzij Servicom met een enkel lokaal telefoontje het wereldwijde web open komt te liggen, over de toekomst van webwinkels die hij via *virtual shopping malls* van zijn bedrijf wil lanceren, en dat hij met Servicom Europa in wil.

Carpintier en Hoogvliet vallen hem bij wanneer de cijfermatige onderbouwing aan de orde is. Servicom wil vanuit een Noord-Europese vestiging de Benelux en de Scandinavische landen gaan veroveren. Om te beginnen: Nederland. Ze rekenen voor dat klanten bereid zijn bedragen van tussen de 50 en de 70 gulden per maand te betalen om op internet te worden aangesloten. Met tienduizend klanten – die in het eerste jaar binnen zijn te halen – levert dat minimaal 6 miljoen gulden op, naast de andere mogelijke inkomstenstromen als advertenties en inkomsten uit webwinkels.

Daar staat tegenover dat de kosten om een eigen technische infrastructuur aan te leggen en te onderhouden, in eerste instantie aanzienlijk zijn. Er is veel geld nodig om een goede aanbieder op te zetten die landelijk zijn diensten levert. Overal in het land zijn inbelpunten nodig, opdat klanten tegen lokaal tarief internet op kunnen. Daar moet eerst prijzige apparatuur voor worden aangeschaft. Er zijn ook dure mensen nodig die het systeem onderhouden, en er is een goede helpdesk nodig die vrijwel permanent te bereiken moet zijn. Er moet dus eerst flink worden geïnvesteerd voordat de miljoenen in zwarte winstcijfers zichtbaar worden.

Nina luistert belangstellend. Ze onderbreekt en stelt vragen, maar De Vries en Hoogvliet krijgen desondanks het gevoel dat ze niet erg onder de indruk is. Dat gevoel blijkt juist.[4] Na een lauw afscheid laat ze wekenlang niets van zich horen. November en december verstrijken zonder dat een teken van leven uit Naarden of Brasschaat wordt ontvangen. Van Rheenen, die haar geregeld spreekt, denkt niet dat het plan voor het opzetten van een internetaanbieder iets bij haar heeft losgemaakt. Hij hoort er niets over.

Nina is daar niet uniek in. Ook andere partijen die worden benaderd, zijn in eerste instantie vol ongeloof over de mogelijkheden van de digitale snelweg. Vooral De Vries merkt in zijn pogingen om investeerders of strategische partners te vinden dat er weliswaar nieuwsgierigheid is, maar dat de zakelijke belangstelling voor internet nog erg klein is. 'We kunnen beter nog even wachten,' is een veelgehoord excuus.

De Vries vindt zichzelf ook niet de meest geschikte man om met het plan voor een internetaanbieder de boer op te gaan. Hij heeft te weinig verstand van de technische materie, waardoor hij vaak vragen onbeantwoord moet laten. De tijd ontbreekt hem ook om zich er meer in te verdiepen, hij heeft een praktijk gaande te houden. Iemand met kennis van de computer- of telecommunicatiewereld zou eigenlijk de leiding in handen moeten nemen. Hij heeft ook al een idee wie dat zou kunnen zijn, want hij heeft al jaren contact met iemand die een goede reputatie heeft in de automatiseringswereld: Jeroen Brouwer. Brouwer is een jonge dertiger met een managementfunctie bij het Duitse Software AG. Hij staat op het punt het bedrijf te verlaten.

Brouwer is enthousiast over de plannen om een internetaanbieder te beginnen. Hij vliegt begin januari samen met Bart van Rheenen naar Barcelona om daar de activiteiten van Servicom van nabij te bekijken. Het tweetal wordt door Bert Hoogvliet ontvangen. Hij brengt ze naar de licht gehavende kantoorvilla waar Servicom zijn intrek heeft genomen. De villa ligt in een door hightechbedrijven gedomineerde wijk iets buiten Barcelona en wordt hoofdzakelijk bevolkt door jonge mensen die het allemaal druk hebben.

Domènech is aanwezig en gidst ze door het pand. Hij laat hun het zenuwcentrum van Servicom zien: de ruimte waar de webservers staan te zoemen, de eerste publieke Spaanse toegangspoorten tot internet. De jonge ondernemer is er trots op. Nu Nederland nog. Hij kruipt achter een computer en surft van de ene uithoek op aarde naar de andere, leest en verstuurt e-mail terwijl hij het wonder van techniek bezingt. Brouwer is, net als Van Rheenen, die er ook voor het eerst is, onder de indruk van de activiteiten die in de villa plaatshebben. De opwinding is er voelbaar. 's Avonds in het hotel fantaseren de twee mannen met een paar flessen wijn op tafel uitgebreid over de verstrekkende mogelijkheden van Servicom. Ze beseffen ook dat een goede uitvoering grote investeringen zal vergen. Daar wil Brouwer wel bij worden betrokken.

Terug in Nederland probeert Van Rheenen opnieuw Nina voor het plan te interesseren. Hij geeft haar artikelen en aanvullende documentatie over Servicom en internet in de hoop dat ze die op kantoor, thuis of in de auto doorleest. Met

De Vries spreekt Brouwer af dat hij zich de komende weken op het business-plan zal storten. Samen met Van Rheenen zal hij een marktanalyse maken en de kosten in kaart brengen. Hij kan direct aan de slag met een draaiboek dat De Vries van Domènech heeft ontvangen. Daarop staat een gedetailleerd over-zicht van het personeel en alle apparatuur die nodig is om in een hoog tempo een internetaanbieder van de grond af aan op te bouwen.

Nina is vooral bezig met de uitbouw van haar distributiebedrijf. Eind ja-nuari heeft ze daarover een persbericht de media in gestuurd. Ze verkondigt daarin dat A-Line een 'strategische alliantie' met de Amerikaanse computer-leverancier chs aangaat. Mogelijk dat chs zelfs aandeelhouder wordt. 'Als de samenwerking goed bevalt, gaan Begemann en ik rond de tafel zitten met chs.' Bij Begemann wordt verrast gereageerd: 'We hebben kennisgenomen van het persbericht.'[5]

Nina heeft ook laten weten dat ze nog wel een keer een afspraak wil maken met De Vries. Op 7 februari 1995 om elf uur 's ochtends zit ze weer op zijn kantoor in Nieuwegein. Ze heeft zich goed ingelezen. De zakelijke kansen die internet biedt, staan haar nu scherper voor de geest. Ze wil zakendoen en meehelpen investeerders te vinden. Ze vraagt zich alleen af waarom de Spaanse organisatie zo dominant moet zijn.

De Europese uitbreiding van Servicom bevat inderdaad een zwakke plek die Nina met haar vraag heel even beroerde. De Spaanse investeerders willen dat hun geld in de hoofdactiviteit in Spanje wordt geïnvesteerd. Geld voor een agressieve internationale expansie is er dus eigenlijk niet. De waarde die Ser-vicom bij het Nederlandse bedrijf inbrengt, is vooral gebaseerd op de kennis die het heeft om een internetaanbieder snel op te zetten.

Domènech heeft alle contacten met de Amerikaanse en Canadese leveran-ciers en beschikt over de technici om computerinfrastructuur vakkundig op te zetten. Tegelijkertijd is hij ervan doordrongen dat deze partijen hun appara-tuur en software graag aan zo veel mogelijk klanten zouden willen verkopen. En hij weet ook dat de techniek niet buitengewoon gecompliceerd is. Er lopen meer dan genoeg mensen rond die, mogelijk met behulp van een beetje bij-scholing, de klus kunnen klaren.

Domènech heeft bovendien de beschikking over een eigen gebruiksvrien-delijke interface die de directe toegang en het e-mailen eenvoudiger maakt. Daar heeft hij zelf programmeerwerk voor laten verrichten; hij kan aan de software intellectuele eigendomsrechten ontlenen. Maar ook de zelf ontwik-kelde interface zou door een slimme programmeur betrekkelijk eenvoudig na te maken zijn. Voor het hele businessplan geldt dat alles gekopieerd kan worden. Dat weet de Catalaan als geen ander. Hij heeft het idee voor een inter-netaanbieder immers zelf ook afgekeken. De realiteit is dat er geen obstakels zijn om voor een willekeurig persoon een internetaanbieder op te zetten. Servicom is vervangbaar.

Nu Nina zich met de opzet van Servicom Nederland wil gaan bemoeien, wordt het voor De Vries zaak dat de vennootschappelijke structuur definitief zijn beslag krijgt. Servicom Nederland verkeert nog steeds in de fase van oprichting, een holding ontbreekt nog. De Vries heeft weliswaar het exclusieve recht bedongen om Servicom in de Benelux te vertegenwoordigen, maar de plannen zijn nog niet in verdere afspraken gegoten. Eigenlijk moet alles nog zijn juridische vorm krijgen.

De Vries stelt voor een holding op te richten, Servicom Benelux, waar de werkmaatschappijen van de verschillende landen – Nederland, België, Luxemburg en wellicht Scandinavië – onder komen te hangen. Servicom Benelux zal een minderheidsbelang nemen in de aparte landen, die als een soort van franchise worden opgezet. Benelux zal daarnaast voor de intellectuele eigendommen en de exploitatierechten een licentiebedrag – royalty – in rekening brengen.[6]

Boven de Benelux-holding staat Servicom SA, het Spaanse moederbedrijf, voor 80 procent eigenaar van Servicom Benelux. De groep rondom De Vries bezit de overige aandelen. Met Hoogvliet en Van Rheenen heeft De Vries aparte afspraken gemaakt. Ze willen vanuit hun functies bij A-Line en Servicom naar buiten toe de schijn van belangenverstrengeling voorkomen en zijn daarom als stille vennoten opgenomen, net als Jeroen Brouwer, die zich vooral met het Nederlandse deel van Servicom zal gaan bemoeien – als hij zich tenminste kan bewijzen als dé man die het project kan trekken. Hij zal vooral Nina moeten overtuigen van zijn kwaliteiten. 'Laat de natuur haar werk doen,' adviseren De Vries en Van Rheenen.[7]

Nina heeft onmiddellijk een paar relaties benaderd met haar nieuwe plannen. Ze heeft Piet van der Werf van ABN AMRO gezegd dat hij namens haar bij de bank maar eens een balletje moet opgooien. Ze vertelt erbij dat ze binnenkort naar Spanje zal vliegen om een bezoek te brengen aan het kantoor van Servicom. De mannen van de bank zijn uitgenodigd om op haar kosten mee te komen.

Ook Ton Soetekouw krijgt van haar activiteiten met Servicom te horen. Of hij namens Wyler Soetekouw Wyler op zoek wil gaan naar investeerders. Hij moet haar maar een scherp voorstel doen. De vraag van Nina speelt precies als Soetekouw in financieel Nederland weer het gesprek van de dag is. De voormalige ING-bankier is in januari in opspraak geraakt vanwege zijn exorbitante declaratiegedrag bij de stichting administratiekantoor van de noodlijdende Antilliaanse Orco Bank.[8]

Soetekouw laat na enkele gesprekken Ruud Kolijn van wsw een brief opstellen aan Nina, waarin staat: 'Onze gesprekken inzake Servicom bevestigen
de indruk dat het in principe een kansrijk project betreft.'[9] Er moeten eerst
nog wat feiten boven tafel komen. wsw wil inzage in de cijfers, de leveranciers-
contracten van het Spaanse moederbedrijf en de contracten tussen Servicom
SA en Servicom Benelux. Nina snapt dat Soetekouw en Kolijn meer willen weten, maar heeft geen zin te wachten tot ze volledig zijn geïnformeerd. Ze wil
een voorstel en een plan van aanpak van wsw ontvangen. En snel.

Twee dagen later ligt dat voorstel er. wsw neemt als uitgangspunt dat
A-Line de opdrachtgever is en garant staat voor de betalingen. De rest van het
voorstel bevat details over de gewenste honorering van het corporate finance-
kantoor. Het gaat ervan uit dat er minimaal 4 miljoen gulden wordt opgehaald, waaraan wsw minimaal 220.000 gulden zal verdienen.[10]

Dezelfde dag schrijft De Vries ook een brief aan Domènech. Deze is verre
van tevreden met de door De Vries voorgestelde vennootschapsstructuur.
Domènech wil dat de advocaat alleen op het niveau van de landenorganisa-
tie een belang krijgt, niet in de holding Servicom Benelux. Zo heeft hij het
ook aan hem kenbaar gemaakt. Dat De Vries hem alsnog een ander voorstel
heeft voorgelegd, doet hem twijfelen aan diens motieven. Hoogvliet heeft
De Vries bezorgd opgebeld en hem de twijfel van Domènech overgebracht.[11]
De Vries schrikt. De zorg van de Spanjaard is feitelijk een motie van wantrouwen. Hij snapt het niet. De Vries vindt juist dat hij zich met het voorstel
correct heeft opgesteld door zich aan de zijde van Servicom Spanje te scharen, en niet aan de zijde van Nina. Hij legt in zijn brief uit waarom.[12] De
Vries twijfelt er niet aan dat hij de kleine zakenvrouw in bedwang kan houden en daarmee de belangen van Servicom, en dus van Domènech en ook
zichzelf, zeker kan stellen. Dezelfde dag faxt hij ook Nina een brief met enkele antwoorden op vragen van Kolijn van wsw. Hij stelt nogmaals dat hij
van Servicom de exclusieve exploitatierechten voor de Benelux heeft bedongen. Ze hoeft zich daar geen zorgen over te maken, het staat allemaal op papier. Er bestaat geen enkele belemmering voor Servicom SA om rechten aan
Servicom Benelux over te dragen. Servicom Benelux kan op zijn beurt weer
een overeenkomst aangaan met een marktpartij. 'De meest gerede partij
om een overeenkomst mee aan te gaan, lijkt op dit moment A-Line c.s. te
zijn,' merkt hij daarbij op.[13]

Van 10 tot 13 april wordt in het Convention Center van San José in Californië
een grote internetbeurs gehouden: Spring Internet World. Eudald Domènech heeft laten weten dat hij naar de Verenigde Staten zal vliegen om zich
daar een week te laven aan alles wat maar met internet te maken heeft. En als

er ergens een plek op aarde is om dat te doen, is dat in San José, de hoofdstad van Silicon Valley.

De langs de baai van San Francisco gelegen vallei is al twee decennia de kraamkamer van de Amerikaanse technologie-industrie. Voordat in het begin van de jaren zeventig de siliconenchip aan zijn onweerstaanbare opmars begon, werd deze strook land simpelweg South Bay of the Peninsula genoemd. Nu is de Valley het synoniem voor het ongebreidelde vooruitgangsdenken, het onbreekbare geloof dat technologie een betere wereld zal scheppen. Nergens is de concentratie aan hoogbegaafde inwoners zo groot; nergens op aarde zijn ze met hun exact denkende breinen zo intensief bezig met hun bijna sacrale missie: *changing the world* (en *making tons of money*). De Valley kan onderhand wedijveren met Hollywood als het gaat om de reputatie van belangrijkste plek voor de cultuur van geld, roem en consumptieve exuberantie.[14]

De overvloedige aanwezigheid van geld en uitzonderlijk gedreven talenten heeft de Valley tot 's werelds vruchtbaarste plek voor startende technologiebedrijven gemaakt. Veel van die bedrijven en bedrijfjes die zich specifiek met internet bezighouden, staan met hun standje op Internet World in San José. Het idee om naar Californië te vliegen, valt bij Nina goed in de smaak. Ze vraagt ook Jeroen Brouwer mee te komen en laat direct vluchten boeken en hotelkamers reserveren.

In de hallen van het Convention Center zijn het vooral Domènech en Brouwer die de vele standjes intensief afstruinen. De hallen zijn gevuld met de stands van bijna tweehonderd bedrijven. Bekende computerbedrijven uit de Valley zijn vertegenwoordigd, zoals Sun en Silicon Graphics, net als tal van ondernemingen waar ook Domènech nog nooit van heeft gehoord. Yahoo! bijvoorbeeld, een bedrijfje van twee promovendi elektrotechniek van de Universiteit van Stanford, Jerry Yang en David Filo. Ze hebben een site die een soort index biedt van wat zoal een plekje heeft gevonden op het snel uitdijende wereldwijde web. Die ordening zorgt ervoor dat mensen kunnen vinden wat ze zoeken. Het is een soort bewegwijzering op de elektronische snelweg die context biedt en houvast, vooral voor de vele duizenden nieuwe en onervaren gebruikers die dagelijks het web op stromen.

Domènech raakt erdoor gefascineerd, net als door die studentikoze jongen die hij amper een jaar eerder nog op de laatste BBS-beurs met een webbrowser zag werken. Die zit er weer. Dit keer met een eigen bedrijf, dat Netscape heet.

Terwijl Domènech en Brouwer het liefst de stands van de nieuwe kleine internetbedrijven aflopen, stapt Nina bij voorkeur de stands op waar de nieuwste computerhardware en -software wordt gepresenteerd. Niet om naar technische specificaties of toepassingen te vragen, maar om de belangrijkste man of vrouw te spreken te krijgen.

De vanzelfsprekendheid waarmee ze in haar perfect klinkende Amerikaans namen laat vallen en naar *the person in charge* vraagt, maakt indruk op Domènech. Ook hij is wel bekend met enkele hardwareleveranciers, zoals Sun Microsystems, die Servicom de computers levert die het hart van het internetbedrijf vormen. Maar hij heeft het, tegengesteld aan Nina's aanpak, nog niet in zijn hoofd gehaald om Scott McNeally, de CEO van Sun, onaangekondigd met een bezoek te vereren.

Nina heeft wel contact met de hoogste bazen van haar leveranciers. Als ze samen de stand van het computerbedrijf Silicon Graphics op lopen, bukt ze plotseling. Ze raapt een dollarbiljet van de vloer en toont die grijnzend aan Domènech. 'Dit is een teken,' zegt ze. 'Deze dollar gaat ons veel geluk brengen.'[15] Maar de eerste test van Nina's nieuwe talisman loopt slecht af. Jim Clark, de oprichter van Silicon Graphics, is niet op de stand aanwezig. Hij is bij het bedrijf op een zijspoor gezet en is inmiddels medeoprichter en tevens de grote aanjager van Netscape. Nina belooft Domènech dat ze hem een andere keer wel te pakken zal krijgen.

In Jeroen Brouwer ziet Nina het minder zitten. Voor hem betekent het opwindende bezoek aan Internet World hoogstwaarschijnlijk het einde van de rit. Nina is sinds begin februari in het project steeds meer een leidende rol gaan vervullen, en dat wringt met Brouwers positie, die 'project Nederland' op zich heeft genomen. Hij maakt bovendien onderdeel uit van de groep-De Vries, die boven de Nederlandse vestiging staat. Die dubbele belangen zinnen Nina niet. In San José laat ze hem weten dat ze Servicom beslist met A-Line in Nederland wil opstarten, maar dan zonder hem.[16]

In Nederland heeft Ruud Kolijn van wsw de opdracht verder ontleed. Hij wil snel inzage in de contracten tussen Servicom en zijn technologieleveranciers en wil door een Spaans kantoor van KPMG een onderzoek laten uitvoeren naar de door hen geleverde software. Hij stelt ook vast dat de risico's, vanwege de onzekere afspraken tussen het Spaanse moederbedrijf en Servicom Benelux, groter zijn dan op voorhand gedacht. Hij merkt op dat er nog niets is vastgelegd tussen A-Line, Servicom Nederland en Servicom Benelux. De risico's voor wsw zijn daarom ook groter, vindt Kolijn, en de verdiensten moeten daarmee gelijke tred houden. 'Na overleg met de heer Soetekouw stellen wij voor, naast de al eerder afgesproken honorering, 3 procent van het aandelenkapitaal van de op te richten organisatie, om niet te leveren aan wsw.'[17]

Kolijn zou ook graag willen dat de reis naar Barcelona om Servicom te bezoeken, gepland op vrijdag 21 april, wordt vervroegd. Hij wil enkele leden van zijn team meenemen die alleen een dag eerder kunnen, en zelf heeft hij op vrijdag ook nog een belangrijke afspraak staan.

Nina krijgt het herziene voorstel van wsw per fax in Amerika toegestuurd.

Ze zit nog met Ab in Californië, maar nu zuidelijk van Los Angeles, in het stadje Rancho Mirage. Een weelderige, met meer dan honderd glooiende fairways en greens omgeven pensionado-enclave, die mede vanwege de aanwezigheid van de Betty Ford-ontwenningskliniek ook bij een groot aantal pop- en Hollywoodsterren in trek is.

Vanuit het lokale Ritz Carlton faxt Nina stukken van wsw aan De Vries door. Ze laat hem weten dat ze het voorstel voor een onafhankelijke accountant en het gratis aandelenpakket van 3 procent al heeft afgewezen, evenals het voorstel van Kolijn om eerder naar Spanje te vertrekken. 'Wij blijven bij ons geplande reisprogramma.' Ze kunnen het daar ook zonder Kolijn en zijn team wel af.[18]

Zeker is wel dat er een paar bankiers van ABN AMRO mee naar Spanje gaan. Nina's vertrouwensman bij de bank, regiodirecteur Piet van der Werf, heeft een aantal collega's van haar nieuwe ondernemingsavontuur met Servicom verteld. Het is een ander verhaal dan hij normaal vertelt. Van der Werf heeft al meerdere malen zijn uiterste best moeten doen om zijn kleine cliënte met haar Naardense bedrijf voor de kredietcommissie van de bank te verdedigen. Nu gaat het om het starten van een nieuw internetbedrijf waar investeringskapitaal voor nodig is.

Van der Werf nodigt Bob Kramer uit, directeur ABN AMRO Participaties, om mee te komen naar de Servicom-vestigingen in Barcelona en Madrid. ABN AMRO Participaties is de tak bij de bank die risicodragend kapitaal verschaft bij managementbuy-outs en veelbelovende jonge bedrijven. 'Venture capital' wordt het ook wel genoemd. Wordt het bedrijf een succes, dan deelt de bank mee in de waardestijging van de aandelen; bij mislukking raakt hij zijn geld kwijt. Ervaren durfinvesteerders kijken daarom goed naar het type bedrijf, en de markt waarin het actief is. En ze kijken vooral naar de kwaliteit van het management.

In Spanje zullen de bankiers de ondernemer achter Servicom ontmoeten en kennismaken met de financiers achter het bedrijf. De onderneemster om wie het bij het Nederlandse project draait, heeft haar bankier al laten weten dat ze in een privévliegtuig naar Spanje zullen vliegen. Niet om na de laatste afspraak direct weer terug te kunnen vliegen, want in de Spaanse hoofdstad zal ook ruimte zijn voor ontspanning, en laat op de avond kan iedereen in het prestigieuze Villa Magna-hotel het vermoeide lijf tussen de gesteven lakens neervlijen.[19]

De naam van Jeroen Brouwer komt niet op de passagierslijst voor. Nina beklaagt zich sinds haar terugkomst uit de Verenigde Staten doorlopend over het functioneren van de voormalige Software AG-man. Bij De Vries, en ook bij Eudald Domènech. Ze vertelt De Vries dat ook Domènech van Brouwer verlost wil worden, liefst gisteren nog.

De advocaat wil weten wat er aan de hand is en belt Brouwer. Die vertelt op zijn beurt dat de Spanjaard Nina niet vertrouwt, maar haar desondanks goed in staat acht de Nederlandse Servicom-vestiging op te zetten.[20] De Vries legt vervolgens het probleem aan Hoogvliet in Barcelona voor. Hij wil dat hij bij Domènech de uitspraken van zowel Nina als Brouwer checkt. 'Voor zover Eudald de mening van Nina onderschrijft c.q. de statements die Jeroen namens hem heeft gedaan, ontkent, zal ik op elegante wijze afscheid nemen van Jeroen,' schrijft hij. 'Wij kunnen in dit project geen onbetrouwbare partners gebruiken. Voor zover dit niet het geval is, moeten we de bakens voor wat betreft Nina verzetten, zonder dat dit tot verstoring leidt.'

Domènech heeft weinig moeite om een keuze te maken: Nina. Daarmee is het lot van Brouwer bezegeld. Ook De Vries kan zijn zakenvriend niet langer steunen en kiest ervoor hem uit het Servicom-project te verwijderen.

Vanwege het uitgebreide programma in Spanje vertrekt het toestel – een tweemotorige Cessna Citation VI van Martinair – al om acht uur 's ochtends.[21] De Vries, Van Rheenen, de twee ABN AMRO-bankiers en Nina worden in hun comfortabele stoelen gedrukt als het kleine toestel opstijgt. Nina houdt haar nagels diep in de leuning van haar stoel gedrukt. Ze heeft een hekel aan vliegen. Net als Carl de Vries, die ook met het klamme zweet in zijn handen onrustig zit te draaien.

Bij aankomst in Barcelona worden ze door Hoogvliet en de assistente van Domènech van het vliegveld gehaald. Het gezelschap rijdt naar het Parc Technológic, waar Domènech een rondleiding door het pand van Servicom geeft. Veel tijd is er niet; 's middags om kwart over twee staat een rondleiding in het *network operating centre* van Servicom in Madrid gepland.

Domènech en Hoogvliet vliegen ook mee naar Madrid. Voor de Spanjaard is het de eerste keer van zijn leven dat hij in een corporate jet stapt, het summum van succes en onafhankelijkheid. Het maakt grote indruk op hem. Ook Carl de Vries zal zich de vlucht nog lang weten te herinneren. Niet lang na het opstijgen hoort de advocaat een luid en scherp gezoem. Door de geopende deur van de cockpit ziet hij dat er een rode lamp begint te branden. Tegelijkertijd neemt het toestel snel vaart terug en begint het scherp te dalen. Hoogvliet, die inmiddels weet wie in deze situaties in paniek raakt, gespt zich los, staat op en roept: 'We storten neer!' Nina en De Vries willen het uitgillen van angst en krabben als twee doodsbange katten met hun nagels over de stoelleuningen.

De achtbaanrit in de privéjet is bij aankomst dankbaar onderwerp van gesprek, en voor Nina een mooie aanleiding om even de aandacht te vestigen op haar vervoerskeuze. Die sluit naadloos aan bij de omgeving die het gezelschap na het bezoek aan Servicom betreedt: het imponerende hoofdkantoor van Fincorp, de investeringsmaatschappij van de gebroeders Ballvé en de gebroeders Olcese. De man voor wie Hoogvliet in de raad van commissarissen een plaatsje opzij heeft moeten schuiven is er ook: Pedro Schwartz, een invloedrijke Spaanse econoom die door Fincorp is gevraagd over Servicom te presideren. De vergaderzaal wordt gevuld door mannen in pakken, op één persoon na. Het is Nina die met vloeiende Engelse zinnen het gesprek in haar greep neemt.

De trip naar Spanje is nog geruime tijd het onderwerp van gesprek. Ook bij de bankiers van ABN AMRO. Ze weten beter dan wie ook dat de financiële situatie bij A-Line eigenlijk geen scenario's toestaat waarin privévliegtuigen een rol spelen. Ze beseffen dat de reis mogelijk was dankzij de kredieten die de bank aan A-Line verschaft. Ze hebben er volop van kunnen meegenieten, maar het is vooral voor Van der Werf een teken dat de prioriteiten die Nina geeft aan de bestemming van de financiële middelen, niet overeenstemmen met de zienswijze van de bank.

Maar Nina heeft weinig trek om telkens op de toestemming van haar belangrijkste kredietverstrekker te moeten wachten voordat ze in actie komt. Ze heeft het ook aan Soetekouw en Kolijn verteld: om het tijdsvoordeel dat de voorsprong van Servicom biedt ten volle te kunnen uitbuiten, zet ze mensen en middelen van A-Line in.[22] Zo zijn er, een dag voor de trip met de bankiers naar Spanje, al drie mensen van A-Line naar Barcelona gevlogen om er technische trainingen te krijgen. Een van hen is een manager van A-Line, Paul van Hugte. Hij is door Nina aangewezen om de taken van Jeroen Brouwer over te nemen.

Van der Werf ziet de ontwikkelingen met enige zorg aan en laat dit Nina weten. Er moet wat gebeuren, ze kan niet middelen aan de vennootschap blijven onttrekken terwijl ze alleen met grote moeite aan de maandelijkse afbetalingsverplichtingen kan voldoen. Nina op haar beurt belt De Vries, die vervolgens Hoogvliet een fax stuurt. 'Omdat A-Line thans de haar verstrekte kredieten aanwendt voor een activiteit welke zal plaatsvinden in een los van A-Line opererende vennootschap (Servicom Nederland bv) dringt de Amro Bank aan op totstandkoming van een overeenkomst tussen Servicom Benelux bv en Servicom Nederland bv,' schrijft hij.[23] Een snelle oplossing, meent hij, ligt niet voor het oprapen. 'Het is voor mij op dit moment niet mogelijk om een gedetailleerde overeenkomst te maken omdat Servicom sa en Servicom Benelux hun gedachten nog moeten vormen.'

Het is niettemin hoog tijd om met een voorstel voor die overeenkomst te komen, beseft ook De Vries. Het contract dat hij in de dagen daarna componeert, is in grote lijnen een weerspiegeling van dat van een franchiseoperatie. Servicom sa levert de blauwdruk van het bedrijfsmodel, merknaam, marketing, technologieleveranciers, kennis en 'intellectuele rechten' om de Nederlandse internetaanbieder Servicom te worden. En Nederland betekent ook echt Nederland: buiten de landsgrenzen mag het bedrijf niet opereren. Spanje zal voor een periode van drie maanden mensen ter beschikking stellen die moeten zorgen dat Servicom Nederland op gang wordt geholpen. Daarna zal Nederland de kosten voor de specialisten zelf moeten dragen. De Nederlandse vennootschap moet in ruil daarvoor een goudgerande royalty betalen: 7,5 procent van de netto-omzet. Per kwartaal over te maken. Servicom wil bovendien een belang van 15 procent in Servicom Nederland, dat niet verwaterd kan worden. Dus hoeveel investeerders er later ook bij zullen komen, Servicom zal altijd een belang van 15 procent in het bedrijf houden.[24]

De aandeelhouders in Spanje kunnen zich wel vinden in de voorstellen van De Vries. Ook Nina lijkt tevreden over de opzet van de overeenkomst die ze van De Vries heeft ontvangen. Er zijn nog wat details die moeten worden aangescherpt, maar de uitwerking verloopt vlot. Een datum voor de ondertekening van de contracten kan worden geprikt. Op vrijdag 19 mei zal in het kantoor van A-Line in Naarden de definitieve start van Nina's internetbedrijf worden bezegeld.

Vooruitlopend op de ondertekening ervan heeft Nina in full colour reclamemateriaal laten drukken. 'Your stairway to the digital highway,' staat erop, met daaronder: A-Line. Op de achterzijde de beschrijving van de diensten van Servicom, in de Spaanse huisstijl, met het gerasterde wereldbolletje. In *De Telegraaf* laat ze een personeelsadvertentie zetten waarin ze 23 nieuwe banen bij de Nederlandse tak van het Europese internetbedrijf Servicom aanbiedt. 'The future is just a few steps away' luidt de kop.[25]

Een dag voordat de pennen als gepland over de contractformulieren krassen, komt bij A-Line een fax binnen van de afdeling juridische zaken van het handelsconcern Hagemeyer. Het internationaal opererende bedrijf is op vele gebieden actief, ook in de elektrotechnische handel. Het heeft een dochterbedrijf dat gericht is op het verlenen van service aan klanten die onder andere computersystemen in gebruik hebben. Servicom heet dat bedrijf. Al jaren.

'Namens onze zusteronderneming sommeren wij u dan ook onmiddellijk het gebruik van de naam Servicom te staken,' schrijft de bedrijfsjurist van het eveneens in Naarden gevestigde Hagemeyer aan de startende internetaanbieder Servicom Nederland. 'Binnen vijf dagen na dagtekening.' Zo niet, dan zal zonder nadere aankondiging een kortgedingprocedure aanhangig gemaakt worden.[26]

Tegen de eis van Hagemeyer valt weinig in te brengen en dat betekent dat, voor zover het om de naamgeving gaat, de internationale uitrol van het bedrijf Servicom bij de eerste stap in het buitenland al tot stilstand komt. Domènech was, in zijn enthousiasme om de grootste Europese internetaanbieder te worden, vergeten om goed te kijken of zijn gedroomde bedrijfsnaam zich daar wel voor leende.

De contractondertekening in Naarden vindt dus plaats in de wetenschap dat de handelsnaam en merknaam Servicom met een aan zekerheid grenzende waarschijnlijkheid in Nederland waardeloos zijn. Maar dit gegeven is geen 'dealbreker' – hooguit een hobbel op de weg. Een zware delegatie is voor de contractuele plichtpleging uit Spanje overgekomen. Domènech wordt vergezeld door Hoogvliet, zijn dealmaker en adviseur Rodolfo Carpintier, en de voorzitter van de raad van commissarissen Pedro Schwartz. Het weerzien van Nina met Domènech is hartelijk. Nina praat het liefst met de belangrijkste personen binnen organisaties, en heeft de laatste maanden een directe lijn naar Spanje gelegd.

Ze heeft een goede relatie met de Spanjaard opgebouwd, die de bemiddelende rol van De Vries overbodig maakt. Hoogvliet en De Vries hebben daar op dat moment hooguit een flauw vermoeden van. Ze slaan er weinig acht op, ze weten zich immers gesterkt door de wetenschap dat er contracten zijn getekend die een belang voor De Vries zeker stellen. Nina en Domènech zijn op hun beurt ontwetend over het feit dat Hoogvliet en ook Van Rheenen meedelen in het aandeel dat Carl de Vries via de Servicom Benelux-holding in de Nederlandse vestiging heeft. De statige Schwartz, die erop toeziet dat de contracten – waar vreemd genoeg een datum op ontbreekt – worden ondertekend, is ook nog niet helemaal bijgepraat. Hij heeft geen idee dat er namens Servicom al een overeenkomst met De Vries is gesloten die hem recht geeft op 20 procent van het Spaanse belang in de Nederlandse bv.

Een dag na het zetten van de handtekeningen heeft Nina in haar nieuwe villa op de Voshollei in Brasschaat een feestelijk samenzijn georganiseerd. Op Carl de Vries na zijn alle betrokkenen met aanhang aanwezig. Ook Soetekouw en Kolijn zijn er. De komende tijd zal de aandacht vooral op hen zijn gericht. Zij moeten immers de volgende stap zetten: het vinden van miljoenen guldens om het plan te financieren.

Voor Jeroen Brouwer vormt het kortstondige avontuur in de wereld van internet niet iets waar hij met genoegen op terugkijkt. Hij vindt dat hij op laakbare wijze aan de kant is gezet. Hij voelt zich gebruikt. Door Nina, en ook door Domènech. Maanden heeft hij voor eigen rekening gewerkt aan een businessplan dat nu als uitgangspunt dient voor de Nederlandse vestiging van Servicom. Hij meent dat ze beiden op een dubieuze manier van hem hebben geprofiteerd door eerst alles uit hem te trekken en hem vervolgens te dumpen. Brouwer is diep teleurgesteld in zijn partners, die hij verwijt dat ze hem in de steek hebben gelaten.[27]

Met Nina heeft hij afgesproken dat zijn werkzaamheden in elk geval nog zullen worden vergoed. Ze heeft hem in een van hun laatste gesprekken laten weten dat ze de situatie 'netjes wil afronden'.[28] Maar als Brouwer, die een uurtarief van 175 gulden hanteert, haar een rekening van 42.000 gulden stuurt, volgt een lange stilte. Hij trekt nogmaals aan de bel. Nina geeft daarop antwoord in een vierregelige brief die ze haar secretaresse van een paraaf laat voorzien en per fax laat versturen:

Beste Jeroen,

Je schreef wederom weer onzin. Ik weiger hierover verder in te gaan.
Het lijkt mij zinvol indien er vervolgcorrespondentie volgt dit te richten aan Mr. E. Domènech.
Ik heb absoluut geen enkele afspraak ooit met jou gemaakt.
Hoogachtend,
N.B. Brink[29]

Voor A-Line-directeur Kees Koomen was het afscheid nemen van Nina enkele maanden eerder iets ingewikkelder. Vijftien jaar had hij, bij elkaar opgeteld, voor TM Data en A-Line gewerkt. De laatste jaren als opvolger van Jan van der Veer had hij intensief met haar te maken gehad. Op een bepaalde manier vond hij haar geniaal. Hoe ze op een of andere manier steeds weer in staat was een ogenschijnlijk totaal onsamenhangende warboel van impulsieve en berekende handelingen en uitspraken aan elkaar te knopen, werd hem nooit duidelijk. *Management by chaos* – Nina had hem wel eens aangegeven dat ze daarmee het beste uit mensen naar boven wist te halen. Koomen vermoedde dat ze op zijn minst over een fotografisch geheugen moest beschikken.

De A-Line-directeur had alleen geen zin meer om voor een bedrijf te werken waarvan hij wist dat het financieel niet meer dan een lege huls was. Met die werkelijkheid werd hij dagelijks geconfronteerd. Het stelselmatig overschrijden van kredietlimieten, het vertrouwen van de leveranciers dat hij telkens op de proef moest stellen... Schaamteopwekkend en zenuwslopend. Het plezier van een goedlopende verkoopafdeling werd er totaal door bedorven.

Koomen wist in grote lijnen wat hij kon verwachten toen hij haar vertelde dat hij het bedrijf ging verlaten. Hij wist dat Nina met een gerust hart afscheid van mensen kon nemen, zolang het maar niet andersom gebeurde. Hij kon ook op zijn vingers natellen dat Ab vervolgens naar hem toe zou komen en een lijmpoging zou wagen.

En inderdaad, op zijn bekende vaderlijke wijze, gehuld in nevelen van sigarenrook, nodigde Ab hem, zijn vrouw en kinderen uit om naar Brasschaat te komen om eens bij te praten. Koomen had het eerder meegemaakt. Hij had het ook wel leuk gevonden; gezellige momenten met Nina en Ab waren er in het verleden zeker wel geweest. Maar een vrije dag opofferen om Ab weer te horen zeggen dat Nina zo op hem gesteld was, daar had hij dit keer geen zin meer in. Zijn besluit stond vast: hij ging A-Line verlaten. Met een opzegtermijn van drie maanden was het een kwestie van aftellen.

Van Nina hoefde hij zijn gezicht niet meer te laten zien. Hem werd onmiddellijk de toegang tot het pand ontzegd. Nadat haar duidelijk was geworden dat hij voor een ander automatiseringsbedrijf ging werken, nota bene de buurman van A-Line, werd hij op last van zijn oude baas ook geëxcommuniceerd. Je was voor haar, of je was tegen haar. Hij was ervan doordrongen dat haar angst voor het verliezen van productlijnen haar parten kon spelen. Ergens nam hij haar dat niet eens kwalijk. In de wereld van de distributie werd nu eenmaal op een meedogenloze wijze strijd geleverd. Nina wist dat als geen ander.

Koomen ging vanuit huis werken. Op een dag, zittend in zijn auto op weg naar een afspraak, viel hem op dat een witte Mercedes al een tijdje achter hem aan reed, ook als hij een afslag nam die hij eigenlijk niet van plan was te nemen. Niet lang daarna plofte een dagvaarding van de advocaat van A-Line op zijn deurmat. Koomen was in overtreding, hij had voor de concurrent gewerkt in de tijd van A-Line. Het was onweerlegbaar vastgesteld. A-Line had als gevolg daarvan schade geleden: anderhalf miljoen gulden. A-Line eiste onmiddellijke betaling. Zijn aanstaande baas had Nina al schreeuwend aan de telefoon gehad. Koomen zou niet deugen, hij was onbetrouwbaar, een imbeciel. Er stond ook nog een rekening open bij A-Line, en ze kondigde aan het faillissement van zijn bedrijf aan te vragen.

Het juridische gevecht dat volgde, bezorgde hem uiteindelijk een advocatenrekening van 25.000 gulden. Koomen wist het ruimschoots in zijn voordeel te beslissen. Op zakelijk gebied werd geen strijd met A-Line gevoerd – Koomens nieuwe werkgever verdiende het geld op een heel ander terrein in de automatiseringswereld.

Ook met Hester Maij verbreekt Nina de verbinding. Het bedrijf dat ze samen hebben, Perfect Partners, is geen succes geworden. Hoewel het partnerschap met grootse verwachtingen – vooral bij de ministersdochter – was aangevangen, bleek de zakelijke uitwerking een heel ander verhaal. Hester en Nina waren toch niet de ideale combinatie. Ze hadden een andere stijl van werken – Hester heeft er geen zin meer in en het partnerschap loopt spaak.[30]

Drie weken na het feestje in Brasschaat stuurt Bert Hoogvliet Nina weer een fax. Het zit hem dwars dat de naam Servicom in Nederland is getorpedeerd. Hij heeft nagedacht over nieuwe namen voor het Nederlandse internetbedrijf. Hij heeft zich laten inspireren door de bekende namen uit de Verenigde Staten: CompuServe, Prodigy, America Online. Hoogvliet denkt vooral in het verlengde van A-Line. Het moet iets zijn met 'line'. Interline, Serviceline, Superline, Spaceline en Cyberline. Hij heeft ze voor Nina op papier gezet. Eén suggestie heeft hij onderstreept en aan weerszijden van een asterisk voorzien: World-on-Line.[31]

Een paar dagen later informeert hij nog eens of zijn suggesties tot iets hebben geleid.[32] Hij krijgt geen reactie. Via Carl de Vries laat ze uiteindelijk doorschemeren dat ze wel gecharmeerd is van de naam World-on-Line.[33]

De zomer van 1995 is een periode waarin meer internetaanbieders het levenslicht zien. Vanuit een klein raamloos kamertje aan het Singel in Amsterdam was een jaar eerder al Planet Internet ontstaan. Twee studenten hebben een flamboyante Amsterdamse uitgever van glossy magazines van hun plan weten te overtuigen en ook KPN – dat tot dan toe het bestaan van internet zoveel mogelijk had genegeerd – aan hun zijde weten te scharen om een landelijke internetaanbieder op te zetten. Regionaal zijn er ook tal van aanbieders die beginnen met het leveren van toegang tot internet.

Het zakelijke model voor het opzetten van een internetaanbieder, oftewel een internet service provider (ISP), wordt in kringen van investeerders met steeds meer belangstelling bekeken. De markt voor internettoegang staat op het punt van exploderen. Wereldwijd starten honderden bedrijven en bedrijfjes met hetzelfde plan. De verwachting is dat de markt zich om de drie, vier maanden zal verdubbelen.

Een internetaanbieder, een ISP, is in feite een servicegeoriënteerde onderneming die bandbreedte verhandelt. Het bedrijf koopt op grote schaal de bandbreedte in bij de eigenaren van de telecommunicatienetwerken, en verkoopt die in kleine stukjes door aan zijn klanten. Het moet ook zorgen dat het technisch allemaal soepel functioneert, en heeft dus een helpdesk nodig waarmee mensen kunnen bellen als iets met hun verbinding niet goed werkt.

De futuristische term *electronic super highway* ten spijt zijn het eenvoudige rekensommetjes die aan de basis liggen van het verdienmodel. Of het nu stofzuigerzakken, siliconenchips of autobanden zijn, iets zal voor meer geld moeten worden verkocht dan waarvoor het is ingekocht. En als alle andere kosten van de meeropbrengst zijn afgetrokken, moet een bedrag onder de streep overblijven: de winst. Voor de handel in bandbreedte geldt precies hetzelfde. Bandbreedte wil zeggen: de hoeveelheid digitale informatie – nulletjes en eentjes – die binnen een bepaalde tijd door een verbinding verstuurd kan worden. Die capaciteit wordt in bits per seconde uitgedrukt, waarbij een bit de kleinste hoeveelheid digitale informatie voorstelt: een 0 of een 1. Om een computer te kunnen laten communiceren met een digitaal communicatienetwerk, is een modem vereist. Modems hebben een bepaalde capaciteit waarmee ze digitale informatie kunnen versturen. Met een standaard zogeheten 28,8 kb/s-telefoonmodem kunnen maximaal 28.800 bits per seconde worden verstuurd.

Daar begint het rekenen voor de internetaanbieder. Bij het inkopen van zijn bandbreedte zal hij rekening moeten houden met het gegeven dat niet alle klanten tegelijk hun verbinding open hebben staan. De aanbieder moet dus het ideale midden vinden tussen het aantal klanten en de capaciteit die hij inkoopt. Weinig inkopen en veel klanten aannemen levert meer op, maar houdt een risico in. De wachttijden om in te bellen lopen op, wat teleurgestelde gebruikers tot gevolg heeft. En teleurgestelde gebruikers gaan op zoek naar een andere aanbieder.

Voor de internetaanbieder is er ook nog een ander bedrijfsmodel dat snel aan invloed wint: dat van mediabedrijf of internetportaal. Domènech is er na het bezoek aan de stand van Yahoo! op de beurs in San José van overtuigd geraakt dat een internetaanbieder ook een eigen website moet hebben waarop allerlei informatie is te vinden. Nieuws, sportuitslagen, beurskoersen, informatie over uitgaan en natuurlijk informatie over waar op internet de beste websites zijn te vinden. Bij al die informatie en artikelen kunnen advertenties worden geplaatst. Een verbond met een grote uitgever zou daarom heel interessant kunnen zijn. Die produceren dagelijks veel van die informatie. Het plan voor het opzetten van een grote Nederlandse internetaanbieder ligt op initiatief van Nina dan ook binnen de kortste keren bij de meeste grote Nederlandse uitgevers en mediabedrijven op tafel, *De Telegraaf* uitgezonderd. Die zijn al in zaken met Planet Internet, de vijand.

De bankiers van ABN AMRO Participaties vinden het opzetten van een internetaanbieder een interessant plan. Ze waren aanvankelijk totaal onbekend met het medium internet, tot ze met Nina mee naar Barcelona en Madrid vlogen. De grote mogelijkheden staan hun helder voor ogen. Maar ze hebben minder vertrouwen in de ondernemer achter het plan. Piet van der Werf had zijn collega van Participaties, Bob Kramer, al eens gevraagd in A-Line te participeren, maar die had er vriendelijk voor bedankt.

Het was de bankiers bekend dat Nina voortdurend met rechtszaken in de weer was en ook de Newtron-affaire stond hun nog vers in het geheugen gegrift. Het feit dat A-Line constant te maken had met de afdeling BK, de 'wrakkencentrale', vormde ook al geen aanbeveling. De directeur van de divisie Nederland, Rijkman Groenink, tevens lid van de raad van bestuur van ABN AMRO, dacht er net zo over. De nieuwe veelbelovende onderneming van Nina bracht daarin geen verandering; Kramer peinsde er niet over om erin te investeren.

Het is aan Ton Soetekouw en zijn team om de eerste investeerder te vinden.

Hij heeft inmiddels afscheid genomen van zijn Rotterdamse partners Joel en Danny Wyler. De geruchten gaan dat de Wylers geen trek hadden hun naam nog langer aan die van Soetekouw te verbinden toen die opnieuw in opspraak was geraakt. Soetekouw zelf houdt het erop dat de broers anders in elkaar steken dan hij. Het zijn jongens van de handel – iets inkopen, en voor meer geld verkopen. Zichzelf ziet hij meer als iemand met een visie die op de lange termijn is gericht.

Soetekouw gaat met Kolijn verder onder de naam Cartera Finance Partners en boekt al snel succes voor zijn opdrachtgever, die nog geen officiële bedrijfsnaam heeft. Dankzij zijn functie als voorzitter van de CAPT is hij in staat snel contact te leggen met de juiste mensen bij de Nederlandse Spoorwegen. Het staatsbedrijf heeft de beschikking over een groot telecommunicatienetwerk en wil dat zo snel mogelijk commercieel gaan exploiteren. Het was ook de wens van voormalig minister Maij-Weggen geweest dat er nog een krachtig nationaal telecombedrijf zou ontstaan. De NS wil daarom ook dat zo veel mogelijk bedrijven en consumenten van zijn netwerk gebruik gaan maken. Via internet bijvoorbeeld.

NLnet uit de Watergraafsmeer is dan al actief op het netwerk van de NS, maar het vertoont niet de ambitie om heel snel heel veel geld te verdienen. Achter NLnet zit een stichting die door idealisten wordt bestuurd, en internet is hun middel om de wereld een klein beetje beter te maken. Daarmee kan het bestuur van de NS met zijn zakelijke plannen geen commerciële potten breken. Door een strategisch belang te nemen in een nieuwe ambitieuze internetaanbieder, zal het bedrijf mogelijk direct profiteren van de snelle toename van het dataverkeer dat dit bedrijf waarschijnlijk genereert.

In juli staan er gesprekken met vertegenwoordigers van de Nederlandse Spoorwegen op de agenda. Het hoofd van de afdeling juridische zaken van de NS heeft het contract tussen Servicom SA en de Nederlandse vestiging bekeken, en zijn vragen, op- en aanmerkingen voor Cartera op papier gezet. Als eerste merkt de jurist op dat het contract 'ongedateerd' is en dat de nieuwe juiste naam van de onderneming nog vermeld moet worden. 'Veel te vaag', 'moet veel nauwkeuriger', 'moeilijk te aanvaarden', 'onduidelijk', 'niet acceptabel', 'in strijd met elkaar', 'blinken niet uit door helderheid': dat zijn een paar kwalificaties die hij hanteert voor de artikelen van de overeenkomst die hij van Kolijn heeft ontvangen. Het artikel waarin de royaltyregeling uiteen wordt gezet, plaatst hem voor hoofdbrekens. Hij kan zich niet indenken dat er een royalty van 7,5 procent over de totale netto-omzet wordt geheven. De term netto-omzet moet dus nader worden beschreven. Welke omzet wordt daar precies mee bedoeld?

De meeste woorden gebruikt hij voor opmerkingen over het artikel waarin het belang van 15 procent van Servicom in de Nederlandse vestiging aan de orde komt. Dat hoort volgens de jurist niet eens in de overeenkomst thuis. Het is een afspraak die Servicom SA met andere aandeelhouders dient te maken, niet met de onderneming. 'Mijns inziens zou Servicom SA daarnaast ook – net als de andere aandeelhouders – agio moeten storten. Immers voor het gebruik van de software ontvangt SA al een goede licentievergoeding.'[34]

De kanttekeningen die de NS bij het contract met Servicom plaatst, nodigen Nina uit tot een reactie. Ze eist bij Domènech dat het artikel over de deelname van Servicom wordt veranderd. Servicom zal voor 15 procent aandeelhouder worden, maar in de toekomst moet het bedrijf bij verdere kapitaalinjecties pro rata mee-investeren. Niet investeren mag ook, maar dan zal het belang navenant verwateren.[35]

Bert Hoogvliet heeft haar eis met betrekking tot de deelneming van Servicom met Domènech besproken. Hij belt haar en stuurt haar vervolgens een fax. 'Onze eerste reactie is – eufemistisch uitgedrukt – dat we zeer verontrust en teleurgesteld zijn,' schrijft hij. 'We vragen ons af wat de betekenis van het op 19 mei getekende contract met jou en Eudald is, daar je commentaar bepaald niet overeenkomt met de inhoud daarvan. Op dit moment staan we op het punt om op de manier te reageren zoals jij dat vanochtend aan ons al suggereerde: "If you don't agree we'll have to stop the whole project. At least with NS."'[36]

De discussie over de inhoud van het contract komt de start van het bedrijf in Nederland niet ten goede. De Spanjaarden hadden volgens afspraak al anderhalve maand bezig zullen zijn met de operatie; 1 september zou alles 'up and running' moeten wezen. Zeker is dat die datum niet gehaald gaat worden. En die vertraging is schadelijk. Er gaat geen dag voorbij of ergens in Europa wordt een internetaanbieder gelanceerd. De concurrentie zal hevig worden, en in de race om de gunst van de klant en het marktaandeel zijn de factoren tijd en geld even belangrijk: het bedrijf dat in staat is de snelle groei te financieren, zal vooraan eindigen.

In dat kader hebben Soetekouw en Kolijn weer een positief bericht voor Nina. Behalve de NS zijn ook het uitgeef- en distributieconcern Audax en krantenuitgever Perscombinatie geïnteresseerd om meer van het plan te weten te komen. Audax is een van de grootste mediabedrijven van Nederland. Het geeft verschillende bladen uit, heeft een grote keten van boek- en bladenwinkels en is de belangrijkste distributeur van magazines in Nederland. Perscombinatie is, met landelijke krantentitels als de Volkskrant, Trouw en Het Parool en boekenuitgever Meulenhoff, een van de belangrijkste uitgeefconcerns van Nederland.

Domènech komt over uit Spanje om zijn verhaal over Servicom te presenteren aan de mogelijke investeerders. Bij de NS zijn ze stomverbaasd. Hoe kan het toch zijn dat een jonge Spanjaard hun iets komt vertellen over communicatietechnologie? Nederland is het dichtst bekabelde land van de wereld, het netwerkknooppunt van Europa. Maar het is waar: van de zakelijke modellen rondom internetaanbieders, isp's, kunnen de mannen van de Spoorwegen nog veel van de Spanjaard leren, en dat geldt ook voor Audax en Perscombinatie. Ook is er grote belangstelling voor de mogelijkheden om internet commercieel in te zetten bij onder andere de verspreiding van hun publicaties. Zowel de ns als Audax en Perscombinatie voelen er veel voor om in het nieuwe bedrijf te participeren.

Over welke naam dat bedrijf gaat krijgen, is intussen ook duidelijkheid ontstaan. Nina heeft haar keuze laten vallen op World Online.

Op 9 augustus krijgt in Amerika het internetbedrijf Netscape een notering aan de schermenbeurs Nasdaq in New York. Deze *initial public offering* van Netscape is de eerste van een internetbedrijf op Wall Street. Het bedrijf bestaat pas zestien maanden. Het maakt nauwelijks enige omzet en nog geen winst. Maar de whizzkid en medeoprichter van Netscape, Marc Andreessen, twijfelt er niet aan dat ze van hun belangrijkste product, Netscape Navigator, heel veel licenties zullen gaan verkopen. De Navigator is een internetbrowser die alle potentie heeft om wereldwijd een doorslaand succes te worden. De browser kan de massa's op internet laten surfen. Netscape is het bedrijf dat internet zijn definitieve doorbraak zal bezorgen.

Aanvankelijk hadden de zakenbanken die het bedrijf naar de beurs brengen, de prijs voor het aandeel op maximaal 14 dollar bepaald. De 5 miljoen aandelen die aan het publiek worden verkocht, zouden dan 70 miljoen dollar opleveren. Maar de bankiers hebben een moessonregen van aanvragen voor aandelen Netscape moeten verwerken. De kranten schrijven dat investeerders en beleggers gezamenlijk bereid zijn voor minimaal 100 miljoen aandelen te kopen. De bankiers van Morgan Stanley beslissen daarom op het laatste moment de prijs voor de aandelen te verdubbelen. In plaats van 14 dollar, wordt de introductiekoers 28 dollar. Bij die prijs is Netscape 1 miljard dollar waard.

Als 's ochtends de beurs opent, gebeurt er iets vreemds. De beurshandel begint, maar niet bij Netscape. De vraag naar het aandeel is zo groot en het aanbod zo gering, dat de handel 90 minuten lang plat ligt. Als eindelijk de afkorting van Netscape op de ticker verschijnt, staat er een prijs achter die niemand ooit voor mogelijk heeft gehouden: 71 dollar. Bijna tweeënhalf keer zoveel als de toch al uitzinnige openingskoers. Het bedrijf is in een tijdsbestek van nog geen twee uur bijna anderhalf miljard dollar meer waard geworden – terwijl het nog nooit een dollarcent winst heeft gemaakt.

In het hoofdkantoor van Netscape in Mountain View, in Silicon Valley, slaat de euforie toe. De koers van het aandeel die dag bedraagt op het hoogtepunt 75 dollar. Aan het eind van de handelsdag noteert het aandeel 58 dollar: Netscape is 2,3 miljard dollar waard.

Jim Clark, de man die Marc Andreessen ertoe bewoog Netscape te beginnen, is op papier 544 miljoen dollar rijker geworden. De 24-jarige studentikoze programmeur, die Eudald Domènech al enkele keren op beurzen had ontmoet, heeft een vermogen van 58 miljoen dollar. Op Wall Street wordt nog niet veel begrepen van de sprookjesachtige waardering voor het internetbedrijf, dat feitelijk nog een start-up is. Internet is nog een onbekend fenomeen – maar dat zal niet lang meer duren.

In september is het zover; de deal met Audax en de telecomdivisie van de NS is uitonderhandeld. Servicom heeft water bij de wijn gedaan en neemt genoegen met een belang dat na de eerste financieringsronde kan verwateren. Ook de afspraak over de royaltyafdracht is bijgesteld: die behelst nog slechts 7,5 procent over de omzet minus de belastingen en directe kosten. Verschillende kranten pikken het nieuws op. 'Via de kabels van de Spoorwegen de hele wereld online' (Trouw).[37] 'Uitgeverij Audax en NS Telecom gaan samen met het Spaanse bedrijf Servicom en World Online nog eind dit jaar toegang verschaffen tot internet' (Parool).[38]

In de financiële wereld is het de gewoonte dat gesloten deals in plexiglas worden vereeuwigd. Een *tombstone* heet zo'n kunststof herinneringsobject. Soetekouw heeft er een aantal laten maken om de deal te memoreren van Servicom en World Online met de NS en Audax voor de onderhandse plaatsing van aandelen en achtergestelde leningen. De namen van Audax, NS Telecom, Management World Online, Servicom en Cartera Finance Partners staan erop.

Die van Perscombinatie ontbreekt. Het uitgeversconcern heeft zich nog niet aan een investering kunnen committeren, hoewel de afspraken al op papier zijn gezet. Een handtekening plaatsen is nog niet aan de orde. De concernleiding heeft belangrijker zaken af te werken. Krantenuitgever Nederlandse Dagbladunie (NDU), eigenaar van onder meer NRC *Handelsblad*, staat te koop, en de raad van bestuur van Perscombinatie wil koste wat kost de concurrenten voorblijven en een niet te overtreffen bod op de NDU uitbrengen. Alle andere deals worden daarom even op de lange baan geschoven. Ook die met World Online.

Wat niet langer meer kan wachten, is het daadwerkelijke opstarten van het internetbedrijf. Onderdeel van de uitvoering van het contract aan Spaanse zijde is dat de operatie in Nederland op gang wordt geholpen. Domènech en een aantal van zijn technische mensen vliegen naar Nederland om World Online zo snel mogelijk draaiend te krijgen.

Het contact tussen Nina en Domènech wordt in die weken weer aangehaald. De Spanjaard heeft inmiddels groot ontzag voor haar gekregen. Hij wordt wel eens gek van haar oeverloze bellen, vooral wanneer dat midden in de nacht plaatsvindt, maar hij ziet vooral de tomeloze energie die ze in stelling brengt om haar doelen te verwezenlijken. Verrassend en indrukwekkend was ook het inlossen van haar belofte om Jim Clark van Silicon Graphics en Netscape te ontmoeten. Toen hij een keer in Amsterdam was, wist ze een afspraak met hem te maken. Waar hij bij was.

Domènech vertelt haar ook van zijn problemen met zijn investeerders. Ze willen er een andere grote partij bij halen en hebben daarbij vooral zijn belang in Servicom op het oog. Hij heeft de indruk dat zijn investeerders hem eruit willen werken. Nina belooft hem te steunen. Ze eist bij de raad van commissarissen van Servicom een geschreven verklaring dat Domènech als bestuurder zal aanblijven. Hij is haar belangrijkste contactpersoon, hij is degene met wie ze de overeenkomsten heeft getekend. Zijn aanblijven is voor haar een conditio sine qua non.[39]

In Nederland zijn de rollen precies omgedraaid. Nina zou het liefst Servicom eruit werken. Ze heeft het de afgelopen maanden al verschillende malen in gesprekken onverholen aan de orde gebracht. Ze vindt de bijdrage van de Spanjaarden te gering: wat zij kunnen, dat kan World Online nu zelf ook wel. Waarom zou ze 15 procent van haar bedrijf opofferen aan een partij waar ze weinig of niets aan heeft? Voor dat belang zijn investeerders als Audax en de NS bereid meer dan een miljoen gulden op tafel te leggen.

De dreiging van een breuk wordt Carl de Vries in november duidelijk. Hij heeft van Hoogvliet begrepen dat Nina zijn integriteit ter discussie heeft gesteld. Ze heeft de problemen met Jeroen Brouwer aangevoerd, en volgens haar komt hij afspraken niet na. Welke dat zijn, vertelt ze er niet bij. Ze wil in elk geval niets meer met hem te maken hebben. De Vries staat perplex. De laatste keer dat ze elkaar spraken, was toen Nina hem belde om hem te vertellen dat de deal met de NS zo goed als rond was. Er was niets aan de hand, integendeel, er was alleen maar reden voor veel optimisme.

Nu eist hij opheldering. 'Ik accepteer als feit dat jij inspanningen en prestaties van anderen in jouw denken elimineert,' schrijft hij in een brief aan Nina. 'Doch wanneer dit ertoe leidt dat mijn integriteit ter discussie wordt gesteld, dan creëer je voor jezelf een probleem van enige omvang.'

Op een eerder voorstel om met Domènech en Hoogvliet om de tafel te zitten en haar kennelijke problemen met hem te bespreken, heeft ze volgens de advocaat geweigerd in te gaan. De Vries: 'Bij mij rijst het vermoeden dat je bezwaren bedacht hebt, teneinde andere doeleinden te kunnen bereiken dan die welke je had kunnen bereiken als ik over je schouder had meegekeken. Omdat ik weet hoe heftig en ongenuanceerd jij kunt reageren op het minste of geringste dat in al dan niet geverifieerde vorm tot jou komt, wil ik vooralsnog veronderstellen dat jouw gedrag op "iets" is gebaseerd, maar als ik niet weet wat dat "iets" is, kan ik ook geen stelling nemen.'[40]

De Vries wil het probleem zo spoedig mogelijk uit de wereld helpen. Zo kan het niet verder. Maar een antwoord van Nina blijft uit.

De internetonderneemster beraamt zich op een rechtszaak. Niet tegen De Vries, maar tegen uitgever Perscombinatie. Drie dagen nadat de deal met Audax en de NS zijn beslag kreeg, werd ze in het statige hoofdkantoor van Perscombinatie op de Amsterdamse Herengracht uitgenodigd. Daar kreeg ze te horen dat de uitgever geen investering zal doen in haar internetbedrijf. Vanwege de overname van de Nederlandse Dagbladunie is voor een onbepaalde periode een investeringsstop afgekondigd.

Het nee van Perscombinatie was een klap. Nina had er vast op gerekend dat het bedrijf aandeelhouder zou worden van World Online. Samen met de vertegenwoordigers van Audax en de NS hadden ze al een glas champagne gedronken op het succes van World Online, en waren er ook al foto's gemaakt. De contracten lagen klaar. Het enige wat nog ontbrak, waren de handtekeningen.

Nadat ze het teleurstellende bericht had aangehoord, kwamen de tranen, en waren troostende woorden haar deel. Niet lang daarna sloeg haar temperament om. 's Nachts belde ze haar contactpersoon bij Perscombinatie uit bed. Hij kreeg haar briesend aan de telefoon. Ze voelde zich belazerd en bedonderd. Het is van het begin af aan doorgestoken kaart geweest, gilde ze. Dat Perscombinatie dit flikte, was het laagste van het laagste. Haar advocaten zouden zich nu over de zaak ontfermen. Perscombinatie kon een kort geding tegemoet zien.

Bijna twee maanden later voegde ze de daad bij het woord door een van haar advocaten in de arm te nemen en hem op te dragen het uitgeversconcern te dagvaarden. De eerste World Online-rechtszaak lijkt een feit. Ze stapt ook naar de pers. Het ANP wordt verteld dat ze van Perscombinatie eist dat het zijn contracten nakomt. Het bedrijf heeft 'contractbreuk' gepleegd. Ze claimt 'schade van enorme omvang'.[41] Maar het kort geding dat zes dagen later bij de rechtbank in Amsterdam op de rol zou staan, vindt nooit plaats. Ze heeft geen zaak. De definitieve contracten tussen World Online en Perscombinatie, volgens Nina voorzien van handtekeningen, bestaan niet.

Vanuit Nederland stuurt Nina inmiddels aan op een breuk met Servicom. Ze heeft een waslijst aan klachten over het bedrijf verzameld. Het komt zijn afspraken niet na, vindt ze. Ze kan het aantonen. Ze wil dat het contract met de Spanjaarden wordt verbroken.

In Madrid wordt verontwaardigd op de geluiden uit Nederland gereageerd. Door de belangrijkste aandeelhouders, de gebroeders Ballvé, en *presidente* Pedro Schwartz. Niet door Eudald Domènech. Hij heeft inmiddels alle vertrouwen in zijn aandeelhouders en zijn belangrijkste toezichthouder verloren. Ze willen hem lozen, zoveel is hem duidelijk. Servicom maakt grote verliezen, en dat is volgens hem te wijten aan de grootaandeelhouders, die het geld van Servicom, zonder zijn instemming, op onverantwoorde wijze uitgeven. Een nieuwe investeringsronde is daardoor noodzakelijk geworden en die zal ten koste gaan van zijn belang. In Nina vindt hij iemand met een luisterend oor.

Zijn goede contacten met Nina zijn een breekpunt voor Schwartz en de gebroeders Ballvé. Het is ondenkbaar dat hij nog warme contacten onderhoudt met de persoon die volgens de Servicom-directie aanstuurt op een onrechtmatige contractbreuk. Op 20 december wordt Domènech in een vergadering met de raad van commissarissen en de aandeelhouders op staande voet ontslagen. Zonder iets te zeggen pakt hij zijn spullen en verlaat hij de vergaderzaal.

De volgende dag verbreekt Nina alle banden met de Spanjaarden. Ze heeft er tal van redenen voor, zegt ze vooraf tegen Domènech. Een ervan is dat ze zijn betrokkenheid als voorwaarde voor samenwerking had laten vastleggen.[42] Domènech, gebonden aan een concurrentiebeding in Europa, krijgt van Nina een baan aangeboden. Als hij zin heeft, mag hij World Online USA opzetten.

8 Nina on top

Vrouwelijke leiders kunnen de politieke en economische koers veranderen, en daarvan zal iedereen profiteren.
MARIE C. WILSON in het tijdschrift *Ode*, 'Het nieuwe gezicht van leiderschap', oktober 2005

De inkt van de contracten met Audax en NS Telecom is nog niet opgedroogd, of Nina gaat alweer op pad voor een volgende investeringsronde. Op grond van de toekomstige waarde van haar onderneming denkt ze dat het haar weinig moeite zal kosten nieuwe financiers te vinden. Op eigen initiatief legt ze contacten en volgen gesprekken.

Ton Soetekouw heeft bezwaren. Hij vindt op zijn minst dat ze eerst de andere aandeelhouders daarvan op de hoogte moet brengen. De opbrengsten van Nina's acties zijn volgens hem voorspelbaar: meer geld, maar ook verwarring en verwatering. Het waarschijnlijke dividend: verstoorde verhoudingen met Audax en de NS. Zijn kritiek wordt niet gewaardeerd. Nina snapt niet waar hij het over heeft, en eigenlijk snapt ze ook niet helemaal waar hij zich mee bemoeit. Hij wordt toch door haar betaald? Waarom luistert hij dan niet gewoon naar haar?

Soetekouw heeft zelf ook nog iemand gevonden die mogelijk geïnteresseerd is in een deelname in World Online. Het is een nogal opmerkelijke vondst: voormalig automatiseringstycoon Willem Smit. Soetekouw organiseert een diner met het tweetal in het Utrechtse restaurant Wilhelminapark. Hoewel Nina de uitnodiging voor een diner met haar aartsvijand zonder commentaar accepteert, wordt Soetekouw tijdens en na het gesprek duidelijk dat zijn initiatief nauwelijks door haar op waarde wordt geschat.

Nina belt hem thuis op. Soetekouw is er niet, zijn vrouw wel. Nina vertelt haar duidelijk verstaanbaar en zonder omwegen dat hij met het smakelijk bedoelde rendez-vous met Smit zijn gemankeerde inschattingsvermogen te nadrukkelijk heeft geëtaleerd. Hij had natuurlijk moeten weten dat Smit de laatste was met wie ze in zaken zou willen gaan. Daarmee is het wat haar betreft gedaan. Soetekouw is *finished*.

Via haar connecties met Audax is Nina in contact gekomen met de financieel directeur van de omroep TROS, Ruud Huisman. Huisman is net bezig om met het uitgeefconcern een joint venture op te richten om daar het omroepblad *TrosKompas* in onder te brengen.[1] Maar de laatste tijd is Huisman namens zijn omroep op verschillende terreinen ondernemend bezig. Hij heeft eerder ook al grote belangstelling getoond voor de ontwikkelingen op internet. Hij is ervan overtuigd dat dit nieuwe medium een belangrijke rol zal gaan spelen in een mogelijk commerciële toekomst van zijn omroep. Wat hem betreft zal de TROS zich snel binden aan een strategische partner.

Huismans aandacht was in eerste instantie gericht op de internetaanbieder van KPN en *De Telegraaf*, Planet Internet. Hij wilde namens de TROS een deel van de inhoud gaan verzorgen van de website van Planet. Bij grootaandeelhouder KPN waren ze wel gecharmeerd van een eventuele samenwerking met de 'grootste familie van Nederland', maar niet helemaal op de voorwaarden van de TROS-directeur. De wens van Huisman ging verder dan het simpelweg leveren van beeld- en geluidmateriaal: hij wilde een belang in de zaak. Geld om ervoor te betalen had hij ook. Er was één probleem: bij KPN werd de komst van nog een aandeelhouder die content ging leveren, niet nodig geacht.

Huisman merkt al snel dat de situatie bij World Online iets anders ligt. Van de presentatie van Nina is hij bovendien zwaar onder de indruk. Ademloos luistert hij naar haar ideeën over internet en het grote belang van content voor ondernemingen als de hare. Ze etaleert ook nog eens een groot commercieel bewustzijn en paart dat aan een ogenschijnlijk superieure doortastendheid. Wat Huisman betreft kan er geen twijfel over bestaan: inzetten op Nina is een winnende weddenschap. De TROS moet in World Online investeren.

Maar publieke omroepen zijn geen investeringsmaatschappijen. Omroepverenigingen als de TROS krijgen vele tientallen miljoenen guldens aan overheidssubsidie om programma's mee te maken. Met dat geld mogen ze niet alles doen wat het bestuur maar goeddunkt. Omroepen moeten daar radio- of televisieprogramma's van maken. Zo staat het in de wet. Een substantieel bedrag investeren in een commerciële internetaanbieder valt heel duidelijk niet onder wat de wetgever onder een omroepactiviteit verstaat.[2] Maar Huisman heeft een andere interpretatie van de wettekst en is vastbesloten de investering in World Online te doen. Vanuit de toezichthouder, het Commissariaat voor de Media, heeft hij welwillende signalen opgevangen. Ze zullen zijn investeringsplannen niet met de wet in de hand controleren.

De gedachte om commercieel te worden, heeft bij de TROS sinds de oprichting een rol gespeeld. Ruud Huisman heeft een koers uitgezet die voorziet in een stevige commerciële basis in het jaar 2000. Hij heeft het resultaat van zijn geestesarbeid de klaverbladstrategie genoemd. Niet langer zal de TROS alleen maar geld uitgeven aan radio- en televisieprogramma's, de omroepvereniging zal de beschikbare middelen ook in andere zaken investeren. In productiebedrijven waarvan de joint venture met Audax een voorbeeld is, of in nieuwe media; een internetbedrijf als World Online. Huisman moet moeite doen om het TROS-bestuur en vooral voorzitter Karel van Doodewaerd van de mogelijkheden te overtuigen, maar het lukt hem. De omroep investeert één miljoen gulden in het startende internetbedrijf en ontvangt daarvoor een belang van 10 procent. Het besluit staat daags erna in de kranten. Het Commissariaat voor de Media ziet het door de vingers.[3]

De opkomst van internet dwingt alle uitgeefconcerns en mediabedrijven na te denken over welke invloed dit nieuwe medium op hun toekomst zal hebben. De meeste uitgevers zijn ervan doordrongen dat ze dicht bij de nieuwe ontwikkelingen moeten zitten om er zicht op te kunnen houden. Bij *De Telegraaf* hebben ze daarom een belang genomen in Planet, en Audax heeft een keuze voor World Online gemaakt. PCM houdt voorlopig zijn aandacht gericht op de integratie van nieuwe aanwinst NDU en heeft de budgetruimte voor nieuwe media afgeknepen.

Bij het krantenconcern Wegener in Apeldoorn is de bekende opiniepeiler en ICT-kenner Maurice de Hond sinds het vorige jaar de grote man van de afdeling nieuwe media. Hij heeft enkele maanden eerder het boek *Dankzij de snelheid van het licht* gelanceerd, waarin hij de digitale revolutie proclameert. De bits en de bytes gaan het van de moleculen winnen, denkt hij. De Hond bezingt de grote mogelijkheden van het digitale communiceren.[4] Computers zijn zo ver ontwikkeld dat de gebruiker er onbeperkt informatie mee kan verzamelen, bewerken, opslaan en uitwisselen. Afstanden vormen geen belemmering meer, verschillende typen media – telefoon, radio, televisie, krant – zullen samensmelten. Iedere burger zal in staat zijn een boodschap uit te zenden naar een grote groep mensen. En ieder individu kan van de ander informatie ontvangen in beeld, geluid en tekst. Zonder dat je van je plek komt.

De Hond volgt het spoor van de bekende directeur van het Media Lab van het Massachusetts Institute of Technology in Boston, Nicholas Negroponte, die eerder al in zijn boek *Being Digital* de zegetocht van de bits en de bytes ten opzichte van atomen aankondigt. Het belang van het onstoffelijke digitale universum zal ten opzichte van de tastbare atomaire wereld snel toenemen. Negroponte heeft ook interessante denkbeelden over de zakelijke modellen op internet die steeds meer aan invloed winnen. Zo denkt hij dat op den duur transporteren van bits als zakelijk model weinig kans maakt. De elektronische autowegen zullen steeds breder worden en de prijzen die mensen bereid zijn om voor dat vervoer te betalen, zullen drastisch dalen. Een slim bedrijf moet volgens hem alles op alles zetten om eigenaar te worden van die bits.[5] Alleen de unieke eigen bits zullen een plek op internet het bezoeken waard maken, en hoe groter de aantallen bezoekers, des te groter de inkomsten zullen zijn. Hij is ervan overtuigd dat in de toekomst telecommunicatie- en kabelbedrijven als Qwest en MCA Communications zullen samengaan met bedrijven als Disney of Time Warner.

De ontwikkeling die Negroponte voorspelt, is te vergelijken met wat bedrijven als Philips en Sony de acht jaar daarvoor hebben gedaan door onder meer grote belangen in entertainmentbedrijven te nemen. Sony viel onder leiding van Michael Schulhof, de topman van Sony Amerika, Hollywood binnen en spendeerde ruim vijf miljard dollar aan de aankoop van CBS Records, Columbia en TriStar Pictures. Maar zijn poging om het consumentenelektronica-concern op een succesvolle manier te laten samensmelten met de entertainmentindustrie, liep uit op een kostbare exercitie. De verliezen stapelden zich in hoog tempo op en eind 1995, nadat de film *Last Action Hero* met Arnold Schwarzenegger op een enorme flop was uitgedraaid, werd Schulhof door zijn Japanse superieuren verteld dat hij beter kon opstappen.

In Nederland is het Philips-topman Jan Timmer die het in zijn hoofd heeft gehaald om een soortgelijke strategie bij het elektronicaconcern vorm te geven. Philips heeft onder zijn leiding belangen genomen in kabelbedrijven en is sinds het begin van het jaar ook belanghebbende in een commercieel televisiekanaal, Sport 7. Maar net als Schulhof heeft ook Timmer een ongelukkige hand met dit type investeringen. Vooral het jaren eerder door Timmer genomen belang in een zwaar verlieslatende keten van multimediawinkels, het Belgische Superclub, vormt geen fraai uithangbord voor zijn strategisch leiderschap.

Volgens Negroponte zal vooral de manier waarop kranten- en weekbladenuitgevers hun nieuws en verhalen verspreiden, in de nabije toekomst drastisch veranderen. Hij schetst het beeld dat journalisten hun verhalen via internet kunnen verkopen zonder dat daar eerst bomen voor hoeven worden omgezaagd en tot krantenpapier verwerkt en zonder dat er drukpersen, vrachtauto's, bezorgers en kiosken aan te pas komen. Een website is voldoende om een miljoenenpubliek te bereiken, een klik met de muis volstaat om een artikel vanaf de andere kant van de aarde voor een klein bedrag aan te kopen.

Voor Audax-oprichter en eigenaar Jacques de Leeuw biedt dat vooruitzicht nu niet bepaald het droomscenario voor zijn uitgeefconcern. Maar hij is er niet de man naar om zich de kaas van het brood te laten eten. De Leeuw is het Nederlandse voorbeeld van een krantenjongen die het tot miljonair heeft geschopt. Met het weinige geld dat hij ooit als jongeman met een sportschool verdiende, begon hij als twintiger zijn eigen uitgeverij. Vier decennia later is

Audax een bedrijf dat rond de 400 miljoen gulden omzet maakt. Het concern brengt onder meer publieksbladen voort als het societytijdschrift *Weekend* en het damestijdschrift *Vriendin*.

Een jaar eerder heeft hij het opinietijdschrift HP/*De Tijd* overgenomen, zijn eerste titel met enig aanzien in kringen van intellectuelen. Audax bezit ook een succesvolle keten van kiosken en leeswinkels, AKO. De parel in de kroon is het distributiebedrijf Betapress. Daarmee distribueert hij vrijwel alle buitenlandse kranten en een groot deel van de Nederlandse publiekstijdschriften, ook de bladen die niet van zijn uitgeverij zijn. Sinds kort verspreidt Betapress ook de starterspakketten van Planet Internet en World Online, de twee internetaanbieders die uit zijn op de hegemonie in Nederland.

De Leeuw staat bekend als een keiharde zakenman die graag op de bagagedrager van zijn concurrenten springt. De Brabander is een geslepen copycat. Zodra rivalen veelbelovende plannen naar buiten brengen voor de lancering van een nieuwe titel, doet Audax dat ook, met precies zo'n soort titel. Confrontaties schuwt hij niet. 'Een koopman is voor niemand bang,' vindt De Leeuw. *Vir audax vir beatus est*, luidt zijn lijfspreuk in het Latijn – de stoutmoedige leeft gelukkig. Hij draait er zijn hand niet voor om de grenzen van de wet uitdagend te verkennen en hier en daar bewust te overschrijden.[6]

De Leeuw is ondanks zijn harde manier van zakendoen een man die zegt dat hij zijn personeel als een grote familie beschouwt. De Audacieden noemt hij ze. Maar de warmte van zijn persoonlijkheid heeft geen onbeperkte reikwijdte. De Leeuw is het type ondernemer dat zich graag en veelvuldig met de kleinste details bemoeit en een grote persoonlijke loyaliteit van zijn medewerkers eist: wie niet voor hem is, is tegen hem. Op schaarse momenten van reflectie komt hij ervoor uit dat hij over het algemeen meer vertrouwen heeft in zijn hondjes, de shizu's Huppie en Silly, dan in de mensen om hem heen. Zijn hondjes vergezellen hem overal waar hij gaat. Ook in de sterrenrestaurants die hij bezoekt is het harige tweetal een bekende vertoning. Bij zijn tafel worden altijd twee kleine stoeltjes bijgezet, zodat Huppie en Silly van een zilveren schaaltje een bolletje vanille-ijs kunnen likken. Hun lievelingsgerecht.[7]

De Leeuw heeft nog niet helemaal een idee waar het in de uitgeverswereld in de toekomst naartoe gaat, maar hij is ervan overtuigd dat internet daarin een grote rol gaat spelen. Het lijkt hem niet meer dan logisch dat de gedrukte media door internet onder druk zullen komen te staan. Maar in plaats van zich ervoor te verbergen, omarmt de Brabander het gevaar. Hij wil dicht op de ontwikkelingen zitten, om te zien wat voor dreiging en wat voor mogelijkheden het nieuwe medium biedt. De investering in World Online past precies in die zienswijze.

De Leeuw en zijn rechterhand Hans Harmsen hebben dankzij Nina ook al enige tijd contact met de voormalige diskjockey Adam Curry, die al jaren in

New York werkt en daar na zijn vertrek bij het muziekkanaal MTV in 1994 on-middellijk een internetbedrijf is begonnen: On Ramp. Curry en zijn mensen bouwen websites voor bedrijven die zich op het wereldwijde web willen presenteren.

Curry heeft De Leeuw geïnspireerd met een dagelijkse 'gossippagina' op internet. Dagelijks wordt daar 200.000 keer op geklikt. Mensen die de pagina van Curry bezoeken, hoeven er niet voor te betalen, maar dat zal volgens de uitgever van *Weekend* in de toekomst wel anders worden. Hij ziet het zelf ook wel zitten om een 'actuele roddelpagina' te beginnen.[8]

In de wereld van internetaanbieders zijn er ook velen die helemaal niets zien in het grootschalig aanbieden van informatie en entertainment op een eigen website. Ze zien dat de meeste mensen die zich op internet begeven, zich weinig tot niets aantrekken van de site van hun provider. Sterker, dat is precies wat een surfer op internet juist kenmerkt – hij laat zich door niets of niemand weerhouden om wat voor site dan ook te bekijken. Waarom zou een internet-aanbieder dan veel geld moeten investeren in een redactie om eigen nieuws en verhalen te maken, terwijl die overal te bekijken zijn? De essentie van het zakelijke model van een internetaanbieder is nu eenmaal niets meer en niets minder dan het aanbieden van toegang tot internet. Daar moeten de bedrijfs-activiteiten zich volgens die groep van meer op techniek gerichte aanbieders dan ook toe beperken, en daarin moet het bedrijf zich zien te onderscheiden.

Het bedrijfsmodel van een internetaanbieder ligt hoe dan ook dicht tegen de activiteiten van telefoonbedrijven aan. De dienst maakt met een andere technologie gebruik van dezelfde netwerken waarover telefoongesprekken lopen. In feite nestelen de aanbieders zich op de bestaande netwerken van telecom- of kabelbedrijven. In Nederland zijn de kabelbedrijven en KPN de enige partijen die hun netwerk tot in de huiskamer van de consument hebben liggen. Maar de kabelaars hebben hun netwerken nog niet geschikt gemaakt voor internetverkeer. Dat betekent dat iedere internetaanbieder in Nederland genoodzaakt is zijn klanten via het netwerk van KPN te bereiken.

De uitgestrektheid van het netwerk en de kwaliteit ervan spelen een belangrij-ke rol bij de strijd om de gunst van de consument. De essentie voor World On-line, dat net als Planet Internet een grote speler in Nederland wil worden, is: landelijke dekking. Dat heeft alles te maken met de hoge telefoonkosten die KPN rekent. Een uur interlokaal bellen kost overdag meer dan 11 gulden per uur. Buiten de piekuren is dat de helft. Lokaal bellen kost overdag ongeveer 3,50 per uur, 's avonds de helft. Mensen die een internetabonnement nemen van 35 gulden per maand, willen niet ook nog eens met torenhoge interlokale inbelkosten worden geconfronteerd. Wie internettoegang wil verschaffen, moet zijn klant de gelegenheid bieden lokaal in te bellen. Juist daarom zijn ook overal in het land bedrijfjes begonnen met het lokaal aanbieden van internettoegang.

Een bedrijf met landelijke ambities moet dus overal in de regio aanwezig zijn, en dat betekent dat er een fijnmazig netwerk van inbelpunten moet worden uitgerold. Dat is een prijzige en tijdrovende klus. Bij concurrent Planet nam het bijna een jaar in beslag om vanaf de start van de onderneming het landelijke netwerk operationeel te krijgen. Planet had daarbij het voordeel van grootaandeelhouder KPN. Bij World Online hebben ze pas sinds de deal met de NS en Audax in september een voorzichtige aanvang met de werkzaamheden gemaakt. In het begin waren daar de mensen van Servicom nog bij betrokken. Inmiddels heeft World Online een eigen team van technici dat, mede dankzij de overname van een kleine internetaanbieder uit Dordrecht, groter is geworden.

Het glasvezelnetwerk van de NS biedt een enorme capaciteit en de NS wil dat graag opvullen met betalende klanten. World Online is er een van, en meteen de belangrijkste. Het spoortracé waar de kabels langs lopen, heeft nagenoeg een landelijke dekking. Er zijn witte vlekken, maar die liggen in dunbevolkte gebieden die sowieso minder interessant zijn.

Die landelijke dekking wil de NS maximaal benutten door er zo veel mogelijk internetverkeer over te laten lopen. De NS wil zo veel mogelijk internetaanbieders op zijn glasvezelkabels hebben, en ontwerpt het netwerk zo dat ze maximale aantallen onderdak kunnen bieden. Er wordt hard gewerkt om voor World Online in elk telefoongebied in Nederland op een NS-station een zogenoemd point of presence (PoP) te installeren, een lokale toegangspoort tot internet. World Online geniet daarbij van het voordeel dat NLnet, de eerste en grootste internetaanbieder van Nederland, al bijna een compleet landelijk netwerk via de NS heeft geïnstalleerd. Het technisch personeel van de NS is door de mensen van NLnet opgeleid en heeft al tientallen PoP's geplaatst.

NLnet beschikte als eerste over een werkend landelijk netwerk van inbelpunten. Nina had toen al haar oog op het bedrijf laten vallen. Ze had vernomen dat het de grootste internetaanbieder van Nederland was. En de beste.

In tegenstelling tot World Online had NLnet geen strategische investeerders als Audax of de NS achter zich staan. Het bedrijf was gestructureerd in enkele bv's met daarboven een stichting, voor 90 procent eigenaar van de aandelen van de holding. De organisatie zelf bestond uit een verzameling bevlogen wiskundigen en natuurkundigen die gepassioneerd met computertechnologie en internet bezig waren, wetenschappers met een sterke drang om het elektronisch communiceren naar een hoger plan te tillen. Ze hadden geen ambitie om veel geld te verdienen en ook geen belangstelling om op een gelikt vormgegeven website amusante content aan te bieden. Het aanbieden van toegang tot internet was voor hen in de eerste plaats een missie met een hoger doel: de bevordering van de communicatie tussen mensen in het algemeen en wetenschappers in het bijzonder. Hun kicks haalden ze vooral uit techniek. NLnet was bovendien de eerste internetaanbieder van Nederland – ook dat was iets om trots op te zijn. Vanzelfsprekend stond het bedrijf wat de kwaliteit van zijn netwerk betreft op eenzame hoogte. Het was tenslotte opgezet door de briljantste mensen die op dat gebied in Nederland waren te vinden.

De nerds van NLnet beschikten ook over een ego. Ze wilden tonen dat ze nog steeds de slimsten en de besten waren. Noblesse oblige, zonder dat dit nu per se in de kranten of bladen opgeschreven moest worden of in opties en aandelen werd vertaald. Erkenning en waardering binnen de internationale gemeenschap van gelijkgestemden, daar was het hun meer om te doen.

Hoewel NLnet in aanleg commercieel was, vormde geld de bijvangst. Toch wilde ook NLnet zich op een gepaste manier profileren. Het had daartoe net de zin 'Het internet in Nederland' als wervende slogan in gebruik genomen. Het zinnetje gaf precies weer waar Nina haar vizier op had scherpgesteld.

Ted Lindgreen, een van de oprichters van NLnet, had van haar een telefonische uitnodiging gehad om eens te komen praten. De al jaren in Nederland woonachtige Amerikaan had haar daarop uitgenodigd naar het onderkomen van NLnet in het Sciencepark in de Watergraafsmeer te komen. Nina kwam alleen. De ontmoeting bleef bij een korte kennismaking. Ze nodigde Lindgreen en zijn partners uit om naar het kantoor van World Online in Naarden te komen en daar verder te praten. Toen Lindgreen zich begin oktober in Naarden meldde, raakte hij onder de indruk van de fraai uitgevoerde balie en de schoonheid van de receptioniste. Ook het kantoor van Nina kwam hem tamelijk luxueus voor. Zelf was hij een soberder werkomgeving gewend.

Tijdens het gesprek dat volgde, bleek Nina weinig tijd nodig te hebben om haar belangstelling voor NLnet duidelijk te maken. Ze wilde het bedrijf kopen, voor de volle honderd procent.

Dat was voor Lindgreen het moment om de kamer even te verlaten, om even zijn handen te gaan wassen. Tijdens zijn korte wandeling door de gangen van het gebouw viel hem op dat het pand maar ten dele in gebruik was. Terug in de kamer van Nina kregen haar avances een extra lading. 'We nemen jullie over of we maken jullie kapot,' luidde de korte mededeling van de frontvrouw van World Online.⁹ Lindgreen wimpelde de belangstelling beleefd en gedecideerd af en reed weer terug naar zijn spartaanse werkplek in de Amsterdamse Watergraafsmeer, intussen met verbazing terugdenkend aan het voortvarende zakelijke voorstel van de deftig geklede dame.

Hij merkte al snel dat zijn besluit niet zonder gevolgen bleef. De NS maakte resoluut een einde aan de nauwe samenwerking die tot dan toe met NLnet had bestaan. Voor de Amsterdammers voelde het als een geluk dat ze de afspraken met de Spoorwegen in betonnen contracten hadden gegoten, zodat ze de eerste vijf jaar niet hoefden te vrezen dat ze niet langer van de faciliteiten en het glasvezelnetwerk gebruik mochten maken.

Voor World Online betekent het nee van Lindgreen dat het samen met de NS aan de uitrol van nog een PoP-netwerk moet beginnen. Net als NLnet krijgt World Online in de schakelruimtes op de stations, waar de informatie over het treinverkeer binnenkomt, een afgeschermde kast waarin het de apparatuur kan installeren. 's Nachts, wanneer het treinverkeer stilligt en de stations verlaten zijn, worden daar door de technische mensen van de NS en World Online de modembanken geplaatst, apparaten die met dertig modems zijn uitgerust en waarop een telefoonlijn van KPN is aangesloten. De abonnee kan nu op een lokaal nummer inbellen om zo aan zijn surftocht te kunnen beginnen.

Die toegangspoort is dus beperkt van omvang. Bellen er meer dan dertig mensen, dan zal de 31ste beller de ingesprektoon te horen krijgen. Die moet dan net zo lang terugbellen tot iemand zijn surfsessie heeft beëindigd. In grotere steden wordt daarom de capaciteit verdubbeld, en staan er twee modembanken klaar.

De schakelkamers op de stations zijn via het netwerk van de NS verbonden met een centrale plek in Utrecht. In een kleine kamer in het hoofdkantoor van de NS staan de webservers, de mailservers en andere computers van World Online op tafels te draaien. Op die computers draait ook de website van World Online. De rest van het wereldwijde web wordt bereikt via het bekende knooppunt in de Watergraafsmeer: de Amsterdam Internet Exchange.

Het belangrijkste van de uitvoering is de snelheid. Er moeten zo veel mogelijk klanten worden binnengehaald, dus moet het netwerk van PoP's zo snel mogelijk klaar zijn. Meer klanten, de grootste worden – dat is waar bij World Online alles om draait.

Een van de partners bij het opzetten van het netwerk is het Amerikaanse PsiNet. Ze leveren de technologie en de specialistische kennis aan waarmee de NS en World Online het netwerk optuigen. Nina heeft het Amerikaanse bedrijf ook kunnen bewegen de banden nog wat verder aan te halen. Ze is naar Amerika gevlogen en heeft daar de belangrijkste man van het bedrijf van haar grootse plannen kunnen overtuigen. Net als Audax, NS en de TROS wordt PsiNet een investeerder in World Online.

PsiNet is opgericht door ene William ('Bill') Schrader en is een van de oudste internetbedrijven ter wereld, bijna net zo oud als NLnet. De bedrijven wijken niet veel van elkaar af, dat wil zeggen: ook PsiNet levert toegang tot internet. Maar in tegenstelling tot Lindgreen en partners heeft Schrader een agressieve commerciële expansiestrategie. Schrader heeft de logge, machtige en arrogante Amerikaanse telefoonmaatschappijen de oorlog verklaard. Het liefst wil hij ze een lesje leren door zelf de grootste te worden.

Hoewel hij razend commercieel is en daarmee in feite het idealistische karakter van de vroege internetgemeenschap overboord heeft gekieperd, wordt Schrader algemeen beschouwd als een van de ware internetvisionairs, iemand met een haast religieuze overtuiging van de mogelijkheden van internet en de rol die zijn bedrijf daarin zal spelen.[10] Hij wil dat internet zich commercieel kan ontwikkelen en verschoond blijft van overheidsinvloeden of de 'terreur' van de telefoonmaatschappijen die wereldwijd de telecommunicatienetwerken bezitten. Daarom bouwt zijn PsiNet sinds 1989 aan het publieke deel van internet.

Schrader staat ook bekend als een onconventionele, uit de heup schietende CEO, die zich weinig door anderen laat vertellen. Zonder enige terughoudendheid bekritiseert hij in de pers zijn grootste concurrenten, maar ook zijn leveranciers en partners. Eerlijkheid en openheid is waar het Schrader om gaat. Zeggen waar het op staat. Het wordt hem bepaald niet altijd in dank afgenomen. Criticasters noemen hem roekeloos of dwaas. Schrader is inderdaad iemand die ver voor de troepen uit loopt, en voor de ontwikkelingen. Als er onderhandelingen gaande zijn over een samenwerking, is Schrader in staat om in de pers te roepen dat de deal al rond is.

Zijn zelfbewustzijn is omgekeerd evenredig aan de cijfermatige prestaties van zijn bedrijf. PsiNet, dat een jaar eerder naar de beurs is gegaan, heeft in 1995 bij een omzet van 35 miljoen dollar 58 miljoen dollar verlies geboekt. Toch kan het bedrijf in de ogen van de beleggers weinig fout doen. PsiNet vormt geen uitzondering. Steeds meer verlieslijdende bedrijven vinden onder toejuichingen van zakenbankiers, analisten, investeerders en beleggers hun weg naar de Nasdaq.

Netscape is daarbij het grote voorbeeld. De beursgang van dat bedrijf heeft op Wall Street en ver daarbuiten iets ongekends in gang gezet. Ook Netscape boekt nog steeds verliezen. Dat is ook niet gek, het bedrijf bestaat pas anderhalf jaar en bevindt zich feitelijk nog in de opstartfase. Er kan dus nog van alles misgaan, zeker sinds het grootste softwarebedrijf op aarde, Microsoft, heeft aangekondigd zich op de browsermarkt te gaan richten.

Sommige professionele beleggers en een deel van het beleggende publiek laten zich daardoor niet afschrikken. Begin december staat het aandeel Netscape op 174 dollar, waardoor het bedrijf 7 miljard dollar waard is geworden. Het belang van oprichter Jim Clark vertegenwoordigt op dat moment 1,6 miljard dollar, dat van zijn partner Andreessen 174 miljoen.

Voor Clark is geld het enige wat telt. Hij komt daar ook openlijk voor uit, op een manier die Europeanen alleen van Amerikanen kennen. Clark: 'Business is about making money and money better be the top objective. It is for me. I grew up poor and I've learned that money can make you a lot happier.'[11]

De serieondernemer heeft inmiddels het plan opgevat de grootste en modernste eenmaster ter wereld te laten bouwen. Het zeilschip moet 47 meter lang worden, en er komt een mast op van 58 meter. Clarks mast zal de langste zijn die ooit voor een sloepgetuigd jacht is vervaardigd, en het grootzeil dat er straks in wordt gehesen, zal het grootste zijn dat ooit is gemaakt. Ook zal het schip vol worden gestopt met Silicon Graphics-computers en allerhande elektronica en mechanica. Clark wil namelijk dat zijn nieuwste speeltje volledig automatisch te besturen is. Op afstand. De dollarmiljardair wil in staat zijn om via een internetverbinding vanaf zijn bureau het schip rond de wereld te laten varen. Waarom? Gewoon, om te laten zien dat hij zoiets voor elkaar kan krijgen.

Daar blijft het niet bij. De lange Texaan wil in zijn project ook nog eens het vakmanschap van de oude wereld laten samensmelten met de hightech van Silicon Valley. Die symbiose moet op Nederlandse bodem worden verwezenlijkt, in Vollenhove. In dit provincieplaatsje, nog geen anderhalf uur rijden van Amsterdam, is een beroemde jachtenbouwer, Royal Huisman Shipyard, gevestigd.

Clark wil op een feestelijke manier zijn plannen officieel openbaar maken en heeft daarom op de werf van Huisman een borrel en een diner georganiseerd. Hij is in zijn Gulfstream v naar Amsterdam komen vliegen en van daaruit via Flevoland en de Noordoostpolder naar de werf van Huisman gereden. Hij heeft een indrukwekkende maquette van zijn gedroomde zeilschip laten maken en op de werf tentoongesteld. Het schip moet Hyperion gaan heten.

De Amsterdammer Michiel Frackers, een van de oprichters van Planet Internet, loopt ook op de werf rond. Twee jaar eerder had hij als werkloze communicatiedeskundige het plan voor een landelijke internetaanbieder. Hij heeft net namens Planet een deal met Netscape gemaakt om hun browser aan de abonnees te leveren. Hij is uitgenodigd om in Vollenhove aanwezig te zijn. Clark zal daar zijn handtekening onder het jaarcontract met Planet zetten.

Nina is er ook. Frackers kent haar slechts van horen zeggen. Vooral bij haar vroegere achternaam, Aka. Hij weet natuurlijk dat zij de vrouw is achter World Online, zijn belangrijkste concurrent. Hij bekijkt haar met enige nieuwsgierigheid. Van bekenden uit de computerindustrie weet hij dat zijn opponente, hoewel klein van stuk, bepaald geen poesje is dat zonder handschoenen aangepakt kan worden. Hij heeft gehoord dat ze niet met zich laat sollen en dat ze de gang naar de rechter al vele malen heeft bewandeld. Bij het diner probeert Frackers oogcontact te maken. Tevergeefs. Daar laat hij het bij.

Na afloop blijft de Planet-oprichter nog even om de Amerikaan te bedanken voor het diner. Clark informeert meteen wat Planet volgend jaar gaat doen, of ze dan opnieuw met Netscape in zee gaan. Frackers zegt het niet zeker te weten. Microsoft is met zijn browser Explorer agressief de markt op gegaan. Ze bieden, in tegenstelling tot Netscape, de software gratis aan en zijn ook nog eens bereid een miljoen gulden aan advertentiewaarde cadeau te doen, op voorwaarde dat Planet dan geen zaken doet met Netscape. Maar de kwaliteit van Explorer is inferieur en voldoet niet aan de eisen van Planet. 'Als jullie het niet doen, dan doet World Online het wel,' had de verkoper van Microsoft hem nog gezegd. En Frackers had Clark al eens horen zeggen dat Netscape door America Online aan de kant was gezet voor Microsoft. 'Maar,' zegt Frackers tegen de Netscape-oprichter, 'als Microsoft beter wordt en gratis blijft, terwijl we jullie moeten betalen, dan weet ik het nog niet.'

De woorden van de Planet-oprichter hebben een brisante uitwerking op de tot dan toe vriendelijke Amerikaan. Hij loopt rood aan en laat zijn lange gestalte richting Frackers overhellen. 'Don't you fuck us over like AOL did,' blaft Clark van dichtbij in het gezicht van de verbouwereerde Amsterdammer terwijl hij een vinger in zijn borst prikt. Clark begint over het bedrijf van Gates te fulmineren. Het zijn 'enge fascisten', ze zijn 'evil'.[12] Ze zijn eropuit om Netscape kapot te maken en schuwen daarvoor geen enkel middel. De onervaren Frackers denkt dan nog dat de Texaan niet goed bij zijn hoofd is, of op zijn minst door paranoïde waanvoorstellingen wordt geplaagd.

In tegenstelling tot Planet besluit World Online wel om de browsersoftware van Microsoft aan zijn abonnees te leveren. Hoewel Nina haar bewondering voor het ondernemerschap van Clark geregeld heeft laten blijken, kiest ze toch voor het aanbod van de softwarereus uit Seattle.

Begin mei, wanneer Servicom vanwege de door Nina gebroken afspraken in een kostbare juridische procedure met World Online verwikkeld is geraakt,[13] biedt World Online officieel zijn diensten aan als 'landelijke' internetprovider. De eerste abonnees werden een maand eerder al met internet verbonden, dus de nieuwigheid is er al een beetje af. De vreugde bij World Online-personeel is er niet minder groot om, nu het bedrijf officieel zijn start beleeft. Iedereen heeft er hard aan gewerkt. Vooral de mensen van de techniek. Zij hebben met behulp van de nieuwe investeerders PsiNet en de NS de ruggengraat van het bedrijf geconstrueerd.

Nu kan de marketingmachine gaan lopen. In een zakenblad vertelt Nina dat de organisatie op poten staat en de PoP's overal in het land zijn geïnstalleerd. De landelijke dekking is volgens Nina een feit. Ze vertelt het zakenblad hoe verrukt ze is als ze 's ochtends vroeg vanuit haar huis in Brasschaat voor het eerst een internetverbinding tot stand laat komen. 'Ik heb toen onmiddellijk naar de zaak gebeld,' zegt ze tegen de journalist. 'Ik was euforisch. De jongens op de zaak ook.'[14]

Maar hoe hard de technici ook hebben gewerkt, de landelijke dekking is nog lang geen feit. De concurrentie weet dat ook. Bij Planet wordt intern smalend gesproken over de 'vaporware' van World Online, een term die afkomstig is uit de computerindustrie en bedacht is om de premature of loze aankondigingen van nieuwe softwareprogramma's belachelijk te maken. Maar hoewel Nina dingen roept die haar bedrijf nog niet hard kan maken en daarom door het Planet-personeel wordt bespot, wordt de start van World Online bij Planet onmiddellijk gevoeld. De aanwas van nieuwe abonnees vlakt af. Bij Planet is iedereen er goed van doordrongen dat de strijd is begonnen.

De verheviging van de concurrentie heeft ook op het distributievlak invloed. Veel van de internetstarterspakketten – de *user kits* – worden via de detailhandel verkocht, vooral door bladen- en tabakswinkels, waar de doosjes met de software en documentatie vaak op de toonbank staan. Planet laat zijn pakketten naar de winkels brengen door bladendistributeur Betapress, een onderdeel van Audax. Vanzelfsprekend worden de starterspakketten van World Online ook door Betapress verspreid. Bij Planet merken ze dat verouderde pakketten niet goed worden teruggehaald en veel courant product in het verzendhuis blijft staan. Wanneer Planet aankondigt dat het in juni nieuwe starterspakketten wil verspreiden met de jongste Netscape-browser, laat Betapress weten dat dit pas in augustus kan. Dat is het moment waarop het management van de internetaanbieder besluit zijn contract met Betapress op te zeggen en voortaan op de distributiekracht van aandeelhouder *De Telegraaf* te vertrouwen.

De lancering van World Online gaat gepaard met flinke marketinginspanningen. Er wordt veel in bladen en kranten geadverteerd en dat levert een stroom aan nieuwe klanten op. De aanvragen moeten voor het grootste deel door het callcenter van het bedrijf worden verwerkt. In het pand in Naarden is daarvoor op de begane grond, naast de bedrijfskantine, plek vrijgemaakt. De ruimte is beperkt en er zijn in eerste instantie slechts een tiental werkplekken gecreëerd. Niet voor elk nieuw personeelslid is onmiddellijk een bureau beschikbaar. Buiten lunchtijd om worden in de kantine tafels en stoelen door het snel in aantal toenemende callcenterpersoneel in bezit genomen.

In het callcenter moet het meeste nog worden uitgevonden. Zoals de systematiek van het afhandelen van telefoongesprekken. Er zitten mensen die de telefoon aannemen en met de hand aanvragen noteren. Dat is het. Er is nog niet eens een begin van een geautomatiseerd systeem waarmee de aanvragen kunnen worden afgehandeld. Er is zelfs geen bandje met een welkomsttekst, voor als alle lijnen bezet zijn.

Het zijn typisch dingen die bij een snelgroeiend, startend bedrijf kunnen mis-gaan. En er is nog een extra moeilijkheidsgraad in het spel: er wordt iets aan de man gebracht dat nog nooit eerder op die schaal is verkocht, toegang tot internet. Er is onwetendheid bij de eigen medewerkers, en er is nog veel meer onwetendheid bij nieuwe abonnees. Bij het installeren van de software gaat geregeld iets mis. Daar is door het bedrijf nauwelijks rekening mee gehouden. De technici die de infrastructuur hebben opgezet, hebben de gevolgen van de toeloop aan abonnees in termen van de belasting van het netwerk tot ver achter de komma becijferd, maar over het ontwikkelen van programma's om de klanten goed te verwerken en te bedienen, is niet nagedacht. Zo is er geen geautomatiseerd systeem voorhanden waarmee bepaalde vragen en klachten van klanten worden verzameld. Vaak voorkomende klachten wor-den niet geregistreerd, dus niet herkend. De verwerking en afhandeling ge-beurt handmatig, met klachten die op velletjes papier staan genoteerd. En heel vaak zijn het dezelfde soort klachten.

Abonnees hebben ook nog geen klantnummers, waardoor bij de admi-nistratie een en ander scheefloopt. Klanten worden herkend aan hun bankre-keningnummer. Maar als er eens via een andere rekening wordt betaald, wordt die transactie niet herkend als horend bij die klant. Er liggen daarom stapels onverzonden abonnementsbevestigingen die niet met betalingen kunnen worden gematcht.

De communicatie tussen marketing, callcenter en techniek verloopt dus nog niet vlekkeloos. Bij de marketingafdeling is het begrip van de diensten die World Online technisch in staat is te leveren, nogal beperkt. Er worden in ad-vertenties en brochures zaken aangeprezen die het bedrijf nog helemaal niet kan leveren. In veel gevallen is er van tevoren niet goed gesproken over wat in de advertentie moet staan, en vaak is er helemaal niet over gesproken. De lei-ding van het callcenter is dan niet op de hoogte gebracht van een aankomende piekbelasting, en de afdeling die zich met de orderwerking bezighoudt en er-voor moet zorgen dat de abonnees ook werkelijk een aansluiting krijgen, tast op zulke momenten over de nieuwe actie in het duister. Zelf 's ochtends in de krant kijken om te zien wat er die dag op het programma staat, laat de eerste onzekerheid verdwijnen. De medewerkers krijgen bij lastige vragen van klan-ten, zoals over de dekking van het netwerk, de opdracht om over de capacitei-ten van het bedrijf te liegen.[15]

Bij de discussies die ontstaan, blijken er nogal wat World Online-medewer-kers te zijn die eigenlijk niets van internet af weten. De meesten werken er ook pas enkele maanden, weken of dagen, en zijn uit alle mogelijke hoeken en gaten van de arbeidsmarkt komen toestromen.

Aan de andere kant is internet ook voor de klant nog nieuw. Hij is onwe-tend over wat technisch wel en niet kan, en hij is in de meeste gevallen al blij wanneer de aansluiting een feit is en hij eindelijk over het web kan surfen. Om de kenniskloof wat te kunnen dichten, heeft World Online een afstudeerproject omarmd van een aantal studenten van de Haarlem Business School. De studenten willen een rijdend opleidingsinstituut voor internet opzetten, zodat bedrijven en instellingen in eendaagse workshops kunnen leren omgaan met het nieuwe medium. Ze hebben daartoe een oude touringcar laten ombouwen tot een leslokaal. Het kostbaarste deel, de computerapparatuur, wordt door een bekende distributeur van automatiseringsproducten geleverd: A-Line.[16]

De zakenvrouw die dit geheel vanuit haar kamer op de tweede verdieping bestiert, heeft zelf ook weinig inhoudelijke kennis van wat ze nu eigenlijk verkoopt. Dat had ze niet toen ze vanuit een klein pand in Scheveningen halfgeleiders per telefoon verkocht, en ze heeft het ook niet nu ze internet aan de man brengt. Ze kan het nauwelijks opbrengen om zich in technologie te verdiepen. Eigenlijk heeft Nina een hekel aan computers. En ze doet weinig moeite om haar afkeer van toetsenborden, werkstations en beeldschermen voor haar omgeving te verbergen. Slechts met veel inspanning slaagt ze erin een computer te bedienen. Ze heeft er het geduld niet voor. Navigeren over het wereldwijde web? Het is niet aan haar besteed. Ze kijkt liever eventjes hoe anderen het doen.

Mooie websites – de websites van World Online bijvoorbeeld – maken wel iets bij haar los. Ook de rekken met zoemende en blazende computers met flikkerende lampjes vindt ze interessant. Ze kan er, tot verbazing van menig personeelslid, overtuigend een vlammend verhaal over vertellen. Vooral tijdens rondleidingen van zakenrelaties. Zelfverzekerd haalt ze daarbij technische termen aan die ze in gesprekken met haar mensen of elders heeft opgevangen en ze lardeert haar verhaal met de grote commerciële belofte van de onlinewereld. Nina neemt haar gasten vaak aan de arm mee naar de technische afdeling en stelt ze aan de daar werkende mensen voor, ook wanneer de betreffende techneut een baard van enkele dagen heeft staan en een zure lucht van oud zweet verspreidt. Nina laat merken dat ze trots is op wat er door haar mensen wordt gepresteerd. Ze zijn volgens haar de besten die er in Nederland rondlopen.

Het personeel waardeert de houding van Nina, die van tijd tot tijd complimenteus kan zijn. Toch zijn er ook mensen die desondanks grote moeite hebben met de manier waarop ze leidinggeeft. Een bemoedigend klopje op de schouder kan een dag later alweer vereffend worden met een sissend 'You shit!'[17] Nina is autoritair en impulsief. Het is haar bedrijf, en voor haar is de logische consequentie daarvan dat je naar haar luistert en haar gehoorzaamt. Als ze onaangekondigd belangrijke mensen achter hun beeldschermen wegplukt en mee op reis neemt, moet de verantwoordelijk manager daarmee leren omgaan, vindt ze. World Online bevindt zich midden in de wereld van de supersnel groeiende bedrijven. World Online ís een supersnel groeiend bedrijf. Elke dag kan alles weer anders zijn. Wie die flexibiliteit niet heeft of de snelheid niet kan bijhouden, moet misschien maar eens naar een rustiger baantje solliciteren.

Fases die overzichtelijk lijken, worden afgewisseld met momenten van totale organisatorische verwarring. Ondanks die permanente staat van wanorde is er voor iedereen een duidelijk punt van referentie: Nina. Van 's ochtends vroeg tot 's avonds laat. Het kan voorkomen dat iemand haar niet weet te vinden, maar andersom is die kans verwaarloosbaar klein. Nina is een en al energie en ambitie en iedere zenuw en vezel in haar lijf is erop gericht om alles op ieder moment te kunnen controleren. Zelfs in de tandartsstoel heeft ze haar belangrijkste managementinstrument, haar telefoon, binnen handbereik. En er is geen moment of plek denkbaar waarop ze het ding niet zou gebruiken waarvoor het bedoeld is.

Nina belt, Nina betaalt, Nina bepaalt. Nina schoffeert en Nina scheldt. Zij is dé manager, zij controleert. Iemand die voor haar werkt, moet vooral doen wat zij opdraagt, anders volgen ruzies en sancties. Gehoorzaamheid, volgzaamheid en loyaliteit zijn kwaliteiten die bij Nina hoog in aanzien staan. Meer dan de competentie om een organisatie op een efficiënte en effectieve manier te leiden en te laten groeien.[18]

Nina gaat zelf voorop in de strijd. Er is niemand die harder werkt dan zij. Dat inspireert het overwegend mannelijke personeel ook. Ze creëert chaos en angst, maar zweept de boel tegelijkertijd als geen ander op. Dat kleine vrouwtje dat in de kantine opvalt omdat ze snel overal tussendoor glipt en bij de kassa voordringt, dat dametje... wat die allemaal niet voor elkaar weet te krijgen bij grote bedrijven en bekende ondernemers – het is moeilijk om geen ontzag voor haar hebben.

Maar voor mensen die vaak met haar in contact komen, haar assistenten en de leidinggevenden, is het ook moeilijk om niet met haar in conflict te komen, of niet volkomen door haar te worden geclaimd. Door de draaideur van het pand in Naarden verdwijnen met grote regelmaat lieden die het gevoel hebben dat ze worden verpletterd. Of mensen die simpelweg na verloop van tijd door Nina als stom, lui of 'useless' worden bestempeld en niet meer terug hoeven te komen.[19]

Per saldo dijt het personeelsbestand van het snelgroeiende bedrijf natuurlijk uit. Met name bij de afdeling sales, het callcenter en de redactie, waar de zo belangrijke content voor de site wordt geproduceerd. Aan de top van World

Online heeft Nina naast haar René Bickel geïnstalleerd als haar rechterhand. Bickel heeft zes jaar voor de automatiseringstak van Maurice de Honds Bureau Interview gewerkt en is daarna jarenlang marketingadviseur geweest bij grote IT-bedrijven.

Bickel is geen techneut, maar hij weet veel van soft- en hardware af en beschikt over een goed netwerk. Hij kan ook goed luisteren en toont grote bereidvaardigheid. Hij heeft als eerste officiële directeur van World Online de start van het bedrijf begeleid en met verwondering staan kijken hoe Nina de middelen en mensen van A-Line voor World Online begon in te zetten. De grenzen tussen wat van A-Line is en wat bij World Online hoort, zijn hem nog niet helemaal duidelijk. In de nieuwe Engelstalige imagobrochure van A-Line staat bijvoorbeeld dat het bedrijf 'one step ahead of the market' is door zijn actieve deelneming in World Online. Het internetbedrijf is zogezegd een 'spin-off' van A-Line.[20] Veel tijd om daarover na te denken heeft Bickel niet. Hij moet alle moeite doen om het tempo van Nina bij te houden.

Ongeveer op hetzelfde moment als Bickel is de financiële man Paul Brouwer binnengekomen. Hij is een dertiger die voor zijn aanstelling bij World Online als accountant vijf keer van baan is gewisseld. Hij weet dat zijn werk overzichtelijker en aangenamer wordt naarmate hij er beter in slaagt om Nina van het belang van financiële prudentie te overtuigen.

Iemand anders die steeds vaker in de nabijheid van Nina wordt gezien, is salesmanager Eric Tolsma. Hij is eerder door een oude studievriend van Getronics naar A-Line gehaald. Bij het bedrijf van Nina's eerdere aartsvijand was hij op een dood spoor beland. Hoewel sommige collega's daar anders over denken, lijkt hij bij World Online helemaal zijn draai te hebben gevonden.

De opdracht voor het management is eenvoudig: Nina gaat het vooral om groei. Snelle groei. Eind mei kondigt Planet Internet aan dat het eind dat jaar 60.000 abonnees denkt te hebben. Nina haast zich om hetzelfde te doen. Twee dagen later voorspelt ze in een interview met *Het Financieele Dagblad* dat World Online voor de jaarwisseling 60.000 klanten in de boeken heeft staan. Dat kan, omdat volgens haar World Online het beter zal doen dan de concurrentie en daarom ook sneller zal groeien.[21] Nina denkt zelfs dat haar bedrijf Planet Internet, dat intussen 30.000 abonnees heeft, binnen afzienbare tijd voorbij zal streven en de nummer 1 in de markt zal worden.

In het interview legt ze uit waarom: 'Onze kracht ligt vooral in het laagdrempelig aanbieden van internet en daarmee denken we snel de grootste in Nederland te worden. Veel aanbod in het Nederlands, gemakkelijke zoekprogramma's, en vooral de wachttijd beperken. Mensen vallen niet over 15 gulden per maand meer, als ze minder lang hoeven te wachten.' De geringe wachttijd – vooral de opbouw van de plaatjes duurt normaliter erg lang – is volgens Brink een direct gevolg van 'het management van de infrastructuur, en daarin zijn we uniek. Wij zijn bijvoorbeeld als enige in staat om de bandbreedte zelf te variëren, afhankelijk van de drukte op het net.'

Technici die het stuk in de krant lezen, moeten erom grinniken. Het klopt dat met de door World Online gebruikte techniek de bandbreedte gemanipuleerd kan worden, maar die bandbreedte is op geen enkele manier gekoppeld aan de behoefte van de eindgebruiker. Er is geen draaiknopje bij World Online waarmee klanten in staat kunnen worden gesteld plaatjes sneller te downloaden. Uniek is de technologie die World Online gebruikt ook niet. Op NLnet na maken alle andere internetaanbieders die via het netwerk van de NS hun diensten aanbieden er gebruik van.[22]

De start van World Online blijft door de pers niet onopgemerkt. Een journalist van het zakenblad *Bizz* schuift aan. Nina maakt hem duidelijk dat World Online alle andere internetaanbieders in Nederland zal laten verbleken. 'Ik wil niet arrogant zijn, maar concurrenten hebben we eigenlijk niet,' zegt ze.[23] Het zijn woorden die hun uitwerking niet missen.

'Praten met Nina is als lezen in een spannend jongensboek,' schrijft *Bizz* vervolgens. 'Zonder vertraging, zonder zinloze details gooit ze in een uur tijd haar hele leven op tafel. Nadenken moet ze alleen bij de vraag wat haar drijft. "Angst," zegt ze na enig twijfelen. Angst voor de leegte. "Ik moet er niet aan denken om de hele dag te golfen of paard te rijden."'

'De rest van haar antwoorden zijn als mitrailleurschoten,' gaat het verder. 'Staccato en razendsnel. Rakketakketak. Denken en praten lijken volledig synchroon te lopen. Nina Brink is een vrouw om bij te schuilen. Direct, dominant, maar zonder kapsones.'

Nina vertelt over haar uitgebreide ervaringen in de computerindustrie. 'Gunslingers' en 'big spenders' zijn niet aan haar besteed. Aan dat type volk ging menig automatiseringsbedrijf ten onder. Dat van haar bestaat nog. En hoe. A-Line heeft volgens haar 60 procent meer omzet geboekt dan het jaar ervoor. In 1996 verwacht ze een groei van nog eens 33 procent.[24] Ze heeft alleen afstand van haar distributiebedrijf genomen. Sinds ze World Online leidt, is Ab degene die zich om A-Line bekommert.

Het wereldwijde web is Nina's nieuwe domein. Ze heeft het over hoe ze de groei van internet voorzag, en dat ze een markt rook. Het was een markt die al door meerdere partijen werd bevolkt, daarvan was ze zich goed bewust. 'Ik wist dat ik sterke partners achter me moest hebben, wilde ik World Online tot een succes maken.'

De wijze waarop ze PsiNet aan zich wist te binden, de enige partij waarvan ze voor haar internetavontuur nog nooit eerder had gehoord, is het navertellen waard. 'Hoe dat gaat?' riposteert Nina. 'Je belt naar het hoofdkantoor van

PsiNet, zegt dat je een belangrijke ondernemer bent in Nederland en vraagt naar de CEO. Meestal heb ik zo'n man binnen een minuut te pakken. Je legt hem dan je verhaal voor en zegt dat je zaken wilt doen. Toen bleek dat hij geïnteresseerd was, zei ik: "OK, I'll be on the next plane." Ik ben onmiddellijk naar hem toe gegaan en binnen twee dagen was de deal rond.'

In het gesprek met het zakenblad gaat Nina ook dieper in op de ontwikkeling die ze als manager van een onderneming – haar eigen onderneming – heeft doorgemaakt. Ze zegt de afgelopen jaren veel te hebben geleerd: 'Toen ik met A-Line begon, wist ik dat ik meer procedures moest volgen. Duidelijker weten wat je wilt en daarop focussen. En als je dan de gelegenheid krijgt om het voor een derde keer te doen, gaat het nog efficiënter.'

Ook als kenner van mensen heeft haar ontwikkeling niet stilgestaan. Ze was niettemin blij dat ze bij de samenstelling van haar team op haar academische achtergrond kon terugvallen: 'Mijn jaren psychologie komen bij dergelijke zaken goed van pas. Ik kan mensen snel doorzien. Ik voel of ze in huis hebben wat ik wens en of ze in de organisatie passen.'

Ze zal nog veel van die vaardigheden gebruik moeten maken, want haar ambities zijn groot. Ze wil met World Online Europa in, met vestigingen in alle landen. Tegen de tijd dat ze dat bereikt heeft, denkt ze het voor gezien te houden: 'Ik wil nog drie jaar werken. 45 is een mooie leeftijd om ermee te stoppen.'

In augustus wordt de internationale internetgemeenschap opgeschud door een bijzondere gebeurtenis, eentje die duidelijk maakt dat binnen niet al te lange tijd alleen nog maar nostalgisch zal worden gemijmerd over het idealistische karakter van de vroege jaren van internet. Microsoft acht de browsermarkt van grote strategische waarde en heeft zijn browser, Internet Explorer, standaard aan de nieuwe versie van zijn besturingssysteem Windows 95 toegevoegd. Voor andere Microsoft-gebruikers zal de browser snel via internet verkrijgbaar zijn. Gratis.

Het gratis aanbieden van Explorer is niets anders dan een openlijke oorlogsverklaring aan Netscape, dat kwalitatief een superieur product heeft. Maar vrijwel alle gebruikers van pc's werken met de besturingssystemen van Microsoft, en dat betekent dat de mannen van Gates bezig zijn hun marktmacht ten volle uit te buiten. Microsoft wil marktdominantie voor zijn eigen browser, en tegelijkertijd wil het Netscape van zijn belangrijkste bron van inkomsten beroven. Het is een daad van agressie die verstrekkende gevolgen zal hebben. Niet alleen voor Netscape en Microsoft zelf, ook voor de rest van de hightech- en communicatiewereld. Het is het begin van de browseroorlog.

Ook in Nederland is de sfeer omgeslagen. De strijd tussen de internetaanbieders begint steeds fellere trekken te krijgen. Ze roepen om het hardst dat ze de grootste van Nederland zijn en liegen daarbij hartstochtelijk over de aantallen klanten. Planet, World Online, het Amerikaanse CompuServe, World Access: allemaal maken ze zich min of meer schuldig aan ongerijmde borstklopperij.

Maar de ongeremde aanwas van nieuwe abonnees is even tot stilstand gekomen. Het groeiend aantal internetaanbieders zorgt voor een hevige concurrentie. De gebruikers van internet zijn doorgaans hoger opgeleide mannen met een hang naar techniek. Die groep lijkt voorzien. De internetaanbieders proberen nu daarom elkaars klanten af te pakken. De prijzen dalen scherp. Een nieuwe abonnee betaalt bijna 50 procent minder dan wat hij enkele maanden eerder voor een internetaansluiting moest neertellen.

Het afprijzen wordt ook ingegeven door tijdelijke overcapaciteit. World Online heeft zijn netwerkcapaciteit op intensiever gebruik afgestemd, maar er zijn simpelweg niet genoeg klanten. Kenners van de markt denken dat het lage prijsniveau niet voldoende is om een kwalitatief goede dienst te verlenen en ook nog winst te maken.[25]

Het management van Planet Internet is er inmiddels van doordrongen dat het aanbieden van internet een spel is dat precies dezelfde regels kent als het aanbieden van telecommunicatie: het gaat om schaalgrootte en om de omvang van het klantenbestand. Dat is iets wat volgens de nieuwe Planet-directeur Ruud Veltenaar vooral een dienst is die in het pakket van grootaandeelhouder KPN thuishoort. Planet kan zich dan, net als Yahoo!, volledig richten op de portaalstrategie. Maar de raad van bestuur van KPN besluit dat Planet speerpunt blijft voor de internetactiviteiten, en dus ook als aanbieder van internettoegang actief blijft.[26]

Intussen wordt dus keihard gevochten om de gunst van de klant. Dat gaat zo ver dat 'vuil spel en bittere verwijten niet meer geschuwd worden', schrijft *de Volkskrant* in een artikel over de losgebarsten strijd op internet.[27] 'Zo zijn de twee grootste aanbieders op internet verwikkeld in een moddergevecht waarbij de een de ander beschuldigt van sabotage. Nina Brink, oprichtster van het sinds mei volledig draaiende World Online, beschuldigt concurrent Planet ervan de telefoonlijnen van World Online te "vervuilen" door systematisch de helpdesk te bellen en op te hangen als er wordt opgenomen. Ruud Veltenaar, CEO van Planet, noemt de beschuldiging "te zot voor woorden". Planet test volgens Veltenaar één keer per uur de snelheid waarmee concurrenten hun telefoon opnemen.' Nina reageert gebeten: 'Als je een test uitvoert, hoef je de lijn toch niet op te hangen.' Veltenaar op zijn beurt: 'Eén telefoontje per uur zou onze centrale niet extra belasten.'

Volgens Nina zal binnen de kortste keren een shake-out plaatsvinden. Om te overleven, is geld nodig. World Online heeft dat. Ze beweert dat inmiddels 10 miljoen gulden in het bedrijf is geïnvesteerd. Genoeg om de strijd vol aan te kunnen gaan. Ze is op jacht naar klanten. Twintigduizend heeft ze er al. Nog niet genoeg om winst te draaien, maar dat zal binnen afzienbare tijd het geval zijn. Aan het eind van het jaar verwacht Nina met World Online dertigduizend klanten te hebben, en daarmee zal World Online voorbij het breakevenpunt zijn. Haar internetbedrijf is dan winstgevend in een tijdsbestek van amper een jaar.

De cijfers over het aanzienlijk hogere klantenaantal van Planet, 42.000, wimpelt ze laconiek af: 'Die cijfers zijn toch niet waar.'

Zeker is wel dat geen aanbieder zo scherp met de prijs concurreert als World Online. Het bedrijf adverteert met een gratis proefabonnement en een bodemtarief van 16,95 gulden per maand, een jaar vooruit te betalen. Planet Internet, substantieel duurder, waarschuwt ervoor niet voor die verleiding te bezwijken.[28]

Enkele maanden later heeft Nina het moment waarop World Online winst gaat maken, iets verder uitgesteld. Aan het zakenblad *Quote* laat ze weten dat ze binnen een jaar quitte denkt te spelen. Eind 1997 dus, in plaats van eind 1996. Althans, dat zegt haar gevoel. Ze bedoelt het niet als een nuancering. 'Intuïtie is mijn belangrijkste wapen in zaken,' zegt ze tegen *Quote*. Een typisch vrouwelijke eigenschap. Ze staat ervoor. Ze heeft haar hele zakelijke leven al tegen de stigma's rond vrouwen moeten vechten. *Quote* stipt aan dat ze vroeger wel eens in huilen uitbarstte. 'Nog steeds,' beaamt Nina. 'Niet uit verdriet, maar uit emotie. Ik weiger te schreeuwen als een man. Ik heb alle schijn weggedaan. Ik wil alleen mezelf zijn.'[29]

World Online-directeur René Bickel kent de Nina die zichzelf is inmiddels tamelijk goed. De vijftien maanden dat hij voor haar heeft gewerkt, hebben hem tot dan toe een ervaring opgeleverd die hem zonder twijfel de rest van zijn leven zal bijblijven. Nina heeft hem als directeur aangesteld, maar eigenlijk heeft hij niet het gevoel dat hij werkelijk de verantwoordelijkheid mag nemen.

Bickel heeft respect voor de gedrevenheid en de ideeën van de zakenvrouw. Alleen: ze bemoeit zich overal mee, en dat op alle momenten van de dag. Het liefst per telefoon. Als hij in bed ligt of onder de douche staat, elke keer weer gaat die telefoon, en elke keer weer is het die nasaal klinkende stem die in hoge versnelling tegen hem begint te ratelen. Alsof ze hem twee tellen eerder voor het laatst aan de lijn had. Nooit vraagt ze of haar oproep wel gelegen komt, nooit informeert ze naar zijn toestand. Ze wil dat er geluisterd wordt, en wel onmiddellijk. Zoals die ene keer toen hij met zijn tweemastkotter tussen Terschelling en Vlieland voer en de golven over het dek heen sloegen. De stroming was krachtig en hij had al zijn aandacht nodig om zijn bootje in bedwang te houden. Toen hoorde hij dat zijn telefoon in zijn zak rinkelde. Nina. Nee, het maakte haar niet uit dat hij ergens midden in een kolkende zee probeerde te overleven, hij moest luisteren. En dus luisterde hij.

Met zijn team heeft hij het afgelopen jaar keihard gewerkt om World Online vaart te laten krijgen. Maar Nina is onverzadigbaar. Ze wil meer. Zo snel mogelijk. 'Nu!' zegt ze er vaak bij – al klinkt die toevoeging door haar Amerikaanse accent altijd meer als 'Noe!'[30]

Het is hem het afgelopen jaar ook duidelijk geworden waar een van haar grotere talenten ligt. Nina heeft volgens de World Online-directeur de bijzondere gave om pertinente onwaarheden in waarheden om te zetten. Een beetje zoals een middeleeuwse alchemist lood in goud wist te veranderen. Ze is er zelfs zo bedreven in, dat ze in haar eigen verdichtsels gaat geloven. Voor dat voortrazende circus heeft Bickel geen belangstelling meer. Hij is erachter gekomen dat hij zich een stuk lekkerder voelt als hij weer voor zijn eigen normen en waarden opkomt. Dan maar geen directeur zijn van een snelgroeiend internetbedrijf met Europese ambities.

De internationalisering van World Online zal PsiNet als investeerder niet meer meemaken. Het bedrijf wil zich na strategische heroriëntatie actief gaan richten op de zakelijke markt. Ook in Nederland. Maar World Online wil eveneens actiever worden op de zakelijke markt, waardoor een conflict van belangen ontstaat. Nina heeft er grote moeite mee dat een concurrent een belang in haar bedrijf heeft. Bill Schrader van PsiNet ziet op zijn beurt weinig strategisch nut in de deelneming in het vooral op de consumentenmarkt gerichte World Online.[31]

Samen met Ruud Huisman van de TROS, inmiddels commissaris van World Online, vliegt Nina naar Amerika om de situatie met Schrader te bespreken. Het is het beste voor alle partijen als PsiNet zijn aandelen laat overnemen door een andere partij. Huisman heeft al een gegadigde voor het belang van PsiNet gevonden. De investeringsmaatschappij Reggeborgh Beheer van de bouwondernemer Dick Wessels uit het Overijsselse Rijssen heeft belangstelling getoond.

Wessels is een succesvolle, vermogende aannemer. Zijn onderneming, Kondor Wessels, staat aan de Amsterdamse effectenbeurs genoteerd en behoort tot de grootste aannemingsconcerns van Nederland. Aan het hoofd van Reggeborgh staat de schoonzoon van Wessels, Henry Holterman. Huisman heeft Holterman de laatste tijd goed leren kennen dankzij een aantal vastgoedtransacties die hij namens de TROS met Reggeborgh heeft gedaan. Huisman heeft met een zogeheten 'sale en lease back'-constructie zijn omroepgebouwen van de hand gedaan, waardoor de TROS weer financiële armslag heeft verkregen. Ook de bouw van het nieuwe TROS-gebouw in Hilversum is in handen van de Rijssense bouwmagnaat.

Wessels wil met Reggeborgh ook in andere veelbelovende markten investeren. Internet is er een van. Aanvang 1997 komen de partijen tot een voorlopig akkoord. Reggeborgh neemt het pakket aandelen van PsiNet, 20 procent, voor een niet nader genoemd bedrag over van de Amerikaanse internetprovider. Het zal een van de meest lucratieve investeringen uit de Nederlandse bedrijfsgeschiedenis blijken.

In het begin van het nieuwe jaar wijdt het nieuwe tijdschrift voor ondernemende vrouwen, *Qui Vive*, in zijn eerste nummer een portret aan de onderneemster achter World Online.

'Ik haat computers,' zegt Nina als ze vergeefs probeert de journaliste die haar portretteert op een groot computerscherm te laten zien wat World Online allemaal heeft te bieden. 'Meestal wordt de apparatuur voor me ingesteld, zodat ik alleen nog maar hoef te klikken,' verzucht ze. De jongeman die het apparaat van tevoren bedieningsklaar heeft gemaakt, probeert haar duidelijk te maken dat ze de muis omgekeerd hanteert en dat daarom het pijltje steeds uit beeld loopt. Zijn geduld wordt niet beloond. Nina geeft het op. De journaliste krijgt later wel een folder mee. 'Ik ben geen computerdeskundige, ik ben een marketeer,' zegt ze verontschuldigend.

Nina vertelt dat er inmiddels tachtig mensen werken en dat World Online zo'n 35.000 abonnees heeft. 'And that's only the beginning,' voegt ze eraan toe. 'Ik wil niet slechts het hoofd zijn van een gigantisch bedrijf; ik wil zelf iets doen. Mijn kracht is dat ik kan zien welke kant de automatiseringsbranche uit gaat. Ik vind het leuk als een bedrijf dynamisch is, snel groeit. Wij lopen met World Online nu al voorop in de branche.'

Ze had aanvankelijk geen idee van de mogelijkheden. 'Inmiddels ben ik er in ieder geval achter dat ze veel groter zijn dan ik had durven denken. Het is ongelooflijk.' Maar het gaat haar er toch vooral om elke dag wat te leren. 'Nieuwe dingen leren is leuk! Ik ben in de gelukkige omstandigheid dat ik niet hoef te werken voor geld, mij gaat het uitsluitend om de uitdaging.'

Het blad schrijft dat Nina, omdat ze zo veel succes heeft, vaak gevraagd wordt voor gastcolleges. Of ze dan even kan komen uitleggen wat haar geheim van dat succes is. 'Er bestaat geen formule,' antwoordt ze. 'Ik heb ook door gebrek aan kennis structurele fouten gemaakt en daarmee miljoenen verspeeld. Iedereen doet nu eenmaal dingen goed en andere fout. Op de schaal waarin ik opereer, is een fout altijd een grote fout. Vijf miljoen verspelen is veel.'

Over een jaar denkt ze met werken te kunnen ophouden. 'Nu is mijn aanwezigheid soms nog nodig omdat het bedrijf via de mensen die ik zie en spreek, opdrachten binnen krijgt.' Maar als het eenmaal zover is, wil ze wel weer iets gaan studeren, kunstgeschiedenis wellicht. Of schrijven, dat vindt ze ook leuk. 'Ik schrijf al in het Engels over wat ik zakelijk meemaak en dat materiaal zou ik, met behulp van een ghostwriter, willen romantiseren. Het is nu al spannend genoeg, maar als ik me strikt aan de feiten houd, moet ik bepaalde namen noemen die ik liever niet noem. Met sommige echte boeven, diep corrupte lieden, wil ik namelijk nooit meer iets te maken hebben. Ik ben niet uit op oorlog, maar als iemand mij tot een negatieve opinie dwingt, dan is de beslissing definitief. Bij mij is er dan beslist een point of no return. Mijn grenzen zijn duidelijk. Ik zal nooit zijpaden bewandelen; ik wil uitsluitend op een ethisch verantwoorde manier zakendoen. Geen gesjoemel. Met niemand.'[32]

Net als bij A-Line lijkt ook bij World Online een hoge burnrate van financiële mensen te heersen. Financieel directeur Paul Brouwer gooit na ruim anderhalf jaar dienst de handdoek in de ring. Van zijn uithoudingsvermogen en creativiteit om de sommetjes kloppend te krijgen, zijn de grenzen bereikt. Brouwer bouwde bruggen vanuit het kantoor van Nina naar de werkvloer. Collega's vinden het jammer dat hij vertrekt. Brouwer wordt opgevolgd door Job Haring, die van de grote concurrent Planet Internet afkomstig is.

De opvallendste nieuwe binnenkomer is Rob van der Linden. Met zijn lengte van ruim twee meter torent hij boven iedereen uit, zeker in vergelijking met de kleinste persoon die de vloeren van het A-Line-pand in Naarden bewandelt, Nina. Van der Linden, die in een kleine kring van bekenden ook wel Hightower wordt genoemd, is afkomstig van Netgate, een kleine websitebouwer uit Zaandam. Hij was er via vele omwegen beland. Echt verstand van techniek had hij niet. Een website bouwen, dat deden de anderen. Iets verkopen, dat lag hem veel beter. Namens Netgate heeft hij een periode de starterspakketten van World Online aan zijn klanten aangeboden. Zo leerde hij salesmanager Eric Tolsma kennen.

Van der Linden had een grote personeelsadvertentie van World Online in *De Telegraaf* zien staan en aan Tolsma laten doorschemeren dat hij dat een zorgelijke verspilling van geld vond. Ze hadden hem toch ook gewoon kunnen opbellen? Tolsma was blij verrast om te horen dat Van der Linden een overgang naar World Online zou willen maken. Zijn ervaring kon World Online goed gebruiken.

In het korte sollicitatiegesprek dat Van der Linden met Nina heeft, wordt het hem al na enkele zinnen duidelijk dat hij met een opmerkelijk iemand te maken heeft. Als hij naar beneden reikt en zijn visitekaartje overhandigt, kan Nina hem niets in ruil aanbieden. Ze zegt zo'n onbenullig stukje karton niet nodig te hebben. Als mensen haar niet kennen en niet weten te vinden, dan is dat hun probleem.

De bravoure die Nina uitstraalt, treft hem gevoelig. Op een opwindende manier. Hij krijgt een contract aangeboden en mag van haar kiezen waar hij wil beginnen: samen met Tolsma op de afdeling sales, of op de afdeling marketing, haar domein. Van der Linden kiest voor marketing. In no time is het bekend dat er een nieuwe bij Nina zit. Er wordt om gegrinnikt. Enkelen van zijn nieuwe collega's denken dat 'lange Wapper' binnen drie maanden weer uit de draaideur zal worden gekatapulteerd. De eerste weddenschappen worden gesloten.

Waar in het ene deel van het Naardense pand steeds meer World Online-werknemers een afspiegeling vormen van een beloftevolle toekomst, is de situatie bij A-Line een stuk minder hoopgevend. Dat weet ook A-Lines huisaccountant Deloitte & Touche. Het gerommel met betalingen, afschrijvingen, onderlinge leveranties aan de werkmaatschappijen, waarderingen en voorraden blijft een wezenskenmerk van A-Line. Het levert de accountant de nodige hoofdbrekens op.

Met de achterblijvende betalingsdiscipline heeft Deloitte & Touche zelf ook ervaring opgedaan. Betaald krijgen door A-Line is niet altijd een gemakkelijke opgave, zo is intussen wel gebleken, en vergt zo nu en dan enige creativiteit. In een specifiek geval kon de accountant met een grote bestelling computers een aanzienlijk deel van de uitstaande schuld vereffenen. Nina was er niet bijzonder over te spreken geweest en had haar bezwaar aan enkele partners van de accountant overgebracht.

Vooral de waardebepaling van de voorraden is goed voor langdurige boekhoudkundige overpeinzingen. De voorraden van A-Line staan voor meer dan 20 miljoen gulden op de balans en zijn tegelijkertijd het voornaamste onderpand voor het krediet van ABN AMRO. Er is alleen iets geks met die voorraden. De dame die er namens accountantskantoor Deloitte & Touche zit, weet zich geen raad met de lange rijen magazijnstellingen gevuld met technologische producten. Hoe courant is die handel eigenlijk?

Ze heeft ernstige twijfels en vraagt een oud-directeur van A-Line om hulp. Deze heeft een schokkende mededeling voor haar: het is voor een belangrijk deel oud spul dat er staat. Waardeloos. De voorraden zouden voor een groot deel onmiddellijk afgeschreven moeten worden. Het probleem is alleen dat grote afboekingen op de voorraden het bedrijf acuut in de problemen zullen brengen. Als er heel kritisch naar de bezittingen van het bedrijf zou worden gekeken, zou van het eigen vermogen niet veel meer overblijven; het zou waarschijnlijk negatief zijn, en dat betekent dat het bedrijf technisch failliet is. De bestaande voorraden zijn ook van het grootste belang voor de leencapaciteit van A-Line. Als die wegvalt, kunnen geen nieuwe producten worden ingekocht. Dan valt er niets meer te verkopen en gaat het bedrijf ook failliet. En dan is Deloitte & Touche een klant kwijt.

Het gevecht van de accountant met de leiding van A-Line is een zich herhalend ritueel. De jaarrekeningen van de afgelopen jaren werden slechts met moeite goedgekeurd.

Aan de buitenkant lijkt A-Line nog steeds een glanzend bedrijf dat sterke merken in zijn productcatalogus heeft staan en aansprekende omzetcijfers kan overleggen die zelfs een stijgende lijn vertonen. Maar vanbinnen heeft de jarenlange veronachtzaming van het kostenbewustzijn de vitale bedrijfsonderdelen ernstig aangevreten. Met allerlei creatieve stopmiddelen probeert het management de gaten in de boekhoudkundige werkelijkheid te dichten. Het is een strijd die niet op die manier gewonnen kan worden. Het tij zal snel moeten keren, wil de broze constitutie van A-Line niet als een oud en vermolmd casco ineenzijgen.

De financiële fundamenten van A-Line op eigen kracht reviseren lijkt een onmogelijke opgave. Daarvoor moet in een korte tijd serieus geld verdiend worden. Het probleem is dat de omzetten slechts kleine brutowinstmarges genereren die in een zwart gat verdwijnen dankzij de talrijke bedrijfsinefficiënties, de hoge rentelasten en, niet te vergeten, het wegvloeien van middelen en mensen naar World Online. De marges op de competitieve markt voor automatiseringsproducten worden er in de tussentijd niet beter op.

Hoewel Nina zich vol op de uitbouw van World Online heeft gegooid, gaan de problemen van A-Line haar in grote mate aan. Een eventueel faillissement van A-Line zal haar reputatie zonder twijfel schaden, en dat is met het oog op de expansiedrang van World Online bepaald geen gewenste ontwikkeling. Het is simpel: A-Line heeft een flinke kapitaalinjectie nodig om het eigen vermogen op te vijzelen en weer aan de toekomst te kunnen bouwen. De vraag is alleen: waar zijn de mensen te vinden die dat geld in A-Line willen stoppen?

Het antwoord is snel gevonden: op effectenbeurzen. In steeds groteren getale. Zoals op de startersbeurs van de Borso Italiana in Milaan, de Nuovo Mercato. Een halfjaar eerder heeft daar het Milanese bedrijf Algol SpA een notering verkregen. Algol is net als A-Line een distributeur van automatiseringsproducten. Het voert zelfs voor een groot deel dezelfde productlijnen als A-Line. De voor de hand liggende redenering is voor iedereen te begrijpen: als Algol naar de beurs kan, kan A-Line dat ook. De stemming op de beurzen is er, ondanks de dreiging van de financiële crisis in Azië, nog steeds goed genoeg voor. Zeker waar het technologie- of internetbedrijven betreft lijkt de honger van beleggers niet te stillen.

De belangrijkste graadmeter voor dat sentiment is de Amerikaanse technologiebeurs Nasdaq. Daar krijgt nog steeds het ene na het andere technologie- of internetbedrijf een notering. De Nasdaq is een moderne beurs. Het aloude systeem van *open outcry*, van hysterisch schreeuwende mannen in gekleurde jasjes, zoals dat nog steeds op de New York Stock Exchange wordt gebruikt, is bij de oprichting van de beurs in 1971 vervangen door elektronica. De Nasdaq is een schermenbeurs. En die wint, sinds de veelbelovende start-up van Netscape er een notering kreeg, snel aan belang.

Overal ter wereld wordt jaloers naar de Nasdaq gekeken. In vrijwel alle Europese financiële centra zijn startersbeurzen als de Nasdaq ontstaan. Frankfurt heeft zijn Neuer Markt, in Parijs is de Nouveau Marché opgericht, en in Amsterdam bestaat sinds begin 1997 de NMAX. Op deze beurzen, waar de toelatingseisen een stuk minder streng zijn, kunnen veelbelovende jonge hightechbedrijven een notering krijgen, ook al maken ze nog geen winst en ook al bestaan ze nog maar een jaar. Het is de bedoeling dat de Europese pendanten van Netscape en Yahoo! via deze beurzen eenvoudiger toegang krijgen tot de kapitaalmarkt.

A-Line is alleen geen typische representant van de nieuwe economie waarmee de babybeurzen zich zo graag vereenzelvigen. A-Line is een handelsbedrijf in automatiseringsproducten. De handel verloopt nog op de klassieke manier: niet via internet, maar gewoon door de telefoon, en met verkopers die in hun leaseauto's klanten bezoeken. Maar dat maakt de Europese beleggers niet uit. De meeste bedrijven die een notering verkrijgen aan een van de startersbeurzen zijn, net als Algol of A-Line, geen bedrijven met vernieuwende technologie of een innovatief distributie- of bedrijfsmodel.

De kleine Brits-Italiaanse zakenbank Market Capital, die Algol naar de beurs bracht, mag van Nina ook bij A-Line de marsroute komen uitstippelen. Aanvankelijk wil zij ook als strategisch adviseur van het management de beursgang van A-Line meemaken.[33] De bankiers stellen voor dat er een kleine ronde wordt gemaakt langs een aantal van die nieuwe beurzen. Daaronder ook de Easdaq, de in Brussel gevestigde imitatiepoging van de Nasdaq.

Opvallende afwezige in het rijtje is de Amsterdamse startersbeurs NMAX. Voor een relatief klein en onbekend bedrijf is het doorgaans aan te raden dat het in het eigen land naar de beurs gaat. De naamsbekendheid en de interesse die een beursgang kan veroorzaken, komen op de thuismarkt vaak het best tot hun recht. Maar omdat Begemann voor 70 procent eigenaar is van A-Line en de naam Van den Nieuwenhuyzen daarmee met het bedrijf is verbonden, laat dat ook mogelijke herinneringen aan HCS en andere affaires herleven. Voor Nina is het, gezien de controversiële verwikkelingen rondom Newtron van zes jaar eerder, ook beter om even de luwte van een buitenlandse beurs te zoeken.

A-Line naar de beurs brengen is iets anders dan een veelbelovend startend internetbedrijf een notering bezorgen. Het is duidelijk dat de problemen waar A-Line al tijden mee kampt aan het zicht moeten worden onttrokken, wil een beursgang ook maar een schijn van kans maken. Het plan is om de zwakste elementen uit het bedrijf te snijden en de beste delen naar de beurs te brengen. Huisbankier ABN AMRO en vanzelfsprekend ook Begemann hebben zich bereid verklaard om aan het plan mee te werken en ook het afzinken van de zwakke onderdelen mede te financieren.

Er is een klein probleem: de zwakte van het bedrijf is niet simpelweg met enkele chirurgische ingrepen te verwijderen. Er zal een bedrijfseconomische chemokuur aan te pas moeten komen om de onderneming weer gezond te maken. Daar zijn alle betrokken partijen wel van doordrongen. Voor ABN AMRO en voor Begemann is het niettemin een goed plan. Een beursgang kan ervoor zorgen dat ze eindelijk wat van hun uitgeleende en geïnvesteerde miljoenen terugzien.

Parijs is de plaats waar het Naardense bedrijf mogelijk voor de tweede maal in zijn historie een beursintroductie zal meemaken. Le Nouveau Marché is geschikt bevonden om de Nederlandse distributeur van automatiseringsproducten een notering te bezorgen. Er is contact gelegd met de gerespecteerde Parijse corporate finance-boetiek Oddo & Cie, die A-Line zal begeleiden.[34] In de zomermaanden wordt door de Fransen gewerkt aan het opstellen van een prospectus. Het plan is om op 14 oktober de eerste handel in het aandeel A-Line te laten ontstaan. Ab Brink zal als CEO optreden. Maar er moet nog veel gebeuren voordat Ab het champagneglas op een succesvolle beursgang kan heffen. Een belangrijk hoofdstuk dat nadere invulling behoeft, is het deel waar de onafhankelijke auditor zijn oordeel over het bedrijf uitspreekt.

Dat bij A-Line in stilte aan een beursgang wordt gewerkt, ontgaat het management en personeel van World Online volkomen. Zelfs bij A-Line is alleen een klein groepje mensen van de plannen op de hoogte.

World Online heeft andere plannen. De internationale expansie moet in een businessplan worden gegoten. Nina heeft een klein team geformeerd dat haar daarmee gaat helpen. Salesmanager Eric Tolsma en marketingman Rob van der Linden maken daarvan onder andere deel uit. Er zullen ook twee andere heren meedenken over het plan. Het zijn twee buitenlanders die Nina eerder heeft leren kennen en die zij, vooral waar het om content gaat, een grote inbreng toedicht. Jean-Philippe Illiesco de Grimaldi en de voormalige CEO van Sony Amerika, Michael Schulhof, zullen zich bij het gezelschap voegen.

De plek die Nina voor het overleg heeft uitgekozen, heeft een hoog glamourgehalte: Hotel Du Cap Eden Roc in Antibes. Hotel Du Cap is een van de meest exclusieve plekken aan de Zuid-Franse Rivièra, een populaire logeergelegenheid voor veel beroemdheden van het witte doek. Fred Astaire, Jean-Paul Belmondo, Charles Chaplin, Tom Cruise, Frank Sinatra, Al Pacino en vele andere supersterren hebben zich er wel eens bij de receptie met hun paspoort gemeld. Het hotel bevindt zich aan de Boulevard John Fitzgerald Kennedy op het schiereilandje van Cap d'Antibes. Aan het einde van de oprijlaan ligt het smetteloos witte negentiende-eeuwse paleisje, dat alweer enige tijd door Nina en Ab als een attractie wordt gezien. Creditcards worden er niet geaccepteerd;

contant geld is het enige betaalmiddel waarmee het verblijf kan worden bekostigd.

Nina en haar drie managers rijden medio augustus richting Zuid-Frankrijk. Nina in haar blauwe Mercedes 600 SL, die ze enkele jaren daarvoor bij de opening van het pand in Naarden van haar Ab cadeau kreeg. Op de Franse tolwegen laat ze zien dat ze het Duitse raspaardje naar de toppen van zijn kunnen kan brengen. Rob van der Linden beleeft er plezier aan. Het is niet de eerste keer dat hij in een dure auto met een vaart van over de 200 kilometer per uur over een snelweg koerst. Zijn jonge jaren in het Gooi kenden vaker dit soort momenten. Nieuw is wel dat er een vrouw, zijn nieuwe baas nog wel, achter het stuur zit. Hij is er ook trots op dat ze hem al na enkele maanden bij het kernteam van World Online heeft gehaald.

De volgende dag zit het World Online-team met de laptops op het terras van het paviljoen van Du Cap, dat boven op de rotsen aan de zee is gelegen. De Fransman Jean-Philippe Illiesco de Grimaldi heeft zich ook bij het viertal gevoegd. De Grimaldi, JP voor zijn vrienden en relaties, laat zich kennen als een bloedverwant van de bekende Monegaskische familie. Ook hij is een regelmatige gast van Du Cap. Een ontmoeting met Nina liep snel uit op een adviseurschap bij haar bedrijf.

De Grimaldi is goed thuis in de wereld van de popmuziek. Grote jongens in de entertainmentbusiness mag hij bij de voornaam noemen. Iemand als de New Yorkse advocaat Allen Grubman bijvoorbeeld, raadsman van mensen als Bruce Springsteen, Jennifer Lopez, Elton John, Robert De Niro en ook zakenvrouw Martha Stewart. Dat bijzondere netwerk is een belangrijke reden dat Nina voor hem een rol bij het op te richten World Online International ziet weggelegd.

Als het aan Nina ligt, zal ook Michael P. Schulhof een belangrijke schakel in World Online worden. Nog veel meer dan De Grimaldi is hij een man met een netwerk in de entertainmentindustrie. Schulhof stond enkele jaren geleden zelf nog in Hollywood aan de top. Vanaf het moment dat hij in 1987 zijn Japanse bazen van Sony wist te overtuigen van het belang om miljarden dollars te investeren in muziek- en filmmaatschappijen, was de filmstad zijn favoriete biotoop. Tegenwoordig is de Amerikaan vooral als investeerder en adviseur actief. Hij weet veel van technologie en nieuwe media en hij heeft, net als veel andere investeerders, zijn oog allang op internet laten vallen. Schulhof is achter de stuurknuppel van zijn eigen privévliegtuig, een Dassault Falcon 900, naar Frankrijk gekomen.

Met het uitzicht op Ile Sainte-Marguerite en de heuvels met de villawijken van La Californie en Super Cannes wordt vergaderd over de internationale strategie van World Online. Er is overeenstemming over het belangrijkste doel. Het bedrijf moet de eerste pan-Europese internetaanbieder worden, het

Europese antwoord op America Online. De grootste dus. Niet alleen als leverancier van aansluitingen op internet, ook als mediabedrijf. Er is haast bij, en er is heel veel geld voor nodig.

Er is nog een lange weg te gaan voordat World Online zijn positie van grootste van Europa kan claimen. De grootste van Nederland worden zou al een mooi begin zijn. Zover is het nog lang niet. Bij World Online is het een publiek geheim dat de abonneeaantallen die door Nina eerder in de media zijn genoemd, in werkelijkheid substantieel lager zijn. Van der Linden trof bij zijn binnenkomst enkele maanden eerder niet meer dan tienduizend abonnees aan.

Hoewel abonneeaantallen snel toenemen en de omzet stijgt, houden de winstmarges geen gelijke tred. De trend van dalende prijzen zet gestaag voort, en tegelijkertijd nemen de kosten toe. De concurrentie tussen de internetaanbieders wordt steeds meer op kwalitatief vlak gevoerd. Internetgebruikers worden zich, mede dankzij de aandacht voor internet in kranten en bladen, langzaam maar zeker bewust van de verschillen tussen de aanbieders. Ze weten waar ze op moeten letten. Waar zijn de wachttijden bij het inbellen het kortst, wie heeft de snelste verbindingen en waar worden klachten het vlotst verholpen? Een hogere kwaliteit van de dienstverlening vergt investeringen in onder andere callcenter, helpdesk en netwerk.

Wat bezoekersaantallen betreft claimt zowel World Online als Planet de troon. Maar over het belang van aantrekkelijke content zijn ze het wel eens: die gaat een steeds voornamere rol spelen. De meeste ambitieuze internetaanbieders willen, net als America Online (AOL), een eigen portaal hebben, met eigen content. De browsersoftware van de internetgebruiker is ingesteld om de abonnee op de eigen website de surfsessie te laten beginnen. Op dat moment moet de aandacht van de gebruiker zoveel mogelijk worden gegrepen, is de overtuiging. Internetaanbieders willen hun klanten goede informatie bieden, met een eigen toon. Ze zullen daardoor uitgroeien tot mediabedrijven. De overtuiging heerst er dat zij binnen enkele jaren de 'oude media', vooral de uitgevers van kranten, een mogelijk fatale slag zullen toebrengen.

Vrijwel iedere internetaanbieder beschikt over een eigen webredactie. En elke webredactie heeft zijn eigen signatuur. De website van XS4ALL, de internetaanbieder die uit de wereld van computerhackers is ontsproten, wijst de bezoeker de weg naar vegetarische gerechten en de Solidariteitsgroep Politieke Gevangenen. Bij de grote concurrent Planet is de eigen nieuwsvoorziening vooral gericht op berichtgeving over internet zelf. Stukken van de journalisten Francisco van Jole en Peter Olsthoorn gaan over veiligheid en privacy, ze volgen internetbedrijven met een kritische blik en schrijven over de nieuwste technologische ontwikkelingen. Planet heeft ook erotiek in de aanbieding:

Dirty Dutch. Voor een extra bedrag van 2,50 gulden kan de klant er de hele dag naar kijken.

Bij World Online houdt een redactie van ongeveer twintig mensen zich bezig met de website. Daaronder bevindt zich ook de jongere zus van Nina, Marijke. Op de site staan onder andere de stukken van de gepensioneerde *Telegraaf*-columnist Leo Derksen. Je kunt er te weten komen 'hoe Elvis werkelijk doodging', en voor een 'wekelijkse portie roddel van de bovenste plank' klik je door naar de website van het Amerikaanse blad *National Enquirer*.[35]

Waar veel websurfers al heel snel achter komen, is dat ze met een abonnement van xs4all ook de stukken van Leo Derksen kunnen lezen, of de erotiek van Planet kunnen zien. Het afschermen van de eigen content is een mogelijkheid, maar het idee om er een muur omheen te zetten en de site alleen voor de eigen abonnees open te stellen, wordt door de meeste partijen snel weer verlaten. De reden is simpel: het werkt niet. De openheid van internet is nu juist het element dat zo wordt gewaardeerd. Nog belangrijker is dat de bezoekersaantallen drastisch afnemen. Websurfers hebben een grote informatiehonger, maar ze hebben geen trek om er te veel moeite voor te doen. Betalen is al helemaal geen optie. Wat ook duidelijk wordt, is dat mensen bij de keuze voor een internetaanbieder zijn website niet of nauwelijks laten meewegen.

Voor diensten betaald worden is niet iets wat internetbedrijven hoog op hun lijst van prioriteiten hebben staan. Ook investeerders en beleggers in deze bedrijven zijn in steeds mindere mate bezig met de cijfers die de winstgevendheid van deze ondernemingen duiden. Waar aanhoudende verliezen normaal gesproken een dodelijke neerwaartse spiraal in gang zetten, lijkt het ontbreken van winst nu eerder een bevrijding van knellende economische principes te zijn. Het opent de deur naar een wereld waar ongeremd gedroomd kan worden over iets wat nog groter en mooier is.

Terwijl een koersdipje de aanhoudende feeststemming op de wereldwijde aandelenbeurzen kortstondig laat omslaan in een quasiherfstdepressie, wordt in Amsterdam het beursvolk opgeschrikt. Op 24 oktober wordt op last van het Openbaar Ministerie een huiszoeking gehouden op de Amsterdamse effectenbeurs. Ook vinden invallen plaats bij banken en commissionairs, worden verschillende vooraanstaande beursmannen gearresteerd en staan er nog eens tientallen onder verdenking. Onder hen ook enkele oude bekenden van Nina: voormalig Newtron-aandeelhouder Adrie Strating en voormalig Newtron-bestuurder Berry van den Brink.

Onder leiding van de ambitieuze Amsterdamse fraudeofficier Henk de Graaff is operatie Clickfonds van start gegaan, het begin van het grootste fraudeonderzoek dat ooit in Nederland heeft plaatsgevonden. Grote voorkenniszaken zoals die met Joep van den Nieuwenhuyzen bij hcs hebben niet tot veroordelingen geleid. Daar moet nu eindelijk eens verandering in komen. Het herstel van de integriteit van de Nederlandse financiële sector is er volgens De Graaff mee gemoeid.

Integriteit begint ook op internet een thema te worden. Zo wordt er op verschillende plekken op internet kinderporno aangeboden. In verschillende nieuwsgroepen en op websites die World Online aanbiedt, bijvoorbeeld. Het management vindt niet dat het bedrijf daar iets aan hoeft te doen. World Online is een doorgeefluik dat geen oordeel wil hebben over de inhoud van sommige sites die het aanbiedt. Er zouden klanten door verloren kunnen gaan.[36] Diezelfde klanten vormen het hoofdonderwerp in een hooglopende discussie over de integriteit van internetbedrijven. Internetaanbieders in het bijzonder dragen volgens enkele kritische journalisten de verantwoordelijkheid om zorgvuldig met de gegevens van hun duizenden klanten om te springen. Persoonsgegevens van bepaalde verdachte abonnees blijken in sommige gevallen met de welwillende medewerking van de provider aan justitie te worden overhandigd. Twee aanbieders komen daar ook open en eerlijk voor uit: Euronet en World Online. Het geval toont aan dat er op het gebied van privacy op het web nog het een en ander aan denkwerk is te verrichten.

Er is meer. Op de mailservers van de providers staan talloze berichten en persoonlijke informatie waarvan de zenders en ontvangers denken dat niemand ze kan inkijken. Dat is niet zo. De beveiligingssystemen van sommige internetaanbieders zijn volgens sommige experts zo lek als een vergiet. Dat weten de meeste aanbieders zelf ook wel. XS4ALL bijvoorbeeld kan putten uit zijn wortels in de wereld van computerkrakers en weet dat geen enkel systeem honderd procent waterdicht kan zijn. Het biedt zijn abonnees zelfs een halfjaar gratis lidmaatschap aan, als ze een lek kunnen vinden en discreet kunnen aanwijzen.

Niet elke aanbieder staat er zo tegenover. Eind november wordt het systeem van World Online onder vuur genomen. Het is meteen goed raak. Computerhackers weten de wachtwoorden van 54.000 abonnees te kraken. Met die wachtwoorden in bezit hebben ze toegang tot persoonlijke gegevens als bankrekeningnummers, en kan vrijelijk uit naam van de World Online-klant worden gecorrespondeerd.

De hackers melden de kraak bij World Online, maar het bedrijf beweert dat zijn systeem niet valt te kraken. Dan begint de ophef. De computerkrakers willen aantonen dat er iets aan de hand is met de veiligheid van de systemen van internetbedrijven. Ten dele omdat ze zich oprecht zorgen maken om het wel en wee van de abonnees van World Online, ten dele omdat enkelen er inmiddels hun broodwinning van hebben gemaakt om dezelfde bedrijven te adviseren bij het dichten van die veiligheidsgaten. Als niemand weet dat er problemen zijn, dan is er geen probleem, en dan wordt er ook niets tegen gedaan.

De hackers benaderen eerst de Consumentenbond. Ze komen erachter dat in de *Consumentengids* World Online als een betrouwbare organisatie wordt aangeprezen, terwijl World Online tegelijkertijd de leden van de bond korting aanbiedt. Dat vertrouwen ze niet. Ze besluiten de pers te benaderen. Journalist Peter Olsthoorn van Planet Multimedia, onderdeel van concurrent Planet Internet, krijgt de primeur toegeworpen.

Olsthoorn belt World Online. Hij krijgt Rob van der Linden te spreken. Die is inmiddels door Nina tot woordvoerder van het bedrijf gebombardeerd. Van der Linden heeft de uitdrukkelijke opdracht meegekregen om alles te ontkennen. World Online heeft geen beveiligingsprobleem.

Olsthoorn publiceert zijn stuk over de kraak op Planet Multimedia, en andere media pikken het op. 'Kraken toegangscodes World Online peuleschil' kopt het *Algemeen Dagblad*. Van der Linden komt aan het woord. Van een kraak is volgens hem geen sprake. Boze ex-werknemers zijn met de wachtwoorden aan de haal gegaan. 'Het is allemaal bangmakerij' en journalist Olsthoorn is een 'leugenaar'. Wat hij wel vaststelt, is dat de wachtwoorden in het bezit van personen zijn die daarover niet behoren te beschikken. Dat kan niet anders geïnterpreteerd worden dan als 'diefstal, dus een misdrijf'. Hij gaat aangifte doen bij de politie, en er wordt een advocaat ingeschakeld. Dat Planet Internet op deze manier de concurrentie in de wielen wil rijden, is schandalig en onrechtmatig.[37]

9 Kill Mickey

Heaven has no rage like love to hatred turned
Nor hell a fury like a woman scorned.
WILLIAM CONGREVE, 'The Mourning Bride', 1697

Michael Peter Schulhof was in Hollywood nog niet zo heel lang geleden een belangrijk man. Nog nooit was er iemand geweest die zo veel geld naar de filmstad had gebracht. En nog nooit was er door toedoen van één man in zo'n korte tijd zo veel geld doorheen gedraaid. Het Hollywoodverhaal van Schulhof en dat van zijn werkgever Sony is een horrorscript dat twee jaar na het ontslag van Schulhof menig aandeelhouder van Sony nog steeds koude rillingen bezorgt.

Schulhof was in 1974 als gepromoveerd natuurkundige bij Sony komen te werken. Hij maakte al snel indruk op de oprichter en topman van het concern, Akio Morita, in wiens ogen Schulhof een groot talent was. Dat bewees hij ook: hij maakte carrière bij Sony en drong als eerste westerling door tot de top van het bedrijf. Eind jaren tachtig kreeg hij van Morita het mandaat om het bedrijf te verrijken met een muziek- en filmdivisie, een stap die ook de grote concurrent Matsushita had gezet.[1]

Schulhof toog naar Hollywood met miljarden dollars, maar zonder enige ervaring in de entertainmentindustrie. Die kocht hij in. De mannen die hij voor een half miljard dollar bij concurrent Warner wist weg te halen, gaf hij alle creatieve vrijheid. De creativiteit van het management uitte zich vooral in het uitgeven van heel veel geld. Er werd met miljoenen gesmeten om topacteurs en topmusici aan te trekken. Studiobazen werden ingehuurd en vertrokken vaak al snel weer met afscheidspremies van tientallen miljoenen dollars. Een Hollywoodbaas merkte in die tijd op dat Sony nog het meest leek op 'een trog waaraan gigantische, opgeblazen varkens zich te goed deden'.[2]

Schulhof liet zich de Hollywoodlevensstijl intussen goed smaken. Als hoogste baas van Sony Amerika vloog hij rond in een Falcon van de zaak. Zijn kantoor in New York liet hij voor miljoenen verbouwen en hij huurde een sterren-

240

kok in om zijn lunches te bereiden. Film- en popsterren en andere prominenten wisten de weg naar de feestjes in een van zijn huizen te vinden en Schulhof raakte al snel bekend als Mickey. Als er nieuws over Sony was, ging dat vooral over zijn entertainment- en softwaredivisie. En vaak was dat opwekkend nieuws over nieuwe films of platencontracten, totdat duidelijk begon te worden dat de door hem geïnitieerde overnames in Hollywood op een rampzalige wijze werden gemanaged. Sony moest in 1994 2,7 miljard dollar afschrijven op zijn investeringen in Hollywood. Schulhof was op een naïeve wijze te werk gegaan en had zich door de gehaaide film- en platenbazen volledig van de mat laten spelen. Zijn oude beschermheer Morita, die intussen wegens gezondheidsredenen was afgetreden, kon hem niet meer redden. Schulhof mocht na 21 jaar met 40 miljoen dollar in zijn hand het bedrijf vaarwel zeggen.

Vanuit een klein kantoor op Park Avenue in Manhattan begon hij onmiddellijk met een eigen investeringsmaatschappij: Global Technology Investments. Zijn voornaamste belangstelling gaat vanzelfsprekend uit naar internet, de bedrijfstak waar iedere zichzelf respecterende hightechinvesteerder zijn aandacht op richt. Hij heeft in 1997 onder andere een investering gedaan in Jfax, een bedrijf dat faxen via internet mogelijk maakt, en hij is sinds 1996 betrokken bij Cbssportsline.com, een website met uitslagen, nieuws en verhalen over sport.

Het zijn veelbelovende bedrijven, zoals er in de portfolio van iedere investeerder veelbelovende ondernemingen zitten. Met World Online is meer aan de hand. Schulhof heeft zijn interesse voor het bedrijf al een paar keer laten blijken. Hij is vooral onder de indruk van de tomeloze dadendrang van Nina. Ze is gelouterd in het bedrijfsleven en met haar 43 jaar relatief jong. Een begenadigd verkoopster. Haar bedrijf is het beste, haar mensen zijn slimmer dan die van de concurrentie en zij zal slagen waar anderen falen. Schulhof is daar inmiddels ook van overtuigd. Nina is een onderneemster die op een on-Europese manier op succes is gericht, de ideale persoon om een bedrijf te leiden dat agressief wil expanderen.

Schulhof ziet ook grote mogelijkheden voor World Online, zolang het bedrijf ernaar blijft streven een pan-Europese internetaanbieder te worden. Dat heeft hij ook in augustus bij de eerste meeting in Antibes onderstreept, en hij kan het niet vaak genoeg herhalen. In Europa is er, op America Online na, geen andere aanbieder die deze strategie actief heeft omarmd. World Online moet de grootste internetaanbieder van Europa kunnen worden, en daarmee ook een van de grootste mediabedrijven van Europa. En dat is volgens Schulhof alleen klaar te spelen met iemand als Nina aan het roer, en met achter haar een internationaal gerespecteerde zakenman: hijzelf.

De betovering is wederzijds. Schulhof is in haar ogen de ideale figuur om het internationale avontuur mee aan te gaan. Hij heeft een uitmuntende technische achtergrond, hij weet alles van de entertainmentindustrie, heeft een groot zakelijk inzicht en beschikt over een netwerk dat haar doet watertanden. Met zijn duurzaam gebruinde hoofd, charmante lach en zijn zwak voor designdassen met bijpassend pochet heeft Schulhof bovendien het voorkomen dat veel Amerikanen als *impeccable* zouden omschrijven, onberispelijk.

Zo ziet hij er ook uit als ze eind januari samen in het Zwitserse Davos het World Economic Forum bezoeken. 'Toegewijd aan de verbetering van de toestand in de wereld' is het voornaamste credo van het jaarlijkse evenement. Er staan honderden lezingen, voordrachten en debatten op het programma, waarin aandacht is voor economie, milieu, internationale politiek, medische en technologische ontwikkelingen en ethiek. Voor velen is Davos de ideale plek om de meest invloedrijke mensen op aarde te ontmoeten. En om gezien te worden. De duizend topbestuurders uit de zakenwereld die er rondlopen, controleren gezamenlijk bedrijfsbezittingen van grofweg 3 biljoen dollar. Tussen de honderden politici die er verzameld zijn, zitten bekende staatshoofden en belangrijke ministers. Intellectuelen van uiteenlopende snit zijn in groten getale aanwezig, net als vooraanstaande wetenschappers, filmsterren, religieuze leiders en natuurlijk vertegenwoordigers van de internationale pers.

Dat is aan het prijskaartje te zien. De meeste bezoekers in het Forumcomplex hebben 19.000 Zwitserse frank moeten betalen om binnen te mogen. Voor Schulhof is de drempel minder hoog. Hij behoort tot de directe relatiekring van Klaus Schwab, de oprichter van het Forum. Op uitnodiging van Schwab heeft hij zelfs zitting genomen in de adviesraad die de doelstellingen, de waarden en het merk van het World Economic Forum bewaakt. Voor de Amerikaan is het skidorp bekend terrein.

Enkele dagen na het bezoek aan Davos zet Schulhof zijn handtekening onder het contract dat hem voor de komende twee jaar als adviseur en president-commissaris van World Online aan het bedrijf zal binden. Onderdeel van de overeenkomst is dat Schulhof zijn uitgebreide netwerk zal inzetten voor World Online en proberen in het buitenland partners en financiers te vinden. De eerste partners heeft hij al aangezocht. Schulhof houdt daarbij vanzelfsprekend zijn eigen belangen scherp in het oog. Een deal met Cbssportsline.com, waarin hij een belang heeft, is al in de maak en ook zijn investering Jfax wil hij met World Online laten samenwerken.

De overeenkomst met Schulhof is volgens Nina een mijlpaal voor World Online en verdient een groot stuk in de krant. *De Telegraaf* krijgt de primeur en mag een redacteur voor een uitgebreid interview naar het Amstel Hotel in Amsterdam sturen. Trots introduceert Nina haar nieuwe *president of the board*, de oud-topman van Sony Amerika. In de lounge van het hotel gaan Nina en

Schulhof er even goed voor zitten. Ze kondigen voor World Online de 'grote sprong voorwaarts' aan. De tijd is er rijp voor en het geld is voorhanden. Samen willen ze Europa gaan veroveren. Na afloop poseert het duo op het bordes van het hotel voor de fotograaf.

'Internet-dienstenaanbieder heeft oorlogskas van 200 miljoen', kopt *De Telegraaf* een paar dagen later. 'Onlangs streek op Schiphol een Falcon zakenjet neer met Michael P. Schulhof achter de stuurknuppel,' schrijft de krant. 'De komende jaren zal dat nog vele malen gebeuren. De komst van Schulhof luidt een nieuwe fase in de nog jonge geschiedenis van World Online in: zeer agressieve groei in Europa. De onderneming moet uitgroeien tot een Europese internetspeler van formaat. Over 2 à 3 jaar moet de omzet rond de 600 miljoen gulden bedragen, terwijl op een winstniveau van 60 à 90 miljoen gulden wordt gemikt. Schulhof krijgt als voorzitter van de board, de Angelsaksische versie van de raad van commissarissen, een stevige vinger in de pap.'³

In het interview vouwt het duo het toekomstscenario verder uiteen. 'Inmiddels zijn we aardig wat waard,' zegt Nina. Schulhof beaamt dat. Volgens hem bezit World Online een 'eigen telecommunicatie-infrastructuur'. Hij roemt dit als een van de juwelen van het bedrijf. Met de nieuwe aandeelhouder Telfort, een joint venture tussen de NS en British Telecom, zal volgens Nina in de toekomst gebruik worden gemaakt van een pan-Europees netwerk van snelle verbindingen tussen alle grote steden. Ideaal, want de 'oorlogskas' van World Online biedt volgens Nina ruimte om overal in Europa internetaanbieders over te nemen. In België, Frankrijk en het Verenigd Koninkrijk zijn al 'principeafspraken' met partijen gemaakt. In Duitsland, Spanje, Denemarken en Italië staan acquisities op de agenda. World Online zal de eerste echte Europese internetaanbieder zijn.

Er is meer nieuws: in Nederland staat de eerste serieuze overname van World Online te gebeuren. Internetaanbieder The Internet Plaza, dat 33.000 abonnees heeft, zal binnen een week definitief worden opgeslokt. Daar blijft het niet bij. Nina kondigt het voornemen aan om met World Online binnen twee jaar een duonotering te hebben aan zowel de New Yorkse schermenbeurs Nasdaq als een Europese beurs. De Zwitsers-Amerikaanse zakenbank Credit Suisse First Boston zal het bedrijf erheen leiden. Maar voorlopig kan World Online het ook zonder beursgang af, stelt Nina. 'We hebben al een goede financiële basis.'

Agressieve groei, dat is de missie van World Online. Snelheid maken, marktaandeel veroveren en concurrenten waar mogelijk pijnlijke slagen toebrengen. Daar past ook de propaganda bij die deze ambitie reflecteert. In het interview met *De Telegraaf* bezingen Nina en Schulhof enkele kwaliteiten van

World Online en zijn aandeelhouders die niet geheel in de werkelijkheid zijn gegrondvest. Zo verkeert Schulhof in de veronderstelling dat World Online een eigen 'telecommunicatie-infrastructuur' bezit. Dat is niet zo. De infrastructuur waar World Online voornamelijk gebruik van maakt – tegen marktconforme betaling – is van Telfort.

Ook de genoemde omvang van de 'oorlogskas', 200 miljoen, komt niet overeen met de feiten. Dat constateert in elk geval het weekblad *Elsevier*, dat in maart een groot verhaal brengt over de 'omstreden' topvrouw van World Online. 'Het geld heb ik beschikbaar, alle aandeelhouders doen mee,' repliceert Nina in *Elsevier*. Dat blijkt niet helemaal het geval. Aandeelhouder TROS heeft het Commissariaat voor de Media, de toezichthoudende instantie, op bezoek gehad. Het commissariaat is op aandringen van andere omroepen toch maar eens op onderzoek uitgegaan om te kijken of de activiteiten van de TROS wel in de mediawet passen. Ruud Huisman van de TROS haast zich te zeggen dat de omroep nog niets heeft besloten. 'We kijken er kritisch naar. De vraag is of het afbreukrisico past bij onze kerntaak van televisie maken.' Ook de andere aandeelhouders, op Reggeborgh na, zeggen met betrekking tot een tweede investering in World Online nog niets te hebben besloten.[4]

Nina laat blijken dat zakendoen op veel vlakken overeenkomsten heeft met oorlogvoering. Ze is zeker niet de enige die er zo over denkt. Aanhangers van de economische laissez faire-doctrine gebruiken graag het slagveld als metafoor van de markt. Concurreren staat gelijk aan strijden tegen een vijand. Het veroveren van andermans gebied – marktaandeel – is het doel. Talloze managers en ondernemers lezen managementboeken waarin militaire strategieën als lesmateriaal worden gebruikt. Het bekendste boek is het tweeduizend jaar oude *The Art of War* van Sun Tzu, de Chinese krijgsheer en filosoof. Het verspreiden van desinformatie is een van de voornaamste leerstukken van deze populaire klassieker. Volgens Sun Tzu is 'alle oorlogsvoering gebaseerd op misleiding'. Legers die zich groter en sterker voordoen dan ze zijn, schrikken vijanden af, worden zelfbewuster en sluiten eenvoudiger allianties.

In een open samenleving met een vrije en kritische pers is het niet eenvoudig de ander bewust op het verkeerde been te zetten. De risico's zijn bovendien aanzienlijk. Misleiding is onethisch en in veel gevallen strafbaar. Wanneer doelbewuste voor-de-gek-houderij wordt aangetoond, kan dat schade toebrengen aan de reputatie van de organisatie. Maar valse informatie, halve waarheden en leugens zijn moeilijker te achterhalen zodra onbekend terrein wordt betreden – zeker als dat terrein een onuitputtelijk wingewest lijkt. De kansen zijn groter dan de bedreigingen. Optimisme, begeerte en kreten van opwinding overstemmen sceptische geluiden.

Het wereldwijde web voldoet aan die beschrijving, en het is nog door niemand in kaart gebracht. Dat biedt grote kansen, niet alleen voor bevlogen internetvisionairs en ambitieuze ondernemers, maar ook voor bluffers, goudzoekers en charlatans. En er zijn maar weinig mensen die precies snappen waar het om gaat met die nieuwe technologieën, die nieuwe vormen van communiceren die de wereld zullen veranderen, die radicaal nieuwe bedrijfsmodellen.

De deugdelijkheid van de meeste bedrijfsmodellen op internet moet nog blijken. Zelfs experts kunnen er weinig over zeggen. Netscape, dat besloten heeft zijn belangrijkste product – de browser – gratis weg te geven, is op de beurs nog steeds miljarden dollars waard. Rationele verklaringen zijn schaars. Een belangrijk deel van de topbestuurders van Nederlandse beursgenoteerde ondernemingen heeft zelfs geen idee wat een browser is. Wel beginnen de meesten te beseffen dat internet grote zakelijke kansen biedt. En bedreigingen. Er is een digitale revolutie gaande die de reuzen uit de wereld van stenen en specie, als ze niet uitkijken, lemen voeten zullen bezorgen. Kleine nieuwkomers kunnen binnen de kortste keren uitgroeien tot volwaardige concurrenten. Een Amerikaanse onlineboekwinkel die pas 4 jaar bestaat, Amazon, vormt volgens analisten al een serieuze bedreiging voor Barnes & Noble, de grootste keten boekwinkels in de Verenigde Staten.

Gelukkig zijn er, voor de aloude corporate wereld, ook aansprekende voorbeelden. Het traditionele energiebedrijf Enron heeft zich in een tijdsbestek van maar een paar jaar weten om te vormen tot een extreem innovatief handelsbedrijf zonder fysieke bezittingen. Geïnspireerd door de bankiers van Credit Suisse First Boston maakt het ook een veelbelovende transformatie door naar de nieuwe economie.[5] En voor investeerders, managers, beleggers en ondernemers, voor iedereen klinkt de waarschuwing: wie de tijd neemt om alle informatie op een goudschaaltje te wegen, zal erachter komen dat, zodra hij erop wil stappen, de trein de eindbestemming al is genaderd.

World Online is een trein die, dankzij de stuwende kracht van een wat ouwelijk uitziende vrouw, behoorlijk vaart begint te krijgen. De groei van World Online zet door in een groot wit pand in het hart van Nederland, in Vianen. De opening wordt met het personeel groots gevierd. Niet in het pand zelf, maar in het Circustheater van Scheveningen.

In hoog tempo worden nieuwe mensen aangenomen. In hoog tempo worden er ook medewerkers doorheen gedraaid, signaleert *Elsevier* in maart. Het blad spreekt Nina erop aan. Want als er bij World Online afscheid wordt genomen, horen daar blijkbaar rechtszaken bij. Nina's stijl van leidinggeven wordt omschreven als 'management by fear'. Het 'in het openbaar schofferen van medewerkers' is volgens het weekblad 'een beproefd onderdeel van de methode-Brink'.[6]

Volgens Nina hoort het allemaal bij de dynamiek van een jong bedrijf. 'Je moet eisen stellen. We willen geen hobbyclub zijn. Klagers zijn het.' Nina heeft geen tijd voor slapers en zeikerds, en dat lijkt gegeven de opgelegde missie de enig juiste opvatting, hoewel de uitbundige inzet van advocaten ook een andere, iets minder efficiënte benadering blootlegt.

Nina kan, zoals ze zelf vaak zegt, nogal emotioneel uit de hoek komen. Twee schoonmakers die ze bij toeval van de directielift gebruik ziet maken, ontslaat ze op staande voet. Een directielift is niet voor schoonmakers, die is voor directeuren. Het tweetal komt met de schrik vrij. De schoonmakers zijn in dienst van het schoonmaakbedrijf dat door de verhuurder van het pand in Vianen is ingehuurd. Nina kan ze niet ontslaan.

Er zijn ook momenten dat de CEO zich van een genadiger kant laat zien. Een medewerkster van het callcenter heeft een zelfmoordpoging gedaan. Nina hoort ervan en komt in actie als ze verneemt dat er voor de vrouw geen plek in een kliniek is. Ze onderbreekt een vergadering en belt totdat ze ergens een plek heeft gevonden. Een andere medewerkster, die op een dag op haar werk door het lint gaat, laat ze in haar eigen auto naar huis brengen en bezorgt ze psychiatrische hulp.

Daarnaast lopen er genoeg mensen rond bij World Online die niet klagen, en genieten van de spanning bij het snelgroeiende internetbedrijf. Er zijn volop kansen en er wordt veel van het ondernemend vermogen van de medewerkers gevraagd. Geen dag is hetzelfde. Waar publieke vernederingen en irritaties de boventoon beginnen te voeren, houden betrokkenen zich vast aan wat door hun baas ook al in de media wordt verkondigd: 'Als je bij mij komt werken, kun je binnen twee jaar miljonair zijn.'[7] Sleutelfiguren bij World Online zijn allemaal bedeeld met optiepakketten. Na een beursgang, die Nina in februari nog heeft aangekondigd, kan er worden gecasht. Wat overal in Silicon Valley en New York gebeurt, gaat ook in Vianen gebeuren – daarvan zijn de belangrijkste betrokkenen inmiddels overtuigd.

De belofte van de grote beloning strijkt veel oneffenheden glad en creëert loyaliteit. Maar een goede organisatie bestaat niet bij de gratie van zijn beloningssysteem. Daarvoor zijn in de eerste plaats goede managers nodig, die de ruimte krijgen om te doen wat ze goed kunnen. Een duidelijke managementstructuur ontbreekt echter. Vergaderdiscipline is er nog steeds niet. Iets simpels als een heldere agenda waarop de voortgang en actiepunten met de directie worden besproken, bestaat evenmin. Dat maakt het leven er voor lagere leidinggevenden niet eenvoudiger op. Vergaderingen worden wel gehouden en ook de voortgang wordt wel besproken, alleen is van enige systematiek weinig te bespeuren. De vergaderingen zijn vooral marketinggedreven. Wat zijn de groeicijfers, en wat voor campagnes gaan er gevoerd worden om die verder op te jagen?

Managers met een academische achtergrond en ervaring in het bedrijfsleven hebben het moeilijk met Nina's wijze van leidinggeven. Ze vinden het ad hoc, te impulsief, niet rationeel en conflictueus. Het invoeren van werkzame managementcontrolsystemen of andere gefundeerde beleidsadviezen stuiten bijna per definitie op haar onwil.

Dit gebrek uit zich vooral op het terrein van de financiën. Op Nina en de CFO na heeft niemand enig inzicht in de financiële planning. En eigenlijk heeft de financiële man dat zelf ook niet. Ook hij weet wie in financiële zin de baas is, wie werkelijk bepaalt wat er bij World Online gebeurt. En wat er bij World Online gebeurt, kan per uur verschillen.

Verantwoordelijke managers en afdelingshoofden weten niet of nauwelijks wat hun bestedingsruimte is. Er bestaat binnen World Online geen budgetteringssysteem dat die naam zou mogen dragen. En er worden ook geen aanstalten gemaakt om zoiets in te voeren. Als het over geld gaat, gaat het langs Nina. En daarmee basta. Als de capaciteit van een webserver beperkt is en er moet acuut in een tweede worden geïnvesteerd, dan zal het afdelingshoofd eerst bij Nina een steekhoudend pleidooi moeten voeren voordat hem de middelen worden toegewezen. Steekhoudend betekent: de groei van World Online moet er direct mee zijn gemoeid. Als de aanwas van nieuwe abonnees in het geding komt, is er plotseling veel mogelijk.

Nina's belangrijkste managers, Eric Tolsma en Rob van der Linden, hebben weinig moeite met het geldende regime. Ze beleven over het geheel genomen juist veel plezier aan de hectiek en het razende tempo van hun bazin. Ze hebben er natuurlijk ook wel eens mindere momenten tussen zitten, momenten waarop Nina hun het zweet op de bovenlip bezorgt. Tolsma countert de aanvallen van Nina met argumenten, uiterlijk onbewogen. Van der Linden zit anders in elkaar, hij schreeuwt op zijn tijd ook terug. Hij laat ook op andere manieren zien dat hij niet aan de kant geschoven kan worden. Zo beslecht hij een verbaal gevecht via de telefoon door zijn Nokia Communicator, na een laatste uitroep 'En dit is wat ik ervan vind!', tegen de muur kapot te gooien.

'Nitwit,' snauwt Nina haar boomlange protegé vaak toe. Van der Linden reageert doorgaans hoofdschuddend en met een duidelijk hoorbaar: 'Midget.'[8] Bij vergaderingen komt 'de lange' wel eens naast Nina op zijn knieën de zaal binnen schuiven. Ze kan erom lachen. Als ze onder het telefoneren weer eens langdurig aan haar hoofdhuid krabt, schiet Van der Linden wel eens met zijn middelvinger gevoelig tegen haar krabhand aan. Hij voelt zich er prettig bij als hij zich zo nu en dan over haar kan ontfermen. Wanneer ze samen op reis zijn, regelt hij dat er van tevoren in het hotel een schuimrubberen hoofdkussen voor haar klaarligt. Ze slaapt anders zo slecht. En om ochtendlijk klaaggezang te voorkomen, zorgt hij ervoor dat ze bij het ontbijt de door haar zo geliefde kamillethee niet los, maar in een buideltje krijgt. Wanneer ze samen zijn en ze weet zich te ontspannen, lijkt het net alsof ze familie is.

Van der Linden is zich goed bewust van zijn bijzondere positie. Hij ziet de angst bij zijn andere collega's, van wie er maar een paar het in hun hoofd halen om bij Nina aan te kloppen. Van der Linden loopt ook zonder te kloppen haar kantoor binnen. 'Ik schijt bij Nina op het bureau, als ik dat wil,' laat hij een ondergeschikte weten.[9] Hij kan zich inderdaad veel bij haar permitteren.

Tolsma en Van der Linden zijn Nina's trouwe honden. Toch zijn er maar weinig World Online-werknemers die de schijnbaar onaantastbare positie van het tweetal kunnen waarderen. Tolsma wordt door zijn collega's gezien als een jaknikker van Nina, haar kwispelende shizu. De lange, slanke Van der Linden is volgens zijn collega's het toonbeeld van een praatjesmaker; iemand die, door zijn charmante jongensachtige trekken heen, kan grommen als een valse straathond en maar door één persoon kan worden aangehaald.

Begin juni mag Van der Linden ook aan de buitenwereld zijn tanden laten zien. Er is weer een computerhacker actief geweest die de systemen van World Online heeft gekraakt. De hacker heeft zich met zijn bevindingen tot een bekende internetjournalist van NRC *Handelsblad* gewend. De krant stelt dat de wachtwoorden van de abonnees, een halfjaar na het vorige incident, nog steeds eenvoudig zijn te kraken.[10] Wie een wachtwoord heeft bemachtigd, kan eenvoudig allerlei transacties uitvoeren op naam en rekening van de klant. Rob van der Linden komt weer als woordvoerder in actie. Van Nina heeft hij opnieuw te horen gekregen dat hij moet ontkennen. Er is niets aan de hand. 'Onze systemen zijn veilig,' geeft hij als enige reactie op de vragen van de journalist.

Volgens een professionele expert in computerbeveiliging zijn de systemen van World Online het tegenovergestelde van veilig. Hij heeft kennisgenomen van de details van de kraak en concludeert dat World Online 'hartstikke lek' is. Reden: 'slordigheid en onbekwaamheid' van de technische mensen. Een andere beveiligingsdeskundige gaat nog verder. Hij noemt het systeem 'waardeloos' en raadt abonnees van World Online aan het systeem niet voor vertrouwelijke zaken te gebruiken.

Lekken in computersystemen zijn een veelvoorkomend euvel bij de meeste internetaanbieders. De meeste stellen zich bij meldingen van beveiligingsproblemen welwillend op. Ze kunnen er alleen maar van leren. World Online kiest weer voor een andere route, een route die vooral bij Nina vertrouwd aanvoelt: het kondigt rechtsmaatregelen aan tegen de twee in het artikel geciteerde beveiligingsexperts.[11]

Van der Linden heeft in de tussentijd bij de technische mensen geïnformeerd hoe het nu zit met de veiligheid van de systemen, en of een inbraak tot de mogelijkheden behoort. De technici bevestigen zijn bange vermoedens. Hij wil Nina ervan overtuigen dat er wel degelijk wat aan de hand is, maar zij wenst van geen beveiligingslek te weten. Ze heeft een korte vergadering met drie verantwoordelijke techneuten en Van der Linden georganiseerd. Ze wil het nu weten, is er een lek of niet? De drie technici schudden met hun hoofd. Er is geen lek. En dat betekent dat de langste man van het bedrijf het ontstane imagoprobleem van World Online mag gaan corrigeren.

Het vervelende is alleen dat er wél een beveiligingsprobleem is, en dat de technici dat niet aan Nina hebben durven bekennen. Een dag na de publicatie in NRC Handelsblad is het weer raak. In het zondagavondradioprogramma Radio Online, van aandeelhouder TROS, vertelt een redacteur van het programma hoe makkelijk het is toegang te krijgen tot de websites van klanten van World Online. Een van de klanten van World Online, de Consumentenbond, is vanwege het lek inmiddels door de internetaanbieder afgesloten.[12]

Van der Linden is samen met een techneut te gast in de studio. Ze zijn er samen met Nina naartoe gereden. Ze wacht in de auto op de parkeerplaats van het TROS-gebouw en heeft de radio aanstaan. In de studio zit ook een van de beveiligingsexperts tegen wie World Online een rechtszaak wil beginnen. 'Ik heb nog nooit van uw bedrijf gehoord,' bijt Van der Linden hem toe. 'Ik begrijp dat u een prijs heeft gewonnen voor het organiseren van een hackersfestival. Gefeliciteerd!' De toon is gezet.

Het artikel van NRC Handelsblad 'stikt' volgens de woordvoerder van World Online 'van de fouten'. De wachtwoorden zijn eind vorig jaar al op een 'ordinaire manier gestolen'. Bovendien: van alle internetaanbieders zijn wachtwoorden te vinden, maar de hackers 'moeten zo nodig achter World Online aan'. Hij herhaalt dat de beveiliging van World Online op orde is. Behalve dat het bedrijf succesvol is en heel snel groeit, is er niets aan de hand. En dat de beveiliging van klanten van World Online gaten vertoont, is helemaal hun eigen verantwoordelijkheid. De opwinding toont alleen maar aan dat 'sommige mensen problemen hebben met World Online'.[13]

Met die opmerking zit Van der Linden er niet ver naast. Het imago van World Online is op internet niet al te best. Het wordt gezien als een bedrijf dat niet in beveiliging investeert, maar alleen aan winst denkt. Een bedrijf dat zich agressief opstelt en zich bij voortduring met onjuiste claims profileert. Een grote, gretige en nogal hautaine moloch.[14]

Nina en Van der Linden besluiten tot een tegenoffensief. Om te bewijzen dat World Online waterdichte systemen heeft, worden alle hackers van Nederland uitgenodigd te proberen in het systeem in te breken. Wie het lukt en de hack kan reproduceren, wint 15.000 gulden. De eerste hackwedstrijd in Nederland is een feit. Van der Linden heeft de techneuten van World Online de opdracht gegeven de systemen dag en nacht in de gaten te houden en bij een eventueel geslaagde kraak gewoon de stekker uit het stopcontact te trekken.

De lange woordvoerder brengt al snel in een persbericht naar buiten dat er 'honderdduizenden' pogingen zijn gedaan om in te breken, zonder dat er resultaat is geboekt. Hij is tevreden.[15] Het bewijst hoe goed het bedrijf is beveiligd. Dat er twee weken eerder wel is ingebroken, was aan de acties van 'een concurrent' te wijten.[16]

Klanten hebben veel last van de wedstrijd. Het multimediabedrijf van TROS en Audax, ATMM, overweegt aangifte bij de politie te doen. Het raamt de schade die het heeft geleden op 50 tot 100.000 gulden. Klanten van ATMM, waaronder Fortis Bank, klagen. De branchevereniging van Nederlandse internetproviders – waarvan World Online geen lid wenst te worden – keurt de actie van het bedrijf in scherpe bewoordingen af. 'World Online toont grote minachting voor de privacy van zijn gebruikers.'

De systemen van het onkraakbare bastion worden vervolgens opnieuw gekraakt. Een hacker is erin geslaagd duizenden mailboxen van World Online-abonnees open te breken. Een team van andere hackers claimt ook binnen te zijn geweest, maar merkte dat toen de stekker eruit werd getrokken. Vals spel van World Online, zeggen de hackers, want zo kan een kraak niet worden gereproduceerd.

Uiteindelijk komt World Online er niet onderuit om de prijs uit te keren. NRC Handelsblad en Trouw doen uitgebreid verslag: 'World Online verliezer in wedstrijd: e-mail op straat', 'World Online alleen tegen de wereld'. De wedstrijd was volgens de branchevereniging een goedkope publiciteitsstunt die aanzette tot crimineel gedrag.[17] De doelstelling van World Online om het imago te verbeteren, is nog niet dichterbij gekomen.

Het soort assertiviteit waarmee World Online liever bekend had willen worden, laat nog op zich wachten. De oorlogskas waarin Nina in februari nog 200 miljoen gulden meende te zien liggen, is in juni nog steeds zo goed als leeg. Agressief expanderen is niet aan de orde zolang daartoe de middelen ontbreken. En World Online heeft, om zijn strategie te kunnen uitvoeren, niet voldoende aan een paar miljoen – het heeft honderden miljoenen nodig.

Met de bankiers van Credit Suisse lopen al enkele maanden gesprekken die tot doel hebben World Online een notering aan de Nasdaq te bezorgen. Nina is er geen groot voorstander van. Liever blijft ze nog even van de beurs en alle bijkomende verplichtingen verwijderd. Als ze enkele private equity-fondsen bereid zou kunnen vinden om haar bedrijf te financieren, zou ze dat de voorkeur geven. Alleen is honderden miljoenen verkrijgen geen gemakkelijke opgave. Om de vergelijking te maken: het inmiddels roemruchte Amerikaanse investeringsfonds Kleiner Perkins Caufield & Byers investeerde in september 1994 5 miljoen dollar in Netscape op een waardering van 21 miljoen dollar. Nog geen jaar later is Netscape bij de beursgang 1 miljard dollar waard.

World Online heeft minimaal het tienvoudige nodig. Het bezit geen bijzondere technologie, zoals Netscape, en het zakelijke model van internetaanbieder bestaat al jaren en wordt overal op aarde door duizenden bedrijven in de praktijk gebracht. Waarom zou nu juist een onbekende provider uit een klein land als Nederland de gedoodverfde kandidaat zijn om de Europese marktleider te worden? Wat zijn de kansen dat investeerders op die propositie toehappen? World Online heeft misschien de naam mee, maar het is nog steeds niet meer dan een flinke vis in een heel klein vijvertje.

Aan de andere kant: onmogelijk is het zeker niet. Verschillende nieuwe telecombedrijven, zoals het Amerikaanse Global Crossing, het Ierse Esat Telecom en het Nederlandse Versatel, zijn bezig met behulp van vele tientallen miljoenen dollars aan investeringen en leningen glasvezelverbindingen tussen steden aan te leggen, en eromheen. Maar dat is telecominfrastructuur, en daar staan zekerheden tegenover: de kabels in de grond. World Online biedt een dienst aan en bouwt aan een merknaam. Het heeft geen eigen telecominfrastructuur en kan dus weinig zekerheden bieden. Evengoed zou het bedrijf best kunnen uitgroeien tot hét internetportaal van Europa, en de grootste internetaanbieder met de meeste klanten. De bereidwilligheid van investeerders en kredietverschaffers om grote bedragen op tafel te leggen, groeit met de dag. Hét voorbeeld is natuurlijk America Online (AOL). Dat heeft meer dan 13 miljoen abonnees en is zonder enige concurrentie het grootste nieuwe media-imperium ter wereld. De websites van AOL wedijveren in aantallen kijkers met de grootste nationale televisienetwerken. Analisten van banken prijzen het bedrijf de hemel in. De koers van het aandeel AOL is alleen al het eerste halfjaar van 1998 met meer dan 200 procent gestegen.

Om investeerders te vinden, heeft een team van World Online samen met Michael Schulhof een kleine roadshow in de Verenigde Staten gemaakt. Ook in Nederland worden presentaties aan verschillende investeringsmaatschappijen gegeven. Een onverdeeld succes kunnen ze niet worden genoemd. De investeerders hebben stuk voor stuk de slimste jongens voor zich werken, die vrijwel zonder uitzondering een opleiding aan een van de belangrijkste Amerikaanse universiteiten hebben genoten. Er is belangstelling voor het businessplan van World Online, maar er worden ook veel lastige vragen gesteld. Vragen over de kwaliteit van de klanten, de verdienmodellen, de beheerssystemen en de technische infrastructuur. Er wordt ook met verbazing naar het organigram van World Online gekeken. Hoe kan een bedrijf met zo'n beperkte staf waarin zo weinig academisch geschoold kader zit, een gooi naar het Europese marktleiderschap doen?

Van der Linden heeft het gevoel dat hij een of twee van die slimme jongens nog wel met een vlot verhaal de baas kan, maar een hele klas, dat wordt hem, en ook Nina, iets te veel van het goede.

Tijdens een groot diner op het bosrijke domein van een van Nina's goede vrienden in Brasschaat dient zich zomaar een nieuwe mogelijkheid aan. Gastheer is de voormalige Almelose huisarts Louis Reijtenbagh, die als belegger en investeerder honderden miljoenen guldens heeft verdiend. Hij heeft zijn vrienden en kennissen gevraagd na iedere gang naar een andere tafel te verhuizen.

Nina blijft zitten. Ze raakt uitvoerig in gesprek met een van haar buren die net als zij de stoelendans te vermoeiend vindt. Nina vertelt over de grote ambities van haar nieuwe bedrijf. En haar behoefte aan geld.

De buurman heeft een suggestie voor haar. Hij heeft een goede vriend die in nauw contact staat met de Britse onderneming Interoute Telecommunications, die grote plannen heeft om Europa te veroveren. Dat biedt volgens hem grote mogelijkheden voor World Online. De link is vooral interessant omdat een van de grootaandeelhouders van Interoute net een enorme hoeveelheid kapitaal ter beschikking heeft gesteld.

Dankzij de bemiddeling van Nina's Brasschaatse buurman staat er niet veel later een ontmoeting met Interoute op de agenda. Niet in Londen of in Vianen, maar in New York. In het kleine kantoor van Michael Schulhof schudt Nina voor het eerst de hand van John Mittens, een van de oprichters van Interoute. Van der Linden en de nieuwe financieel directeur van World Online, Frans Blommestein, zijn ook van de partij.

Mittens wil met Interoute het monopolie te lijf gaan van de grote Europese telecombedrijven, die vrijwel zonder uitzondering staatsbezit zijn. De prijzen voor belminuten en bandbreedte liggen in Europa bijna tien keer hoger dan in de Verenigde Staten. Interoute is daarom in 1995 begonnen met de grootschalige verkoop van prepaid telefoonkaarten. Inmiddels beschikt het in elf landen over een telecomlicentie, maar maakt het nog steeds gebruik van geleasede verbindingen van de grote telecomaanbieders. Met een eigen hypermodern netwerk van glasvezelkabels tussen de belangrijkste Europese steden wil Mittens met zijn bedrijf een topspeler worden op de markt voor dataverkeer.

Op haar beurt wil Nina met World Online de grootste Europese internetaanbieder worden. Het lijkt liefde op het eerste gezicht: Interoute legt de autobanen in Europa aan, World Online zorgt voor het verkeer. Mittens twijfelt niet aan de mogelijkheden die een verregaande samenwerking tussen Interoute en World Online biedt. Een participatie van Interoute in World Online lijkt hem een goed idee. Hij stelt voor dat er snel verder wordt gesproken. Hij wil Nina en Schulhof graag aan zijn meerderheidsaandeelhouder voorstellen: de Zwitserse Sandoz Family Foundation.

De Zwitserse stichting beheert een van de grootste privévermogens van Europa, dat van de familie Sandoz. In 1886 was Edouard Constant Sandoz begonnen met het produceren van synthetische verf. Het bedrijf dat zijn achternaam kreeg, groeide onder zijn leiding in enkele decennia uit tot een farmaceutische grootmacht. Zijn twee zonen hadden minder belangstelling voor het zakenleven en waren vooral artistiek geëngageerd. De een als componist, de ander als beeldhouwer en schilder. De laatste – Edouard Marcel Sandoz – bracht in 1964 het familiekapitaal in een fonds onder, met inbegrip van een aanzienlijk pakket aandelen in farmaceuticabedrijf Sandoz, dat sinds de fusie met Ciba Geigy enkele jaren eerder Novartis is gaan heten. Dat belang in Novartis alleen al is ongeveer 9 miljard gulden waard.

Sinds enkele jaren is het familiefonds actiever aan het investeren. Ook in bedrijven die niets met chemie en farmacie te maken hebben. Sinds 1995 heeft het een meerderheidsbelang in de Curaçao International Trust Company (Citco) van de Nederlandse familie Smeets. Citco is de grootste en bekendste trustmaatschappij op de Nederlandse Antillen. Een jaar geleden begon de familie in Genève ook met een eigen bank, Banque Edouard Constant.

Sinds anderhalf jaar is het familiefonds vooral geïnteresseerd in de wereld van telecom en internet. De stuwende kracht achter deze strategie is de directeur van het fonds, de Zwitser Victor Bischoff. Net als John Mittens ziet hij grote mogelijkheden in World Online. De ontwikkelingen met Interoute en de Sandoz Family Foundation komen in een stroomversnelling. Ook Henry Holterman van Reggeborgh, die in Portugal vakantie viert, moet van Nina snel in actie komen en zijn oordeel geven over een eventueel samengaan met Interoute.

Er volgen verschillende meetings waarbij Schulhof, Nina, Holterman, Bischoff en Mittens tot de conclusie komen dat het beter is als Sandoz direct in World Online investeert. De bedrijfsactiviteiten vullen elkaar geweldig aan, maar de uitwerking van de afzonderlijke businessmodellen vergt een compleet andere aanpak.

Bischoff hoeft niet lang na te denken. Hij wil een grote investering doen in World Online waarbij Sandoz – net als bij Interoute – de meerderheid van de aandelen verwerft. Een ander deel van het kapitaal wil hij via een achtergestelde lening aan World Online beschikbaar stellen. In totaal gaat het om een bedrag van 300 miljoen dollar, 600 miljoen gulden op dat moment, driemaal de omvang van de oorlogskas waar Nina zes maanden eerder nog hardop over droomde.

Investeringsvoorstellen van de Sandoz Family Foundation worden eerst voorgelegd aan het bestuur van de stichting, die daar zijn goedkeuring aan moet geven. In het bestuur hebben de belangrijkste nazaten van Edouard Constant Sandoz zitting. Voorzitter is de vijftigjarige Pierre Landolt, de kleinzoon van de oprichter van de familiestichting. Hij staat niet alleen aan het hoofd van de Sandoz-familie, hij is eveneens een voorname telg uit een eeuwenoud bankiersgeslacht. Banque Landolt & Cie is de oudste private bank uit het Franssprekende deel van Zwitserland en wordt door zijn jongere broer Marc-

Edouard geleid. De bank beheert vermogens van enkele van de rijkste families ter wereld.

De familie Landolt straalt in alles het beschaafde en vertrouwenwekkende beeld uit van de maatschappelijk verantwoordelijke elite. Zowel de Sandoz Family Foundation als Banque Landolt & Cie huldigt openlijk de hoogste normen voor ethisch en integer zakendoen. Pierre Landolt zelf is iemand die zich het liefst op zijn uitgestrekte landerijen in Brazilië bevindt. Op zijn ecologische modelboerderij zet de belangrijkste erfgenaam van chemie- en farmaciegigant Sandoz zich vele jaren hard in om met behulp van de lokale bevolking vormen van duurzame landbouw te ontwikkelen.

De bijeenkomsten van de familiestichting zijn vanzelfsprekend een reden om naar Zwitserland terug te keren. In het plaatsje Pully, aan de oevers van het meer van Genève, zetelt het hoofdkwartier van de familie. Nog geen twee maanden na de eerste contacten in New York zal de familie er een beslissing nemen over een investering in het Nederlandse internetbedrijf. Namens World Online hebben Nina, Schulhof en Van der Linden zich naar Pully begeven om er een presentatie te geven van het businessplan.

In de kleine vergaderzaal is Van der Linden degene die namens World Online in het Engels tekst en uitleg geeft bij een door hemzelf gemaakte PowerPoint-presentatie. Zijn publiek bestaat dit keer niet uit getrainde analisten, maar uit de belangrijkste leden van de familie Landolt, inclusief de hoogbejaarde moeder van pater familias Pierre Landolt. Ze applaudisseert uitbundig als Van der Linden na een kwartier zijn toehoorders dankt voor hun aandacht.

Na de presentatie treedt de familie in overleg. Nina, Schulhof, Van der Linden en ook Victor Bischoff wordt gevraagd de zaal te verlaten. Van der Linden en Bischoff zijn beiden zware rokers en stappen naar buiten om een sigaretje op te steken. De marketingman informeert voorzichtig naar de mening van Bischoff. Aan het enthousiasme van mevrouw Landolt-Sandoz heeft hij in elk geval een goed gevoel overgehouden. Bischoff tempert het optimisme van Van der Linden. De moeder van de familie spreekt geen woord Engels.

Het vonnis van het bestuur van het familiefonds is niettemin voordelig voor World Online. Het stemt toe in een investering van 300 miljoen dollar. De Sandoz Family Foundation draagt 150 miljoen dollar bij aan het eigen vermogen, de andere 150 miljoen wordt in de vorm van een achtergestelde lening aan World Online beschikbaar gesteld. Daarvoor in de plaats krijgt het een controlerend belang in Nina's onderneming.

Nog voordat de deal definitief in contracten is gevat en het Zwitserse familiefonds een persbericht kan uitgeven, heeft *De Telegraaf* de primeur van de opzienbarende kapitaalinjectie te pakken. 'Zwitsers kopen zich in bij World Online. Sandoz trekt $300 miljoen uit voor meerderheidsbelang[18]'.

'De in het internetwereldje veelbesproken Nina Brink is content met het binnenhalen van de nieuwe aandeelhouder,' schrijft de krant. 'Haar ambitie om Europa's grootste aanbieder van internettoegang te worden, lijkt een forse stap dichterbij gekomen. Maandenlang werd er getwijfeld aan haar vermogen een grote investeerder te vinden. En niet zonder trots kan ze nu melden financieel volledig op oorlogssterkte te zijn. America Online wordt daarbij de grootste concurrent. Een gang naar de Amsterdamse effectenbeurs en eventueel de Amerikaanse schermenbeurs Nasdaq is op zijn vroegst halverwege 1999 te verwachten.'

De ontwikkelingen bij World Online staan in schril contrast met het bedrijf waaruit het is ontstaan. Sinds het begin van de zomer verkeert A-Line door een structureel achterblijvende cashflow in acute geldproblemen. Volgens Ab Brink zouden de moeilijkheden van tijdelijke aard zijn, maar hij heeft zich vergist. Terwijl zijn echtgenote bezig is de oorlogskas van World Online te vullen, heeft hij zich op het kantoor van factoringmaatschappij NMB Heller in Bunnik gemeld. Ab heeft geld nodig. Voor A-Line. De lonen kunnen niet meer worden betaald.

A-Line is al enkele jaren klant bij NMB Heller. Het factoringbedrijf levert kredieten tegen onderpanden zoals debiteuren of voorraden. Dat een volwassen bedrijf moet aankloppen bij een factoringbedrijf is geen goed teken. De almaar tegenvallende berichten uit de hoek van A-Line hangen NMB Hellerdirecteur Paul Schaling al enige tijd behoorlijk de keel uit. Zijn geduld is op. Een jaar eerder beweerde Ab nog dat het bedrijf naar de beurs zou gaan. Miljoenen zouden er worden opgehaald, maar er is niets van gekomen.

Schaling voelt zich aan het lijntje gehouden en gaat poolshoogte nemen. Het komt hem voor dat de problemen veel groter zijn dan Ab Brink wil toegeven. NMB Heller heeft bij het begin van de kredietverlening een boekenonderzoek laten verrichten waaruit geen bijzonderheden waren gebleken. Hij laat verder onderzoek plegen. Schaling wordt niet vrolijk van zijn eerste indrukken. Het bedrijf is doodziek, het resultaat van jarenlang mismanagement. Dat het niet eerder aan de oppervlakte is gekomen, komt door het administratieve gegoochel waaraan het bedrijf zich volgens hem heeft overgegeven. Hij kan weinig begrip opbrengen voor de duurbetaalde financieel directeur van A-Line. Tijdens een gesprek gooit de temperamentvolle directeur van NMB Heller opeens een onderdeel van het koffieservies naar zijn hoofd. Het lege kopje spat achter de man tegen de muur kapot.

In kasteel Withof wordt verrast gereageerd op de berichten uit Bunnik. Begemann-topman André Deleye heeft geen idee wat er bij A-Line speelt en gaat akkoord met het voorstel van NMB Heller om een interim-directeur aan te stellen en de boel op te knappen.

De man die orde op zaken komt stellen, is een voormalige straaljagerpiloot van de Koninklijke Luchtmacht, een man van discipline en plichtsgevoel. Hij wil A-Line oplappen zodat het kan worden doorverkocht, maar hij wil vooral zorgen dat het bedrijf blijft bestaan, inclusief de banen van de ongeveer 140 werknemers. Dat moet mogelijk zijn bij een bedrijf waarmee een omzet van ongeveer 160 miljoen gulden wordt behaald en dat een marktaandeel heeft van rond de 30 procent.

Bij een nadere inspectie van de magazijnen kan hij een dikke laag stof van een groot deel van de voorraden blazen. Het is hem al snel duidelijk dat A-Line op geen enkele manier weerstand heeft kunnen bieden aan de praktijken van grote leveranciers die aan het einde van ieder kwartaal hun verkopen omhoogstuwen door voordeelacties. Een praktijk van jarenlang voordelig en groot inkopen heeft het bedrijf met een kolossale onverkoopbare voorraad opgezadeld. En dat voor een bedrijf dat handelt in computer- en netwerkproducten. Nergens veroudert een voorraad zo snel als in die business. Al die producten staan keurig op de balans. Voor de prijs waarvoor ze ooit zijn ingekocht.

Hoe dieper de interim-directeur graaft, hoe groter zijn zorg wordt. Het bedrijf blijkt van binnenuit te zijn aangetast. Stelselmatig zijn er middelen aan A-Line onttrokken en naar World Online gevloeid, rechtstreeks uit de rekening-courant of op andere manieren. Er staat nog steeds personeel op de loonlijst van A-Line dat in de praktijk voor World Online blijkt te werken. Ook blijkt het bedrijf de opslagkosten voor huisraad van het echtpaar Brink te betalen, evenals de leasekosten van de auto van Nina en het loon van haar chauffeur. Ook het management van het hotel Du Cap Eden Roc in Cap d'Antibes dringt aan op de betaling van enkele rekeningen.

De oud-militair haalt overal een dikke streep door. Hij krijgt al snel de topvrouw van World Online aan de telefoon. Ze is in alle staten. A-Line is haar bedrijf! Hij stelt weinig prijs op de omgangsvormen van de minderheidsaandeelhouder, legt de hoorn op zijn bureau en gaat door met zijn werkzaamheden.

Steeds meer vreemde zaken komen aan het licht. Uit de administratie wordt niet duidelijk waar de kortingen en omzetbonussen van de grote leveranciers zijn gebleven. Schaling kent de praktijken van de cowboys uit de automatiseringsindustrie. Via rekeningen in Luxemburg worden de kortingen of omzetbonussen ontvangen. Een belastingvrij douceurtje voor de baas van het bedrijf. Leveranciers, zelfs de grote, werken er bereidwillig aan mee.

Schaling voelt zich opgelicht. Hij overweegt onderzoek te laten doen, maar na een kort onderzoek van KPMG ziet hij ervan af. Aangifte bij het Openbaar Ministerie ziet hij ook niet als zinvol. Hij heeft het een keer eerder geprobeerd, en dat liep op een grote teleurstelling uit. Geld terugvorderen van World Online, dat op dat moment zelf hard op zoek is naar geld, ziet hij ook

Henry Holterman (tweede van links) bestierde het investeringsvehikel Reggeborgh Participaties voor zijn schoonvader Dick Wessels. In december 1999 kocht hij namens Reggeborgh een groot pakket aandelen van Nina waarbij zij in de winst zou delen. Hij kwam met haar overeen om die aandelen op de dag van de beursgang te verkopen.
Foto: Hollandse Hoogte

Victor Bischoff was directeur van de Zwitserse Sandoz Family Foundation, de meerderheidsaandeelhouder van World Online. Als president-commissaris van World Online speelde hij een bepalende rol in het 'succes' van de onderneming. Bischoff was onder de indruk van de agressieve kwaliteiten van Nina.
Foto: Peter Boer

Jan Kalff en Wilco Jiskoot waren binnen ABN AMRO de grote voorstanders van het omarmen van de beursgang van World Online. Ze kregen later grote spijt van hun brandende ambitie om als *joint global coordinator* het Nederlandse internetbedrijf een notering te bezorgen. Kalff distantieerde zich later zo ver mogelijk van het beursdrama.
Foto: Peter Boer/Hollandse Hoogte

World Online-commissaris Joel Wyler op 23 november 2000 bij zijn laatste optreden voor World Online. Zijn eerder dat jaar ontvangen koninklijke onderscheiding prijkt op zijn revers. Wyler jaagde als geen ander op een aandelenbelang in World Online. Eind 2000 werd hij er door advocaat Reinout Imhof van beschuldigd in strijd met de lock-upregeling in aandelen World Online te hebben gehandeld.
Foto: Arie Kievit/Hollandse Hoogte

Nina poseert voor de camera. Op de achtergrond enkele affiches van de miljoenen kostende reclamecampagne van World Online.
Foto: Peter Hilz/Hollandse Hoogte

De verzamelde internationale media op de vloer in het Amsterdamse beursgebouw op 17 maart 2000. Aan de lange tafel zitten van links naar rechts Simon Duffy, Nina, George Möller (topman AEX), Wilco Jiskoot en Jan de Ruiter (ABN AMRO).
Foto: Peter Boer

Nina steekt op verzoek van de fotografen nogmaals haar duimen omhoog. De 'dui-
menfoto' van Nina zou in Nederland het icoon van de ontluchting van de internethype
worden.
Foto: Peter Hilz/Hollandse Hoogte

Nina met haar duimen omhoog. Simon Duffy en Eric Tolsma kijken lachend toe. Naast Tolsma staan Nina's moeder Lieke en haar dochter Karen.
Foto: Peter Boer

Nina ziet bij hoekmansbedrijf Bever hoe de eerste handel in het aandeel World Online plaatsvindt.
Foto: ANP

Nina laat haar vertrouwensman Eric Tolsma bij de beursgang op 17 maart 2000 merken dat ze hem zeer waardeert.
Foto: Jerry Lampen/Reuters

Nina's beoogde opvolger Simon Duffy toont de pers de grote winnaar van de historische beursgang. Naast Nina staat George Möller, de topman van de AEX.
Foto: Peter Hilz/Hollandse Hoogte

Eric Tolsma, Wilco Jiskoot, Nina en George Möller proosten op het succes van de op één na grootste beursgang in de historie van de Amsterdamse Effectenbeurs.
Foto: Peter Hilz/Hollandse Hoogte

De langharige Lawrence – Larry – Goldfarb was de grote man achter Baystar, de Amerikaanse investeerder die eind december 1999 het grootste deel van Nina's aandelen kocht. Nina investeerde 25 miljoen dollar in Baystar en benoemde Goldfarb tot haar executeur-testamentair. Baystar verkocht op 17 maart 2000 1,2 miljoen aandelen. Goldfarb liet het feest in het Okura aan zich voorbijgaan. Na de beursgang vloog hij onmiddellijk 'ziek' terug naar San Francisco.
Foto: Getty Images

Op 31 juli 2001 maakt het Openbaar Ministerie bekend dat het Nina niet langer aan een strafrechtelijk onderzoek zal onderwerpen. Nina belegt dezelfde dag een persconferentie waarop ze de verzamelde pers laat weten dat ze zich door de media onterecht geslachtofferd voelt.
Foto: Peter Hilz/Hollandse Hoogte

Nina orkestreerde de rechtszaak rond het Friends & Family-programma met behulp van de advocaten Reinout Imhof en Walter Hendriksen. Na haar afsluitende getuigenverhoor voor de Rotterdamse rechtbank complimenteert ze haar raadsman Mischa Wladimiroff. Rechts van haar loopt advocaat Walter Hendriksen.
Foto: ANP

Nina bleek in 2008 een goede vriendin te zijn van Rita Verdonk. Ze steunde haar politieke beweging Trots op Nederland met een donatie van enkele tienduizenden euro's.
Foto: Hollandse Hoogte

In augustus 2008 trad Nina in het huwelijk met journalist Pieter – *Breekijzer* – Storms. Ter gelegenheid van hun 'flowerpowerfeest' in het Amsterdamse Hilton werd over het Noorder Amstelkanaal een pontonbrug gelegd van haar nieuwe (gehuurde) bedrijfspand aan de Cornelis Schuytstraat naar het Hilton. Het feest werd door tal van prominenten – onder wie Rita Verdonk en vvd'er Hans van Baalen – bezocht.
Foto: Leo Vogelzang

niet als een serieuze optie. De administratieve puinhoop bij A-Line is te groot om op korte termijn een keiharde juridische zaak op poten te zetten. Nina zal zich hoe dan ook agressief met advocaten verweren, schat hij in. Procederen kan jaren duren, en het enige waarin hij is geïnteresseerd, is zorgen dat NMB Heller zo snel mogelijk zijn geld terugkrijgt.

Er staat 27 miljoen gulden open aan schulden. A-Line heeft een negatief eigen vermogen van 21 miljoen gulden. A-Line is een totaal failliete boedel. De interim-directeur kan niet begrijpen dat NMB Heller niet eerder heeft ingegrepen. Het is hem duidelijk dat de verantwoordelijke accountmanager bij het factoringbedrijf moedwillig zijn blik van de puinhopen heeft afgewend.

De fiscus heeft een claim van 9 miljoen gulden op A-Line en heeft al beslag laten leggen op de bezittingen van het bedrijf. De interim-directeur vreest dat de belastingdienst snel tot executie over zal gaan. Als dat gebeurt, is alles reddeloos verloren. Veel tijd heeft hij niet. De mannen van de fiscus hebben al een bezoek aan het pand in Naarden gebracht en witte stickertjes met zwarte cijfers en letters op elk onderdeel van de inventaris geplakt. Het bezoek veroorzaakt veel onrust onder de mensen van A-Line. De meesten hebben geen enkel idee hoe slecht het bedrijf ervoor staat.

Een van zijn eerste acties is om alle leveranciers te benaderen en ze te vragen een streep te halen door een groot deel van hun vordering op A-Line. Het is iets of niets. 3Com, Lotus, Microsoft, ze gaan allemaal akkoord.

De grootste schuldeiser is ABN AMRO. Het regiokantoor Breda, waar Nina haar vertrouwensman Piet van der Werf naartoe is gevolgd, heeft een vordering van 14 miljoen gulden op A-Line, met als onderpand het deel van de voorraden waar hij eerder het stof vanaf heeft geblazen. Het grootste gedeelte van de courante voorraad is het onderpand van NMB Heller, en ABN AMRO heeft het nakijken. De interim-directeur stelt de bank voor de keuze: 10 miljoen afboeken of ze mogen zelf de voorraden komen ophalen. De bankiers schrikken. Ook zij geven hem de indruk geen idee te hebben van de deplorabele staat waarin A-Line zich bevindt.

Zicht op een oplossing neemt toe als zich een koper voor A-Line aandient. De sinds februari beursgenoteerde soft- en hardwaredistributeur Copaco uit Eindhoven toont belangstelling. Het is de directie van het bedrijf ter ore gekomen dat concurrent A-Line in moeilijkheden verkeert. De Copaco-oprichters Jos en Vincent Reijers kennen het bedrijf goed en zijn bijzonder geïnteresseerd in de sterke productlijnen die A-Line voert. Met name het distributeurschap van Microsoft staat hoog op het verlanglijstje van de Eindhovenaren.

Ze zijn ook aardig op de hoogte van de efficiencygraad bij A-Line. Een van de bij Copaco aangesloten dealers is er klant. Vaak ging bij bestellingen iets mis waardoor het product teruggestuurd moest worden. Een doodzonde, in een handel waarin de nettowinstmarges slechts enkele procenten van de omzet zijn. De gebroeders Reijers zijn bij het aangaan van de gesprekken met NMB Heller en Begemann op hun hoede voor onaangename financiële verrassingen.

In september 1998 verlaat World Online-commissaris Ruud Huisman 'wegens een onoverbrugbaar verschil van inzicht' de TROS.[19] Het heeft te maken met de machtsgreep van Huisman die strandde op de onwil van TROS-voorzitter Karel van Doodewaerd. Er is niet alleen bij de omroep grote kritiek op Huisman; ook vanuit het Commissariaat voor de Media wordt zijn commercieel ambitieuze klaverbladstrategie kritisch tegen het licht gehouden. Dankzij Huisman is onder de omroep een kluwen van vennootschappen ontstaan waarvan de precieze betekenis in het jaarverslag van de TROS zorgvuldig door de financieel directeur is toegedekt.[20]

Specifiek gaat de belangstelling uit naar het belang in World Online. Het Commissariaat voor de Media is ruim tweeënhalf jaar na de investering van de TROS toch tot de slotsom gekomen dat die eigenlijk niet binnen de mediawet past.[21] De TROS heeft zich met belastinggeld de rol van een durfinvesteerder aangemeten, en dat is volgens de letter van de wet verboden.

Het door Huisman geïnitieerde avontuur is hoe dan ook een doorslaand succes. Sinds de investering van Sandoz is World Online honderden miljoenen meer waard geworden. Daar profiteert de omroep ook van. Hoewel buitenwettelijk, mag de TROS een deel van het belang in World Online van het commissariaat behouden. Het wordt ondergebracht in een vennootschap van Reggeborgh, Melkpad.[22] Bij een verkoop of beursgang zal de omroep alsnog een belangrijk deel van zijn belang kunnen cashen.

Huisman, die bij de omroep een riante vertrekregeling weet te bedingen, hoeft niet lang stil te zitten. Van Nina krijgt hij direct een baan aangeboden bij World Online. Huisman wordt er als *chief operations officer* (COO) verantwoordelijk voor operationele werkzaamheden bij de internetaanbieder.

De activiteiten van World Online beginnen de internationale ambities inmiddels te weerspiegelen. In Frankrijk en België zijn de eerste palen van het fundament van de grootste Europese internetprovider inmiddels geslagen. Het is met name Eric Tolsma die zich als *vice president new business development* met de buitenlandse expansie bemoeit.

Selectie van overnamekandidaten gaat als volgt: van ieder land waarin World Online operationeel wil worden, wordt de top vijf van internetaanbieders op een rij gezet. Hoe groter hoe beter. Feit is alleen dat vrijwel alle grote internetaanbieders in handen zijn van de lokale telefoonmaatschappijen, en niet te koop. Bedrijven die wel te koop zijn, bevinden zich doorgaans op plaats drie, of lager. In Frankrijk blijkt een overname te gecompliceerd, waardoor wordt besloten om met het nieuwe mobieletelefoonbedrijf Bouygues Telecom een joint venture te beginnen en World Online France van de bodem op te bouwen. Ook voor andere landen – Italië, Denemarken, Zwitserland, Spanje en Duitsland – staan de plannen in de steigers. De ruimte is er eindelijk. Het geld uit Zwitserland staat bijna op de rekening.

Terwijl in Rusland de valutacrisis toeslaat en grote delen van Azië infecteert, worden aan de andere kant van de wereld steeds meer mensen besmet door de hallelujastemming op Wall Street. De Amerikaanse economie heeft de wind schijnbaar vol in de zeilen. De dollar wordt steeds duurder, waardoor de enorme buitenlandse schuldenlast van de Amerikanen kleiner wordt en de import – die groter is dan de export – goedkoper.

Steeds meer mensen raken ervan overtuigd dat door de digitale revolutie een bijzonder tijdperk is aangebroken, het tijdperk van de Nieuwe Economie. Dankzij internet is er een economische discontinuïteit opgetreden met wonderbaarlijke effecten. Een jaar eerder heeft de journalist Kevin Kelly van het tijdschrift *Wired* het manifest van de Nieuwe Economie gedefinieerd.[23] Oude economische paradigma's worden opzijgeschoven door die van de 'netwerkeconomie'. Economische neergang, crises en depressies zullen voorgoed tot het verleden behoren.

Wetenschappers volgen het spoor van Kelly. De vlak bij de Nederlandse grens geboren Duitse econoom Rudi Dornbush van het Massachusetts Institute of Technology schreef in juni in *The Wall Street Journal* een vlammend betoog dat het Amerikaanse sentiment bondig samenvatte: 'The US economy likely will not see a recession for years to come. We don't want one, we don't need one, and, as we have the tools to keep the current expansion going, we won't have one. This expansion will run forever.'

De beste graadmeter voor dat sentiment is de Nasdaq in New York. Op 24 september krijgt het onlineveilinghuis eBay er een publieke notering. Voor een internetbedrijf heeft het een nogal merkwaardig emissieprospectus gepubliceerd: er staan winstcijfers in. Met een introductiekoers van 18 dollar beleeft eBay zijn *initial public offering* (IPO). Aan het eind van de dag staat de koers op 47,37 dollar, een koersstijging van 163 procent.

Op 5 oktober wordt de overeenkomst met de Sandoz Family Foundation formeel afgesloten. Nina en Michael Schulhof zetten hun handtekeningen onder het contract van 300 miljoen dollar. Via hun op de Britse Maagdeneilanden gevestigde dochtervennootschap Rotonde Investments verkrijgt de Zwitserse familie definitief de zeggenschap over Nina's onderneming.

Nina en Schulhof zetten ook de handtekeningen onder hun optiecontracten, die hen tot nog grotere prestaties moeten aansporen. Ze krijgen twee tranches met opties, waarvan ze de eerste direct in contanten mogen omzetten. Beiden maken gebruik van die mogelijkheid. Schulhof, die ook al een pakket aandelen World Online bezit, casht daarbij 1,9 miljoen dollar. Het geld staat diezelfde dag nog op zijn rekening.[24]

De onderhandelingen met de Zwitsers zijn nog niet helemaal afgerond. Er is een side letter in de maak die zijn definitieve vorm nog moet krijgen. De directeur van het familiefonds, Victor Bischoff, ziet graag dat Schulhof actief bij het bedrijf betrokken is. Hij ziet hem als een sleutelfiguur in de organisatie. In eerste instantie heeft Schulhof toegezegd acht werkdagen per maand voor World Online te zullen werken, maar Bischoff wil hem er opeens vijf dagen extra bij hebben.

Terwijl de onderhandelingen over de inzet van Schulhof nog in volle gang zijn, wordt het persbericht van de Sandoz Family Foundation de wereld in gestuurd. 'World Online has developed very rapidly across Europe because of its entrepreneurial spirit,' laat Nina optekenen. 'Our goal since World Online was formed, was to become the first pan-European Internet Communications Company. We have achieved that goal.' Volgens het persbericht is World Online sinds een jaar winstgevend. Schulhof voegt er het zijne aan toe: 'We believe World Online has an exciting future and we are moving agressively to take advantage of the opportunities before us.'[25]

Het weekblad *Elsevier* wijdt opnieuw een stuk aan de opvallende opmars van World Online. Net als acht maanden eerder, en net als in het persbericht van Sandoz, beweert Nina dat bij haar bedrijf al echt geld wordt verdiend.[26] Is World Online winstgevend? 'Ja, zeer winstgevend,' antwoordt Nina. 'Sinds september 1997. Aanvankelijk slechts een enkele ton per maand, maar tegenwoordig veel meer. Verder wil ik er niet over spreken. Ik wil niet pochen.'[27]

Als de gecontroleerde cijfers van World Online al bij de Kamer van Koophandel waren gedeponeerd, had de journalist kunnen achterhalen dat het bedrijf nog nooit een gulden winst had gemaakt. Integendeel: World Online verliest sinds het begin van het jaar gemiddeld 230.000 gulden netto per maand.[28] De cijfers van het internetbedrijf worden echter angstvallig geheimgehouden. De uitspraken van Nina zijn het belangrijkste houvast.

'Ik kan wel zeggen dat wij per 1 januari 2002 146 miljoen dollar nettowinst verwachten,' zegt Nina als haar naar de waarde van haar bedrijf wordt gevraagd. 'De gemiddelde multiplier in telecomland is twintig tot dertig keer de winst. U kunt dus zelf uitrekenen hoeveel we tegen die tijd waard zijn.' Op basis van de winstgevendheid van World Online ziet Nina over drie jaar een waardering van rond de 9 miljard gulden in het verschiet liggen. Een beursnotering lijkt de logische volgende stap. Nina zegt dat niet overhaast te willen doen. 'Wij willen wel naar de beurs, maar op basis van keiharde feiten en niet van prognoses.'

Het citaat van Nina in *Elsevier* is een echo van haar uitspraak zesenhalf jaar eerder in *Het Financieele Dagblad*. 'Ik bewijs liever met harde cijfers dat het goed gaat, dan dat ik erover praat,' sprak ze toen over haar 'winstgevende' bedrijf A-Line, dat zich net van eigenaar Newtron had ontdaan.[29]

Jeroen van den Nieuwenhuyzen en Paul Schaling hebben inmiddels het verkoopproces van A-Line in handen genomen. Het zijn geen opwekkende onderhandelingen. Aan het begin van de zomer was het uitgangspunt nog om het bedrijf weer op de rit te krijgen. Een interim-directeur zou het bedrijf saneren en A-Line verkoopklaar proberen te maken. Joep en Jeroen van den Nieuwenhuyzen hadden privé en met Begemann al rond de 7 miljoen gulden in het bedrijf gestoken. Aan het begin van de sanering moest er nog eens 8 miljoen worden bijgestort om het eigen vermogen van A-Line aan te zuiveren. Jeroen van den Nieuwenhuyzen ging ermee akkoord. Dat geld zou bij de verkoop wel weer worden terugverdiend, was de overtuiging. Nina moest passen. Ze was financieel niet bij machte A-Line verder te helpen. Haar aandelen vielen vervolgens toe aan NMB Heller.

Tijdens de grote schoonmaak van A-Line tuimelde het ene na het andere lijk uit de kast en kreeg de missie een onverwachte wending. In plaats van geld te verdienen aan A-Line, moeten Van den Nieuwenhuyzen en Schaling ineens proberen de schade zoveel mogelijk beperkt te houden. En met dat uitgangspunt onderhandelen ze ook met Copaco uit Eindhoven. Als de gebroeders Reijers A-Line willen overnemen, dan zullen ze hun deel aan de schuldsanering moeten bijdragen.

De broers gaan in principe akkoord om voor 4 miljoen gulden een deel van de schulden af te betalen. Maar ze hebben geen trek om A-Lines kerstboom van vennootschappen over te nemen. Copaco wil zich beperken tot een activa-passivatransactie: alleen wat op de balans staat, valt onder de deal. De voorraden bijvoorbeeld. Daarvan heeft NMB Heller al aangegeven dat die voor een te grote som in de boeken staan. Hoeveel precies is niet duidelijk. De voorraden worden daarom gulden voor gulden overgenomen. Dat betekent dat NMB Heller en Begemann er alleen voor betaald krijgen als ze worden verkocht.[30]

Hoewel het definitieve contract nog niet is ondertekend, wordt een persbericht naar buiten gebracht. In de verklaringen naar de pers spreekt Jos Reijers, de bestuursvoorzitter van Copaco, over het slechte management waaronder het bedrijf jarenlang heeft geleden.[31]

Nog dezelfde avond krijgt hij een woedende Nina aan de telefoon. Ze begint onmiddellijk op hoge toon te fulmineren. Hoe heeft hij het gedurfd om iets over de kwaliteit van het management van A-Line te vertellen? Onjuist en mogelijk zeer schadelijk! Ze heeft beursplannen met World Online – wil hij soms voor het eventuele misgaan daarvan aansprakelijk worden gesteld? Ze ratelt door. Het lukt Reijers niet haar te onderbreken. Van de weeromstuit begint hij een sprookje te vertellen. Over een koning en een koningin in een heel ver land, lang, lang geleden...

Minutenlang verhaalt Reijers over trollen en kobolden in donkere bossen, terwijl Nina haar verontwaardiging ononderbroken uit de hoorn laat schetteren. Opeens is het stil aan de andere kant van de lijn. Dat is het moment waarop Reijers weer het woord tot Nina richt. Ze luistert. Hij beschrijft de situatie bij A-Line en maakt haar duidelijk dat hij in zijn uitlatingen over het bedrijf nog erg mild is geweest. Ze mag van geluk spreken. Hij wenst haar verder veel succes met haar nieuwe onderneming en hangt op.

Een grove balans die over het A-Line-verleden kan worden opgemaakt, laat een deerniswekkend beeld zien. Newtron, Joep van den Nieuwenhuyzen en Begemann hebben gezamenlijk meer dan 50 miljoen gulden moeten afschrijven op hun investeringen in A-Line. De Belgische fiscus zag bij de ondergang van Tech Cash & Carry een vordering van 4 miljoen gulden verdampen. De Generale Bank is er bij verschillende faillissementen in België voor ruim 15 miljoen gulden ingeschoten, en ABN AMRO mocht bij de recente sanering van de schulden ook een veer van 10 miljoen gulden laten. Overige schuldeisers van A-Line Data Belgium zagen minimaal 7 miljoen gulden in rook opgaan. Sinds de overname van TM Data in 1989 is minstens 86 miljoen gulden verbrand.[32]

Daar blijft het niet bij. De overnamesom waarvoor Copaco A-Line uiteindelijk overneemt, bedraagt 1 gulden. Van den Nieuwenhuyzen en NMB Heller zijn er niettemin gelukkig mee. Er zit nog wat voor ze in het vat als A-Line het eerste jaar een goede prestatie levert. Een eventueel winstcijfer wordt met de factor 18 vermenigvuldigd en naar Bunnik en Breda overgemaakt.

Al snel blijkt dat Schaling c.s. deze *earn out*-regeling op hun buik kunnen schrijven. De ellende bij A-Line blijkt nog groter dan verwacht.[33] De organisatie bevindt zich in staat van ontbinding. De goede mensen zijn verdwenen, de overblijvers blijken gedemotiveerd. Een groot deel van de goederen kan rechtstreeks naar de schroothoop, en dat gebeurt ook. Copaco moet 220 pallets met waardeloze automatiseringsproducten naar een vuilverwerkingsbedrijf transporteren. Daar wordt de A-Line-voorraad, dat deels als chemisch afval moet worden aangemerkt, na betaling van een royale milieuheffing uiteindelijk vernietigd.

Bij World Online dient zich in de top inmiddels een probleem aan. Althans, zo ervaart Nina dat vooral. Het betreft Schulhof. Ze zou het liefst zijn contract met Sandoz en World Online door de papiervernietiger trekken. Ze heeft het volledig gehad met haar *chairman*. Waar ze het voorbije jaar veelvuldig met hem optrok en daarbij haar genegenheid voor de Amerikaan niet onder stoelen of banken stak, is het in november plotseling met de vriendschap gedaan.[34] Hij kan in de ogen van Nina geen goed meer doen. Hij is lui, denkt eigenlijk alleen maar aan zijn eigenbelang en heeft bij nader inzien ook strategisch bar weinig weten bij te dragen. Schulhof is overtollige ballast, hij moet weg.

Schulhof zelf heeft in november vooral met Victor Bischoff te stellen, die hem opeens achter zijn broek zit. Bischoff wil hem graag meer bij World Online betrekken en daar harde afspraken over maken. De Zwitser gooit daarbij onverwacht zijn gewicht in de schaal. Hij heeft Schulhof voor een ultimatum gesteld: hij moet akkoord gaan met de managementovereenkomst van vijf extra werkdagen per maand, anders kan hij zijn optiecontract vergeten.[35] Volgens Schulhof vergist Bischoff zich en hoeft er helemaal geen nieuw managementcontract te worden opgemaakt. Wat hem betreft is er geen probleem. Mocht de directeur van de Sandoz Family Foundation dat anders zien, dan moeten de advocaten van de stichting zich maar tot de zijne richten.[36]

Het gerezen meningsverschil met Bischoff is geen reden voor Schulhof om zich niet voor World Online sterk te maken. De vroegere Sony-baas is op een conferentie Avram Miller tegen het lijf gelopen en heeft hem voor de ambitieuze Nederlandse internetaanbieder weten te interesseren. Miller werkt als *vice president* en *director corporate business development* bij chipgigant Intel. Hij heeft daar de investeringspoot opgezet. De meeste grote concerns zijn al jaren zelfstandig actief op het terrein van risico-investeringen in technologie en recentelijk ook internetbedrijven.

Miller heeft al een aantal succesvolle investeringen in internetbedrijven gedaan. Daaronder zit ook het internetinvesteringsfonds CMGI.[37] Hij heeft, in de vijftien jaar dat hij voor Intel investeringen doet, een ontzagwekkend netwerk opgebouwd en is een vaardige matchmaker. Via hem komt ook het eerste contact met het aan de Nasdaq genoteerde CMGI tot stand. Het investeringsfonds heeft onder leiding van zijn in internetkringen beroemde oprichter David Wetherell een aanzienlijk portfolio aan belangen in internetbedrijven opgebouwd. Ze zijn op zoek naar meer.

Op de eerste ontmoeting, begin december in New York, is ook Schulhof van de partij. Hij is degene die oppert dat World Online wellicht een bedrijf is waarin CMGI een belang wil nemen, of het misschien zelfs helemaal wil overnemen.

World Online is sinds de grote investering van de Sandoz Family Foundation ook een factor van betekenis voor de Amerikaanse media. De website van *The New York Times* besteedt medio december aandacht aan het bedrijf dat de nummer 1 van Europa wil worden. *The New York Times* vraagt zich af hoe een kleine internetaanbieder uit Nederland met slechts 150.000 betalende abonnees en 150.000 gebruikers van gratis e-mail het gaat klaarspelen om de reus AOL naar de kroon te steken.[38] Het artikel refereert aan twee nieuwe overnames van World Online in Zwitserland en Spanje en citeert 'chairman' Michael Schulhof: 'No one except AOL today is looking at Europe as a single market for providing internet services and content. They are all looking at pieces. There is a vacuum there and it is a good opportunity.'

Twee dagen na de publicatie van het stuk op de website van *The New York Times* zit hij met Nina, Rob van der Linden en twee bankiers van Credit Suisse in een Amsterdams restaurant te eten. Schulhof eindigt de avond samen met Van der Linden in een bekende herenclub aan het Singel. Met zijn bezoek bezegelt de Amerikaan, zonder dat hij dat weet, zijn lot bij World Online.

Het amoureuze uitstapje van Schulhof lekt snel uit en wordt bij World Online algauw op bestuurlijk niveau in behandeling genomen. De chairman heeft zich ernstig misdragen, zoveel is duidelijk. Schulhof wijst woedend naar Van der Linden en eist diens ontslag. Dit heeft grote consternatie tot gevolg. Zelfs Pierre Landolt bemoeit zich vanuit Brazilië met de onverkwikkelijke situatie die bij de jongste investering van de familie is ontstaan. Hij zal een beslissing moeten nemen. Op 11 januari, drieënhalve week na de bewuste nacht, wordt chairman Michael P. Schulhof op staande voet ontslagen.

Volgens World Online heeft hij door zijn gedrag in het Huis met de Groene Lantaarn de eer en goede naam van het bedrijf op het spel gezet. Het internetbedrijf stelt ook dat hij opdrachten en klanten van World Online doorsluist naar bedrijven waarin hij zelf belangen bezit. Schulhof, stelt World Online, heeft belangen in andere internetbedrijven, wat haaks staat op het concurrentiebeding waaraan aandeelhouders van World Online zich moeten houden.[39] Dezelfde belangen die korte tijd eerder nog in Schulhofs voordeel spraken, worden hem nu aangerekend. Na overleg met het familiehoofd Pierre Landolt haalt Bischoff namens de Sandoz Family Foundation een dikke streep door zijn contract. De optieregeling van Schulhof komt daarmee te vervallen en de Zwitsers eisen ook onmiddellijk de eerder betaalde 1,9 miljoen dollar op.

Schulhof wordt overvallen door de nogal abrupte wending die zijn loopbaan bij World Online bezig is te nemen. Hij kan zich niet voorstellen dat het familiefonds van de familie Landolt zich werkelijk op deze wijze van hem wil ontdoen. Hij ontkent alle aantijgingen en weigert afstand te doen van zijn opties en het geld dat hij eerder ontving. World Online dagvaardt hem enkele dagen later in een kort geding. Tegelijkertijd richt Rob van der Linden zich tot

Schulhofs advocaat in New York. Schulhof moet zijn beschuldigingen tegen hem terugnemen en zijn excuses aanbieden, anders zal hij hem dagvaarden.[40]

In Amsterdam loopt de juridische aanval al snel vast. De zaak wordt door de Amsterdamse rechtbank afgewezen.[41] Nina en Bischoff laten het daar niet bij zitten. Op donderdagmiddag 28 januari faxt advocaat John Goldman van het kantoor Herrick Feinstein vanuit New York de conceptdagvaarding ter goedkeuring naar Nina's privéadres in Brasschaat.[42] Namens World Online, Sandoz en Reggeborgh heeft hij zijn best gedaan om de verwijten jegens Schulhof helder op papier te krijgen. Hij heeft zich volgens de drie eisende partijen als chairman behoorlijk misdragen. Droog somt Goldman de vermeende feiten op. In de aanklacht tegen Schulhof wordt op aangeven van Nina ook Klaus Schwab, de oprichter van het World Economic Forum, beschuldigd. Schwab is een goede vriend van Schulhof en hij zou met hem hebben samengespannen om bezittingen of commerciële kansen aan World Online te onttrekken. World Online en zijn belangrijkste aandeelhouders hebben door Schulhofs misdragingen substantiële schade geleden en claimen in totaal 60 miljoen dollar. Dezelfde dag stuurt Goldman de dagvaarding nog naar Schulhof en naar de *supreme court* van de staat New York.

De volgende ochtend ligt dezelfde dagvaarding bij verschillende redacties van kranten en bladen in New York. De pijnlijkste beschuldigingen zijn door de afzender met een stift geaccentueerd. De afzender is het Amerikaanse pr-bureau van World Online dat door Nina is ingehuurd: Rubenstein Public Relations uit New York.[43]

De volgende dag kopt de *New York Post* op zijn voorpagina in chocoladeletters: '$60M suit charges, disgraced studio executive had... EXPENSE ACCOUNT HOOKERS'. Een grote foto van Schulhof illustreert het verhaal. 'Former Sony president Mickey Schulhof's new firm says he used corporate credit card to hire high-priced call girls', luidt het fotobijschrift. 'The court papers say Mickey Schulhof, 56, bragged about moning call girls to his room and urged a coworker to join him for orgy nights at Amsterdam's famed sex clubs.'[44]

De advocaat van Schulhof noemt de aantijgingen in een reactie 'raw, unadalterated garbage. It's a vicious attempt to take back from Mickey what he earned by bringing this company into the 21st century. We'll bring our own actions over this.'

The New York Times heeft het nieuws overgenomen: 'Ex-chairman sued by Internet Company'. De krant schrijft dat Schulhof een prostituee met zijn company-creditcard heeft betaald en dat hij van World Online heeft willen stelen.[45] Ook de bekendste website voor de internetgeneratie, *Wired*, heeft het nieuws over de gedragingen van Schulhof opgepikt.[46] In Nederland kopt *Het Parool* een paar dagen later: 'Schulhof-zaak: seks, geld en politiek'. Ook *De Te-*

legraaf brengt het nieuws over de jongste affaire bij World Online: 'Ex-topman World Online beschuldigd van orgieën'.[47]

Schulhof heeft net als de aandeelhouders van World Online vertrouwen in de goede afloop van het geschil. De *New York Post* laat op 2 februari ook hem aan het woord. World Online en zijn aandeelhouders zijn volgens hem betrokken bij een samenzwering die als doel heeft hem te beschadigen. Ze zijn zo ver gegaan dat ze hem herhaaldelijk hebben gedreigd hem persoonlijk en publiekelijk te vernederen. De krant citeert ook uit een brief die hij aan de Sandoz Family Foundation heeft geschreven[48]: 'I never believed that they or those responsible for ultimate ownership and control of World Online would really succumb and permit such ugly, malicious, vulgar and irresponsible tactic to be used against me. I will hold each and all responsible. I will not be frightened away.'[49]

10 Het Dassault-virus

It's great to have a private jet. Anyone who tells that having your own private jet isn't great, is lying to you.

OPRAH WINFREY, 2009

Voor aandeelhouder Jacques de Leeuw van Audax was het afscheid van World Online en zijn bestuursvoorzitster minder ingewikkeld. Hij kon het niet bijzonder goed vinden met Nina en had geen hoge pet op van de kwaliteit van het bedrijf. De Leeuw geloofde ook niet in de internationale expansiedrift van World Online, de mooie verhalen van de CEO ten spijt. Hij vond eigenlijk dat World Online niet veel meer was dan 'gebakken lucht'.[1] Wat het afscheid eenvoudiger maakte, was dat de ambitieuze internationalisatie voor zijn eigen 'slechts' op Nederland gerichte bedrijf weinig toegevoegde waarde had en dat hij de 15 miljoen gulden voor Audax, dat een paar zware jaren achter de rug had, goed kon gebruiken.

De Leeuw is nog een ondernemer van het slag dat elk verlies, hoe klein ook, als een nederlaag beschouwt. Een vernedering. Zijn uitkijk op het ondernemerschap verschilt radicaal met die van de generatie die nu aan de macht lijkt te zijn gekomen. Verliezen zijn voor de leiders van de nieuwe economie geen schande meer, sterker: het is stom als het management zich laat afleiden door zoiets als het maken van winst. Eerst het merk neerzetten en marktleiderschap veroveren, en daarna verder zien. En niet-betalende klanten zijn ook klanten. Jacques de Leeuw zou er een deurwaarder op af sturen, maar bij een snelgroeiend aantal internetbedrijven worden ze in de watten gelegd.

Klassieke financiële prestatie-indicatoren als rentabiliteit van het eigen vermogen, de terugverdientijd van het geïnvesteerde vermogen of de brutowinstmarge hebben nauwelijks enige betekenis voor financiers en ondernemers achter internetbedrijven. Durfinvesteerders hebben een graadmeter bedacht die aangeeft hoeveel geld dat soort bedrijven nodig heeft om te groeien: *burnrate*. Kapitaal wordt niet langer geïnvesteerd, maar verstookt.

Verlies maken is ook voor het bedrijf Amazon.com nog een vanzelfsprekende zaak. Het beleggende publiek dat via internet en televisie meer dan ooit wordt geïnformeerd, maakt dat weinig uit. In december stond het aandeel van Amazon nog op 240 dollar. Het bedrijf was daarmee 12 miljard dollar waard. De nog tamelijk onbekende analist Henry Blodget, een voormalige journalist met een studie geschiedenis op zak, zei dat het aandeel binnen een jaar 400 dollar waard kon worden, een voorspelling die veel publiciteit kreeg. Niet binnen een jaar ging de koers van Amazon naar de 400 dollar, maar binnen vier weken. Blodget zat er dus naast, maar zijn falen wordt door zakenbank Merrill Lynch anders geïnterpreteerd: met zijn voorspelling wist Blodget de markt eigenhandig in beweging te zetten en miljarden dollars aan beurswaarde te creëren. De zakenbank biedt hem direct een baan aan.

Op 12 februari 1999 beleeft Nederland zijn eerste echte grote beursgang van een bedrijf uit de nieuwe economie. Kabelbedrijf UPC, de grote uitdager van KPN, krijgt met hulp van de Amerikaanse zakenbanken Goldman Sachs en Morgan Stanley een notering aan het Damrak. Het heeft grote kabelnetwerken in Nederland opgekocht, onder andere van Philips. Met een verlies van 172 miljoen euro over de eerste negen maanden van 1998 wordt het aandeel aan het publiek aangeboden. Er is zo veel vraag naar – de plaatsing is twintig keer overtekend – dat de prijs-*range* een paar dagen voor de beursgang met 2 euro wordt verhoogd. De opbrengst is 1,2 miljard euro en het bedrijf is bij de introductie 3,75 miljard waard. Dezelfde dag schiet het aandeel met 40 procent omhoog naar 40,70 euro. Daarmee is het in een tijdsbestek van een paar minuten anderhalf miljard euro in waarde gestegen. De koorts van de nieuwe economie heeft ook de Amsterdamse effectenbeurs definitief in zijn greep gekregen.

Tussen 14 en 17 maart is het tijd voor het management van World Online om zich af te zonderen en zich te beraden op de nabije toekomst. Het hutje op de hei dat Nina daarvoor heeft uitgekozen, staat in het Zwitserse St. Moritz en is voorzien van vijf sterren, een zwembad, sauna, luxe suites en verschillende kwaliteitsrestaurants.

Intussen heeft het snelgroeiende bedrijf uiteraard ook versterkingen binnengehaald. De meest opvallende is Alexander Sombart, een voormalig balletdanser die met beroemde prima ballerina's heeft opgetreden en in gezelschappen als het veelgeprezen English National Ballet, het Nederlands Dans Theater en het Koninklijke Ballet van Vlaanderen heeft gedanst. Hij is afkomstig uit een gegoed Frans milieu van intellectuelen en kunstenaars en dat is ook goed aan zijn omgangsvormen te merken. Nina had hem bij een ontmoeting in het Ritz Hotel in Parijs spontaan een baan aangeboden, die hij – na een economisch iets mindere periode te hebben doorgemaakt – dankbaar aanvaardde.

Sombart is onder Van der Linden komen te werken, als marketeer. Hoewel zijn kennis en werkervaring meer met *De notenkraker* van Tsjaikovski van doen hebben dan met de marketingprincipes van Philip Kotler,[2] is hij toch al snel van eminent belang voor de uitstraling van het bedrijf. Sombart is de grote inspiratiebron voor het nieuwe centrale publiciteitsthema rondom World Online: *Freedom of Movement*. Foto's van balletdansers vormen de rode draad in de vormgeving van de Europese reclamecampagnes, die klaarstaan om te worden gelanceerd – om te beginnen op de belangrijkste luchthavens van Europa, waar abri's en bagagekarretjes met de hoofdzakelijk rood-zwarte affiches van World Online worden behangen.

In St. Moritz wordt, tussen de skitochtjes over de besneeuwde berghellingen door, veel gesproken over koers, imago en identiteit van het bedrijf. Het missionstatement dat World Online heeft omarmd, luidt: 'To Inform and Entertain the Smallest Audience in the World: the Individual.'[3] Veel nadruk van de positionering ligt op de strategie van het portaal van World Online en op het merk van de internetaanbieder.

In het bedrijf zouden verschillende medewerkers graag zien dat er bijvoorbeeld meer aandacht zou komen voor het ontwikkelen en opzetten van *customer care*-systemen. Behalve dat klanten er sneller en beter mee kunnen worden geholpen, zijn die systemen ook geschikt om profielen van klanten mee op te bouwen. Die zijn op termijn geld waard voor adverteerders. Maar de marketingaanpak die Nina voorstaat, is veel meer naar buiten gericht, op het bouwen van een corporate image. *Freedom of Movement* is de grote belofte die aan de wereld moet worden gecommuniceerd. Ballet geeft de verfijning aan het thema. Ballet staat voor topkwaliteit, creativiteit en artisticiteit, en dat zijn wat Nina betreft precies de begrippen waar World Online zich mee behoort te identificeren. Boven alles staat het verkrijgen van *brand awareness*. World Online moet het komende jaar niet alleen doorstoten naar 1 miljoen abonnees, het moet de meest bezochte website van Europa krijgen en vooral: het nummer 1-internetmerk van Europa worden.[4]

Tegelijkertijd wil World Online het kostenleiderschap verkrijgen. Dat is logisch, want het bedrijf koestert vanaf zijn oprichting al de wens om de goedkoopste aanbieder te zijn. Geld verdienen doet een prijsvechter pas wanneer zijn kosten tot het laagst mogelijke niveau zijn teruggebracht. Maar het kostenleiderschap staat op gespannen voet met de nog grotere wens om het merk World Online op Europese schaal uit te bouwen. Daar zullen peperdure marketingcampagnes aan moeten worden besteed. Het plan is wereldberoemde artiesten in te huren en grote concerten en evenementen te sponsoren. Tegelijkertijd wil het bedrijf *full service*-producten blijven aanbieden, terwijl normaal gesproken het streven naar kostenleiderschap hand in hand gaat met het versoberen van het productaanbod.

Van versobering is allengs geen sprake. World Online wil met een uitgebreid pakket aan diensten en producten zowel consumenten als zakelijke klanten bedienen. Er staan ook enorme investeringen op het programma in redactie en veelsoortige content. Want World Online wil, behalve het grootste Europese internetmerk, ook een leidend Europees mediabedrijf worden. En om de grootste van Europa te worden, moet World Online nog heel wat overnames doen in het buitenland. Behalve dat die op zichzelf al veel geld zullen gaan kosten, zullen er ook weer kostbare integratieprocessen uit voortvloeien.

Er zijn al met al schaarse aanknopingspunten die in World Onlines voordeel spreken als het om het verkrijgen van het kostenleiderschap gaat. Een driedaags managementoverleg in het Suvretta House in St. Moritz draagt ook al weinig bij tot een beter ontwikkeld kostenbewustzijn van het managementteam. Sommige leden daarvan hebben dan ook een ander beeld van de positie van World Online. 'There is currently no pan-European player with our track record and focus,' stelt *vice president marketing* Rob van der Linden zelfbewust in een van zijn presentaties.[5]

Toch zal het bedrijf vroeger of later de slag naar het kostenleiderschap moeten maken, want de behoefte om een prijsvechter te willen zijn, zit er bij Nina diep ingebakken. World Online heeft vanaf de eerste dag van zijn bestaan de voordeligste abonnementen willen aanbieden. En dat lukte ook meestal. Ten koste van de marges. Ook in de toekomst wil World Online de voordeligste aanbieder van internettoegang blijven. Op het vlak van prijsleiderschap is er sinds een halfjaar een belangwekkende ontwikkeling gaande: in Engeland is het bedrijf Freeserve begonnen gratis internettoegang aan te bieden. Eric Tolsma en Rob van der Linden hebben hun ceo al verschillende malen op Freeserve gewezen, maar Nina kan niet geloven dat het bedrijf daadwerkelijk gratis internet aanbiedt en schenkt er verder weinig aandacht aan.

Nina is niet de enige die de zakelijke rationaliteit achter gratis internet moeilijk kan volgen. Het economische bestaansrecht van een gratis internetaanbieder is volgens de kenners ook buitengewoon twijfelachtig. De enige inkomsten die het bedrijf genereert, komen uit de zogenoemde *kickbacks* die telefoonmaatschappijen aan internetaanbieders betalen voor elke minuut dat een klant van de provider aangeslagen kan worden. En dat is niet genoeg. Om een kwalitatief goede dienst te kunnen leveren, moeten het netwerk en alle dienstverlening daaromheen – helpdesk, callcenter – goed in orde zijn. Internetabonnees hebben de gewoonte slechte providers snel de rug toe te keren. Een geoliede organisatie en een hoogwaardige technische infrastructuur zijn cruciaal om de *churn rates* (weglopende abonnees) tot een minimum te beperken. Dat alles valt niet te financieren met inkomsten die alleen uit kickbacks afkomstig zijn – tenzij op andere manieren geld aan de abonnees kan worden verdiend, of zwaar op de kwaliteit wordt bezuinigd.

De oprichters van World Onlines concurrent Euronet hadden eerder door de spectaculaire opkomst van Freeserve in Engeland een toekomstig slagveld zien opdoemen voor internetaanbieders. Het vooruitzicht sprak hen niet erg aan en ze verkochten hun bedrijf aan het Franse Wanadoo. Ze krijgen gelijk. Freeserve weet snel meer dan een miljoen abonnees binnen te halen en is daarmee al meer dan twee keer groter dan World Online. Het succes blijft niet onopgemerkt. Overal in Europa beginnen providers gratis internettoegang aan te bieden; overal dalen als gevolg daarvan de prijzen voor betaalde abonnementen.

Een kleine week na de terugkomst uit St. Moritz mag Rob van der Linden een van zijn laatste klussen als woordvoerder van World Online op zich nemen: de aankondiging van de zojuist getekende overeenkomst met Netscape. World Online gaat, naast de browser van Microsoft, ook de Netscape-browser leveren. De overeenkomst wordt aangekondigd als een 'unieke samenwerking'.

Een onderdeel van de deal is dat Netscape op zijn eigen site World Online een jaar lang aanprijst als *preferred access partner*. In het persbericht van World Online wordt dat vertaald naar 'de favoriete ISP in Europa van Netscape'.[6]

De man die Van der Linden als woordvoerder opvolgt, is Gérard Brikkenaar van Dijk. Hij studeerde journalistiek in de Verenigde Staten, werkte kort voor *Het Parool* en verhuisde later naar het ministerie van Economische Zaken. Daar schreef hij onder andere speeches voor de toenmalige staatssecretaris Yvonne van Rooij. Brikkenaar van Dijk is ook een goede bekende van Ruud Huisman, die hij bij de TROS had leren kennen toen die daar nog actief was voor de afdeling speciale investeringsprojecten.

Hij is een gedistingeerde man, erudiet en fijnbesnaard. De mensen die hem kennen, typeren hem echter niet als bijzonder gedreven. Na twee jaar als woordvoerder van Enertel in de wereld van de telecommunicatie te hebben gewerkt, zal hij nu dagelijks klaar moeten staan voor de vrouw die aan het hoofd staat van de meest ambitieuze internetaanbieder van Europa.

Eind mei krijgt Victor Bischoff gezelschap in de raad van commissarissen, de *supervisory board*. Henry Holterman, de directeur van Reggeborgh, wordt commissaris, net als de Amerikaan Avram Miller.

Miller was dankzij Michael Schulhof met World Online in contact gekomen. Sindsdien zijn de banden steeds verder aangehaald. Hij heeft pas zijn werkgever Intel verlaten en werkt nu, vanuit een kantoor op de twintigste verdieping van een wolkenkrabber in het financiële district van San Francisco, voor zichzelf als investeerder en adviseur. Zijn specialiteit ligt vanzelfsprekend op het gebied van technologie- en internetbedrijven, het terrein dat hij veertien jaar lang heeft ontgonnen voor het investeringsfonds van Intel.

Miller heeft met zijn hang naar t-shirts gecombineerd met zijn designer-bril en zijn lange, grijze, krullende haren meer weg een artiest dan van een doorsnee-investeerder. Hij treft het. In en rondom San Francisco, en ook ver daarbuiten, is het onderscheid tussen die twee vormen van bestaan dankzij de internethausse ook steeds meer aan het vervagen.

Voor een succesvolle Amerikaanse investeerder heeft Miller een onge-woon cv. Hij deed in het begin van de jaren zeventig onderzoek aan de medi-sche faculteit van de Erasmus Universiteit en woonde vijf jaar in Rotterdam. Zelfs de Nederlandse taal is hij nog steeds redelijk machtig.

De nieuwe commissaris heeft al een rol van grote betekenis gespeeld voor het Nederlandse internetbedrijf. Hij heeft zijn oude werkgever op het spoor gezet om een grote investering in World Online te doen. De onderhandelin-gen daarvoor zijn inmiddels in een vergevorderd stadium. En hoewel Miller oogt als een sensibel kunstenaar, onderhandelt hij net zo scherp als een Wall Street-zakenbankier. Voor zijn 'adviezen' aan World Online is hem een vor-stelijk pakket aandelenopties in het vooruitzicht gesteld.

De aandelen van World Online zullen in de toekomst pas echt wat waard wor-den als het bedrijf snel blijft groeien. Er zullen dus meer overnames moeten worden gedaan. Zo snel mogelijk. Er zijn deals in voorbereiding om in Duits-land, Italië en zelfs Zuid-Afrika internetaanbieders over te nemen. En er wordt niet alleen meer gekeken naar andere internetaanbieders. Ook andere bedrij-ven met een mogelijk strategische waarde komen binnen het schootsveld.

Nina draagt veel ideeën aan. Ze verslindt bladen en kranten, waar ze de in-teressante pagina's uitscheurt om die later weer bij Tolsma en zijn collega's onder de neus te duwen. Nog vaker belt ze na een ingeving direct op. Ze eist onmiddellijke opvolging. En ze wil van de voortgang op de hoogte worden ge-houden. Zoals ze van alles op de hoogte gehouden wil worden. Elke dag. Per telefoon, via e-mail. En het liefst zo snel mogelijk.

'What is the status? I need to have the facts. Report directly to me. Need up-date immediately... you refuse to answer my emails it seems?'

Nina is niet voor niets zo veeleisend. 'I am the only person who can bind the company. I need to have the facts solidly nestled on my net. Bibi Nina.'[7]

Inmiddels wordt gesproken met een bedrijf dat zich heeft gespecialiseerd in elektronische betaalsystemen (Electronic Banking Systems uit Duitsland) en zijn er onderhandelingen gaande met een interactief reclamebureau dat over een grote videodatabase beschikt (Bookmark). En er is een techniek, wap, waar-mee websites via de telefoon kunnen worden bezocht. Daar moet World Online ook bij aanhaken. Kan met Nokia of Ericsson een deal worden gemaakt?

Nog veel intensiever wordt gezocht naar mogelijke contentpartners, partijen die entertainment, informatie, nieuws en commerciële diensten kunnen bieden voor het World Online-portaal. Dat kunnen e-commercebedrijven zijn, zoals onlinevacaturesites, veilingsites of een onlinesushibestelservice, waarmee op commissiebasis afspraken worden gemaakt. Maar het gaat ook om deals met persbureaus als Reuters of Associated Press, waarvan de eigen webreacties in binnen- en buitenland nieuwsfeeds en foto's kunnen betrekken.

Succesvolle websites als Salon.com zijn ook interessant om afspraken mee te maken voor het uitwisselen van content. Sony zou misschien wel zijn muziek via World Online willen distribueren. Of moet World Online niet zijn eigen muziekkanaal beginnen? Onlinegaming, natuurlijk moet daar flink ruimte voor worden gemaakt! Software voor een Europese onlinerouteplanner, een boekingsysteem voor reizen, screensavers, sport, tuinieren, wijn, financiën... eigenlijk is er weinig waar World Online niet in geïnteresseerd is. Bovendien moet de interesse ook nog eens voor de verschillende taalgebieden toepasbaar zijn. Het is misschien wat veel, maar dat past in de strategie. World Online wil immers in alle relevante talen het leidende Europese onlinecommunicatiebedrijf worden.

De pr houdt met die ambities gelijke tred. Het imago van World Online is voor Nina allesbepalend. World Online is een merk, en dat merk moet door intensieve communicatie met het grote publiek worden opgebouwd. Marketingman Rob van der Linden heeft van haar de opdracht gekregen een overzicht te maken van de toekomstige sponsoruitgaven aan concerten en evenementen. Op zijn verlanglijstje heeft Van der Linden de concertreeksen van de gewenste artiesten gezet, met daarachter de bedragen die World Online eraan denkt te kunnen gaan besteden. 'Madonna, concert tour, *World Online presents...* Bedrag: 4 miljoen dollar. Ricky Martin, concert tour, *World Online presents...* Bedrag: 2 miljoen dollar. Whitney Houston, concert tour, *World Online presents...* Bedrag: 1 miljoen dollar.' En zo heeft hij Cher (1 miljoen), Eurythmics (2 miljoen), het Europees voetbalkampioenschap in Nederland en België (20 miljoen), Formule 1 (2,5 miljoen), de WTA-tennistour voor vrouwen (8 miljoen) en musicalcomponist Andrew Lloyd Webber (1 miljoen) op zijn lijst staan. Totaal budget: 100 miljoen dollar.[8]

Zijn ondergeschikte Alexander Sombart heeft een voorstel gedaan om de belangrijkste balletgezelschappen van Europa te sponsoren. Er staan twaalf gezelschappen op zijn lijst die allemaal 100.000 euro aan sponsoring zullen krijgen. Het Nationale Ballet ontvangt die bijdrage mogelijk voor de productie *Midsummer Night's Dream*, het Koninklijke Ballet van Vlaanderen staat op de nominatie voor *De schone slaapster*.[9] Wat Van der Linden betreft kan het balletbudget nog wel iets worden opgeschroefd. Hij heeft er voor de zekerheid tussen de 2 en de 5 miljoen dollar voor gereserveerd.

Op kleinere schaal vinden al projecten plaats. Zo sponsort World Online *Het schilderij van de eeuw* van Nina's vriendin, de kunstenares Patty Harpenau. Mensen kunnen eigenaar worden van een klein deel van het schilderij. De opbrengsten zijn voor Stichting Sterrekind, de hulpstichting ten behoeve van chronisch zieke kinderen.

Via het kantoor van Howard Rubenstein, World Onlines pr-bureau in New York, is in de tussentijd een andere vriendschap opgebloeid die voor Nina pr-technisch nog wel eens van grote waarde zou kunnen zijn. Rubenstein is de pr-koning van New York. Artiesten, zakenlui en zelfs regeringen van landen zijn klant bij hem.

Rubenstein wordt gevreesd om zijn nietsontziende aanpak. Hij is in staat hardnekkige mediaproblemen te veroorzaken, of juist het hoofd te bieden. Sarah Ferguson, *The Duchess of York*, ook wel bekend als Fergie, is iemand met een chronisch imagoprobleem. Sinds ze zich in afwezigheid van haar echtgenoot prins Andrew met andere mannen vermaakte, ging het mis. De paparazzifoto waarop ze met ontbloot bovenlichaam was te zien terwijl een Amerikaanse zakenman aan haar grote teen zat te knabbelen, leverde haar internationale hoon op. Het koninklijke huwelijk leed schipbreuk. Fergie begon te veel te eten. Ze werd dik. Heel dik. De Britse tabloids begonnen haar *The Duchess of Pork* te noemen.

Een vervelende bijkomstigheid was dat Fergie haar uitbundige levensstijl niet kon financieren. Sinds de scheiding van Andrew zat ze met een schuld van miljoenen ponden. Howard Rubenstein stelde haar aan Nina voor. Nina dacht dat ze de arme, inmiddels danig afgeslankte prinses wel weer op het paard zou kunnen helpen. In ruil kon ze ook iets voor haar, voor World Online, betekenen. Ze zou voor een vergoeding als 'spokesperson' voor World Online kunnen optreden.

Het project Duchess of York ('DoY') past in de marketingportefeuille van Rob van der Linden. Er wordt een contract opgemaakt. Er moet nog wel worden onderhandeld over de bedragen en de opties die ze krijgt, en de tegenprestaties die ze daarvoor moet leveren. Van der Linden en Nina brengen om die reden een bezoek aan de residentie van de Duke en Duchess of York, in Ascot, even buiten Londen. De voormalige echtelieden wonen er nog altijd samen.

In de ontvangsthal mogen ze even op een bank plaatsnemen tot de prinses verschijnt. Een man die langs de deuropening van de hal loopt, blijft staan en loopt terug om het World Online-duo vriendelijk te begroeten. Nina en Van der Linden zijn te verbouwereerd om uit de zachte sofa omhoog te komen. Als de man weer in de deuropening is verdwenen, realiseren ze zich dat ze zoeven de hand van prins Andrew hebben geschud. Ze proesten het uit.

Op 1 juni wordt een *letter of intent* opgesteld voor een contract met de DoY.

Ze zal een jaar als 'spokesperson' optreden voor World Online. Daarvoor zal ze zich twintig dagen moeten inzetten. Kosten: 350.000 dollar, plus opties, die volgens de overeenkomst mogelijk 2 miljoen waard worden. De prinses zal voor haar reizen die ze voor World Online door Europa zal maken, ook de beschikking krijgen over een privévliegtuig. Reizen buiten Europa mogen First Class. World Online zal luxehotels, beveiliging, limousine, en indien gewenst ook kapper en stylist betalen.[10]

Het eerste mediamoment met de DoY dient zich aan op maandagavond 14 juni. Céline Dion geeft in de Amsterdam Arena een concert. World Online sponsort voor 130.000 dollar het optreden en heeft voor ongeveer negentig mensen van het personeel, relaties en enkele redacteuren van *De Telegraaf* en *Privé* kaarten vlak bij het podium gekregen. Na het concert, waar Nina behalve de DoY ook Conny Breukhoven heeft uitgenodigd, in een vorig leven wel bekend als de zangeres Vanessa, is er een 'wine & dine' in het Amsterdamse restaurant Le Garage. Societyjournalist Henk van der Meyden is getuige. Een paar dagen later staat het verslag paginagroot in *De Telegraaf*.

'De nacht met Fergie', kopt de krant. 'Drie sterke vrouwen vonden elkaar tijdens het concert van Céline Dion'.

'Op een besloten souper in het Amsterdamse restaurant Le Garage toonde de roodharige prinses dat zij niet de "bimbo" is zoals velen denken dat ze is. Het publiek kent haar bijna alleen als de spilzieke recalcitrante lastige tante – een dom verwend kind, dat geen verantwoordelijkheidsgevoel heeft en de Britse monarchie een paar flinke deuken heeft bezorgd,' aldus de journalist.

Hij gaat verder: 'Ik was er dan ook op voorbereid een vrouw met sterallures te ontmoeten, een prima donna of in goed Nederlands: een verwend superkreng!'

Dat blijkt volgens Van der Meyden bij nadere beschouwing wel mee te vallen. 'Haar Nederlandse vriendin, World Onlines NINA BRINK, die Fergie had uitgenodigd voor dit Céline Dion-concert, had me al gezegd dat zij haar kent als een spontane vrouw, een sterke vrouw ook nu zij veel meer op eigen benen staat. Een lieve intelligente vrouw.'

Nina neemt over: 'Maar zoals Vanessa altijd het image heeft van de seksbom, vindt men mij alleen de koele harde zakenvrouw, en zo heeft Fergie ook een bepaald image gekregen.' Volgens Nina heeft Fergie door haar ervaringen van de laatste tijd veel geleerd en is ze veel zelfstandiger geworden. 'Ze hoort nu ook bij de "we trekken ons nergens wat van aan-club" die Vanessa en ik met z'n tweetjes hebben opgericht,' lacht Nina.

Fergie: 'Ja, ze is mijn mental coach. We bellen elkaar vaak en zien elkaar regelmatig bij mij en mijn man ANDREW thuis. Zij is een echte vriendin. Ik heb bewondering voor wat zij allemaal heeft bereikt met World Online. Ik ben zelf ook wel geïnteresseerd door INTERNET. Misschien ga ik wel iets doen voor World Online.'

Van der Meyden ziet dat Nina een vinger op haar mond legt. 'Dit blijkt nog een geheim te zijn!' schrijft hij. Nina: 'Alle sterke vrouwen zouden hun eigen website moeten hebben, jij ook Vanessa!'

Nina vertelt dan dat ze Sarah in New York heeft leren kennen. 'De befaamde pr-man HOWARD RUBENSTEIN heeft ons aan elkaar voorgesteld. Die zei tegen Sarah: "Nina, dit is een vrouw die je moet leren kennen."'

Van der Meyden vervolgt: 'Hij wist dat met Nina aan haar zijde Fergie geïnspireerd zou worden om meer orde op zaken te stellen.'

Het bijschrift van de foto met de drie lachende dames: 'FERGIE om halftwee 's nachts in Le Garage. Ontspannen met VANESSA en hartsvriendin NINA BRINK, die zo'n grote rol speelt in haar nieuwe leven. Drie sterke vrouwen die zich ontspannen en veel met elkaar gemeen hebben. Hun image is niet wat ze zijn.'[11]

Bij World Online heeft zich intussen Arnold Croiset van Uchelen gemeld. De Nederlandse advocaat van Michael Schulhof heeft dagenlang gecorrespondeerd met World Onlines juridische adviseur Roeland Golterman. Van Uchelen zal namens zijn cliënt aanwezig zijn bij de vergadering van aandeelhouders die op woensdag 23 juni staat gepland.

Schulhof heeft 1,34 procent van de aandelen van World Online in bezit en hij heeft het recht de aandeelhoudersvergaderingen van World Online bij te wonen.[12] Schulhof heeft Van Uchelen en een van zijn collega's de volmacht gegeven om hem bij die vergaderingen te vertegenwoordigen. Golterman kan Schulhof de toegang tot de vergadering niet ontzeggen en zal dus ook zijn twee raadsheren moeten toestaan aan te schuiven. Een van de onderwerpen die op de agenda staan, is de investering die chipgigant Intel in World Online wil doen. Van Uchelen heeft er voorafgaand aan de vergadering opmerkingen bij geplaatst.

Nina is niet geporteerd van de bemoeienis van Schulhofs raadsman. Ze treedt met John Goldman in contact. Het kantoor van Goldman, Herrick Feinstein, is sinds januari tegen Schulhof aan het procederen. Goldman mailt haar een dag voor de vergadering terug. 'I know from our telephone conversation on Friday, 18 june, that you would like to pursue additional amendments to the pending New York complaint(s),' schrijft Goldman.[13] Hij somt de redenen op die Nina in het eerdere telefoongesprek heeft genoemd voor de nadere te nemen maatregelen tegen Schulhof en wil graag weten wanneer hij de kwestie verder met haar inhoudelijk kan bespreken.

De volgende ochtend melden Schulhofs advocaten zich in Vianen voor de vergadering. Behalve Nina, die de vergadering zal voorzitten, zijn de advocaten Kees Peijster van het advocatenkantoor De Brauw Blackstone Westbroek, Roeland Golterman en een secretaris aanwezig. Golterman vertegenwoordigt aandeelhouders Nina, Sandoz en Reggeborgh. De NS en Telfort zijn om onduidelijke redenen niet aanwezig.[14]

Bij het bespreken van de notulen van de laatste vergadering wenst Nina dat er aantekening wordt gemaakt van de bezwaren die Van Uchelen naar voren heeft gebracht tegen de benoeming van Avram Miller als nieuwe commissaris. Miller is een bekende van Schulhof en Van Uchelen denkt dat door Millers aanstelling het gevaar van belangenverstrengeling op de loer ligt. Nina vindt het opmerkelijk dat juist Schulhof iets over belangenverstrengeling heeft op te merken, omdat dit nu juist een van de punten is waarvoor World Online in New York een proces tegen hem voert.

Naast de investering van Intel in World Online staat het optiepakket van Avram Miller op de agenda. Hij krijgt 2577 aandelen van World Online tegen een uitoefenprijs van 535,88 dollar per aandeel. Intel betaalt iets meer: 1135,47 dollar. Het instantrendement voor Miller: ruim anderhalf miljoen dollar. Nina benadrukt dat de opties van Miller verband houden met zijn 'adviezen' voor World Online. Het is dankzij Miller dat World Online een bedrijf van wereldklasse als aandeelhouder mag verwelkomen.

Intel zal 66.666.667 miljoen dollar investeren voor 10 procent van de aandelen. Daarmee is World Online 667 miljoen dollar waard.[15] Intel verkrijgt ook warrants die het bedrijf ervan verzekeren dat World Online geen beursgang of verkooptransactie aangaat waarbij het op zijn investering zou moeten toeleggen. Als het toch gebeurt, krijgt Intel extra aandelen om het verlies te compenseren. Het betekent een aanzienlijke vermindering van het risico van Intel, die door de andere aandeelhouders opgebracht moet worden.

Er ontstaat een stevige discussie over de besluitvorming rond de Intel-investering.

Van Uchelen vraagt Nina waarom Schulhof als aandeelhouder niet op de hoogte wordt gehouden van belangrijke ontwikkelingen die de aandeelhouders aangaan.

Nina antwoordt dat het gezien de huidige relatie tussen Schulhof en de andere aandeelhouders niet nodig was om hem te benaderen.

Van Uchelen protesteert tegen die gang van zaken.

Nina gaat er niet nader op in.

Van Uchelen protesteert opnieuw.

Nina hamert het onderwerp af.

Bij wijze van uitzondering, en als blijk van goede wil, biedt ze Schulhof aan dat hij voor dezelfde prijs als Intel aandelen mag bijkopen om de verwatering van zijn belang tegen te gaan. Nina merkt daarbij op dat het haar spijt dat Schulhof niet persoonlijk bij de vergadering aanwezig is. Hij zou begrepen hebben hoe belangrijk de investering van Intel is voor de toekomst van World Online. Zeker nu de marktomstandigheden door aanbieders van gratis internettoegang ingrijpend zijn veranderd.

'Om in dergelijke omstandigheden te kunnen overleven,' zegt Nina, 'zijn strategische allianties met bedrijven als Intel van het grootste belang. Die zullen het mogelijk maken om winst te maken met de verkoop van additionele diensten, applicaties en communicatieproducten. Als World Online de kans die Intel biedt niet grijpt, dan loopt het een groot risico dat het in een ongelukkige positie tussen grote concurrenten als Microsoft en AOL terechtkomt.' Zonder de steun van Intel, stelt ze, 'is de continuïteit van de onderneming hoogst onzeker'.

Twee dagen later wordt de investering van Intel bekendgemaakt. Intel-topman Graig Barrett, die op internationale doorreis is om, zoals hij zelf zegt, de 'internetreligie' te verspreiden, is ervoor naar Nederland gekomen.

Voor Nina is het een bijzondere vorm van genoegdoening. Acht jaar eerder was het haar niet gelukt het Nederlandse distributeurschap van het bedrijf naar zich toe te trekken; nu mag ze in het Amsterdamse Hilton-hotel met Barrett de miljoeneninvestering in haar bedrijf aan de media bekendmaken. Hoeveel de chipfabrikant precies in World Online investeert, blijft nog even geheim. Duidelijk is dat het om tientallen miljoenen dollars gaat. Volgens World Online is het bedrijf, dat inmiddels 800.000 abonnees zou hebben, een miljard dollar waard.[16]

Barrett ontmoet in Amsterdam en Den Haag ook enkele wethouders en minister van Economische Zaken Annemarie Jorritsma. Op een aansluitende cocktailparty in het Haagse hotel Des Indes zegt hij dat hij gecharmeerd is van de agressieve overnamestrategie van World Online. Computerbits zijn volgens Barrett de olie van de interneteconomie en bedrijven als World Online 'de sleutel tot de groei van handel via internet'.[17]

Het streven van Intel is, net als bij de andere aandeelhouders, uiteraard gericht op een voordelige exit, via een onderhandse verkoop van World Online aan een ander bedrijf of via een beursgang. Wat zakenbank Morgan Stanley Dean Witter betreft moet het bedrijf over die keuze niet te lang nadenken: World Online moet een beursnotering aanvragen. En als het bestuur en de raad van commissarissen van World Online slim zijn, doen ze dat nog dit jaar – natuurlijk met Morgan Stanley als de toonaangevende zakenbank die de beursgang van World Online begeleidt. Vier maanden eerder hebben ze nog samen met Goldman Sachs kabelbedrijf UPC naar de Amsterdamse beurs gebracht. Dat was een doorslaand succes. En sinds 1994 hebben ze ook ASML, Gucci en uitzendbureau Vedior een succesvolle notering bezorgd. Amsterdamse ervaring heeft de zakenbank dus genoeg.

In de presentatie die de bankiers van Morgan Stanley aan World Online geven, adviseren ze dat het bedrijf in september een dubbele notering krijgt: zowel aan de Nasdaq als aan de Amsterdamse effectenbeurs. Voor World Online
is het belangrijk dat het toegang krijgt tot de grootste kapitaalmarkt op aarde,
de Amerikaanse. Vandaar Nasdaq. Bovendien kan het zich daar meten met de
beste bedrijven in zijn soort. Amsterdam is belangrijk omdat het bedrijf in
Nederland bekend is en daar de steun voor de lange termijn is verzekerd. De
bankiers wijzen ook op het nadeel van een notering in Amsterdam. De Amsterdamse Effectenbeurs (AEX) is bezig de regelgeving voor verlieslatende bedrijven te versoepelen. Tegelijkertijd zal het daarbij de regels voor het verkopen van aandelen van oprichters en eigenaren verzwaren, weten de bankiers.
De nieuwe regelgeving wordt al door de beurs gehanteerd. Voor de eigenaren
van UPC gelden zware lock-ups. Hoe dan ook, als World Online voor het Morgan Stanley-scenario kiest, betekent het dat de bankiers direct aan de slag
moeten om het prospectus te maken.[18]

Maar het bestuur en de raad van commissarissen van World Online kiezen
voorlopig voor een ander scenario. Een beursgang in september komt te
vroeg, en de vraag is ook of Morgan Stanley dan de aangewezen zakenbank is
om die beursgang te begeleiden. Daarnaast begint de belangstelling van het
Amerikaanse internetinvesteringsfonds CMGI steeds serieuzere vormen aan
te nemen. Een exit zonder beursgang is dus ook een reële optie.

Het geld van Intel stelt World Online sowieso in staat nog een periode door
te gaan met het ambitieuze groeiscenario. Commissaris Avram Miller heeft
bovendien een gegadigde voor een andere vorm van financiering. Een 'zeer
goede vriend' van hem, Larry Goldfarb, is de baas van het Amerikaanse investeringsfonds Baystar. Goldfarb heeft belangstelling om via een converteerba-
re obligatie financiering te verschaffen. Hij is volgens Miller iemand die snel
kan schakelen. 'Larry, you will really enjoy meeting Nina and I hope that some
business relationship will develop,' laat hij zijn vriend weten.[19]

De 41-jarige Lawrence R. Goldfarb hoopt ook dat de voorzet van zijn vriend
Miller tot iets zal leiden. Hij is net driekwart jaar met zijn eigen firma bezig
waaraan hij zijn initialen heeft geschonken. Als oprichter en eigenaar van LRG
Capital is Goldfarb druk bezig kapitaal te vergaren voor zijn eerste investeringsfonds: Baystar. Miller nodigde hij als een van de eersten uit. Niet alleen
om te investeren. Hij nodigde hem ook uit om in zijn kantoor in het financiële
district van San Francisco te komen zitten. Miller zei twee keer ja.

Goldfarb, cum laude afgestudeerd aan de prestigieuze Law School van de
Universiteit van Georgetown, begon zijn loopbaan als fiscaal jurist. Hij ontwikkelde zich tot specialist in het opzetten van complexe financiële constructies. Hij maakte de overstap naar Credit Suisse First Boston, waar hij zich met

succes met fusies en overnames bezighield. Zijn volgende stap was het ondernemerschap. Als manager van een eigen investeringsfonds zit hij dicht bij het vuur van de expl35ende dotcomeconomie. Vanuit zijn kantoor op de twintigste verdieping kijkt de tegenwoordig langharige ex-bankier uit over de baai van San Francisco en de daaraan grenzende Silicon Valley.

De Valley stroomt al jaren over van de *high potentials* uit alle uithoeken van de wereld. Mensen die hun banen hebben opgezegd, hun spullen hebben gepakt en een enkele reis naar San Francisco hebben geboekt. De een om er zelf een dotcom te beginnen of ervoor te werken, de ander om ze te financieren. Nergens is het geloof in een betere wereld sterker ontwikkeld. Goldfarb is als nieuwbakken *venture capitalist* niet minder hoopvol gestemd over de toekomst.

In Nederland loopt niemand rond die het voorbeeld van de supersnel groeiende Amerikaanse dotcoms zo goed weet te evenaren als Nina met haar World Online. En als gevolg daarvan zijn er nog maar weinig mensen in zakelijk Nederland te vinden die de wonderbaarlijke ontwikkelingen rondom haar internetbedrijf niet op het netvlies hebben staan. Dat ze een investering van honderden miljoenen van Sandoz had weten los te peuteren, deed de grond onder de voeten van sommige oude bekenden danig schudden. Dat Intel daar met tientallen miljoenen nog eens bij kwam, kon alleen maar betekenen dat Nina met World Online bezig was de dotcomhemel te bestormen.

Vanuit verschillende bestuurskamers van grote beursgenoteerde ondernemingen wordt met ongeloof en ook enige afgunst gekeken naar de ontwikkelingen bij het internetbedrijf. De beurskoersen van bedrijven die niets met internet van doen hebben, komen ondanks goede resultaten nauwelijks van hun plaats, terwijl zwaar verlieslatende bedrijven als UPC in enkele maanden miljarden meer waard zijn geworden. UPC is vooral een kabelbedrijf, een concurrent van KPN. Weliswaar nieuwe economie, maar nog geen internet. In Nederland heeft nog geen enkel echt internetbedrijf de gang naar de beurs weten te maken. World Online is huizenhoog favoriet om die primeur binnen te halen – en de daarmee gepaard gaande waardering.

De schare bewonderaars van Nina's ondernemerschap neemt dagelijks in omvang toe. Onder hen bekende bestuurders als Cees van der Hoeven van Ahold en Cees van Luijk van Getronics. De voormalige accountant Van Luijk had haar jaren eerder bij Newtron onder minder fortuinlijke omstandigheden leren kennen. Nu kan hij weinig anders dan veel respect tonen.

Van Luijks goede vrienden Joel en Danny Wyler denken er net zo over. De Wylers waren er al bij toen Nina's internetaanbieder voor het eerst op zoek ging naar geld. De laatste tijd probeert Joel haar zo nu en dan van advies te voorzien. Hij toont zich ook een goede vriend. Voor de viering van Nina's

46ste verjaardag had hij zijn villa in Super Cannes ter beschikking gesteld. Wyler zelf vierde zijn vijftigste verjaardag. Samen hadden ze er een prachtig feest van gemaakt. Van der Linden had via zijn inmiddels uitstekende contacten in de entertainmentindustrie de zanger Lionel Richie voor het Zuid-Franse tuinfeest weten te strikken. Uit Zuid-Afrika had hij een drumact laten overvliegen. Vrienden en bekenden uit Nederland en ver daarbuiten waren voor Joel Wyler en Nina naar de Franse zuidkust gekomen. Het feest was een daverend succes.

Voor Nina staat begin juli een reis naar Zuid-Afrika op het programma. In Kaapstad zal ze onder andere het management van Vodacom ontmoeten, een bedrijf dat een maand eerder door World Online is overgenomen. De DoY komt ook mee. Ze heeft een ontmoeting met Nelson Mandela kunnen arrangeren.

Eric Tolsma wenst zijn bazin per e-mail 'heel veel plezier'.

Lieve Nina,
Ik denk dat er weinig keren zijn geweest dat je zo aan vakantie toe bent geweest als nu. Ik hoop echt dat je een geweldige paar weken krijgt en even helemaal tot rust kan komen. Je verdient het! Het motto 'join Nina and go places' was nog nooit zo waar![20]

Nina laat enkele dagen later Avram Miller weten dat ze Goldfarb zal bellen of mailen. Ze vertelt Miller dat ze in een goede stemming is. 'I am still in South Africa, things are going well here. We met privately with Mandela and his wife for over an hour. He has promised to give us his full support. They are wonderful people, this was the experience of a lifetime!! bibi Nina.'[21] Een foto van de ontmoeting heeft ze direct op Worldonline.nl laten plaatsen. Enkele dagen later wijdt journalist Henk van der Meyden op de *Privé*-pagina van *De Telegraaf* een klein verslag aan het bezoek van Nina aan Mandela: 'Nederlandse Nina en Fergie bij Mandela'.[22]

Op 23 juli wordt telecombedrijf Versatel van de Amerikaan Gary Mesch door juichende beleggers op het Damrak verwelkomd. Mesch is agressief in zijn aanpak. Hij daagt als klein bedrijf voortdurend KPN met brutale advertenties uit. Versatel is er voor het midden- en kleinbedrijf (MKB), dat hij met zijn bedrijf van breedbandaansluitingen zal voorzien. En breedband is het toverwoord. Versatel zal glasvezelringen rondom industrieterreinen gaan leggen en daarmee zal het MKB, toch al de motor van de economie, aansluiting krijgen op de fabelachtige mogelijkheden van de *nieuwe* economie. Als logisch gevolg zal het bruto binnenlands product van het Koninkrijk der Nederlanden een enorme duw krijgen. Versatel – nettoverlies: 66 miljoen gulden – is om die reden het belangrijkste bedrijf uit de Nederlandse geschiedenis. En Mesch roept het tegen iedereen die het maar horen wil.

De vroegere marktonderzoeker Maurice de Hond is eveneens een onvoorwaardelijk pleitbezorger van de nieuwe economie. Hij is bezig met de uitbouw van een investeringsfonds dat zich voor de volle honderd procent concentreert op bedrijven die iets met bits of bytes doen. Zijn grote voorbeeld is David Wetherell, de oprichter en CEO van internetinvesteringsfonds CMGI. Net als Wetherell wil De Hond een netwerk van bedrijven opzetten die elkaar versterken. Het bijzondere van het beursgenoteerde CMGI is dat het geld van de belegger opnieuw belegd wordt in bedrijven. Ook De Hond wil zijn fonds naar de beurs brengen. Want hij wil, net als Wetherell, de kleine man de mogelijkheid bieden via zijn fonds in startende bedrijven deel te nemen.

In Amerika heeft Wetherell door een serie succesvolle investeringen de status van halfgod bereikt. Wetherell is niet iemand die veel belangstelling toont voor de inhoud van de bedrijven in zijn portfolio. Hij vindt het van groter belang dat op Wall Street gunstig over hem en CMGI wordt gesproken. Hoewel geen van de bedrijven in de portfolio van CMGI ook maar bij benadering winstgevend is, vloeit er een onophoudelijke stroom positieve berichten naar buiten. Elk behaald resultaat van ieder bedrijf, hoe onbenullig ook, vormt aanleiding voor een opgewekt persbericht. De resultaten zijn bemoedigend. Sinds het bedrijf vijf jaar eerder een beursnotering kreeg, is het 140 keer meer waard geworden; 6 miljard dollar is de marktwaarde van CMGI inmiddels.

Het grote voorbeeld van Maurice de Hond heeft zijn oog laten vallen op World Online. Wetherell, door Avram Miller op de agressief opererende ISP uit Nederland gewezen, is vastbesloten het bedrijf in de portfolio van CMGI op te nemen. In het kamp van World Online valt die belangstelling goed. Nina ziet een deal met CMGI wel zitten. Strategisch zou het niet slecht zijn voor World Online om zich onder de paraplu van het investeringsfonds te scharen.

Op vrijdag 30 juli vliegt Nina samen met Avram Miller en Rob van der Linden vanuit New York in een privévliegtuig naar Martha's Vineyard, een bekend eilandje aan de zuidkust van Massachusetts. Wetherell bezit er een buitenhuis waar ze zondagochtend zullen worden ontvangen. Miller is weer degene geweest die de ontmoeting heeft opgezet, als een soort huwelijksmakelaar. Voor beide bedrijven opereert hij ook in de raad van commissarissen. Het verschil is dat deze paringsdans voorafgegaan wordt door het ondertekenen van geheimhoudingsverklaringen.

Op zondagochtend staat de ontmoeting met Wetherell op het programma. De bedoeling is dat CMGI een belang gaat nemen in World Online. Nina zal met Van der Linden een uitgebreide presentatie geven en cijfers overleggen.

De bedoeling is dat er met een handdruk een principeovereenkomst wordt gemaakt over het belang dat CMGI in World Online gaat nemen. Die maandag staat er voor World Online een bestuursvergadering op de agenda waar ook Victor Bischoff bij aanwezig zal zijn. Op die vergadering zal het voorstel van CMGI aan de commissarissen worden voorgelegd.

Bischoff is niet erg enthousiast over het voorstel van CMGI. Dat het een meerderheidsbelang in World Online wil nemen, zou weliswaar een mooi rendement voor de familie Landolt kunnen opleveren, maar volgens de Zwitser zit er veel meer in het vat als World Online naar de beurs wordt gebracht.

De besprekingen met CMGI krijgen geen prioriteit. Na een week informeert de rechterhand van Wetherell bij Miller waarom hij niets van Nina hoort. Hij vraagt zich af of hij zich wellicht bij iemand anders moet melden.

Maar de raad van commissarissen van World Online, de supervisory board, heeft meer aandacht voor de aanstelling van de nieuwe topman Koos van der Meulen. De commissarissen vinden het een goed idee dat Nina zich meer gaat toeleggen op de internationale expansie, en de opbouw van de organisatie aan iemand anders overlaat. Van der Meulen wordt gezien als een ideale kandidaat. Hij heeft in de voorgaande jaren de onstuimige groei van het telecombedrijf Telfort in goede banen geleid en is gelouterd in die snelle sector. Hij is bovendien een bekende: als topman van leverancier en aandeelhouder Telfort heeft Nina hem al leren kennen. En, niet onbelangrijk: hij is beschikbaar.

Van der Meulen laat zich door de energieke topvrouw verleiden. Nina is blij met zijn jawoord. Ze roemt zijn bestuurlijke vermogens in de media. Van der Meulen is volgens Nina iemand die evengoed minister-president had kunnen worden. Ze zorgt voor een gepast fotomoment in de nieuwe Hawker-corporate jet die ze, na aanhoudende verzoeken bij Holterman en Bischoff, voor World Online heeft mogen leasen. Samen nemen ze plaats achter de stuurknuppel terwijl de fotograaf van *De Telegraaf* gretig afdrukt.

Uit eigen beweging dient zich nog een andere topman bij Nina aan: Roel Pieper. Hij is anderhalf jaar eerder, na een succesvolle loopbaan in de Amerikaanse computerindustrie, naar Nederland teruggekomen om plaats te nemen in de raad van bestuur van Philips. Pieper werd binnengehaald als een verloren zoon en kreeg onmiddellijk door politiek en media de versierselen van internetgoeroe opgespeld. Nederland snakt naar successen zoals die zich in de Verenigde Staten bijna dagelijks voordoen. Als iemand Nederland nieuw economisch elan kan bezorgen, is het wel Roel Pieper – dat zijn verblijf in de raad van bestuur van Philips van slechts korte duur is, doet daaraan weinig afbreuk. Philips staat bekend als stroperig en traag. Te langzaam voor Roel Pieper.

Tijdens het korte bezoek van Intel-topman Graig Barrett heeft Pieper Nina even ontmoet. Hij heeft haar verteld dat hij met een startend bedrijf bezig is dat onvoorstelbare potentie heeft. Het heeft met een superuitvinding te maken waarmee de digitale industrie volledig op zijn kop zal worden gezet. Hij ziet grote mogelijkheden voor een intensieve samenwerking met World Online. Hij vertelt ook dat hij als investeerder bijzonder actief is en over een uitstekend netwerk in de Verenigde Staten beschikt. Pieper denkt dat hij veel voor Nina kan betekenen. Wat zou zij ervan zeggen als hij chairman werd van de supervisory board van World Online?

In augustus komt Pieper op zijn voorstel terug. Hij heeft even telefonisch contact met Nina, die met Ab in Dallas zit om een paardrijwedstrijd van dochter Karen bij te wonen. Het gesprek is kort, Pieper moet een vergadering in. Via e-mail pikt hij later die dag de draad weer op. 'I think that the idea to join the team as Chairman of the Board (Supervisory Board) is very high on my list,' schrijft Pieper aan Nina. 'Would love to see how we could meet before next board meeting.'[23]

Pieper heeft ook een minder vrolijke mededeling: de uitvinder over wie hij haar heeft verteld, is geheel onverwacht komen te overlijden. Het ziet er niet goed uit. De overdracht van de technologie was nog maar amper op gang gekomen. Hij is bang dat de man zijn uitvinding mee het graf in heeft genomen en dat alles voor niks is geweest. Als dat bewaarheid wordt, en hij hoopt natuurlijk van niet, zit er weinig anders op dan het maar te accepteren. Hij heeft gelukkig een groot aantal andere investeringen lopen en hij is bezig een investeringsfonds op te richten. Wellicht is het iets voor haar om daar geld in te stoppen? Of voor het fonds van de familie Sandoz?

Ondanks het aanstellen van CEO Van der Meulen en de eventuele komst van Pieper als chairman lijkt het niet waarschijnlijk dat Nina naar de achtergrond zal verdwijnen. Van der Meulen heeft al snel gemerkt dat ze niet het type is dat snel een stapje opzij zal doen. In de dagelijkse praktijk laat Nina geen beslissing geheel aan haar nieuwe topman over.

Nina laat veelvuldig blijken dat haar verlangen sterk is ontwikkeld om te worden gezien als topvrouw van de pan-Europese internetaanbieder. Dat uit zich ook in het uitgebreide Engelse cv dat ze net van zichzelf heeft laten maken en dat aan de internationale pers beschikbaar wordt gesteld. Pagina's lang worden de kwaliteiten van haar leiderschap beschreven en haar belangrijkste wapenfeiten op een rij gezet. Ze heeft bijvoorbeeld 'overtuigend aangetoond over een groot vermogen te beschikken om steun en enthousiasme voor World Online te vergaren'. Ze heeft honderden miljoenen dollars financiering voor het bedrijf weten te vinden en wist strategische verbonden te sluiten met leidende bedrijven als Microsoft en Cisco. Ze heeft joint ventures gesloten met belangrijke telecombedrijven, ze heeft leidinggegeven bij de aan-leg van een 'state of the art' technische infrastructuur die de 'beste' verbindingen en toegang biedt, en ze heeft ook een managementteam van 'wereldklasse' om zich heen verzameld.

'Het fenomenale succes' van World Online behelst een combinatie van 'ondernemerschap en visie'. Nina Brink legde met haar keuze voor een pan-Europese strategie 'onverschrokkenheid' aan de dag die gestoeld is op haar geloof dat Europa als een enkele markt kan worden benaderd.

De opsomming wordt afgesloten met een overzicht van haar successen die aan World Online vooraf gingen. 'The personality behind WOL's rapid start up and early success is a well-known and highly respected member of the European business community. Mrs. Brink, 45, has been active as an entrepreneur and leader in the information technology industries since 1975, when she founded AKAM International, and later A-Line, leading distributors of information technology products and value-added services. She was a member of the advisory board of the Post and Telecom Council to the Netherlands government. In her student days, she studied psychology at the University of Leiden. She is married and mother to one child.'[24]

Er is een aantal elementen dat op het cv niet wordt vermeld of anders wordt voorgesteld. Zo ontbreekt Nina's lange staat van dienst waar het de offensieve inzet van advocaten aangaat. In binnen- én buitenland. In New York bijvoorbeeld is John Goldman van Herrick Feinstein nog steeds met de zaak-Schulhof in de weer. Hij en een paar van zijn kantoorgenoten hebben er al veel denkwerk aan besteed. Ook enkele andere zaken worden door het kantoor behartigd.

Medio augustus mailt Goldman Nina met het verzoek of ze zo vriendelijk wil zijn enkele openstaande rekeningen te voldoen. Nina laat Goldman telefonisch weten dat hij zich bij financieel directeur Frans Blommestein mag melden. Goldman mailt vervolgens Blommestein: 'Dear Frans [...] Ik sprak zojuist met Nina. Ze wil dat je Herrick Feinstein 700.497,74 dollar betaalt, welk bedrag de nog openstaande onkosten en vergoedingen betreft. Ik zou het waarderen als je het bedrag morgen naar onze rekening zou kunnen overmaken. Bel me alsjeblieft als het bedrag morgen niet kan worden overgemaakt.' Een bedrag van 66.189,35 dollar wordt nog door Nina betwist. Goldman gaat ervan uit dat het meningsverschil daarover snel uit de weg zal worden geruimd.[25]

De gepeperde rekeningen van Herrick Feinstein tonen aan dat de wereld van de advocatuur lichtjaren verwijderd is van de wereld van internet, waar 'gratis' de laatste maanden tot onontkoombare trend is uitgegroeid. Internetaanbieder Freeserve is begin augustus in Londen en New York naar de beurs gegaan. Het heeft in Engeland de eerste tien maanden van zijn bestaan 1,3 miljoen klanten weten binnen te halen en daarmee AOL van de eerste plaats verstoten.

Uit de kickbacks die het uit de lokale inbelkosten ontvangt, heeft het bedrijf in de eerste helft van 1999 een omzet behaald van 3,6 miljoen dollar. Freeserve maakte in dezelfde periode een nettoverlies van 1,8 miljoen dollar. Voorafgaand aan de beursgang konden mensen het prospectus en een formulier voor de inschrijving op de aandelen van de website van Freeserve downloaden. Meer dan honderdduizend mensen hebben er gebruik van gemaakt. Meerderheidsaandeelhouder Dixons, de elektronicaketen, heeft ook al zijn personeel en dat van Freeserve – 24.000 in getal – de gelegenheid geboden op de aandelen in te schrijven.

De notering is een enorm succes. Freeserve heeft na de eerste handelsdag een beurswaarde van 2,4 miljard dollar, 1800 dollar per actieve abonnee. De waardering is vooral gebaseerd op het geld dat Freeserve mogelijk in de toekomst aan zijn klanten kan verdienen. Hoe dat precies in zijn werk moet gaan, is nog niet bekend.

Sinds dat stormachtige succes staan in elk Europees land internetaanbieders op die hun diensten voor niets aanbieden. Dat geschiedt onder luide protesten van sommige andere aanbieders, zoals AOL, die erop blijven hameren dat het gratis ISP-model bedrijfseconomisch op de lange termijn niet uitvoerbaar is. Die argumenten worden niet gehoord. Gratis internet is een niet te stuiten ontwikkeling. Ook AOL moet eraan geloven en begint met gratis internet. En een paar weken na de beursgang van Freeserve is World Online de eerste grote Nederlandse provider die ervoor kiest abonnementen voor niets weg te geven.

Voor de kersverse topman Van der Meulen is het gratis weggeven van het basisproduct van het bedrijf niet de enige wonderlijke ervaring die hij bij zijn entree in de wereld van internet opdoet. Zijn eerste indrukken van de organisatorische staat waarin World Online verkeert, laten hem ook niet onbewogen. Van der Meulen weet wat het is om een snelgroeiend bedrijf te besturen. In zijn ogen kan dat niet anders dan door de teugels strak in handen te nemen. Er dient een geschikte organisatievorm met heldere structuren te worden gekozen, en er moeten duidelijke doelstellingen worden geformuleerd die op een consequente wijze aan iedereen in het bedrijf worden gecommuniceerd. Snelle groei managen doe je door eenvoudig, simpel en gedisciplineerd te organiseren – op die manier had hij het ook bij Telfort gedaan, en dat was hem daar goed gelukt. Anders, weet hij, draait de snelle groei van het bedrijf onvermijdelijk uit op een chaos.

Bij World Online, dat qua personeelsomvang nog een stuk kleiner is dan

Telfort, ontwaart hij een chaos. Het lijkt net alsof niemand precies weet wat hij aan het doen is. Mensen werken volledig langs elkaar heen. Er ligt weliswaar een organigram dat de suggestie geeft van een samenhangend geheel van taken en verantwoordelijkheden, maar in de praktijk is daar weinig van te merken. Belangrijke beslissingen worden maar door één persoon genomen: Nina.

Het valt hem al snel op dat er een angstcultuur heerst. Mensen willen geen fouten maken, dekken zich in en tonen weinig zelfstandigheid. Hij vraagt zich af hoe hij de janboel op orde kan krijgen. Er moet stevig worden ingegrepen als hij van World Online een geoliede machine wil maken. Het probleem is alleen dat de dame aan de top hem die ruimte nauwelijks geeft.

Het is ook opvallend dat een paar mensen bij World Online over veel informele macht beschikken. Eric Tolsma en Rob van der Linden hebben als linker- en rechterhand van Nina een ogenschijnlijk onaantastbare positie. Zeus en Apollo worden ze bij World Online genoemd, naar de twee extreem loyale dobermannpinchers van de adellijke Jonathan Higgins uit de tv-serie *Magnum P.I.* Waar Nina ook gaat of staat, een van haar jongens is altijd bij haar. Vaak zijn ze er allebei.

Met name Van der Linden toont weinig schroom om op zijn tijd zijn bijzondere positie bij anderen onder de aandacht te brengen. Bij een project waarbij een afdelingshoofd van World Online op het punt staat centraal software in te kopen, blijkt Van der Linden op eigen initiatief al een deal met de leverancier te hebben gemaakt. Wanneer financieel directeur Frans Blommestein – na Van der Meulen en Nina formeel de derde man van het bedrijf – bij Van der Linden aanklopt om verhaal te halen, wordt hem met krachttermen de mantel uitgeveegd. Waarmee denkt hij zich te bemoeien? Verslagen verlaat Blommestein het kantoor van de vice president marketing.

Voor Blommestein is het een van de vele incidenten die hem in september doen besluiten het bedrijf de rug toe te keren. Voor een commerciële man is de dynamiek van World Online nog te verdragen, maar een financiële man als Blommestein heeft behoefte aan structuur en enige mate van discipline. World Online kan hem dat niet bieden. Het bedrijf heeft een burnrate van meer dan 7 miljoen euro per maand. Zijn veelvuldig herhaalde pogingen om lijn in de financiële bedrijfsvoering te brengen, liepen stuk. Tegelijkertijd kende het beslag van zijn bazin op zijn inzet en energie geen grenzen. Blommestein zit er fysiek en mentaal doorheen. Ondanks enig tegenspel van Nina ('Jij kan nog niet weg, jij hebt opties') houdt hij de eer aan zichzelf.[26]

World Online heeft een serieus probleem. Een snelgroeiend internationaal bedrijf dat de ambitie heeft binnen niet al te lange tijd een beursgang te maken, heeft geen tijd om uitgebreid naar een nieuwe financieel directeur op zoek te gaan. Het vertrek van Blommestein dient onmiddellijk het hoofd te worden geboden. Ruud Huisman is als de voormalige financiële man van de TROS de aangewezen persoon om de functie van Blommestein tijdelijk waar te nemen.

Een mogelijkheid voor een structurele oplossing dient zich ook al snel aan. Simon Duffy, de CFO van de Britse platenmaatschappij EMI, is gepasseerd voor de functie van CEO en heeft aangegeven het bedrijf te willen verlaten. Een overstap naar World Online behoort tot de mogelijkheden, heeft hij laten weten. Bischoff, Holterman en Miller zijn er met het oog op een spoedige beursgang grote voorstanders van om de directie van World Online meer soortelijk gewicht te geven. Duffy is een geschikte kandidaat. Hij heeft aan Oxford gestudeerd en beschikt als platenbaas over ruime ervaring met de wereld waar World Online zich nadrukkelijk in wil roeren: de entertainmentindustrie.

Ook voor de raad van commissarissen wordt versterking gezocht. Nu bestaat die nog uit vertegenwoordigers van de belangrijkste aandeelhouders, maar het zou goed zijn iemand van buitenaf toe te voegen. Nina heeft al wat mensen op het oog die ze graag aan Bischoff, Holterman en Miller wil voorstellen. Eind september heeft ze daartoe een diner in het Amsterdamse restaurant Excelsior georganiseerd. Naast de drie commissarissen en Koos van der Meulen hebben ook Joel Wyler en Victor Halberstadt een uitnodiging ontvangen. 'This will be a very informal meeting with both gentlemen who are very well-known in the Netherlands,' laat Nina haar commissarissen weten.[27]

Wyler heeft Nina laten weten dat hij graag in de raad wil plaatsnemen. Hij gaat er wel van uit dat hij daarvoor een pakket opties van World Online zal krijgen. Halberstadt is hoogleraar openbare financiën aan de rechtenfaculteit van de Universiteit van Leiden en wordt gezien als een drager van de onzichtbare macht van het zakelijke establishment. Hij is al jaren betrokken bij de organisatie van de internationale Bilderberg Conferenties. De Bilderberg-groep is een trans-Atlantisch netwerk van vooraanstaande zakenlieden, bankiers, wetenschappers en politici die sinds 1954 in streng besloten zittingen bijeenkomen om over actuele problemen van gedachten te wisselen.

De hoogleraar was in 1981 kabinetsformateur en is eveneens kroonlid van de Sociaal Economische Raad (SER), het sociaaleconomische adviesorgaan van de regering en het parlement. Halberstadt staat in een selecte kring bekend als een onzichtbare counselor van verschillende topmensen in het bedrijfsleven en ook daarbuiten. Hij is internationaal adviseur bij zakenbank Goldman Sachs en is in de rol van adviseur ook actief voor het Koninklijk Huis. Hoewel hij als lid van de raad van commissarissen van KPN actief is voor de moeder van World Onlines grootste concurrent, staat hij Nina sinds kort ook met raad terzijde. Hij adviseert haar onder meer een commissaris te benoemen die geen vooruitgeschoven post is van een van de aandeelhouders.[28]

De volgende ochtend staat in Vianen een boardmeeting op de agenda. Een van de onderwerpen is de eventuele aanstelling van de Brit Simon Duffy. Het voornaamste thema is echter de aanstaande beursgang van het bedrijf. Zakenbank Goldman Sachs heeft zich in Vianen gemeld. Van alle zakenbanken op aarde is Goldman Sachs de meest vooraanstaande, de succesvolste, de meest benijde, de meest gehate zakenbank. Dat Goldman zich heeft aangediend om de beursgang te begeleiden, is een logisch uitvloeisel van zijn suprematie. De smakelijkste gerechten pakken de mannen van Goldman van tafel, daarna komt de rest.

In Vianen hoeft niet lang te worden nagedacht over de vraag welke bank het meest geschikt is om World Online een notering te bezorgen. Goldman gaat het doen, de rit naar een notering gaat beginnen. World Online zal binnen een tijdsbestek van vijf tot zes maanden een beursgenoteerde onderneming zijn – met alle daaraan verbonden verantwoordelijkheden. Advocaat Kees Peijster van World Onlines advocatenkantoor De Brauw Blackstone geeft tijdens de boardmeeting een presentatie over deugdelijk ondernemingsbestuur. *Corporate governance* is de term die daar internationaal voor wordt gebruikt. Het onderwerp behelst de verantwoording die het bestuur van de onderneming heeft ten opzichte van klanten, werknemers, aandeelhouders en de samenleving als geheel. Het gaat over goed, transparant en integer handelen, over kritisch toezicht daarop door de benoemde commissarissen, en het afleggen van verantwoording over dat toezicht aan de belanghebbenden en de buitenwereld.

Een dag voor de boardmeeting had Nina een vraag voor Dennis Brouwer, de hoogst verantwoordelijke technische man van World Online. Ze had een vreemde e-mail ontvangen. Afzender: Orgasm.com. Ze snapt het niet.

'Is this Schulhof again?' vraagt ze Brouwer.

'I am afraid it is yes,' antwoordt Brouwer. 'Do you want me to stop forwarding the s account to you?'[29]

Van Nina hoeft het automatisch doorsturen van de mail voor het ooit door Schulhof gebruikte account nog niet te worden gestopt. Mocht hij er toevallig nog een keer gebruik van maken, dan is zij de eerste die het weet.

De advocaat van Schulhof, Arnold Croiset van Uchelen, is in oktober te weten gekomen dat enkele aandeelhouders – Telfort Holding, ns Telecom en Nina's Antilliaanse houdstermaatschappij Kalexer ii – hun aandelen willen verkopen. Volgens de regels in de aandeelhoudersovereenkomst van World Online moeten verkopende aandeelhouders hun aandelen eerst aan de andere aandeelhouders te koop aanbieden. Die hebben dan een bepaalde periode de tijd om op het aanbod te reageren.

De advocaat heeft ruggespraak gehouden met Schulhof en wil namens Ochill, de Antilliaanse holding van de Amerikaan, een bod doen. Nina zit er niet op te wachten dat haar vroegere president-commissaris meer gewicht in de onderneming krijgt. De aandelen zijn niet meer te koop. Advocaat Kees Peijster geeft gepast antwoord.

Dear Arnold,
In reply to your fax of October 22 please be advised as follows.
World Online International BV ('WOL') has informed us that the shares as offered by Telfort Holding, Kalexer II and NS were, pursuant to the Shareholders Agreement, not accepted by the other shareholders... In view of the above, your questions with respect to Ochill's decision to buy the offered shares or not are not relevant anymore.[30]

Een deel van haar aandelen heeft Nina in september aan Reggeborgh en Sandoz verkocht. Althans, de twee investeringsmaatschappijen hebben toegezegd dat ze een deel van haar aandelen willen overnemen. Hoeveel aandelen precies en hoeveel geld ze daarvoor gaan betalen, staat nog niet vast.

De overige aandelen die in haar Antilliaanse vennootschap Kalexer II zitten, wil Nina ook graag verkopen. Niet aan Schulhof, wel aan andere partijen. Aan CMGI bijvoorbeeld. Wetherell en zijn mensen zijn al maanden bezig bij World Online een voet tussen de deur te krijgen. Het investeringsfonds heeft een bod neergelegd op basis van een waardering van 700 miljoen dollar. Als het een meerderheidsbelang kan verwerven, wil Wetherell de prijs meer dan verdubbelen en er 1,5 miljard dollar voor geven.[31] CMGI maakt een goede kans, maar Nina wil liever meer geld hebben voor haar aandelen.

Behalve Michael Schulhof en Dave Wetherell zijn ook enkele andere mensen geïnteresseerd in een flink deel van Nina's pakket. In oktober hoort ook Joel Wyler dat ze een belangrijk deel van haar aandelen wil verkopen.[32] Hij is nog steeds genomineerd als commissaris en Wyler vindt het van cruciaal belang dat hij dan ook een belang in de onderneming kan krijgen. Voor zijn eventuele aanstelling als commissaris is hem door Nina een pakket opties in het vooruitzicht gesteld met een uitoefenprijs die op het niveau ligt van een waardering voor World Online van 670 miljoen euro, dezelfde waardering waarvoor Intel in juni instapte. Maar Wyler wil meer. Hij wil via de investeringsmaatschappij Granaria een bod doen op haar aandelen. Wyler heeft ook gehoord van de plannen van Nina en Larry Goldfarb om een investeringsfonds binnen World Online op te richten. Ook daarin wil hij namens Granaria graag een rol spelen, en vooral: een belang verwerven.

Zaterdag 6 november stuurt Avram Miller vanuit San Francisco een e-mail aan Nina. Er wordt al sinds de zomer met Dave Wetherell van CMGI gesproken over het belang dat het Amerikaanse investeringsfonds in World Online wil nemen. CMGI, waar Miller ook commissaris is, had het liefst een controlerend belang in de Nederlandse internetaanbieder genomen, maar daar is met de beursplannen en de betrokkenheid van Goldman Sachs en ABN AMRO nog maar weinig uitzicht op.

Miller vraagt haar of World Online nog een minderheidsbelang wil verkopen aan een strategische investeerder als CMGI. Omdat de NS, Telfort en Nina hebben aangegeven dat ze bereid zijn aandelen te verkopen, vraagt hij of er wellicht een aandelenruil kan plaatsvinden, en zo ja, tegen welke verhouding. Hij wijst erop dat CMGI op dat moment een beurswaardering heeft van 10 miljard dollar.[33]

Nina mailt hem dezelfde dag nog terug. Ze zegt dat er wellicht een ruilverhouding van 2:1 in het voordeel van CMGI bepaald kan worden. 'Whatever, will check with the banks. bibi Nina.'

'Nina, yes you can use a different exchange ration,' schrijft Miller terug. 'My question is price. What I would like to know is the value you would place on WOL at this point for a strategic investor.' Hij is benieuwd naar de 12 procent aandelen van de drie aandeelhouders. Worden die verkocht, of wordt er gewacht tot de beursgang?

Miller wijst er nogmaals op dat CMGI van grote waarde kan zijn als strategische aandeelhouder als World Online naar de beurs gaat. Hij zou het op prijs stellen als ze Wetherell zou bellen. Hij heeft maandag een bestuursvergadering. Er zullen beslist vragen worden gesteld over de investering in World Online. Nina mailt hem terug dat zij ook de strategische waarde van CMGI onderkent, maar dat de banken het belang van een eventueel aandeelhouderschap van het investeringsfonds niet bijzonder groot inschatten. Ze merkt ook op dat de waarde van World Online zich inmiddels behoorlijk heeft ontwikkeld.

Miller is er zondagavond laat – het is dan al ochtend in Kaapstad – achter gekomen dat Nina nog steeds niet met Wetherell heeft gebeld. Hij is teleurgesteld. 'You are putting your relationship and that of WOL with CMGI at risk. I have also not heard from you. Is there a problem?'[34]

Nina antwoordt direct. 'I told you I left Friday evening to South Africa. I had business obligations the whole time here and did not open my emails until now. bibi Nina.'

Een paar uur later klikt ze opnieuw op Verzenden: 'By the way... Alleen om je even een idee te geven van mijn schema: na de boardmeeting afgelopen donderdag kwam ik om halftien thuis, heb nog even met wat mensen gebeld, onder anderen met jou, en ben toen zonder iets te eten om twaalf uur gaan slapen. De volgende dag hebben we presentaties moeten oefenen voor de management due diligence. Vervolgens moest ik 50 telefoontjes van banken beantwoorden. Ik arriveerde om zes uur op de luchthaven in Londen, had daar een meeting met de chairman van ABN AMRO en stapte drie kwartier later aan boord (van het vliegtuig), arriveerde in Zuid-Afrika en kon vervolgens 100 e-mails doornemen en moest toen 20 lange presentaties herzien. Zondag werkten we hier aan een sponsoringevenement, de hele dag met Mandela, vandaag vergaderingen, kranten, klanten, etc. etc. bibi Nina.'

Miller weet hoe hard Nina werkt. Misschien wel té hard. Hij maakt zich zelfs zorgen om haar gezondheid. Hij maakt zich ook om andere zaken zorgen: 'Nina, in al onze voorbije gesprekken wilde jij CMGI erbij hebben omdat jij bezorgd was over de lange termijn. Ik denk dat je daarin gelijk had en ik heb je daar ook in gesteund. Nu lijk je alleen nog maar gefocust op de IPO. Geef me alsjeblieft een richting aan zodat ik weet waar je heen wilt. Avram.'

Dezelfde ochtend ontvangt Nina een mail van Larry Goldfarb met een dringende boodschap. De plannen voor een investeringsfonds dat door Baystar en World Online wordt geleid, zijn gereed. Goldfarb wil de lijst van voorwaarden – de zogenoemde *term sheet* – voor het investeringsfonds (Baystar/World Online) zo snel mogelijk getekend zien, zodat hij aan het werk kan. De informatie moet op tijd gereed zijn voor het op te stellen beursprospectus van World Online. Er ligt ook al een viertal deals op tafel voor het fonds, waaronder investeringen in de bedrijven Pets.com en Firetalk. Ook die informatie moet in detail bij de bankiers worden aangeleverd. Er is dus veel haast bij, benadrukt hij.

Goldfarb heeft daarnaast de meest recente cijfers van World Online nodig, zodat hij een lijst van voorwaarden kan opstellen voor de aankoop van haar aandelen. Hij sluit af met een persoonlijke noot. 'Say hello to everyone for me. Tell Karen I'm mad at her for not showing up for dinner. Also, the plane ride back to San Francisco was very boring as I had no extra bags to carry and no one was making fun of me. Maybe when I am not with you, people think I'm normal! Look forward to hearing from you. Lawrence.'[35]

Miller stuurt een dag later weer een e-mail. Nina heeft hem laten weten dat ze met Wetherell heeft geprobeerd te bellen, maar dat het haar niet is gelukt. Miller hoopt nog steeds dat er iets tussen CMGI en World Online tot stand kan worden gebracht. Het is hem duidelijk dat, als CMGI überhaupt nog in de gelegenheid gesteld wordt om een belang in World Online te nemen, dat niet meer voor de zomerse prijs van vijf maanden geleden zal gebeuren. Hij vreest wel dat door de situatie de relatie met CMGI schade heeft opgelopen. 'From the CMGI point of view, this will all feel like bait and switch. Everone understood that the 58% part of the deal had a remote chance of working but I am sure that Dave believed that the 12% was a done deal... Try to look at this from Dave's perspective.'[36]

Nina: 'I will look at it from Daves perspective but I cannot twist the arm of other shareholders and do you feel i should sell without them or at this low price?? I will consider though bibi Nina.'

Miller is er tot zijn grote verbazing achter gekomen dat zijn vriend en kantoor-genoot Larry Goldfarb zich via Nina het World Online-investeringsfonds in heeft weten te wurmen en haar voorstellen heeft gedaan zonder dat hij daar-van op de hoogte is gesteld. Miller ging ervan uit dat hij bij het opzetten van het fonds zou worden betrokken. Hij heeft ook gezien dat er enkele deals met bedrijven in het fonds zijn opgenomen die hij eerder had geïnitieerd. Dat Goldfarb met zijn investeringsmaatschappij bij deze deals betrokken is, vindt Miller niet gepast – hij heeft tenslotte al het werk verricht.

'It is a shame in my mind that things have gone this way,' mailt hij Goldfarb.[37]

Deze maakt zich ernstig zorgen na het lezen van Millers 'vijandige' mail. Hij probeert Nina te bellen. Hij krijgt Ab aan de lijn. Nina zit in een *conference call*, ze is voorlopig niet bereikbaar. Hij stuurt haar een e-mail waarin hij haar laat weten dat hij het niet zal accepteren wanneer Baystar uit een van de deals geschopt wordt. Dat zou wat hem betreft een 'deal killer' zijn voor de nog lo-pende zaken. Hij wil weten of Nina achter Miller staat of niet. Zijn positie ten aanzien van haar en World Online blijft onveranderd: 'Baystar remains ready and able to move forward on all fronts – the WOL Venture Fund, purchasing your stock for cash at a $ 1.5 Billion valuation, providing bridge finance for WOL – but we refuse to be simply kicked out of these current deals that are on the table. Please let me know. Larry.'[38]

Tussen de bedrijven door neemt Nina de tijd om bedrijfsjurist Thomas Lan-gerwerf uit te leggen waar hij zoal steken laat vallen. Langerwerf is een van de weinige mensen die zich zo nu en dan inhoudelijk kritisch over World Online en zijn CEO uitlaten.

'There seems to be a totally chaotic environment within your department at this time. It worries me greatly and I advise you to urgently work conform the standards set forth to you by our top management,' begint Nina haar betoog. Ze vindt dat Langerwerf slordig is en veel fouten maakt. Ze geeft een overzicht van zijn fouten dat twee A4'tjes lang is. 'Ik hoop van ganser harte dat er geen andere zaken spelen waar ik nog niets vanaf weet.'[39]

Langerwerf reageert zonder terughoudendheid: 'Ik heb hier maar één woord voor: BULLSHIT! We doen ons uiterste best onder de slechtst denkbare omstandigheden. Leg de schuld van het slechte presteren van jouw organisa-tie niet bij mij neer! Do I need to say more?'

Nina: 'Ja, je moet je voor deze woorden aan mij excuseren. De organisatie is excellent en jij bent een *non-performer*, altijd al geweest. Ik stel voor dat je hier-over nadenkt. Ik accepteer dit bericht niet.'

Langerwerf: 'Als de organisatie excellent is, waar zeur je dan over?'

Op zaterdagavond 13 november zendt de VARA op televisie een reportage uit van het bezoek van Nina en de DoY met Nelson Mandela aan zijn geboortegrond in Zuid-Afrika, het voormalige thuisland Transkei. VARA-coryfee Jack Spijkerman doet verslag. Victor Halberstadt, die thuis op zoek is naar beelden over de tweede aardbeving in Turkije, stuit al zappend op het programma. Na afloop spoedt hij zich naar zijn computer om Nina een e-mail te schrijven. 'Omdat ik niet van publiciteit houd, en het jou ook vaak heb afgeraden, wil ik even zeggen dat ik dit programma prima vind...!! Groet VH.'[40]

Henk Hendrikx, de hoofdredacteur van de Europese redacties van World Online, is verrukt over de uitzending. 'Dearest Nina, vijf minuten geleden zag ik je op televisie met Mandela, Fergie en Jack Spijkerman. In één woord: fantastisch! Dit promoot internet in het algemeen en World Online in het bijzonder voor een nieuw publiek, het VARA-publiek. Dit zal ook een zeer positief effect hebben op je presentatie bij de banken. My sincerest respects and... kisses of course. KX.'[41]

Nina heeft Dave Wetherell nog steeds niets laten horen. Miller uit zijn onbegrip aan Nina per elektronische post. 'Why are you behaving like this?' Miller is ervan overtuigd dat Nina de relatie met Wetherell onherstelbare schade berokkent. 'You would be very upset if Dave behaved like this towards you. Go ahead and get mad at me if you want, I am only telling you this as a friend. Avram.'[42]

De CEO van CMGI ontvangt dezelfde dag nog een e-mail van de World Online-topvrouw. Ze laat hem weten dat aandeelhouders NS en Telfort niet bereid zijn het aanbod van CMGI serieus in overweging te nemen. De waarschijnlijke prijs waarvoor World Online naar de beurs zal worden gebracht, ligt tussen de 4 en de 5 miljard dollar. Ze wijst op de prijs waarvoor de Spaanse internetaanbieder Terra een dag later naar de beurs zal gaan: tussen de 3 en 3,5 miljard dollar. Dat is aanzienlijk meer dan het prijskaartje dat Wetherell eerder aan World Online heeft gehangen. Ze kan het antwoord pas definitief bevestigen wanneer ze Telfort en de NS heeft gesproken. Dat wat haar eigen aandelen betreft een deal met Baystar in de maak is, vertelt ze er niet bij.

Ze constateert verder dat CMGI het aanbod om de 10 tot 12 procent te kopen niet in handen heeft gegeven van derde partijen. Het aanbod kwam wat haar betreft dus voort uit 'spontaniteit'. Ze vindt wel dat CMGI het recht zou moeten krijgen een hoger bod te evenaren. 'Will call you tomorrow when I have reached the shareholders.'

Wetherell zit doorlopend in meetings en reageert kort: 'I'm not sure I understand your email. Do we get the 12% as agreed to, or not?'[43]

Nina denkt dat in dit 'bijzondere geval' het recht om een bod te matchen voor CMGI wel tot de mogelijkheden moet behoren. Maar alleen als er een bod in contanten wordt gedaan, en alleen als er goedkeuring aan wordt gegeven.

Wetherell snapt het even niet meer. Nina heeft CMGI een aanbod gedaan om 12 procent van de aandelen te kopen – niet andersom. En: 'We already said we are ready to pay cash. So, do we have a deal?'

Nee, CMGI heeft geen deal. 'I understand your disappointment,' antwoordt Nina. 'But truly, there were even higher offers. Sorry.'

Wetherell: 'So much for what we agreed upon.'

De afspraken met Baystar blijven wel overeind. Het dreigende conflict tussen de vrienden Miller en Goldfarb is na enkele e-mails en een conference call met Nina gesust. Het fonds kan van start.

Goldfarb heeft de term sheet voor het World Online-investeringsfonds al gereed. De bedoeling is dat het fonds, dat WolStar moet gaan heten, in bedrijven zal deelnemen die een strategische waarde hebben voor World Online. Baystar zal 70 miljoen dollar aan investeringskapitaal voor het fonds zoeken, World Online 30 miljoen. De jaarlijkse *management fee* bepaalt Goldfarb op 2,4 procent van de inleg van het fonds. Van de winsten zal 25 procent aan de partners in het fonds toevallen, te weten World Online en Baystar.[44] Goldfarb stuurt het document op verzoek van Nina ook aan Joel Wyler en Victor Halberstadt. Als er vragen zijn, kunnen ze hem bellen.

Terwijl Nina in Zuid-Afrika tijd doorbracht met de winnaar van de Nobelprijs voor de vrede, begon het binnen de kantoren van het inmiddels naar de Rotterdamse Parklaan verhuisde World Online International te broeien. Er werd hardop gefluisterd dat Nina e-mails van het personeel inzag. De mails van verschillende managers zouden na een kleine ingreep van het systeembeheer automatisch aan Nina worden doorgestuurd.[45]

Vincent van den Brekel, *director mergers & acquisitions*, brengt het onderwerp bij Nina ter sprake nadat ze hem gevraagd heeft waarom hij haar e-mails niet beantwoordt. Ze wil dagelijks verslag van zijn verrichtingen hebben. 'Maak je geen zorgen,' antwoordt Van den Brekel sarcastisch. 'Ik kom uit een keurige familie van academici. Ik heb geen criminele achtergrond. We hebben afgesproken dat ik mijn zaken professioneel afhandel. Ik heb niet eerder geantwoord omdat mijn e-mails soms werden gestolen.'[46]

'Ik weet dat jij mij hebt beschuldigd van het stelen van jouw e-mails,' antwoordt Nina. 'Dus je bent in werkelijkheid niet zo keurig als je dit soort totaal onware dingen denkt. Het is zeer ernstig als je mensen vals beschuldigt. Ik vind je gedrag in deze meer dan ongepast. Als je mij wilt beschuldigen, doe het dan direct. Als je zo mijn naam te grabbel gooit, dan is dat smaad. Ik begrijp ook dat je gedreigd hebt om ons voor de rechter te slepen. Smaad is eveneens een reden om iemand een proces aan te doen. Bibi Nina.'

Van den Brekel: 'Nina, laten deze opmerkingen mijn laatste reactie zijn op deze nonsens. Ik sprak net met Ruud Huisman en hij bevestigde dat ik nooit iemand gedreigd heb voor het gerecht te slepen. Dat is ook niet mijn stijl. Mij is verteld dat het verhaal door Eric Tolsma is verzonnen. Ik heb nooit met hem gesproken. Als mensen mijn e-mail willen lezen, mijn telefoon willen tappen, mijn vrouw willen achtervolgen, dan mogen ze hun gang gaan. Ik heb niets te verbergen. Nina, ik heb mijn stinkende best gedaan voor dit bedrijf. Ik heb de overname in Duitsland gedaan en ik heb mijn vriend Joost van Odijk aan boord gekregen. Hij zal de afdeling marketing professionaliseren. Waarom zou ik iets tegen dit bedrijf willen doen?? Ik ben een van de weinige mensen in dit bedrijf met een universitaire achtergrond. Ik ben eraan gewend om zaken te bestuderen en onderwerpen door te denken, maar ik kan niet 1 reden bedenken. Jij wil ruziemaken, ik niet. Het is negatieve energie, ik heb daar geen tijd voor. Ik wil alleen helpen dit bedrijf te laten GROEIEN. Dat is wat ik erover heb te zeggen. Ik heb een afspraak met Ruud gemaakt, ik zal aan hem rapporteren. Kind regards, Vincent.'

Nina: 'Tot slot: Eric heeft mij niet geïnformeerd, dat heeft Van Onna gedaan. Niemand tapt jou enz. Ik heb van vele vele mensen gehoord dat jij me hiervan hebt beschuldigd. Dat is niet professioneel. En veel mensen hebben een universitaire graad, betekent nog niet dat jij noodzakelijkerwijs competent bent. Rapporteren aan Ruud wil nog niet zeggen dat het niet nodig is om mij te informeren. Ik wil dagelijks weten wat er aan de hand is. Bibi Nina.'

Bedrijfsjurist Thomas Langerwerf mengt zich in de kwestie. Het is hem ook ter ore gekomen dat e-mails van Vincent van den Brekel zijn ingezien. Hij stuurt Nina een e-mail die hij ook aan Huisman en enkele anderen cc't.

Hetgeen World Online bij Vincent heeft gedaan, kan zeer schadelijk zijn voor onze vennootschap! We handelen namelijk cq we kunnen in strijd met de volgende bepalingen handelen:

1 Het schenden van briefgeheim
2 Computervredebreuk
3 Goed werkgeverschap
4 Wet persoonsregistratie

Sommige van de hierboven genoemde feiten zijn zelfs strafbaar! Om hieraan te ontkomen stel ik voor dat we voor het doen van email tabs/kopieren van emails procedures maken. Die dienen dan kenbaar gemaakt te worden aan de werknemers. In dat geval ontkomen we, zoals gezegd, aan een aantal van de hierboven genoemde bezwaren.

World Online dient niet bekend te komen staan als de internet company die de *freedom of movement* van zijn eigen werknemers beperkt!

Nina: 'Ik begrijp totaal niet wat je bedoelt. Vincent's emails worden niet gelezen of geforward. Toen hij weg was, hebben we geprobeerd om een email te vinden met een opsomming van alle projecten. Dit is toegestaan want het was een email die door mij zelf was verzonden. Overigens hebben we niet alleen mijn email teruggevonden. Bibi Nina.'[47]

Dezelfde dag ontvangt Nina een e-mail met *explicit adult content*. 'Gold digging bitches get what they deserve!' luidt de kop van de mail van het internetbedrijf Dailydirt.com. Ze stuurt de mail weer door naar Dennis Brouwer. 'Schulhof again?'[48]

Brouwer: 'Nina, eerst dit: ik vertrouw jou 100%, vertrouw jij mij 100%? Als jouw antwoord ja is, en ik denk dat dat zo is, dan moet ik je iets vertellen. Denk nu niet dat ik brutaal tegen je ben, maar ik hoor veel mensen praten over het forwarden van emails. Nina, alsjeblieft, als jij wil dat deze dingen geregeld worden, laat mij het dan weten, dan zal niemand anders het te weten komen. En ja, ik denk dat die mail van de s account is. Alleen weet ik het niet 100% zeker. Daarvoor moet ik de emaillijsten van de anderen inzien en dat kan ik ze niet vragen. Dennis.'

Nina: 'Ga ermee door. Maar wie praat er over het forwarden van email? Hou dit tussen jou en Michel Jakoby en ontken het tegen alle anderen. Bibi Nina.'

Brouwer: 'De mensen van Nederland spraken hierover nadat V. ze druk oplegde. Maak je alsjeblieft geen zorgen, ik zal ermee doorgaan.'

Nina: 'Zeg mensen dat ze hun mond moeten houden. Wie sprak erover?? Vincent probeert dit tegen ons te gebruiken. Bibi Nina. ps Thomas ook klaarblijkelijk.'

Anderhalve week eerder was systeembeheerder Michel Jakoby nog met een vraag bij Nina aangekomen. 'Hi Nina, Ik weet niet of ik in de positie ben om jou dit te vragen (zo niet, beschouw deze mail dan als nooit verzonden), maar er is een vraag die steeds maar weer bij mij opkomt. Toen ik bij jou thuis was om enkele laptops te repareren, toen zei je dat je mij opties/aandelen wilde geven. Is dat nog steeds iets wat je van plan bent te doen? Als dat het geval is, wat is dan de procedure om ze in mijn bezit te krijgen? Als het niet zo is, vergeef me dan dat ik het je heb gevraagd. Kind regards, Michel Jakoby.'[49]

Nina: 'Natuurlijk krijg je ze. Ik denk dat je geweldig bent en je kunt me altijd vragen wat je wilt. Ik regel in de komende twee weken het noodzakelijke papierwerk, maak je geen zorgen. Ik denk aan 25 aandelen die elk 600 dollar be-

lastingvrij waard zijn, ofwel 15 duizend dollar of 30 duizend gulden. bibi Nina.'
Jakoby: 'Dank voor het compliment en heb vertrouwen in me.'

Elders is er een andere 's-account' die voor World Online weer een onvoorde-lig saldo begint te vertonen. Advocaat John Goldman stuurt Nina een e-mail. Het betreft de bezoldiging van zijn kantoor. 'Dear Nina [...] Ik ben door ons de-biteurenbeheer gevraagd om de nog openstaande rekening van 178.994,10 dollar (inclusief de "betwiste" 66.189,35) onder je aandacht te brengen.[50]

Nu we het door jou gewenste voordelige resultaat in het proces in New York tegen Schulhof hebben behaald, lijkt het een bijzonder gepast moment om de kwestie van de openstaande rekeningen op te lossen, aangezien er weinig meer valt te doen in de Schulhofzaak, wij geen andere zaken voor World On-line doen en jij hebt aangegeven onze firma in de toekomst niet meer te willen gebruiken.'

Over het betwiste bedrag wil hij graag een afspraak maken, maar hij zou hoe dan ook graag zien dat de overige 112.000 dollar zo snel mogelijk wordt overgemaakt.

Nina reageert de volgende dag vanuit Zuid-Afrika. Ze vindt Goldmans stel-ling over het voordelige resultaat tegen Schulhof 'highly exagerrated'. Wat de discussie over het geld betreft: die kan in de laatste week van november wat haar betreft in New York plaatsvinden, wanneer ze daar is. Ze zal haar secreta-resse een afspraak laten plannen.[51]

De dynamiek rondom World Online komt in de novembermaand goed op gang. Naast Goldman Sachs is ABN AMRO als tweede *global coordinator* van de beursgang aangetrokken. Het is de bedoeling binnen drie maanden een beursgang te maken.

De teams van de banken stromen binnen, de advocaten, de accountants – World Online moet beursklaar gemaakt worden. Het due diligence-proces komt op gang. Het bedrijf wordt doorgelicht. Het management, de systemen, de klanten en natuurlijk de boeken. Voor de belangrijkste managers staat er een serie presentaties op het programma waarin ze de specifieke details van hun afdeling moeten komen toelichten. Voordat ze die presentaties aan de bankiers geven, wordt een paar keer gerepeteerd. Veel tijd is er niet. Koos van der Meulen laat de betrokkenen per mail weten dat er op 15 november in de be-stuurskamer van World Online International in Rotterdam een laatste repeti-tie staat gepland.

Nina laat Van der Meulen vervolgens weten dat zij de bestuurskamer zal re-gelen. Ze heeft ook nog wat anders op te merken. 'Denk je niet dat je de pre-sentaties van vorige week van commentaar moet voorzien? De meeste waren verrot slecht en ik heb begrepen dat ook jouw presentatie allesbehalve goed was. Ik begrijp daarom niets van jouw e-mail. Je moet ieder detail onder de loep nemen en iedereen van geschreven commentaren voorzien.'

Ze gaat zich er zelf mee bemoeien. Sowieso wil ze eerst de cijfers goedkeuren die in presentaties worden gebruikt. Bij nader inzien wil ze alle presentaties van tevoren zien, zodat ze er veranderingen in kan aanbrengen en het geheel dynamischer kan maken.[52]

Koos van der Meulen heeft er in november bijna vier maanden bij World Online opzitten. Hij is tot de conclusie gekomen dat hij weinig aan het bedrijf kan bijdragen als Nina weigert plaats te maken en hem voor de voeten blijft lopen.

Hij had met haar dominantie kunnen leven als hij in haar doorgaans razendsnel genomen beslissingen een lijn had kunnen ontdekken. Haar stijl spreekt hem ook niet erg aan. Ze geeft leiding per decreet en functioneert op haar best in situaties van instabiliteit en wanorde. Hij kan de situaties en gebeurtenissen die hij meemaakt amper bevatten. Vaak waant hij zich Alice in Wonderland. Verliezen stapelen zich in adembenemend tempo op, terwijl aandeelhouders en commissarissen de tevreden blik stijf op de snel stijgende waardeontwikkeling van het bedrijf gericht houden. Iedereen om hem heen lijkt uitsluitend nog met de waarde van zijn of haar aandelen of optiepakket bezig, vooral de CEO.

Het gaat niet meer om het opbouwen van een goed bedrijf, het krachtenspel heeft iets anders in gang gezet. Het klopt niet. Van der Meulen heeft geen behoefte er nog langer deel van uit te maken. Beursgang of geen beursgang, hij geeft zijn opties terug en zegt het bedrijf vaarwel.

Joel Wyler zou graag als commissaris toezicht houden op het bestuur van World Online. Hij is ervan overtuigd dat zijn inbreng van grote waarde kan zijn voor het bedrijf. Zijn mogelijke aanstelling is in een vergadering van de raad van commissarissen aan de orde gekomen. Maar Victor Bischoff ziet het commissariaat van Wyler niet zo zitten. Hij heeft veel liever dat Victor Halberstadt de raad komt versterken. De Leidse hoogleraar is geïnteresseerd, maar kan vanwege zijn commissariaat bij KPN niet onmiddellijk ja zeggen.[53]

Geen commissariaat houdt in dat Wyler ook geen opties krijgt. En Joel Wyler moet nog een tegenvaller incasseren. Hoewel er een overeenkomst is opgesteld voor de overname van een aanzienlijk pakket aandelen van Nina, gaat de verkoop niet door. De gebroeders Wyler kunnen de aankoop niet uit eigen zak financieren en hadden de hulp ingeroepen van ABN AMRO. De banden van de broers met ABN AMRO zijn uitstekend. Tot in de bestuurskamer kennen ze de bankiers bij hun voornaam. De voormalige directeur van hun investeringsmaatschappij Granaria, Joost Kuiper, is afgelopen april tot de raad van bestuur van de bank toegetreden. Ook met de grote dealmaker van de bank, Wilco Jiskoot, onderhouden de broers een goede relatie.

Jiskoot is degene die ervoor zorgt dat de bank een financieringsovereenkomst aangaat voor de aankoop van de aandelen. De afspraak is dat ze de stukken van Nina kopen voor een waardering van World Online van 1,5 miljard dollar. Wanneer ze de aandelen later met winst kunnen verkopen, is 50 procent van die winst voor Nina. De Wylers delen op hun beurt de door hen gemaakte winst met ABN AMRO.

Maar Jiskoot heeft eind november persoonlijk een streep gezet door de financiering aan de gebroeders Wyler. Intern hebben enkelen van zijn vertrouwelingen kritiek geuit op zijn voornemen om Nina te helpen bij het verkopen van haar aandelen. Jiskoot bedenkt zich. Hij laat Nina weten dat nu ABN AMRO *joint global coordinator* is geworden van de aanstaande beursgang van World Online, hij vanwege die verantwoordelijkheid geen andere deals met World Online-aandeelhouders wil doen. Om zijn late besluit toe te lichten, neemt Jiskoot ook contact op met Nina en haar adviseur Halberstadt, die namens haar een bemiddelende rol heeft gespeeld.[54] De deal is van de baan.

Niettemin heeft Nina nog steeds een grote aandrang om het grootste deel van haar aandelen nog voor de beursgang te verkopen. Ze wil cashen, en wel zo snel mogelijk. Niet voor de bescheiden prijs die CMGI haar heeft geboden – ze wil ook in de winst delen van de koper, zoals ze dat in eerste instantie met ABN AMRO en Joel en Danny Wyler overeen was gekomen.

Haar brandende verlangen om haar aandelen van de hand te doen, is haar directe omgeving niet ontgaan. Ook de reden waarom ze zo graag haar aandelen casht, is bij de hogere echelons van World Online een publiek geheim: boven alles wil Nina haar eigen vliegtuig. Geen Hawker, die niet in één keer over de Atlantische Oceaan kan vliegen; het liefst wil ze een eigen Dassault Falcon 900. Het toestel wordt door kenners gezien als kwalitatief het beste privévliegtuig dat voor langere afstanden is te krijgen. Voor een vlucht van Schiphol-Oost naar Kennedy Airport hoeft geen tankstop te worden gemaakt. Het nieuwste model van dit type vliegtuig is vanaf het jaar 2000 leverbaar. Aanschafprijs: ongeveer 25 miljoen dollar, afhankelijk van de specifieke wensen van de klant. Een tweedehands toestel heeft ze alvast aangeschaft. Rob van der Linden kan wel lachen om de bezetenheid van zijn bazin. Alsof ze is besmet door het Falcon-virus, de ziekte van Dassault.

De koorts kan worden verdreven als Nina ook de rest van haar aandelen uit haar Antilliaanse vennootschap Kalexer II verkoopt. Wachten op de beursgang is nauwelijks een optie: de Amsterdamse effectenbeurs staat weliswaar op het punt de toelatingsregels voor verliesgevende bedrijven als World Online te versoepelen, maar daar staat tegenover dat de lock-upregels zullen worden verzwaard. Mocht World Online over vier maanden een eerste notering op het bord zetten, dan moet ze nog eens zes maanden wachten voor ze het eerste deel van haar aandelenbelang mag verkopen.

Nina heeft ook de bankiers van Goldman Sachs gevraagd of zij een deel van haar aandelen willen kopen, maar die laten niets van zich horen. Ze windt zich op over de traagheid van de Amerikaanse zakenbank. Ze hebben volgens haar als global coordinator van de beursgang toch al een *easy ride*, omdat ze in tegenstelling tot ABN AMRO geen leningen aan World Online verschaffen.

Ze deelt haar ergernis met Victor Halberstadt. Die heeft in de tussentijd van Joel Wyler te horen gekregen dat ze een koper heeft voor haar aandelen. Hij is blij voor Nina. Het lijkt hem hoe dan ook logisch dat Goldman Sachs en ABN AMRO voor de verkoop van haar aandelen met een oplossing waren gekomen. In hun mailwisseling vertelt Halberstadt verder hoe zijn bezoek was aan Paleis Het Loo. Nina schrijft dat ze volgende dag naar Londen vertrekt en de dag daarop afspraken heeft staan met *The Sunday Times*, CNN en CNBC. Ze is die dag ook op Windsor Castle uitgenodigd. Ze zal er dineren met prins Philip, de Duke of Edinburgh, echtgenoot van koningin Elizabeth II. Nina: 'That should prove to be interesting.'[55]

De oplossing voor Nina's financiële wensen wordt aangedragen door de jonge Amerikaanse durfinvesteerder met lange haren, Larry Goldfarb van Baystar. Goldfarb is nog steeds bereid met zijn investeringsfonds de aandelen van Nina, 5 procent van World Online, te kopen. De waardering van anderhalf miljard dollar is wat hem betreft nog steeds geen probleem. Ook met een winstdelingsregeling stemt hij in.

World Onlines huisadvocaat Roeland Golterman, die normaal gesproken adviseerde bij aandelentransacties, heeft het bedrijf medio december de rug toegekeerd. Met behulp van de advocaten Kees Peijster en Frans Rosendaal van De Brauw Blackstone krijgt de deal rond kerst zijn definitieve beslag.

Op de avond dat Nina met het personeel van World Online International in het kantoor aan de Parklaan in Rotterdam kerst viert, wordt nog volop onderhandeld. Vanuit haar kantoor, dat op de eerste verdieping aan de voorkant van het gebouw is gelegen, is Nina doorlopend aan het telefoneren. Hoewel op verschillende plekken in het kantoor kan worden gegeten en gedronken, heeft het merendeel van het personeel zich verzameld in de ruimte die aan Nina's kantoor grenst. Nina maakt een gespannen indruk en is nauwelijks aanspreekbaar. Vrijwel de hele avond zit ze in haar kantoor. Haar verhitte stemgeluid en het gestamp van haar voeten is daarbuiten hoorbaar.

Op vrijdag 24 december worden de aandelentransacties met Reggeborgh en Sandoz afgerond. Reggeborgh en Sandoz betalen ieder 15 miljoen dollar voor haar aandelen. Nina deelt bij beide partijen voor 50 procent in de winst.

Bij Reggeborgh wil Nina een aanvullende eis in de overeenkomst laten opnemen. Ze regelt daarmee iets waar ze zelf als oprichter en bestuurder van World Online vanwege haar lock-up niet toe gerechtigd zou zijn. Ze wil per se dat Holterman op de dag van de beursgang haar aandelen verkoopt en de opbrengst een dag later op een van haar bankrekeningen stort. Holterman stemt met de bepaling in en tekent het contract.[56]

Maandag 27 december volgt de finale van haar aandelenverkoop. Baystar koopt voor 60 miljoen dollar de resterende aandelen van Kalexer II. Een groot deel daarvan wordt met Nina's eigen kapitaal gefinancierd, want ze heeft 25 miljoen dollar in Baystar geïnvesteerd.[57] Daarmee heeft ze zich comfortabel aan beide kanten van de winstdelingsregeling genesteld en verzekert ze zich van een maximale opbrengst bij verkoop. Een belangrijk onderdeel van de overeenkomst met Baystar is dat het niet gehouden is aan een lock-up. Dat betekent dat Goldfarb op de dag van de beursgang alle World Online-aandelen van Baystar mag verkopen.

Met deze transacties heeft Nina meer dan 70 procent van haar aandelen contant kunnen maken. Ze behoudt nog een aanzienlijk economisch belang, dat waarschijnlijk op de dag van de beursgang zal worden verzilverd.

Het is een doordachte constructie. De commissarissen Bischoff en Holterman hebben vanzelfsprekend hun goedkeuring uitgesproken over de verkoop – zij zijn immers kopers. Commissaris Miller is een goede vriend en zakenpartner van Goldfarb van Baystar; hij is niet precies op de hoogte van de details van de verkoop. Joel Wyler en aspirant-commissaris Victor Halberstadt weten meer. Wyler had de aandelen liever zelf gekocht. Halberstadt vindt het fijn dat het allemaal zo goed voor Nina is afgelopen.

Het eind van het jaar nadert. Gaat het omschakelen naar het jaar 2000 de wereld van computers platleggen, zoals velen menen? De jaaraanduiding 99 in de computers wordt bij de jaarwisseling in 00 omgezet. De meeste computers maken gebruik van twee tekens om een jaartal aan te geven. Bij het omschakelen naar 00 zullen volgens de experts computersystemen op hol slaan. Sceptici van het zogeheten 'y2k'-probleem werd de afgelopen jaren roekeloosheid verweten. De vliegtuigen zouden uit de lucht vallen, lichtnetten zouden platgaan, een toestand van totale chaos was een zeker gevolg als er niet fors geïnvesteerd werd om het probleem op te lossen. In Nederland is er, onder aanvoering van voormalig Philips-CEO Jan Timmer, 20 miljard gulden aan verspijkerd.

Sceptici van het nieuw-economische wonder dat gaande is, krijgen het nog zwaarder te verduren. Zij zijn volgens sommigen 'vijanden van de toekomst'.[58] Internetgoeroes prediken een geloof in een nieuwe welvarende wereld met heel veel leuke bedrijven vol briljante creatievelingen. Nieuwe-economiebedrijven die, ondanks de aanwezigheid van veel zitzakken, voetbaltafels en masseuses, hockeystickvormige productiviteitscurves tonen.

De bekende Amerikaanse schrijver, politiek activist en futuroloog George Gilder stelt het zonder omwegen: 'Geloof is een centraal onderdeel van ieder innovatieproces.' En: 'De daad van creatie is een religieuze daad.' En vooral: 'De investeerder die nooit handelt voordat de financiële instellingen zijn keuze hebben bevestigd, is door zijn vervalste rationaliteit gedoemd tot middelmatigheid.' Internet, en de nieuwe economie die het medium in gang heeft gezet, hoeft zich niets meer van de gangbare, ouderwetse rationaliteit aan te trekken.

Volgens publicist en diplomaat James Glassman en econoom Kevin Hassett is die rationaliteit er wel degelijk. Ze hebben een paar maanden eerder een veelbesproken boek gepubliceerd waarin ze voorspellen dat de Dow Jones Industrial-aandelenindex binnen drie tot vijf jaar de grens van 36.000 punten zal overschrijden.[59] De Dow staat eind 1999 op zijn historisch hoogste niveau en is de elfduizend punten ruimschoots gepasseerd. Volgens de auteurs zijn beleggers gaan beseffen dat de risico's verbonden aan aandelen lang niet zo groot zijn als wel wordt gedacht. Aandelen, is de redenering, bieden eeuwige dividenden en eeuwige groei. De risicopremie ligt volgens de auteurs zelf rond 0 procent. Critici die wijzen op de mogelijkheid van een speculatieve bubbel en stellen dat er geen historisch precedent is, worden afgeserveerd met het commentaar: 'History can become tyranny.'

Glassman en Hassett lijken nog gelijk te hebben ook. De Nasdaq is het afgelopen jaar met 86 procent omhooggeschoten. Maar kinderlijke euforie over de beloften van de nieuwe economie heeft allang plaatsgemaakt voor minder onschuldige hebzucht.[60]

11 Project Asterix

Caveat emptor.

Het jaar 2000 is begonnen zonder dat de wereld ten onder is gegaan. Computers zijn niet bezweken, intercontinentale atoomraketten zijn niet uit hun silo's gelanceerd, het internationale financiële verkeer functioneert nog steeds en elektriciteitsnetten zijn niet uitgevallen. Ook in landen als Duitsland, Italië en Kirgizië, waar geen miljarden aan het Y2K-probleem werden uitgegeven, is bijna niets gebeurd. Een lift in een overheidsgebouw in Kazachstan heeft het begeven, een administratief systeem in Gabon en 150 gokkasten in een Amerikaans casino hielden ermee op. Nergens een catastrofe. Niets eens een klein ongeluk. De millenniumbug is gewoon niet komen opdagen.

In Amsterdam, Rotterdam, Londen, Parijs, Vianen en verschillende andere Europese steden zijn bankiers, advocaten en accountants intensief bezig met wat waarschijnlijk de grootste beursintroductie van een Europees internetbedrijf gaat worden: die van World Online. Met name de bankiers van ABN AMRO zijn blij dat ze via hun joint venture met Rothschild bij deze deal als *joint lead manager* zijn betrokken. ABN AMRO Rothschild heeft zich met de aanstaande World Online-emissie voor de tweede keer serieus aan het internetfront gemeld. Het is de IPO die iedere zakenbank wil doen die in Europa actief is. Zij doen het. Met Goldman Sachs, wereldwijd de nummer één onder de zakenbanken.

De Amerikaanse banken hebben, in vergelijking met hun Europese tegenhangers, al veel meer van de enorme hausse van de nieuwe economie kunnen profiteren. Op de Nasdaq is het groot feest sinds de beursgang van Netscape in 1995. In Europa zijn zulke spectaculaire beursintroducties pas in 1999 goed begonnen. Ook voor ABN AMRO Rothschild. Afgelopen jaar hebben ze als joint global coordinator de beursintroductie van het Britse telecombedrijf Cable & Wireless begeleid, de grootste plaatsing van aandelen in de Europese beursgeschiedenis. De bank heeft ook relevante ervaring kunnen opdoen met de beursintroductie van een internetaanbieder: voor het Italiaanse Tiscali trad de bankcombinatie op als joint global coordinator bij de introductie aan de Milanese Nuovo Mercato. De beursgang is een groot succes. Het papieren vermogen van Tiscali's oprichter/eigenaar Renato Soru, de Italiaanse ster van de nieuwe economie, overstijgt inmiddels dat van Gianni Agnelli van Fiat.

Maar op de voor ABN AMRO zo belangrijke Nederlandse thuismarkt moesten gevoelige tikken worden geïncasseerd. Bij de twee grootste AEX-introducties van internet- of telecomgerelateerde bedrijven, UPC en Versatel, werd ABN AMRO gepasseerd. Een slecht teken. In de markt is er twijfel over de specialistische kennis van deze sectoren bij de bank. Die twijfel is niet ongegrond. Voor ABN AMRO is de onstuimig groeiende internetsector inderdaad een relatief onontgonnen terrein. De introductie van Tiscali was grotendeels te danken geweest aan de mannen van Rothschild.

Voor zakenbankiers is het van groot belang dat ze industrieën waarin ze opereren precies kunnen doorgronden, als het even kan nog beter dan de ondernemers die erin actief zijn. Ze moeten kunnen anticiperen op ontwikkelingen in de markt en, beter nog, ze zelf in gang zetten. Daarvoor is een ragfijn netwerk noodzakelijk in die markten waarop hun klanten actief zijn. Contacten worden makkelijker gelegd naarmate de reputatie van de bank stijgt.

Het vertrouwen in de eigen mogelijkheden is fors toegenomen, mede dankzij het feit dat het co-leadmanagement van de World Online-beursgang is verkregen. De pijpleiding met mogelijke beursintroducties raakt per week voller. Het investeringsfonds van Maurice de Hond, Newconomy, is er een van, evenals de Amsterdamse websitebouwer Lost Boys. Sommige bedrijven die in het fonds zitten, zullen waarschijnlijk binnen een jaar zelf een beursnotering aanvragen. Samen met onder andere Goldman Sachs wordt ook volop gewerkt aan de financiering van Gorilla Park, een kraamkamer van internetbedrijven. 'In 18 months from idea to IPO,' luidt het uit de Silicon Valley opgepikte credo van Gorilla Park-oprichter Jeroen Mol. Ook ABN AMRO Participaties, het onderdeel dat jaren eerder de mogelijkheid had afgewezen om financieel bij Nina's internetbedrijf betrokken te raken, heeft investeringen in verschillende beginnende internetbedrijven gedaan. Ook heeft de bank tientallen miljoenen geïnvesteerd in het investeringsfonds van Roel Pieper.

De veelal jonge zakenbankiers van ABN AMRO delen in de euforie die overal voelbaar is. In Londen en Amsterdam bevolken ze de vrolijke evenementen waar internetondernemers private investeerders en andere financiers kunnen ontmoeten, en spreken er met bravoure over de tientallen IPO's die de bank opgelijnd heeft staan. Zij zijn de nieuwe generatie dealmakers, en er is niet veel fantasie voor nodig om te bedenken dat deze jonge mannen en vrouwen binnen niet al te lange tijd enorme bonussen zullen gaan verdienen. Zelf zijn ze daar in elk geval vast van overtuigd.

Wilco Jiskoot, de grote man bij de zakenbank van ABN AMRO, is er als geen ander bij ABN AMRO van overtuigd dat de zakenbank de toekomst heeft, in tegenstelling tot het traditionele bankieren, waar de winstmarges over de belangrijkste activiteiten flinterdun zijn. Met het begeleiden van fusies, overnames en aandelenemissies zijn aantrekkelijke commissies te verdienen. En de tijd is er nog nooit zo rijp voor geweest: de indices van de belangrijkste aandelenbeurzen bevinden zich op recordhoogten. Er is een enorm reservoir aan snelgroeiende bedrijven dat via een emissie geld wil ophalen om de verdere expansie te financieren.

Rijkman Groenink, de aangewezen opvolger van bestuursvoorzitter Jan Kalff, wil in navolging van Kalff de zakenbank samen met de *whole sale*-activiteit tot de kern van zijn in te voeren strategie benoemen. *Whole sale*, ofwel het verstrekken van omvangrijke leningen aan grootzakelijke klanten, is een activiteit die vanuit de klant bezien goed bij een zakenbank past.

Jiskoot had nog maar kort tevoren laten zien hoe die kredietverlening deuren kon openen naar nog veel grotere deals. World Online wilde een kredietfaciliteit van enkele honderden miljoenen hebben die het bij Goldman Sachs niet kon krijgen. In Amerika is, sinds de invoering van de Glass-Steagall Act van 1933, een strikte scheiding van traditionele bank- en zakenbankactiviteiten. Goldman Sachs levert als zakenbank dus geen kredieten aan klanten. Voor World Onlines huisbankier is het geven van het krediet de gelegenheid om een voet tussen de deur te krijgen, om naast Goldman Sachs joint global coordinator annex lead manager te worden van de aanstaande beursgang van World Online. Jiskoot en Tony Alt, de twee vaders van de joint venture tussen ABN AMRO en Rothschild, hadden Nina bij een lunchafspraak gevraagd of zij de beursgang mochten doen. Nina had ze beloofd dat ABN AMRO Rothschild wat haar betreft die opdracht zou krijgen.

Tegelijkertijd ontstaan bij de bank discussies over het binnenhalen van een klant als World Online. Nina heeft bepaald geen goede reputatie. Er zijn bestuurders die grote bezwaren uiten tegen de manier waarop de World Online-oprichtster haar zaakjes pleegt te regelen. Rijkman Groenink met name is, vanwege zijn achtergrond bij Bijzondere Kredieten, goed vertrouwd met haar beduimelde trackrecord. Nina heeft de bank bovendien miljoenen gekost. Wat hem betreft hoeft Jiskoot niet zijn best te doen om haar van de kwaliteiten van ABN AMRO te overtuigen, en kan de bank deze emissie maar beter aan een ander overlaten. Ook vanuit de raad van commissarissen zijn waarschuwende geluiden te horen. Commissaris Rob Hazelhoff, de vroegere bestuursvoorzitter van ABN AMRO, meent dat de bank een klant niet alleen moet beoordelen op de verlies-en-winstrekening en de balans, maar ook op de moraal.[1]

Jiskoot en ook Kalff zijn een andere mening toegedaan. Wat hen betreft hoeft de twijfelachtige reputatie van Nina geen obstakel zijn. Ze zijn van plan een bedrijf naar de beurs te brengen, niet een mevrouw. Die mevrouw wordt overigens omringd door een solide raad van commissarissen die niet met zich laat sollen, zo denken ze. Goldman Sachs heeft zich eerder al gecommitteerd, en dat betekent voor Kalff en Jiskoot dat het goed zit bij World Online. Het gaat misschien wel een van de grootste emissies van 2000 worden; het is een typische *elephant deal* die de bank juist moet omarmen, wil hij tot de elite van de zakenbanken gaan behoren. World Online is wat Jiskoot betreft een *no-brainer*: er is geen zakenbank die deze deal aan zich voorbij laat gaan. Bovendien kan ABN AMRO het zich niet nog eens permitteren om een grote beursgang van eigen bodem mis te lopen.

Jan Kalff meent ook dat deze transactie een omvang heeft die niet zomaar door de bank kan worden genegeerd. Hij weet ook Groenink daarvan te overtuigen. Groenink benadrukt het belang van een correcte weergave van Nina's cv in het prospectus. Kalff is ook commissaris van Volker Wessels Stevin, het bouwbedrijf van World Online-grootaandeelhouder Dick Wessels. Hij kent Wessels persoonlijk goed. Hij vindt dat hij dat bij zijn beoordeling goed gescheiden kan houden.

Weken zijn voorbijgegaan sinds de lunch van Jiskoot en Alt met Nina. Er is begin november nog steeds geen akkoord. Kalff begint zich persoonlijk met de deal te bemoeien.

Op vrijdag 5 november lijkt het erop dat ABN AMRO zijn laatste kans op het *joint global coordinationship* van de beursgang van World Online moet grijpen. Nina vertelt Kalff per telefoon dat ze die dag naar Zuid-Afrika vliegt. Zondag staat een belangrijke afspraak met Nelson Mandela op het programma, heeft ze hem verteld. Als ABN AMRO Rothschild nog een kans wil maken, moet de bank haar maar zien te overtuigen. Ze gaat vanaf vliegveld Deurne, bij Antwerpen, met haar eigen toestel naar Londen Heathrow, waar ze overstapt op een toestel van British Airways. Op de vlucht naar Londen heeft ze tijd om te praten, en ook in Londen zelf heeft ze nog wel even de gelegenheid om de zaak te bespreken.

Menno de Jager en Jan de Ruiter van ABN AMRO Rothschild rijden daarop naar Deurne. De Jager en De Ruiter hebben Nina beiden al leren kennen. Met De Ruiter, die bekendstaat om zijn nogal directe manier van communiceren, heeft Nina problemen. Dat heeft ze ook Kalff al laten weten.

De Jager en De Ruiter zijn eerder in het kleine stationshalletje dan Nina. Ze zien hoe ze met haar dochter wordt voorgereden in een gechauffeerde auto. Bij het betreden van het halletje krijgt de topvrouw van World Online direct De Ruiter in het oog. Hij kan gelijk weer vertrekken. De Jager mag blijven, en meevliegen naar Heathrow.

De *joint chief executive* van ABN AMRO Rothschild heeft een klein uur de tijd om de pitch nog een keer te doen. Hij krijgt het gevoel dat hij aan het bedelen is. Op Heathrow staat Rothschilds Tony Alt klaar, net als Simon Duffy, het nieuwe lid van de raad van bestuur van World Online. Dit is diens eerste belangwekkende ontmoeting.

In een houten noodgebouw bij de terminal voor privévliegtuigen wordt het laatste halfuur voor Nina's vertrek naar Zuid-Afrika nog gesproken. Alt gaat recht tegenover Nina en De Jager zitten. Zonder haar aan te kijken, vraagt hij De Jager waar ze staan. Is de deal nu eindelijk binnen of niet? Alt spreekt over de eerder door Nina aan hem en Jiskoot gedane beloftes, en vraagt of ze haar woord gaat houden. Nina loopt rood aan, trekt haar jas uit. Alt vraagt door – zonder de topvrouw van World Online een blik waardig te gunnen. Alt kan niet begrijpen dat ABN AMRO Rothschild nog steeds geen bevestiging van haar heeft ontvangen, bijna een maand nadat ze haar belofte heeft gedaan. Dat kan niet. Zo hoort dat toch niet?

Nina staat op en vraagt hem of hij soms denkt dat ze een leugenaar is. De Brit reageert niet en houdt zijn ogen strak op De Jager gericht. Weer vraagt Alt hem hoe het zit. Hebben ze nu een deal of niet? De spanning in het noodgebouwtje schiet omhoog. Alt kijkt nog steeds vragend naar De Jager. Nina heeft haar limiet bereikt en beent weg. Duffy staat er al die tijd sprakeloos bij.

Een kwartier later klinkt in zijn zak de mobiele telefoon. Nina. Ze zit al in de eerste klasse van het BA-toestel. Ze heeft besloten dat ABN AMRO Rothschild de tweede joint global coordinator gaat worden. Of hij het verder kan afwikkelen.

Project Asterix hebben de banken de operatie rondom de geplande beursgang van World Online genoemd, naar het Gallische stripfiguurtje dat na een slok toverdrank zonder al te veel problemen met zijn dikke vriend Obelix een regiment Romeinse soldaten kan bewerken.

Sinds project Asterix in gang is gezet, wordt de werkvloer bij World Online bevolkt door verschillende pelotons bankiers. Het begon eind september met de mannen van Goldman Sachs, die op uitnodiging van Victor Bischoff al aan de gang konden. ABN AMRO Rothschild volgde in november, en ten slotte mochten ook de bankiers van Morgan Stanley nog uitrukken. In hun slipstream de advocaten van Freshfields, De Brauw Blackstone, Dorsey & Whitney en Stibbe, gevolgd door de accountants van Ernst & Young.

De pr-dames van Citigate Dewe Rogerson zijn de laatsten in het gevolg. Zij zullen de komende maanden de stroom aan publiciteit namens het bankensyndicaat in goede banen leiden.

Aan de public relations van World Online en zijn topvrouw heeft Gérard Brikkenaar van Dijk dan al bijna een jaar zijn handen vol. Nina vindt nog steeds dat ze in Nederland schromelijk wordt ondergewaardeerd. In Engeland is ze afgelopen november uitgeroepen tot *Entrepreneur of the Year 1999* van de telecomindustrie. In de Nederlandse pers wordt er nauwelijks aandacht aan besteed. Ze heeft het er vooral moeilijk mee dat ze af en toe door journalisten als een hardvochtige ijzeren dame wordt afgeschilderd. Ze herkent zich niet in het beeld dat van haar wordt geschetst. Ze vindt dat haar zachte kanten stelselmatig worden onderbelicht. Ze is teergevoelig, emotioneel. Ze meent dat ze wel eens boos kan worden, maar in essentie geeft ze veel om haar personeel en de mensen om haar heen.

In september had ze een groot interview aan *De Telegraaf* gegeven. Het resultaat was nog niet helemaal wat het zijn moest. 'Ex-hippie leidt met straffe hand succesvol internetbedrijf', stond er boven aan het paginagrote artikel, dat met een grote portretfoto van haar was geïllustreerd. Daarboven haar naam in rode kapitalen, en onder de foto in chocoladeletters de meest opvallende quote: 'Ik wil echt rijk worden.'[2]

Onafhankelijk, dat wilde ze vooral zijn, haar eigen weg kunnen gaan. En dat kon wat haar betreft alleen door veel geld te verdienen. Ze wilde altijd al rijk worden. 'Ik trek me niets aan van het taboe dat in Nederland op het nastreven van rijkdom rust,' had ze tegen de journalist gezegd.

Even was haar eerste man Ben Aka onderwerp van gesprek. Ze begreep achteraf wel waarom hij haar via de rechter had verboden om nog langer zijn naam te gebruiken. 'Mijn naam kwam vaak in de media. En het is altijd lastig te verteren als je vrouw bekender wordt.'

Vragen over haar stijl van leidinggeven ontbraken niet. Nina kwam niet graag terug op hoe ze eerder genoodzaakt was zich van Michael Schulhof te ontdoen. Advocaten waren nog steeds bezig het door hem in een bordeel verbraste geld van World Online terug te vorderen. 'Ik kan hard zijn,' wilde Nina wel beamen. 'Maar het kost me moeite mensen weg te sturen. Het is mijn grootste zwakte. Ik wacht er vaak te lang mee. Het geeft me soms slapeloze nachten. Nachtmerries krijg ik ervan.'

Er viel ook een primeur te noteren. Na jaren te hebben gesproken over haar hobby, de dichtkunst 'in de geest van Kafka', mocht *De Telegraaf* de eerste regels noteren. Nina las ze op van een verfrommeld papiertje dat ze uit haar tas had gevist:

Rook doordrenkt de zware atmosfeer.
Van zurig zweet vermengd met nu en dan
de zoete lokgeur van parfum.
Kracht doet zich tegoed aan eigen afval.
Dit vat van kwijtgeraakte spanningen.
Van uitgebluste frustraties.

Blijkt een nooit gedachte bron van nieuwe emoties.
Teder en van hun bolster ontdaan.
De discotheek een 'purifier'?

In een lang interview met Hugo Camps in het dubbeldikke kerstnummer van *Elsevier* werd haar vrouwelijkheid nader beschouwd.[3] 'Ze is vandaag aangetreden in een schitterende deux-pièces,' schreef Camps. 'Haar kapsel lijkt bestand tegen windkracht tien. Helemaal een femme du monde, tot in de gestileerde nagels met een toch nog lichte Hollandse tint – in de aanzet tot appelwangen. Van een kleuterleidster zou je zeggen: gezond blozend.'

Maar Nina was een vrouw aan de top van het bedrijfsleven, naar eigen zeggen behept met een stevige hekel aan het feminisme. 'Ik wil dat mannen voor mij de deur openen, mij mijn jas aanreiken, mij vertroetelen. Doen ze dat niet, dan hebben ze een probleem.'

'Ik vind het onaangenaam om het zo resoluut te zeggen,' voegde ze eraan toe, 'maar ik ben nooit bang. Niet in zaken, niet in het leven, niet in mijn dromen.'

De indrukwekkende serie investeerders in World Online werd opgesomd. De wervingskracht van Nina was volgens insiders op haar charmes gebouwd, had Camps vernomen. 'Ik wou dat het zo makkelijk was,' antwoordde ze. 'Ik straal een overtuiging uit. Ik heb mijn partners nooit wilde groeiscenario's voorgehouden. Toen ik begon, heb ik tegen iedereen gezegd: ik weet niet of het bedrijf succesvol zal zijn, maar ik weet wel dat er een markt voor is. Ik lieg nooit. Natuurlijk wisten mijn partners dat ik een professionele achtergrond heb, dat ik balansen kan lezen en een bedrijf kan leiden en dat ik geen nerds maar gekwalificeerde mensen om me heen verzamel. Ik ken de materie. Ik kan de hele infrastructuur van een internetbedrijf uittekenen. De meeste producten die in de markt zijn, snap ik. Mijn verhaal is niet gebaseerd op lucht. Ik weet waar ik over praat en ik geloof niet in bullshit. Internet is sexy. Nee, Bill Gates is dat niet en software al helemaal niet. World Online is een combinatie van Endemol, vnu en Telecom, er is niets leukers.'

Maar het ging wat haar betreft ook om een hoger doel. 'Internet is de verdeling van de macht. In deze virtuele wereld is de macht aan het volk, zoals het hoort. Nog steeds denken politici dat zij de grote beslissingen nemen. Onzin: internet beslist. Voor het eerst in de wereldgeschiedenis is er echt sprake van collectieve macht. Het politieke landschap, de onderstromen van de democratie zullen wezenlijk veranderen.'

Ze vertelde dat ze Al Gore in Zuid-Afrika had ontmoet, dat hij alleen met haar had willen praten. Over het moment dat Mandela haar in de helikopter aanraakte. Dat Hitler van internet nooit een kans had gekregen. Dat ze helderziende kwaliteiten bezat, geen fascinatie voor geld meer had, en tegenwoordig alleen nog maar gedichten met een happy end schreef.

'Mijn drive is creatief zijn. Ik zit in de meest creatieve industrie die er bestaat. Er is niet een definitie die klopt. Elke dag moet je nieuwe definities vastleggen. Hypotheses bestaan überhaupt niet. Er zijn geen vaste patronen. Nee, ik voel me niet de maestro van de chaos. Ik geniet van de ongelimiteerde en ongedefinieerde wereld waarin ik mij bevind. Maar in het achterhoofd zwelt een ambitie. Ik hoop ooit internet naar een voorlopig eindpunt te brengen.'

Camps zweefde ook langs het werkgeverschap van Nina. Hij had er een paar opmerkingen over. 'Gemeten aan het personeelsverloop lijkt de provider van Brink meer een bananenrepubliek dan een exponent van het poldermodel.'

De kritiek raakte Nina niet. 'Als mensen niet voldoen, gaan ze er per direct uit. Zo gaat dat bij professionele organisaties die de wereld willen veroveren. In een branche die zo competitief is en waar zo veel geld omgaat, lopen mensen rond die bereid zijn elkaar de keel af te snijden. Ik ben straight en hard, maar loop niet met het mes rond. Ik voel vaak rancune om me heen. Wie een paar jaar voor World Online komt werken, kan er als miljonair uit het bedrijf stappen. Natuurlijk zijn mensen pissig als ze die grote slag missen. Dan ontstaan wraakverhalen.

Geld maken is niet belangrijk, maar er moet wel licht zijn aan het einde van de tunnel. Ik betaal meer dan andere bedrijven. Naarmate je groter wordt, heb je ook een ander type medewerker nodig. Wat is daar mis mee? Ik ben Moeder Theresa niet. Maar ik accepteer niet dat men mij voorstelt als een asociaal monster. Ik ben altijd de laatste om iemand te ontslaan.

Ach, mannen hebben het nog steeds moeilijk met een vrouw aan de top van een topbedrijf. Misschien speelt in mijn geval ook mee dat ze weten dat ik niet corrupt ben. En nog iets: velen zijn jaloers op mijn netwerken. Ik kom overal binnen. En dan heb ik het niet over Den Haag, dan heb ik het over de salons van de wereld.'

Camps: 'Toch is ze nu weer boos op haar secretaresse. De schat had verzuimd haar te vertellen dat dit interview ook in Brasschaat had kunnen doorgaan. Waar Nina in een riante villa woont.'

Nina: 'Waarom zegt zo'n mens mij dat niet? Ze verzwijgt voor mij wel meer. Ik hoor alles te weten. En als dat te veel gevraagd is, dan moet ze een andere baan zoeken.'

World Onlines manager *corporate communications & public affairs* Brikkenaar van Dijk krijgt woordenwisselingen met Nina over de rectificaties die ze eist.[4] Hij probeert haar te doen inzien dat ze zich zo nu en dan beter iets redelijker kan opstellen. Daar blijkt ze steeds minder de behoefte aan te hebben. Ook naar hem toe maakt ze dat in duidelijke bewoordingen kenbaar, met gebruik van een vocabulaire dat hij voor een dame hoogst ongepast vindt.

Ze heeft ook al in Zuid-Afrika last gehad van de pers. De veelvuldige media-momenten met Mandela waren in het ruime voordeel uitgevallen van Fergie, de roodharige ex-prinses. Ook dat is Nina niet erg goed bevallen. Zijn advie-zen om haar een menselijker aanzien te geven, worden hem nauwelijks in dank afgenomen. Ze eiste niettemin permanente paraatheid, volledige toe-wijding. Hij begrijpt dat ook wel. Ze is erg druk. De hele dag onderweg, voort-durend telefonerend. De belangen zijn groot.

Zijn betrekking bij World Online is er al met al niet plezieriger op gewor-den. Tijd voor een volgende stap. Een klein kafkaësk gedichtje als dank voor zijn diensten kan er niet af.

Als woordvoerder Brikkenaar van Dijk in januari het bedrijf verlaat, is hij niet de enige. Bedrijfsjurist Thomas Langerwerf mag ook vertrekken. Hij heeft volgens Nina grote fouten gemaakt. Collega's denken dat Langerwerfs aan-drang om het inhoudelijke debat met Nina aan te gaan, hem noodlottig is ge-worden. Zo denkt Langerwerf dat World Online nog niet klaar is voor een beursgang, dat hiaten in onder andere de klantenaantallen niet langer gedicht kunnen worden. Ook een technisch directeur mag een andere baan zoeken, en datzelfde mag wat Nina betreft ook Ruud Huisman doen.

Financieel directeur Huisman is met instemming van Nina in Nieuw-Zee-land op vakantie gegaan, maar twee weken later dan afgesproken teruggeko-men. In de tussentijd was hij telefonisch niet bereikbaar. De kersverse CFO van World Online heeft zich daarmee buitengewoon onprofessioneel gedra-gen. Welke financieel directeur is in de opmaat van een beursgang nou niet bereikbaar? Nina wendt zich tot de raad van commissarissen en pleit voor zijn onmiddellijke vertrek.

Ook enkele commissarissen vinden het gedrag van Huisman onaccepta-bel. Maar voor een ontslag is geen brede instemming te vinden. De risico's zijn te groot. De banken zitten er niet op te wachten dat ze, anderhalve maand na het vertrek van Van der Meulen, ook de CFO uit het in aanmaak zijnde pros-pectus moeten schrappen. Victor Bischoff blijft pal achter Huisman staan, en daarmee is het pleit beslecht.[5]

Huisman zelf heeft het idee dat Nina zich voortdurend aan hem ergert om-dat hij zich veelvuldig vergrijpt aan haar fonkelende vooruitzichten en deze probeert te overgieten met een saus van realisme. Hij trapt hier en daar op de rem, maar Nina laat zich niet afremmen. Door niemand.

Een grotere verrassing is dat ook het lot van haar lieveling Rob van der Linden even aan een zijden draadje hangt. Door een toevallige samenloop van ge-beurtenissen is er iets aan het licht gekomen wat hem zijn kop kan kosten. Enkele dagen na het 'Ik wil echt rijk worden'-interview in *De Telegraaf* hadden zich enkele mannen met bivakmutsen op het terrein rondom Nina's villa in Brasschaat begeven. Nina had zich in haar goed beveiligde huis opgesloten en belde in paniek Tolsma en Van der Linden. Het incident liep met een sisser af. De gemaskerde figuren waren verdwenen zonder dat ze toegang tot het huis hadden gekregen. Door een beveiligingsbedrijf werd onmiddellijk een diepgaand onderzoek ingesteld naar onder andere het gevaar van een ontvoering. Uiteindelijk werden ook de antecedenten van mensen in Nina's directe omgeving uitgeplozen, en vertrouwenspersoon Van der Linden bleek daarbij opeens een *clear and present danger* te zijn.

Nina's boomlange rechterhand heeft een zwart vlekje op zijn cv waarover hij niemand heeft ingelicht. Hij heeft een strafblad, en ging vroeger om met lieden wier namen in bepaalde kringen met veel ontzag werden uitgesproken. Nina is furieus. Van der Linden beseft meteen dat hij een probleem heeft. Om te beginnen zal hij uit het prospectus worden geschrapt. Een nijpender vraag is of hij ook niet uit het personeelsregister zal worden verwijderd. Die vraag wordt tot zijn grote opluchting door Nina met nee beantwoord. Nadat haar boosheid is weggeëbd, blijkt ze zelfs belangstellend naar de ontbrekende details op zijn loopbaanoverzicht.

In januari is er ook even tijd voor ontspanning. Met het oog op de druk van de aankomende weken heeft Nina besloten dat ze haar managementteam een adempauze wil geven. Het zevensterrenhotel Burj al Arab in Dubai, het hoogste hotel ter wereld, heeft een maand eerder zijn deuren geopend. Op Huisman na is het hele team aanwezig – ook nieuweling Simon Duffy. De hevig transpirerende Brit wordt door een paar van zijn collega's met argwaan bekeken. Hij is glad, welbespraakt, arrogant. Zonder twijfel alleen maar met één ding bezig: het binnenhalen van de formidabele worst die voor hem aan de waslijn is gehangen, zijn optiepakket.

Duffy, op zijn beurt, schrikt van wat hij bij World Online aantreft. Wanorde, en een op opties en aandelen belust management dat op overleven is ingesteld, en dat siddert voor het explosieve schepsel dat hun leiding geeft.

Eind januari bezoekt Nina in Cannes de Midem, de grote beurs voor de muziekindustrie. De broers Danny en Joel Wyler bevinden zich ook in de Zuid-Franse badplaats. Ze achtervolgen Nina al weken met telefoontjes, mailtjes en bezoekjes. Ze willen haar heel graag helpen met World Online. Ze onderstrepen daarbij hun bewondering voor haar ondernemerschap en de hechte relatie die ze als familie met haar hebben. Broer Michael Wyler is al bij de ontwikkeling van het nieuwe hoofdkantoor in Rotterdam betrokken; Danny en Joel zouden ook graag hun banden met World Online verder willen aantrekken.

Tijdens een diner leggen ze Nina hun ideeën voor. Het zijn er een paar. Om te beginnen zou Joel het liefst alsnog commissaris willen worden. Met een bijbehorend pakket opties. Tegen een lage uitoefenprijs. Ze zouden ook nog steeds – voor een gunstige prijs – aandelen World Online willen kopen. De broers hebben ook de hoop nog niet opgegeven dat ze met Granaria een rol kunnen spelen in het investeringsfonds WolStar. Wat zou Nina ervan denken als de financieel directeur van Granaria, de voormalige bankier Peter Kortenhorst, de fusies en overnames voor World Online ging doen? Vanuit Granaria, welteverstaan. Volgens Wyler is het beter als de expertise en de beslissingsbevoegdheid omtrent deze zaken zich op *arm's length* van World Online bevinden.[6]

Nina is gecharmeerd van de vleierij van met name Danny, die in een zithoek in de lobby van het Carlton Hotel aanhoudend haar knie streelt. Ze slaat de voorstellen van de Wylers niettemin resoluut af.

Tijdens de beurs staat de World Online-topvrouw sterk in de belangstelling van de verzamelde pers. Ze krijgt tientallen aanvragen voor interviews. Aan slechts een klein aantal daarvan kan ze gehoor geven. De journalisten ontvangt ze boven in haar suite in het Carlton, weg van het gekrioel op de vloeren van het Palais des Festivals.

AOL heeft Time Warner tien dagen eerder overgenomen. De grootste internetaanbieder ter wereld heeft daarmee een van de grootste Amerikaanse mediaconcerns in bezit gekregen. Een van de vragen is of World Online, dat zich graag aan AOL spiegelt, ook die kant op zal gaan. Op internet heeft het bedrijf samen met de entertainmentfabriek Endemol een hit met het televisieprogramma *Big Brother. Content is king*, dus ligt het voor de hand dat Nina ook een zet zal doen in de richting van een overname op dat gebied, zeker wanneer ze binnen niet al te lange tijd kan betalen in hooggewaarde aandelen.

Behalve met vragen van journalisten wordt Nina op en rondom de Boulevard de la Croisette overladen met bewondering en aandacht van beursbezoekers. De aanstaande beursgang van World Online is er een regelmatig terugkerend gespreksonderwerp. De opkomst van de grote internetproviders is een belangrijk thema in de muziekindustrie. Met het sponsoren van de concertreeksen van Céline Dion, Eurythmics en Cher en het gebruik van de content van deze artiesten voor de websites heeft World Online in het afgelopen jaar zijn ambities in die wereld meer dan kenbaar gemaakt. World Online heeft enkele weken eerder ook een samenwerking aangekondigd met 's werelds grootste concertpromotor en -organisator SFX Entertainment. SFX is ook eigenaar van het Nederlandse Mojo. World Online zal onder andere via zijn websites concerttickets gaan verkopen.

's Avonds is Nina in het gezelschap van Ab en Karen het stralende middelpunt van een groot gala. Ze geniet. Haar status als succesvolle onderneemster begint steeds grotere vormen aan te nemen. Nina is de nog ongekroonde internetkoningin van Europa.

De Wylers blijven intussen aandringen. Commissariaat, deelname aan Wol-Star, Kortenhorst als M&A-man voor World Online... Nina vindt niet dat hun financieel directeur deals kan doen voor World Online. Ze ziet een belangenconflict ontstaan. Ze blijft weigeren. Op alle punten.

De discussies met de Wylers houden aan. Nina's persoonlijke adviseur Victor Halberstadt bemiddelt. Hij is een goede bekende van de broers. De situatie begint gecompliceerd te worden. De Leidse professor heeft enkele weken eerder nog zijn jawoord aan Nina gegeven om voorzitter van de raad van commissarissen van World Online te worden. Joel Wyler heeft te kennen gegeven ook nog steeds een positie in die raad te ambiëren.

Halberstadt laat het begin februari alsnog afweten. Principiële overwegingen spelen een rol. De Leidse hoogleraar openbare financiën is een tegenstander van het toekennen van opties aan commissarissen. Hij meent dat die een onafhankelijk en kritisch oordeel in de weg staan. Halberstadt is van mening dat commissarissen een vaste beloning moeten krijgen die niet afhankelijk is van het presteren van de onderneming.

De afzegging van Halberstadt opent voor Joel Wyler weer de weg om als onafhankelijke commissaris een positie in de raad in te nemen. Hij hoeft niet lang te wachten. Enkele dagen later wordt hij alsnog door Nina gevraagd commissaris te worden. In tegenstelling tot Halberstadt ziet hij geen enkel bezwaar om als commissaris een royaal optiepakket te accepteren. Integendeel. Wyler maakt zich meer zorgen of het aantal opties dat hij krijgt wel genoeg is, en of de uitoefenprijs niet te hoog uitvalt. In de gesprekken die volgen, dringt hij erop aan dat de uitoefenprijs van zijn opties net zo laag zal zijn als enkele maanden eerder, toen hij voor het eerst voor de positie werd gepolst. Hij wil absoluut op het prijsniveau van ruim een halfjaar eerder uitkomen, het moment waarop Intel een belang in World Online nam.

De aandelen en opties van World Online zijn bij het personeel en in kringen van investeerders, adviseurs en relaties van Nina al enkele jaren bijzonder gewild. Het actief beleggende deel van het publiek in Nederland staat ook te popelen om mee te doen aan de internethype.

Bij World Online is besloten het publiek voorrang te geven bij de inschrijving op de aandelen, en er een relatief groot deel van de emissie voor te reserveren. Een aanzienlijk deel van de bij de beursgang uit te geven aandelen zal zelfs alleen beschikbaar worden gesteld aan nieuwe abonnees van World Online. Geen betalende abonnees, gratis abonnees. Het is uniek in de geschiedenis van de Amsterdamse effectenbeurs dat op deze manier aandelen aan de man worden gebracht. Er zal een grote reclamecampagne omheen worden gemaakt om de beursgang onder de aandacht te brengen. World Online heeft inmiddels het Rotterdamse reclamebureau Ara ingehuurd om de campagne te bedenken en vorm te geven.[7] Het is een enorme klus waar tientallen miljoenen guldens mee zijn gemoeid.

Ara-directeur Erik Triesscheijn is trots dat hij een klus van deze proporties naar het bureau toe heeft weten te trekken. Triesscheijn is een veelzijdig reclameman. Hij was lid van het bestuur van de Stichting Ideële Reclame (SIRE) en in 1997 medeverantwoordelijk voor de campagne: 'Wie is toch die man die altijd zondags het vlees komt snijden?' Gericht tegen al te drukke vaders die hun gezin verwaarloosden. De opdracht van World Online is vanwege de krappe voorbereidingstijd, omvang en complexiteit de reden dat Triesscheijn en zijn team wekenlang vooral tijd op kantoor door moeten brengen. World Online gaat naar de beurs en het grote publiek moet daarover geïnformeerd worden. Met World Onlines unieke aanbod op grote billboards uitgesmeerd.

Daar blijft het niet bij. Nina's eigen stem klinkt als een voice-over bij enkele reclamefilmpjes op televisie. Het centrale thema *'Freedom of movement'* klinkt door de oeverloze herhaling op radio, televisie, in kranten en tijdschriften, op posters in abri's en natuurlijk op internet als een bezwerende mantra. Overal afbeeldingen met de prachtig springende balletdanser. Er is een serie affiches gemaakt van spelende kinderen aan het strand. Een huppelend kind met een emmertje, de schitteringen van het zonlicht in een kalme zee, de verre horizon... Tekst: *'One day I'll invest in a world where learning is fun.'* Een kind dansend aan de waterkant: *'One day I'll invest for my children's future.'* Haasje-over op het strand. Weer die schitterende horizon: *'One day I'll invest in a worldwide playground.'* De magie van de herhaling. *One day, I'll invest, world...* Nog nooit is een beursgang met zo veel reclamegeweld gepaard gegaan. World Online toont een boodschap van moed, hoop, vrijheid en integriteit. Reclamebureau BBDO International, het reclamebureau van World Online dat een deel van de klus mag uitvoeren, heeft daarvoor de man ingehuurd die wereldwijde erkenning kreeg voor zijn heldhaftige gevecht tegen zijn totale lichaamsverlamming: Supermanacteur Christopher Reeve. Reeve heeft vijf jaar eerder bij een paardrijdongeluk een dwarslaesie opgelopen. Zittend in een rolstoel spreekt hij met een vermoeid en amechtig klinkend stemgeluid over de belofte van World Online. Ooit op een dag... *'One day'*... Reeve mijmert melancholiek over de dromen die hem als jongeman hebben bewogen: De wereldzeeën bezeilen met alleen zijn hart als kompas, investeren in de toekomst van kinderen en het geluk van zijn vrouw. *'Today is one day, I'll absorb every second of,'* spreekt de fysiek gebroken acteur. Reeve staat symbool voor het overwinnen van fysieke beperkingen. In het eindshot zweeft de camera in de richting van een menselijk silhouet dat staande op een stapel stenen bij ondergaande zon de armen ten hemel spreidt. '*Today is that day. World Online: freedom of movement.*'

Met de due diligence-onderzoeken van de verschillende banken in volle gang zijn de mensen van World Online even verworden tot figuranten in hun eigen show. De bankiers, advocaten en accountants hebben de touwtjes in handen genomen. Het management dat in het prospectus opgenomen gaat worden, kreeg eerder al de schijnwerper op zich gericht en moest, ten overstaan van de bankiers, presentaties van zichzelf geven. Korte praatjes over het arbeidsverleden en de werkzaamheden binnen World Online. De meeste van die presentaties vielen niet mee. Met de repetities voor de roadshow die in het hoofdkantoor van ABN AMRO wordt gehouden, is het nog niet veel beter gesteld. Een beschamende vertoning vinden sommigen het. De meeste presentaties zijn haperende verhalen in kreupel Engels. Knullig. Verschillende bankiers zijn blij dat Simon Duffy het gezelschap is komen versterken.

De zorgen over de kwaliteit van het management steken schril af bij de acute problemen die ontstaan bij het vergaren van operationele gegevens. Het informatiesysteem van World Online werkt, maar daar is bij nadere beschouwing alles mee gezegd. Het werkt slecht. Betrouwbare operationele cijfers zijn de grondstof voor een bedrijf als World Online. Kwaliteitsinformatie, bijvoorbeeld over klanten die vertrekken, is essentieel om alert te kunnen reageren. Bij World Online is er al vaak over geklaagd, en er is bij herhaling aangegeven dat er serieuze investeringen gedaan moeten worden om het systeem op orde te krijgen. Maar terwijl er tientallen miljoenen euro's aan marketing zijn gespendeerd, zijn de uitgaven op dit gebied sterk achtergebleven.

Het probleem wordt verergerd door de talrijke snelle overnames die het afgelopen jaar zijn gedaan. Grondige onderzoeken hebben daarbij nauwelijks plaatsgevonden. Elk overgenomen bedrijf werkt weer volgens een eigen systematiek bij het verzamelen van zijn informatie, en in veel gevallen blijken de methoden en technieken waarmee dat gebeurt net als bij World Online van een uiterst bedroevende kwaliteit.

Bij de aanvang van de onderzoeken van de banken komt dit euvel snel bovendrijven. De systemen zijn niet in staat om ook maar bij benadering betrouwbare kwartaalgegevens te produceren. Er moet onmiddellijk worden ingegrepen. Voor heel World Online moet zo snel mogelijk een gestandaardiseerd klantinformatiesysteem worden ontwikkeld. Het is een klus die onmogelijk voor de beursgang nog succesvol kan worden afgerond.

Tegelijkertijd moet ook nog het goud van World Online worden gedolven: de abonnee. Er moeten klanttellingen worden gedaan. Die zijn van het allergrootste belang. Bij gebrek aan inkomsten en winsten worden waarderingen van internetproviders gebaseerd op de verwachting wat een abonnee in de toekomst kan opbrengen. Beleggers zijn optimistisch. Een enkele abonnee van het Spaanse Terra is inmiddels 16.000 euro waard. Daarbij zijn ook de gratis abonnees meegerekend. De demografie van die abonnees is onbekend. Het bedrijf weet niet het verschil te maken tussen een hoogleraar en een vuilnisman. Het probleem is ook: wat is een abonnee? Is iemand die al vier maanden zijn rekeningen niet heeft betaald nog een klant? Met de introductie van gratis internet is er een complicerende factor bij gekomen: er is geen factuurrelatie. Is een gratis abonnee überhaupt een klant? Is iemand die zich voor een gratis abonnement heeft aangemeld en in drie maanden pas twee keer heeft ingelogd een actieve abonnee? Hoe zit het met de dubbeltellingen? Telt iemand met een betaald abonnement die ook een gratis abonnement heeft aangevraagd voor twee? Is iemand die zich voor een gratis abonnement heeft aangemeld om aandelen te kunnen kopen, maar nog nooit heeft ingelogd, een abonnee?

Het tellen van abonnees hangt af van de gehanteerde formulering. Het is spelen met definities. Het hangt ook sterk af van de kwaliteit van de aanwezige informatie. Het trackrecord van World Online waar het gaat om mededelingen over aantallen abonnees, is nogal twijfelachtig te noemen. Bij KPN weten ze zeker dat de klantaantallen van World Online in Nederland – meer dan 600.000 abonnees, van wie 70 procent gratis – in elk geval zwaar worden overdreven. Ze kunnen uit de activiteit op het netwerk en ook uit de hoeveelheid mail afkomstig van World Online-klanten het werkelijke aantal actieve abonnees nauwkeurig afleiden. Die ligt aanzienlijk lager dan wat het bedrijf in de media voorspiegelt. In de directie van de Nederlandse telecomreus ergert men zich aan 'bogusverhalen' over de aantallen abonnees van World Online.

Het valt op dat met name de topvrouw van World Online de onbedwingbare neiging heeft om de omvang van het abonneebestand tot oneigenlijke proporties op te blazen. Eind vorig jaar sprak Nina in het tijdschrift *Internet in Business* nog over 2 miljoen abonnees. In *Elsevier* liet ze in december het aantal luchtig tussen de 1 en de 2 miljoen zweven, een verschil dat, bij een waardering van 10.000 euro per abonnee, goed is voor 10 miljard aan beurswaarde. Ter vergelijking: de totale beurswaarde van het internationale supermarktconcern Ahold ligt op 15 miljard euro.

Het is Ruud Huisman die met huisaccountant Ernst & Young de verantwoordelijkheid heeft voor dit project. Zij bepalen uiteindelijk de definities voor de abonnees, en daarmee draaien de accountants aan de knop van de waardering voor het internetbedrijf. Het werk van Ernst & Young wordt nauwlettend door Nina in de gaten gehouden. Ze belt geregeld met het hoofdkantoor, met bestuursvoorzitter Chris Westerman, die ze nog uit haar AKAM-tijd kent en die ooit nog een bemiddelingspoging deed in het conflict met Ben Aka. Ze beklaagt zich over de wijze waarop zijn accountants te werk gaan.

Sinds december wordt hard aan het prospectus gewerkt. Honderden vragenlijsten zijn aangeleverd en ingevuld. Elke dag zijn er vergaderingen met bankiers, advocaten en accountants en worden conference calls gehouden. Elk woord wordt gewogen. Elke wijziging moet met de betrokken partijen worden besproken en worden goedgekeurd. Het is een helse klus.

Huisman is degene die het proces vanuit World Online grotendeels in handen heeft. Hij verzorgt het financiële deel; Eric Tolsma richt zich op de bedrijfsmatige aspecten die in het prospectus moeten worden beschreven. Tolsma maakt indruk op enkele bankiers. Hij blijft rustig onder druk en is de enige die Nina in discussies van repliek weet te dienen. Huisman blijkt daar een stuk minder bedreven in te zijn.

Ook Nina wordt met vragen bestookt. Ze krijgt conceptversies van het prospectus te zien en maakt haar opmerkingen daarover. Lappen tekst met overal toevoegingen, krassen en omcirkelde passages.[8]

De verkoop van haar aandelen is ook onderwerp van discussie. Er heeft ruimschoots overleg plaatsgevonden met Goldfarb van Baystar. De banken, de advocaten, iedereen is op de hoogte van Nina's deal met het investeringsfonds. Alle partijen zijn er ook van doordrongen dat Baystar geen lock-up heeft. Er zijn geen redenen om aan te nemen dat de eventuele verkoop van Nina's belang op de dag van de beursgang een probleem zal opleveren. Daarvoor is het belang dat ze aan Baystar heeft verkocht, niet groot genoeg. In de emissie zullen meer dan 65 miljoen aandelen worden aangeboden. De 5 miljoen van Baystar die eventueel worden verkocht, zullen door de verwachte vraag eenvoudig worden opgeslorpt, is de verwachting. De vraag is alleen hoe de transactie met Baystar in het prospectus moet worden beschreven. Nina heeft een winstdelingsregeling, en is dus economisch nog voor een deel eigenaar van de stukken. De advocaten van De Brauw en Freshfields buigen zich over de formulering en komen met het woord 'transferred'. In het Nederlands: 'overgedragen'.

Haar overige aandelen zaten al in een vennootschap waarin ook Sandoz en Reggeborgh deelnemen. Dat is haar ook het liefst. Nina wil zo min mogelijk informatie over haar vermogenspositie in het prospectus. De gebeurtenis met de gemaskerde mannen op het terrein rondom haar huis in Brasschaat heeft haar bewust gemaakt van de risico's van een publiek bestaan als vermogend persoon. Ze had al aanleg voor het bedenken van scenario's waarin ze ontvoerd of bedreigd zou worden, maar sinds het incident vorig jaar is er geen houden meer aan.

De prijs waarvoor ze de aandelen eind september heeft verkocht, verschijnt niet in het prospectus. Door de advocaten wordt die ook niet relevant geacht. Ook de investering van 25 miljoen dollar die Nina in Baystar heeft gedaan, is geen verplichte informatie en wordt achterwege gelaten, hoewel de topvrouw van World Online met deze belegging substantieel profiteert van de winst die Baystar bij de verkoop op haar aandelen zal maken.

Dat Nina op een formidabele wijze geld gaat verdienen, staat hoe dan ook vast. Veel ondernemers en bestuurders kijken het met ontzag, afgunst, afschuw of ongeloof aan. Velen die Nina nog uit de automatiseringsindustrie kennen, snappen niet dat ABN AMRO met haar in zee is gegaan. De bank moet toch weten met wie ze hier van doen hebben? Er lopen veel mannen rond die eerstehands zakelijke ervaringen met haar hebben opgedaan en daar bepaald geen plezierige herinneringen aan hebben overgehouden. Er zijn er ook die tegen haar hebben geconcurreerd en daar helemaal niet met genoegen aan terugdenken. Nina is voor die groep agressief, hysterisch en vals, een vrouw die niet wil deugen. Voor sommigen onder hen is het moeilijk te verteren dat ze de absolute hit in beursland is.

Daartegenover staan de mannen die ontzag voor haar hebben, haar openlijk durven te bewonderen. Daar zitten ook mensen bij die vertrouwd zijn met haar schaduwkanten. Nina heeft het toch maar even klaargespeeld. Ze is als enige in Nederland in staat geweest een internetbedrijf te starten en met al haar talenten tot een succes te maken. Het kleine pittige dametje met het valhelmkapsel gaat een enorme beursklapper maken. De grootste ooit. Nina gaat heel erg rijk worden, en dat spreekt een aantal onder hen bijzonder aan – ook al vinden ze vaak dat haar succes vooral op geluk is gebaseerd.

Sinds het in kleine kring bekend is geworden dat World Online een Friends & Family-aandelenprogramma heeft, zijn er een paar heren die Nina vaker beginnen te bellen. Het programma betekent dat een selecte groep mensen voorrang krijgt bij de toewijzing van de aandelen World Online. Enkele belangrijke managers mogen, net als de commissarissen, vrienden en familie uitnodigen om aan dit programma deel te nemen.

Nina's goede vriendin Sarah Ferguson en haar voormalige echtgenoot prins Andrew willen van het vriendenaanbod gebruikmaken. Ook heeft Nina enkele topmannen uitgenodigd om via dit initiatief in haar bedrijf te beleggen. Onder hen de succesvolle detaillist Jaap Blokker, makelaar Cor van Zadelhoff, Ahold-baas Cees van der Hoeven, Hans Breukhoven, Heineken-bestuursvoorzitter Karel Vuursteen, zakenman Alex van Heeren en Getronics-baas Cees van Luijk. De gebroeders Wyler hebben ook van Nina te horen gekregen dat ze via het Friends & Family-programma op aandelen kunnen inschrijven. Ze bellen geregeld met het hoofdkantoor van World Online om te vragen voor hoeveel geld ze aandelen kunnen kopen. De Wylers zijn niet de enigen. Ook de brommende stemmen van Van Zadelhoff en Van Heeren klinken steeds vaker bij World Online door de telefoon.

Eind februari nemen de aanvragen in aantal snel toe. Op 25 februari is het

Victor Bischoff die namens de familie Landolt een verzoek tot toewijzing indient. De familie bezit via de verschillende vennootschappen al ruim 130 miljoen aandelen in World Online, goed voor enkele miljarden euro's. Het verzoek van Bischoff voor de familie Landolt behelst nog eens een aanvraag voor 8 miljoen euro. De familiebanken Landolt & Cie en Banque Edouard Constant willen respectievelijk voor 8 en 38 miljoen euro aandelen uit het Friends & Family-fonds bestellen. Andere verwanten willen nog eens voor 15 miljoen aandelen World Online inkopen.

In totaal behelst de aanvraag 69 miljoen euro.[9] Hij is goed voor bijna 60 procent van het bedrag dat het Friends & Family-programma van de banken krijgt toegewezen. De familie Landolt zal uiteindelijk alleen volharden in de aanvraag van Banque Edouard Constant, van 38 miljoen.

Ook het personeel krijgt de gelegenheid om op aandelen in te schrijven. Als extra faciliteit biedt World Online een lening aan waarmee de stukken kunnen worden gekocht. Alleen het hogere management was tot dusverre met opties beloond. Eindelijk kan ook de receptioniste voor een klein beetje eigenaar worden van het bedrijf waar ze op ieder verjaardagsfeestje tot vervelens toe over wordt ondervraagd.

De opwinding wordt niet in het minst door Ruud Huisman gevoeld. Hij ziet als financieel directeur de meeste aanvragen voor het Friends & Family-programma langskomen. Hij heeft zelf ook aangegeven voor 1 miljoen euro aandelen uit het programma te willen kopen. Hij bezit al een groot pakket opties die hij sinds zijn aanstelling bij World Online heeft verkregen. Die zijn op papier vele miljoenen waard. Huisman zou die waarde voor een deel in klinkende munt willen omzetten.

Het probleem is dat hij is gebonden aan een contractuele beperking. Hij mag het eerste deel van zijn optierechten pas drie jaar na het ingaan van zijn regeling uitoefenen en in contanten omzetten. Dat is over ruim anderhalf jaar, en Huisman wil sneller cashen. Hij ziet dat iedereen om hem heen bezig is zo veel mogelijk geld te verdienen bij de beursgang. Hij vindt dat hij daar ook recht op heeft.[10] Huisman vraagt Nina of het mogelijk is dat zijn regeling wordt gewijzigd, zodat hij ook bij de beursgang al een deel van zijn opties in aandelen kan omzetten en die dan vervolgens verkopen. Het gaat om ruim 200.000 opties, die hem bij de beursgang minimaal 7 miljoen euro op kunnen leveren.

Nina weigert. Ze vindt dat hij zich aan de oorspronkelijke afspraak moet houden. Ze wijst hem er ook op dat de eventuele verkoop dan ook in het prospectus omschreven moet worden. Dat geeft problemen. De door de AEX verplichte lock-upregeling schrijft voor dat op zijn vroegst pas zes maanden na de beursgang mag worden verkocht.

Die overweging speelt bij de financiële topman van World Online geen rol van betekenis. Hij is er al van uitgegaan dat hij bij de beursgang enkele miljoenen zal cashen, en heeft daar met het oog op de financiering van zijn aankoop van aandelen uit het Friends & Family-programma rekening mee gehouden. Nina's nee haalt een streep door de rekening.

Huisman, die altijd goed in staat was met Nina's grillige gedrag om te gaan, heeft het sinds zijn terugkeer van vakantie moeilijker met haar. Hij heeft zich bij vertrouwelingen geregeld laten ontvallen dat hij het helemaal met haar heeft gehad. Razend is hij, nu ze de mogelijkheid blokkeert om zijn opties bij de beursgang contant te maken. Hij mailt Nina dat hem die eerder gemaakte afspraak over zijn opties niets meer kan schelen. Hij wil cashen, en anders zal hij zijn positie heroverwegen.

Nina antwoordt hem dat ze weinig respect kan opbrengen voor zijn instelling. Als ze goed heeft begrepen dat hij met zijn ontslag dreigt, dan moet hij dat dreigement maar uitvoeren. Het is eind februari als ze deze mededeling per mail aan Huisman verstuurt. Als het goed is, zal ze een paar dagen later met Simon Duffy, Eric Tolsma én met Ruud Huisman aan de presentaties en de roadshow voor de beursgang van World Online beginnen. De op één na grootste beursgang in de geschiedenis van de Amsterdamse Effectenbeurs.

Ondanks de spanningen in de aanloop van *That Day* wordt aan het welslagen van project Asterix bij World Online geen ogenblik getwijfeld. Het beursklimaat is nog nooit zo ideaal geweest. De reclamecampagne van het bedrijf slaat fantastisch aan. Het blijkt een gouden greep, nieuwe abonnees voorrang verlenen bij de inschrijving op aandelen. Er zijn al tienduizenden mensen die zich de laatste anderhalve week voor een gratis internetabonnement hebben aangemeld. World Online is het gesprek van de dag. Niet alleen in de kantoren van goedverdienende professionals, ook op de steigers en in de chauffeurskroegen. World Online is het synoniem geworden van een winnend lot in de loterij. Wie zijn handen op een pakketje aandelen weet te leggen, gaat een heel lekker ritje meemaken. Dat lijdt volgens velen geen twijfel.

Toch begint in de verte de lucht al gevaarlijk te betrekken. In Europa, waar de rage van de nieuwe economie pas vrij recent is begonnen, schieten alle aandelen nog over de brede linie door het plafond heen. In Amerika is dat niet meer zo. Op de Nasdaq in New York, waar al sinds de zomer van 1995 wordt genoten van de hype, heeft de laatste maanden een serieus aantal Amerikaanse CEO's van internetbedrijven met zwetende handen de stuurknuppel in de hand genomen om te proberen hun ondernemingen uit een dodelijke vrille te trekken. De grote aantallen vallende sterretjes van de Nasdaq vallen nauwelijks op tegen de hemel die door aanhoudende successen van Yahoo!, Amazon.com en CMGI fel wordt verlicht, maar oplettende beleggers ontgaat het niet. Voor World Online klinkt de waarschuwing misschien nog wat harder door. Amerikaanse internetaanbieders hebben over het geheel genomen, ondanks het enorme succes van AOL, flink moeten inleveren.[11]

Europa loopt, zoals gebruikelijk, achter de ontwikkelingen in Amerika aan. Dat op de euforische Europese beurzen nog wat staat te gebeuren, is voor een van de belangrijkste internetanalisten van de Amerikaanse zakenbank Merrill Lynch een zekerheid. Hij had in zijn januarirapport voor Europa al zijn bedenkingen geuit. 'Onze slotconclusie is dat de invoering van dotcombedrijven in Europa geen peulenschil is: we zien onder internetbedrijven nog steeds meer prutsers dan winnaars.' Hij verwachtte dat het jaar 2000 in Europa niet in het teken zou staan van het snelle geld verdienen op internetaandelen.

Harde kritiek over de aanhoudende dotcomeuforie wordt al veel langer gegeven. Veelal door journalisten en economen die in de hype rondom de nieuwe economie de zoveelste speculatieve bubbel zien. De broers Anthony en Michael Perkins, de oprichters van het bekende Amerikaanse internetmagazine *Red Herring*, hebben berekend hoeveel lucht er in de internetbubbel is geblazen. Heel, heel erg veel, luidt hun conclusie.

In hun boek *The Internet Bubble*, dat een halfjaar eerder is uitgekomen, schetsen ze een ontluisterend beeld van de dotcombusiness, die is gefundeerd op twijfelachtige aannames over toekomstige verdienmodellen en het vooral moet hebben van de ongebreidelde hebzucht van ondernemers, investeerders en beleggers. Aandelenbeurzen maken deel uit van een gigantisch cybercasino. Beleggen in internetaandelen is verworden tot een *zero sum game*. Wat de een wint, zal de ander onherroepelijk verliezen. En wat de gebroeders Perkins betreft is er geen twijfel mogelijk: binnen de kortste keren zal het casino ploffen. En wat het vooral voor de nieuwbakken Europese internetbeleggers spannend maakt: de knal kan elk moment klinken.

ABN AMRO Rothschild en Goldman Sachs zijn als global coordinators de leiders van het bankensyndicaat dat de aandelenemissie van World Online als '*underwriters*' heeft gegarandeerd. Underwriters vormen voor het beursgaande bedrijf de verzekering dat de geëmitteerde aandelen ook echt bij de beleggers geplaatst worden. Het bankensyndicaat neemt daarmee het plaatsingsrisico op zich. Dat risico vertaalt zich in een royale *fee* van honderden miljoenen euro's, die de banken van het syndicaat onder elkaar mogen verdelen. Die verdiensten nemen drastisch af naarmate de emissie moeilijker verloopt. De banken hebben dus een groot belang bij het slagen van een beursintroductie.

Het slagen van een beursgang hangt voor een groot deel af van het bepalen van een juiste introductiekoers. Het waarderen van een internetaanbieder is complex. Voor de eigenaren van de netwerken, de telecombedrijven, zijn aardige rekenmodellen voorhanden die gebaseerd zijn op investeringen in infrastructuur en op kasstromen en de verwachtingen hoe die zich in de toekomst zullen ontwikkelen. Voor de uitbaters van die netwerken, de internetproviders, ligt dat iets anders. Op de apparatuur die op de netwerken is aangesloten na – de servers, de switches en de routers –, bezitten ze geen eigen infrastructuur. De inkomsten zijn beperkt, de verliezen groot – vooral omdat er kapitalen worden geïnvesteerd in het opbouwen van een merknaam. World Online gaf in 1999 47 miljoen euro uit aan marketing, bij een totale omzet van 64 miljoen euro. Nettoverlies: 91 miljoen. Het zeventigvoudige van het jaar daarvoor. Hoe waardeer je een bedrijf dat exponentieel toenemende verliezen boekt en waarvan het belangrijkste inkomstenmodel dankzij de opkomst van gratis internet in een halfjaar tijd volledig is gekanteld?

De slimste mannen bij de zakenbanken hebben er ook geen logisch antwoord op. Exponentiële groei van de omzet is de belofte. Die moet op een of andere wijze uit de klanten worden gehaald, de abonnees. Een waardering per abonnee is de simpelste formule. Een abonnee van Terra vertegenwoordigt een waarde van 16.000 euro. Dat bedrag is zonder het gebruik van ronduit twijfelachtige aannames over de effectiviteit van zakelijke modellen met geen mogelijkheid meer terug te brengen naar een echte inkomstenstroom. Een abonnee van het Duitse Freenet is 3000 euro waard. Het verschil zit vooral in het aanbieden van content: dat doet Freenet niet, en Terra wel. World Online ook. Of het verspreiden van content via internet winstgevend kan worden, is nog niet bekend.

Het gaat ook om het marktgebied. Terra bedient de Spaanstalige wereld. World Online is pan-Europees. In hoeverre lijken bedrijven op elkaar, kunnen ze als leidraad worden genomen, als benchmark? En kan de waardering voor de abonnee van het ene bedrijf als indicatie genomen worden voor de waardering van een ander bedrijf als die bedrijven voldoende overeenkomsten vertonen? Dat kan volgens de analisten van de zakenbanken. De abonneewaarde is definitief losgekoppeld van de bedrijfseconomische onderbouwing. Als de een in waarde stijgt, dan gebeurt dat ook met de ander. De abonnee van een internetprovider is daarmee een vliegwiel geworden dat een eigen werkelijkheid genereert. De toverdrank voor de bedrijfswaardering.

Bij de bepaling van een introductiekoers is dan nog van belang hoeveel korting de belegger krijgt. Er moet een prijs worden gemaakt die duidelijk nog een stuk omhoog kan gaan. Bij bedrijven die winst maken, zijn die kortingen over het algemeen niet zo groot. Bij bedrijven waarbij de mogelijke winst vooral in de toename van de waarde van het aandeel zit, ligt dat anders. Bij World Online wordt bij de bepaling van de bandbreedte van de introductiekoers daarom een aanzienlijke korting gegeven. Volgens de tellingen had World Online bij de afsluiting van het boekjaar 1,2 miljoen abonnees. Per klant lijkt 10.000 euro een aantrekkelijke prijs. Terra zit daar ruim boven. Bovendien heeft World Online in februari nog een tamelijk grote Britse overname gedaan, waarbij ongeveer 400.000 nieuwe abonnees zijn verworven. Daarbij laat het bedrijf in de eerste maanden van 2000 ook nog een behoorlijke autonome groei zien. Daar zit de rest van de korting.

Volgens Nina zou die te groot zijn. World Online zou zichzelf duurder moeten verkopen.

Met de bekendmaking van de datum van de beursgang en de introductieprijs, die tussen de 35 en 43 euro komt te liggen, worden de media pas echt wakker. World Online wordt mogelijk 12 miljard euro waard. Meer dan het bedrijf Akzo Nobel, meer dan uitgever Wolters Kluwer, hetzelfde als postbedrijf TPG, dat al twee eeuwen bestaat en waar ongeveer 100.000 mensen werken. De beursgang van World Online zou gemakkelijk als een groot succes gezien kunnen worden: nog nooit groeide een Nederlands bedrijf zo snel en werd bij een beursgang zo veel kapitaal opgehaald.

Maar cynisme en ongeloof overheersen. Vooral bij de media, maar ook bij verschillende analisten. Sommigen zeggen dat het bedrijf geen zakelijk model heeft, dat er te weinig inkomsten zijn te verwachten uit telefoontikken, e-commerce, advertenties en merchandising. Het belangrijkste bezit, de abonnee, is in feite geen bezit, want hij kan elk moment van aanbieder veranderen. Hun indruk is dat de introductie van World Online een haastklus is, een marketingstunt zonder inhoud. Snel naar de beurs, voordat het moment over is. 'Mensen vergeten dat driekwart van de internetbedrijven die in New York naar de beurs zijn gegaan, inmiddels onder de uitgiftekoers genoteerd staat,' betoogt een analist.[112] De beursintroductie van World Online is een herhaling van de zeventiende-eeuwse tulpenmanie.

Enthousiastere analisten – het aantal dat door de pers aan het woord wordt gelaten, is gering – menen juist dat de inkomstenbronnen rijk zijn en dat in de toekomst veel van de verkoop van content verwacht mag worden. Maar voor een bedrijf met de ambitie om het grootste internetcommunicatiebedrijf van Europa te worden, is een zevende plek op de ranglijst van drukbezochte sites in Nederland nogal bescheiden te noemen, zeggen anderen weer. De dalende inkomsten voor internetadvertenties zal het niet beter maken.

Het mediacircus begint 1 maart goed op gang te komen. Voordat de internationale rondgang langs de institutionele beleggers een aanvang neemt, staat een zogenaamde 'retail roadshow' op het overvolle programma. De door ABN AMRO Private Banking georganiseerde bijeenkomsten zijn bedoeld voor de particuliere klanten van het kantorennetwerk van de bank. Ook de andere syndicaatsleden mogen er hun klanten naartoe sturen.

In de afgeladen schouwburgen van Breda en Deventer en in een volle Amsterdamse Beurs van Berlage geeft het World Online-team de eerste presentaties. Een lasershow en flitsende beelden op grote schermen begeleiden de toespraken van onder anderen Nina en Tolsma, die de enorme potentie van het bedrijfsmodel van World Online uit de doeken doen. 'Drie jaar geleden droomden wij van de meest succesvolle beursgang, vandaag is de dag,' zegt Nina tegen het publiek. Liveverbindingen met verschillende artiesten worden tot stand gebracht. Cher doet haar bijdrage: 'Hi, I am Cher, buy World Online!' Marco Borsato droomt ook van de succesvolle beursgang van het internetbedrijf: 'Ik sta aan de vooravond van mijn nieuwe tournee, maar jullie staan aan de vooravond van een nieuw tijdperk.'

In de zaal zit de luid applaudisserende motivatiegoeroe Emile Ratelband. Via zijn minnares Christine Kroonenberg – een vriendin van Nina die voor het Friends & Family-programma is uitgenodigd – heeft hij ingeschreven op een pakketje aandelen. In de Beurs van Berlage weet Ratelband een microfoon te bemachtigen en hij begint na de korte toespraak van Nina te roepen: 'Geweldige presentatie, rondje applaus voor Nina Brink, want ze kan heel hard werken, fantastisch vrouwtje, tsjakkaaa!'

De bankiers van ABN AMRO staan er verdwaasd bij te kijken. Dit hebben ze nog niet eerder meegemaakt. Er schieten ook erotische plaatjes bij de presentatie voorbij. Content voor de websites. Ze vragen zich af wat de doorgaans oudere clientèle van de show vindt.

ABN AMRO zelf doet het zonder visuele of auditieve hulpmiddelen. De bankiers houden het kort, ze verwijzen naar het prospectus. De prospectussen zijn alleen niet voorhanden, maar daar maalt slechts een kleine minderheid van de aanwezigen om: de journalisten.[13]

Nina is de onbetwiste koningin van internet, en daarmee even van Nederland. De rijkste selfmade zakenvrouw van de lage landen. Rijker ook dan koningin Beatrix? Bij gebrek aan een prospectus wordt er wild gespeculeerd over haar vermogenspositie, en Hare Koninklijke Hoogheid is de ideale benchmark. Zal Nina miljardair worden? Jarenlang heeft ze geroepen dat geld haar grote drijfveer is. Nu is het zover, haar grote droom wordt verwezenlijkt. Maar de journalisten die haar iets hadden willen horen zeggen over haar immense fortuin, komen dit keer van een koude kermis thuis. In de vele interviews die ze die dag en ook later geeft, laat ze het onderwerp rijkdom liever ongemoeid. 'Ik snap niet wat het ertoe doet hoe rijk ik ben. Ik maak mijn vermogen niet bekend. De koningin doet het niet en ik ben ook niet van plan het te doen,' zegt ze tegen twee verslaggevers van HP/De Tijd.[14] Tegenover de journalist van de Volkskrant beaamt ze dat ze inmiddels een eigen vliegtuig heeft en met haar man Ab en haar dochter Karen heel comfortabel leeft, maar opeens klinkt ook: 'Ik doet dit echt niet voor het geld.'[15]

Nina benadrukt liever de kwaliteiten van haar schepping, en haar ambitie om daarmee heel Europa te veroveren. Over enkele weken zal ze over miljarden kunnen beschikken, waarmee ze haar veroveringsdrang zal kunnen financieren: 'We zitten in de fase van landjepik: we willen in nog meer gebieden aanwezig zijn. Bij voorkeur prominent. Voorlopig zie ik nog witte vlekken op de kaart van Europa, dus die ga ik invullen. Ik denk aan Portugal, delen van Oostenrijk en aan Oost-Europa.'

Commentaar heeft ze ook op de waarderingsgrondslag op basis van abonnees. Ze had liever gehad dat World Online was beoordeeld op basis van de stroom inkomsten die het genereert. Tegenover NRC Handelsblad rekent ze het voor: 'Wij genereren maandelijks 700 miljoen minuten telefoonverkeer. Laten die eens 5 cent opleveren. Dan heb je een inkomstenstroom van vier- tot vijfhonderd miljoen gulden per jaar. Voor een telecommunicatiebedrijf is dat bijna pure winst. Het netwerk waarover dat telefoonverkeer verloopt, ligt er immers al. Wat betalen beleggers op de beurs voor een telecommunicatiebedrijf? Dertig keer de winst misschien?'

Op de grote persconferentie in het Amsterdamse Hotel De l'Europe licht ze de aanstaande beursgang verder toe. Ze maakt een gespannen indruk. Wanneer er wordt geïnformeerd naar haar persoonlijke aandelentransacties, wimpelt ze het af. 'I didn't sell any shares at this time.' Ze doet een beroep op haar privacy. Op de vraag van een journalist van Het Financieele Dagblad of haar belang in het prospectus terug te vinden is, antwoordt zij: 'In het prospectus zal dat lastig te achterhalen zijn. Er zijn een aantal bv's tussen geschoven.'

Daar moet de pers het mee doen. Het voorlopige prospectus, dat al beschikbaar had moeten zijn, moet nog worden gedrukt.

De geheimzinnigheid van Nina over haar belang werpt overal vragen op. Zeker als, na een vertraging van bijna twee dagen, het prospectus beschikbaar komt. Er zijn vijftien pagina's uitgetrokken om de risico's te beschrijven, en daaruit blijkt vooral dat de toekomst van het bedrijf bijzonder onzeker is.

World Online maakte over 1999 een verlies van 91 miljoen euro bij een omzet van 64 miljoen euro. 'We have never been profitable,' staat er. World Online verwacht ook niet dat er in de nabije toekomst winst gemaakt zal worden. In het bedrijfsmodel zitten talrijke aannames verwerkt met een hoge graad van onzekerheid. De opbrengsten uit gratis internet bijvoorbeeld. Daarvan is het niet zeker dat die zelfs maar de kosten van het aanbieden kunnen dekken. Voor de opbrengsten – de kickbacks uit telefoontikken – is het volledig afhankelijk van de afspraken die telecombedrijven bereid zijn te maken. Ook een risico. De operationele data zijn een risico. De gegevens over aantallen abonnees, het aantal minuten dat ze online zijn, bezoekersaantallen van de websites, die bij gebrek aan omzet in feite de kern van elke internetaanbieder zijn: de betrouwbaarheid kan er niet van worden gegarandeerd. Nina zelf heeft daar blijk van gegeven door te beweren dat World Online 700 miljoen telefoonminuten genereert, terwijl het prospectus van 397 miljoen minuten rept.

'Beleggers moeten er maar in geloven, of niet,' schrijft het zakenblad FEM/De Week.[16] 'Het inlossen van de belofte is van allerlei marktontwikkelingen afhankelijk, maar bovenal van de manier waarop het management van World Online met de "kansen en de bedreigingen" omgaat.' Het blad vraagt zich af of het onbekende en deels nieuwe management daartoe in staat is. Een team van wereldklasse kan het niet ontdekken. Nina's beoogde opvolger Duffy maakt als voormalig financieel topman van de internationale platenmaatschappij EMI nog indruk, maar Huisman heeft, als oud-directeur financiën van een door de Nederlandse overheid gesubsidieerde omroepvereniging, geen grensoverschrijdende reputatie opgebouwd. Dat geldt ook voor de rest van het topmanagement. De korte cv's in het prospectus bieden nauwelijks enig houvast over de vraag waar de competenties zijn gelegen. Het door World Online aangeleverde cv van de Nederlandse internetkoningin zelf ziet er nog het indrukwekkendst uit.

Tussen 111 woorden en jaartallen staat twee keer het woord 'leading' en één keer het woord 'leader'. Dat ze tien jaar eerder als bestuurslid overnamemachine Newtron naar de beurs heeft gebracht, heeft het prospectus niet gehaald. Ook de resultaten van haar eerdere ondernemende stappen in België zijn onvermeld gebleven. Die waren voor het ter perse gaan van het prospectus nog even onderwerp van discussie geweest. Met de nodige opwinding van dien. Volgens de advocaten van De Brauw hoefden er geen opmerkingen over te worden gemaakt.

En inderdaad, zoals Nina zelf al heeft aangekondigd, geeft het prospectus niet prijs wat haar belang in World Online is. Dat wordt ook door de meeste kranten vastgesteld. De Britse krant *The Independent* stelt Nina er een aantal vragen over. Met een resoluut 'Ik praat niet over wat ik heb' kapt ze het onderwerp af. Ze vindt rijkdom een oninteressant onderwerp. 'Ik vind gewoon niet dat geld je leven moet beheersen.'[17]

'Wat is World Online?' vraagt een door *Het Financieele Dagblad* geïnterviewde fondsmanager zich af. 'Toch vooral een managementteam waarin je moet geloven? Het is daarom wel degelijk relevant hoeveel geld daarnaartoe gaat en hoeveel aandelenbelang er nog zit. Dat zijn doodnormale vragen die wij zeker zullen stellen. Ik begrijp niet waarom daar zo geheimzinnig over wordt gedaan. Er moeten wel heel goede redenen voor zijn. Het mag niet om valse schaamte gaan.'[18]

Over het bezit van Nina's aandelen staat een passage op pagina 99 van het voorlopige prospectus waarin de overeenkomst met Baystar beschreven is.

Dat is het. De buitenwacht vraagt zich massaal af waarom de topvrouw van het zo gehypete World Online niet meer openheid van zaken geeft. Iemand die met haar bedrijf zo nadrukkelijk de publiciteit zoekt, daar met reclame-campagnes vele tientallen miljoenen euro's aan spendeert, laadt ook de ver-plichting op zich om openheid van zaken te geven.

De journalist van *Het Financieele Dagblad* studeert verder op pagina 99. Een dag later kopt de krant: 'World Online-oprichter Nina Brink onttrekt zich aan lock-upregeling'. De krant schrijft: 'Nina Brink, oprichter van internetbe-drijf World Online, kan een fors deel van haar belang op ieder gewenst mo-ment verkopen. Via haar beleggingsvehikel Baystar Capital heeft Brink een uitzondering bedongen voor de zogenoemde lock-upregeling. Die verbiedt zittende aandeelhouders hun stukken binnen zes maanden na de beursgang van de hand te doen.'

Het voorlopige prospectus blijkt ook nog eens een vergissing te bevatten. Ook hier betreft het een aandelentransactie van de oprichtster van het bedrijf. Rond 6 maart krijgt bankier De Ruiter bij het verlaten van het Amsterdamse Hilton-hotel te horen dat Nina een winstdelingsregeling heeft met Regge-borgh en Sandoz. De bankier schrikt, verstapt zich en valt bijna van de trap. Bij ABN AMRO is niemand daarover geïnformeerd. Het is een complete verras-sing met mogelijk verstrekkende consequenties. Het prospectus klopt nu niet meer.

Er zal hoe dan ook een mededeling van moeten worden gemaakt. De Am-sterdamse beurs gaat dit niet leuk vinden – daar waren al vragen gerezen over haar deal met Baystar. Nog meer onregelmatigheden rondom Nina's aande-lendeals gaat beslist gelazer opleveren. Volgens De Ruiter moet sowieso een nieuw prospectus worden gemaakt en verspreid. Dat gaat tijd kosten. De beursgang zal worden vertraagd, met alle mogelijke gevolgen van dien. Hij laat dit Nina direct weten.

Nina zegt dat ze niet kan geloven dat de winstdelingsregeling er niet in staat. Ze heeft zich er niet mee bemoeid. Het zijn World Onlines advocaten van Freshfields, De Brauw en Dorsey & Whitney die dat hebben afgehandeld. Waar heeft ze die idioten anders voor ingehuurd? Zij is toch met een road-show bezig?

Daarop richt haar woede zich op Ruud Huisman. Hij is volgens haar ook verantwoordelijk voor de omissie. In een van de voorlopige versies van het prospectus heeft ze er schriftelijke opmerkingen over gemaakt. Hij is vergeten die in het prospectus op te laten nemen. 'You shit!' schreeuwt ze naar hem.[19]

Huisman hoort de zoveelste uitbarsting van Nina gelaten aan. Ze zal de schuld vanzelfsprekend niet bij zichzelf zoeken. Dat heeft hij haar nog nooit zien doen. Nina maakt nooit fouten, dat doen anderen. Bij het maken van het prospectus heeft ze voortdurend over zijn schouder meegekeken, zoals ze bij

World Online dwangmatig over de schouder van iedere manager meekijkt. Huisman weet alleen niet beter dan dat ze de winstdelingsregeling met Reggeborgh en Sandoz er beslist niet in wilde hebben.[20]

Voor Goldman Sachs en ABN AMRO Rothschild levert het konijn uit de hoge hoed een serieus probleem op. Een uitstel van de beursgang is eigenlijk geen optie. Er is natuurlijk een uitweg. Een waarbij het prospectus wel weer klopt. Dan moet Nina haar winstdelingsregeling laten varen. En dat betekent dat ze afstand moet doen van minimaal 43 miljoen euro die Dick Wessels verplicht is de dag na de beursgang aan haar te betalen – dat is trouwens een detail van het contract waarvan de banken geen weet hebben. Ongeveer hetzelfde geldt voor haar regeling met Sandoz. Een dure vergissing.

Nina is buiten zinnen van woede en schreeuwt het uit. Ze is boos op De Ruiter, boos op de advocaten en boos op Huisman. Het zijn allemaal overbetaalde, incompetente klungels. Waarom overkomt haar dit? Weten ze wel hoeveel geld haar door de neus geboord wordt?

Ze neemt contact op met Kees Peijster van De Brauw, de advocaat die ook de overeenkomst met Baystar heeft vormgegeven. Peijster vindt dat de winstdelingsregeling niet in het prospectus hoeft te worden vermeld, maar daarvan weet hij de banken niet te overtuigen. Nina is in alle staten. Ze oppert of de regeling niet alsnog in het definitieve prospectus opgenomen kan worden. De Ruiter vindt dat een slecht idee. Hij vindt het sowieso een slecht idee dat ze bij de beursgang geld verdient. Maar als in de definitieve versie zou blijken dat ze nog meer verdient dan nu al uit het prospectus valt op te maken, is dat vragen om problemen, bij alle media-aandacht die er nu al voor haar vermogen is. Ze moet haar winstdelingsregeling vaarwel zeggen. Het is niet anders.

Bij het bestuur van de Amsterdamse effectenbeurs waren voor de publicatie van het voorlopige prospectus al vragen gerezen over Nina's belang. In de weken voorafgaand aan de beursgang was in de media veel gespeculeerd over hoeveel aandelen ze in World Online bezat. Dat moest ergens tussen de 10 en de 15 procent liggen, en een belang van 5 procent of meer moet in het prospectus vermeld staan.

Maar in de conceptversie van het prospectus staat ze niet bij de aandeelhouders vermeld die 5 procent of meer hebben. De beurs heeft dan al contact opgenomen met ABN AMRO en vragen gesteld over haar aandeel in het bedrijf. Vooral voor de constructie met Baystar is belangstelling: had Nina via Baystar niet nog een belang in World Online dat aangemeld zou moeten worden? Had ze via Baystar mogelijk nog zeggenschap over wat er met haar aandelen ging gebeuren? In dat geval zou ze in strijd met de beursregels handelen. Ook al zou Nina nog een aanzienlijk deel van het economische eigendom bezitten, officieel mag ze daarover niets te zeggen hebben. De aandelen moeten het juridische eigendom zijn van Baystar. Als dat niet het geval zou zijn, betekende het dat ze de lock-upregels aan haar laars lapte.

Volgens de bankiers was dat niet het geval. Nina had geen zeggenschap over de aandelen. Het resterende belang van Nina lag onder de 5 procent, en dat hoefde dus niet te worden aangemeld.

Na de publicatie in *Het Financieele Dagblad* worden de beurstoezichthouders ongerust. De constructie heeft de trekken van een list waarmee de lock-up wordt omzeild. Nu de belangrijkste financiële krant van Nederland dat ook heeft opgemerkt, is het tijd voor diepgaander onderzoek. De beurs eist meer details over Baystar en Nina's transactie met het investeringsfonds, en vraagt die op bij ABN AMRO. De bankiers wenden zich tot Goldfarb, die weinig moeite doet om die vrij te geven.

Dat wordt bij de effectenbeurs niet op prijs gesteld. AEX-president George Möller en directeur Jan Willem Vink, het hoofd juridische zaken van de beurs, komen persoonlijk in actie. Ook zij richten zich tot Baystar. Er ontstaat een hevige discussie waarbij harde woorden vallen. De bank verwijt de beurs zich te laat te interesseren voor ingewikkelde zaken, die bovendien de reikwijdte van de regels te buiten gaan. De AEX verwijt op zijn beurt de bank dat het zijn geloofwaardigheid als een eersteklas zakenbank op het spel zet door niet alle informatie over te dragen.[21]

Het roadshowteam Nina, Tolsma, Duffy en Huisman heeft er meer dan een week op zitten. Londen, Parijs, Zürich en Milaan zijn afgevinkt. Steeds korte presentaties, voor grote of kleine groepen van vermogensbeheerders en andere professionele beleggers. Verhaal vertellen, vragen beantwoorden en op naar de volgende afspraak. Zeven, acht of negen keer per dag. Steeds hetzelfde verhaal, steeds dezelfde vragen. Het is slopend.

Het laatste deel van de roadshow voert door de Verenigde Staten: Los Angeles, San Francisco, Denver, Boston en New York. World Online heeft de voormalige Falcon 900 B van softwarekoning Jan Baan gehuurd om naar de andere kant van de Oceaan te vliegen. Baan vloog er zelf in rond toen de beurskoers van zijn bedrijf nog op ijle hoogtes van de Nasdaq en de AEX was te vinden. Na de duikvlucht van het aandeel Baan kwam het vliegtuig te koop te staan. Sinds enige tijd is het toestel het speeltje van de jonge eigenaar van het populaire Amsterdamse internetbedrijf Lost Boys waarvan de jaaromzet lager is dan de aanschafprijs van de Falcon. De creatieven van de websitebouwer hebben de jet op laten pimpen en er zilvergrijze cirkels op laten spuiten. Op de staart het logo van het internetbedrijf: een gekanteld rood vierkant met een witte cactus. Het interieur dat in de kleuren zilver en groen is gerestyled, liet de World Online-crew in hun zetels huiveren.

Als het circus zich, in het weekeinde voor de beursgang, aan de Amerikaanse westkust bevindt, krijgt Nina een telefoontje van Avram Miller. Huisman heeft Miller toestemming gevraagd om zijn opties eerder te kunnen uitoefenen, en Miller vraagt of hij daarmee moet instemmen.

Nina is verbijsterd. Huisman blijkt, ondanks haar eerdere weigering om zijn optiecontract te wijzigen, contact te hebben opgenomen met commissarissen Henry Holterman en Victor Bischoff en hun dezelfde vraag te hebben voorgelegd. Van Holterman en Bischoff heeft hij toestemming gekregen. Ook een derde commissaris moest zijn goedkeuring geven – Miller dus.

Het antwoord van Nina is en blijft nee.

In het pas betrokken nieuwe Rotterdamse hoofdkantoor van World Online International is iedereen verbaasd als Huisman na het weekeinde weer wordt gesignaleerd. Hij hoort in Amerika te zijn om de roadshow te doen. Waarom is hij weer terug?

De verhalen doen al snel de ronde. Hij zou door Nina en de banken naar huis zijn gestuurd. Zijn presentaties waren zo erbarmelijk dat het niet langer verantwoord was hem in de show te handhaven. Rob van der Linden is naar Amerika afgereisd om het team te versterken.

Huisman zelf heeft een ander verhaal. Tegen een van zijn ondergeschikten zegt hij dat hij het niet meer zag zitten. Niet meer met Nina en niet meer met de roadshow. Hij trok het niet meer. Hij stond niet achter wat er allemaal werd gepresenteerd. Hij kon er geen verantwoordelijkheid meer voor nemen. Daarom is hij naar huis gekomen. Huisman maakt een aangeslagen indruk.

Het verdriet dat hij uitstraalt, contrasteert scherp met de euforie die zich buiten World Online van de beleggers meester maakt. In Londen wordt op de onofficiële grijze markt al het drievoudige voor het aandeel World Online geboden. Een abonnee van World Online is rond de 18.000 euro waard – de prijs van een middenklasseauto. Bij die prijs is de waarde van World Online meer dan 35 miljard euro: ruim twee keer de waarde van Ahold, evenveel als ABN AMRO. Het kan niet anders dan dat vrijdag een koersexplosie zal ontstaan.

Vanuit het Rotterdamse hoofdkantoor is de laatste dagen het ene na het andere persbericht over strategische allianties met onder andere Microsoft, chemiebedrijf Novartis en Endemol de wereld ingeschoten. De allianties hebben in werkelijkheid weinig om het lijf, maar Nina, die de publicitaire regie nog steeds strak in handen heeft, wil hoe dan ook dat iedere kans om iets positiefs over World Online naar buiten te brengen, vol wordt benut.

Het pr-bureau Citygate Dewe Rogerson dat is ingehuurd om de beursgang te begeleiden, ziet zich met een merkwaardige situatie geconfronteerd. Het bureau is gespecialiseerd op financiële pr, ze weten wat het is om een grote beursintroductie te begeleiden. Het bedrijf is gewend met strenge regelgeving om te gaan en is zeer terughoudend in het verspreiden van persberichten. Zeker in wat in Angelsaksische landen als de *quiet period* geldt. De periode vlak voor de beursgang waarin het verboden is om informatie te verspreiden die voor beleggers relevant kan zijn. Het aangaan van een strategische alliantie met 's werelds grootste softwarebedrijf is dat. Hoewel die regels in Nederland niet gelden, is Citigate er niet echt gelukkig mee dat het links en rechts wordt gepasseerd bij de beslissingen die de pr van World Online betreffen.

Intussen zijn dagen voorbijgegaan zonder dat AEX meer te weten is gekomen over Baystar en de details van Nina's deal met het Amerikaanse investeringsfonds. Terwijl Baystars oprichter en topman Larry Goldfarb zich voor het grootste deel tot het reizende gezelschap van de World Online-roadshow mag rekenen en overal zijn World Online-visitekaartjes uitdeelt, zet het hoofd juridische zaken van de AEX, Jan Willem Vink, nog een keer alles op alles om de informatie over Baystar en Nina's deal boven tafel te krijgen. Op vrijdag 10 maart dreigt hij, in een telefoongesprek met Jan de Ruiter, de hele beursgang van World Online af te blazen als de gegevens niet snel bij hem worden aangeleverd.

Het dreigement mist zijn uitwerking niet. De Amerikaanse advocaten van Baystar, die tot dan toe dwars hebben gelegen, gaan overstag. Op maandag 13 en dinsdag 14 maart ontvangt Vink bijna tweehonderd pagina's aan documenten. De jurist concludeert na lezing dat Nina slechts een klein belang in Baystar heeft en dat ze geen invloed kan uitoefenen op de beslissingen van het management. Baystar is juridisch eigenaar van de aandelen. Formeel lijkt er dus niets aan de hand.

Toch is dat voor Vink nog niet genoeg. Het feit dat Nina zal meeprofiteren van de winsten van Baystar, betekent hoe dan ook dat ze daarmee de lock-up in materiële zin omzeilt. Hij eist daarom dat ook Baystar zich alsnog committeert aan een lock-up. Zo niet, dan geen beursgang.

Voor Goldfarb, die bezig is samen met World Online een investeringsfonds op te zetten en in San Francisco een kantoor deelt met commissaris Avram Miller, is de eis van AEX onbespreekbaar. Goldfarb laat De Ruiter weten dat hij onmiddellijk zijn advocaten in stelling brengt als de AEX zijn eis handhaaft en de beursgang afblaast. De Ruiter doet de beurs op dinsdagavond een compromisvoorstel. Alle winst die Nina boekt boven de uitgiftekoers van 43 euro, wordt uitgekeerd in aandelen die vervolgens wél onder de lock-up komen te vallen. De Ruiter wil een snel antwoord, de tijd dringt. Vrijdag staat de beursgang op de agenda, en de wereld kijkt toe.

George Möller en Jan Willem Vink twijfelen nog steeds. De handreiking van De Ruiter is in feite een wassen neus. Door substantieel mee te profiteren van de verkoop van Baystar, weet Nina nog steeds de lock-up te omzeilen. Staan ze sterk genoeg om een eventuele juridische confrontatie met Baystar aan te gaan? Willen ze überhaupt wel een conflict? Een succesvolle beursgang is ook voor AEX van het grootste belang. Ze willen juist internetbedrijven naar de Amsterdamse beurs trekken. Dat gaat niet als de eerste de beste grote beursgang van een internetbedrijf geblokkeerd wordt, waarna nog eens met de betrokken partijen juridische gevechten gevoerd moeten worden.

De Ruiter vindt dat het denkwerk van Möller en Vink te veel tijd in beslag neemt. Hij eist met grote spoed antwoord, anders zal hij namens de bank een kort geding tegen AEX aanspannen. De spanning loopt op; AEX geeft geen krimp. Ook de volgende dag niet. Pas 's nachts hakt Möller de knoop door: de AEX accepteert het voorstel van ABN AMRO, World Online kan naar de beurs.

Woensdag keurt ook de toezichthoudende instantie, Stichting Toezicht Effectenverkeer, het prospectus goed. Een dag later volgt de definitieve goedkeuring van AEX. Er is één zinnetje aan de bijschrijving van Nina's deal met Baystar toegevoegd. Maar de prijs van 6,04 dollar per aandeel waarvoor Nina haar belang aan Baystar had 'overgedragen', staat er niet bij.

Joel en Danny Wyler hebben in de tussentijd niet stilgezeten en doorlopend contact gezocht met ABN AMRO en World Online. Het onderwerp is onveranderlijk: het verwerven van aandelen. Zoveel mogelijk.[22] Ze hebben op 9 maart een aanvraag voor 5 miljoen euro voor het Friends & Family-programma ingediend.[23] Ze hebben via hun investeringsmaatschappij ook een aanvraag voor een zogenoemde *institutional allocation* bij ABN AMRO laten belanden.

De banken bepalen bij de inschrijving welke institutionele beleggers welke hoeveelheden aandelen worden toegekend. Dat gaat om grote pakketten van tientallen miljoenen euro's, die door pensioenfondsen of grote investeringsfondsen worden opgekocht. Granaria is geen van beide, maar is als investeringsmaatschappij gekwalificeerd om voor een institutionele belegger door te gaan. De Wylers willen voor 150 miljoen euro aandelen kopen en zelf tegen een aantrekkelijke commissie doorplaatsen bij andere professionele beleggers. Op 15 maart dient Granaria's financiële man Peter Kortenhorst het verzoek in om de allocatie naar 250 miljoen euro te verhogen.

Met het naderen van vrijdag de zeventiende wordt ook voor het Friends & Family-programma de balans opgemaakt. Het initiatief is dusdanig aangeslagen dat het is overtekend: er is voor enkele tientallen miljoenen euro's meer aan aanvragen binnengekomen dan waaraan kan worden voldaan. Tolsma vraagt ABN AMRO of de grens kan worden verlegd, maar de bank is daartoe niet bereid.

Larry Goldfarb heeft op het laatste moment ook een aanvraag voor het Friends & Family-programma ingediend. Hij doet namens LG Capital Partners Limited, dat op de Kaaimaneilanden is gevestigd, een aanvraag voor 23 miljoen dollar. Ze zijn bedoeld voor hemzelf, Avram Miller, Barbra Streisand en haar manager, Jesse Dylan – de zoon van Bob Dylan – en verschillende andere relaties.[24] Goldfarb moet enkelen van zijn bekende vrienden teleurstellen. Zijn aanvraag kan maar voor een bedrag van 13 miljoen euro worden gehonoreerd.

In Amerika heeft de uitputtende roadshow zijn laatste halte bereikt. Het is een monsterlijke ervaring geweest: het gevoel voor tijd en plaats is na twee weken toeren volledig verdampt, de zintuigen zijn afgestompt. In het hoofdkantoor van Goldman Sachs in New York moeten Nina, Tolsma en Duffy nog één keer hun verhaal afdraaien, daarna zal hun Falcon weer naar Amsterdam vliegen.

Joel Wyler, die de afgelopen week voor privézaken in de Verenigde Staten verbleef, vliegt mee. Sinds 1 maart is hij officieel als commissaris benoemd bij World Online. Die felbegeerde positie heeft hem 415.000 opties opgeleverd, met een uitoefenprijs van nog geen 3 euro – de prijs waarvoor Intel driekwart jaar eerder instapte. Die zijn, bij een eventuele introductieprijs van 43 euro, 16 miljoen euro waard: een aardige tegemoetkoming voor een commissaris die nog geen officiële vergadering van de raad van commissarissen heeft meegemaakt.

Er zit nog meer in het vat. Voordat Wyler zich heeft ingegespt, heeft hij Tolsma gevraagd naar de aandelen die hem en zijn broer bij het Friends & Family-programma en als institutionele investeerder zijn toewezen. Tolsma moet het antwoord schuldig blijven. Nina en Duffy hebben de lijsten waarop toewijzingen staan, maar ook daar zijn de getallen niet op te vinden.

Het is avond als de PH-LBA opstijgt en boven de skyline van New York uitklimt. De rugleuningen van de stoelen wijken naar achter, het is tijd voor wat slaap. Morgen wacht de kroningsceremonie op Beursplein 5.

De zwarte sweaters met de opdruk TODAY, MARCH 17, 2000, IS THAT DAY worden 's ochtends samen met spandoeken, posters en ander promotiemateriaal het beursgebouw binnengedragen. Als eerste wordt over de gehele breedte van het balkon boven de ingang van de beurs een wit World Online-spandoek gedrapeerd: FREEDOM OF MOVEMENT. De vlag is geplant. De annexatie van de Amsterdamse effectenbeurs kan beginnen.

De Falcon met team WOL is dan al op Schiphol-Oost geland. Vanaf de luchthaven is Nina door haar chauffeur naar het Amstel Hotel gereden, waar ze zich zal opfrissen en in de kapsalon tegenover het hotel haar kapsel op orde zal laten brengen.

Nina heeft onmiddellijk een *Telegraaf* bemachtigd en gelezen dat het Spaanse telefoonbedrijf Telefónica, de moeder van Terra, een bod zal uitbrengen op Endemol. De krant weet nog niet dat de deal al is getekend, en Nina verkeert in de veronderstelling dat World Online ook nog een goede kans maakt om Endemol over te nemen. De afgelopen maanden zijn er verschillende ontmoetingen geweest om een eventuele overname te bespreken. Nina heeft enkele dagen eerder vanuit Amerika nog met Endemol-bestuurslid Ruud Hendriks getelefoneerd en naar de stand van zaken geïnformeerd. Hendriks kon haar toen nog niet vertellen dat World Online allang als serieuze kanshebber was afgevallen. Het bestuur van de Endemol zag weinig in het bedrijf World Online en de persoonlijkheid van zijn belangrijkste bestuurder. Een samenwerking tussen De Mol en Brink leek niet waarschijnlijk. Dat was netjes uitgedrukt. John de Mol liet een van zijn commissarissen weten dat hij voor geen prijs met die knettergekke vrouw wilde samenwerken. Het gevecht ging dus tussen KPN en Telefónica.

Nina belt na het lezen van de krant direct met Hendriks. Ze wil weten of ze voor Telefónica hebben gekozen. Hendriks, die in zijn Porsche 911 zit en op weg is naar Hilversum voor de persconferentie, antwoordt bevestigend. Nina is woedend. Ze wil met Juan Villalonga, de baas van Telefónica spreken – misschien zijn er nog andere mogelijkheden. Of Hendriks de Spanjaard kan vragen of hij later naar het Amstel Hotel wil komen om haar te ontmoeten.[25]

Even later wordt het persbericht door Telefónica en Endemol de wereld in gestuurd: Endemol is voor 5,5 miljard euro in Spaanse handen gevallen. Het grote nieuws van die ochtend. John de Mol en Joop van den Ende zijn allebei miljardair.

Met de overname van entertainmentfabriek Endemol is de beursdag spectaculair begonnen. Maar het voorlopige hoogtepunt van het Nederlandse volkskapitalisme staat gepland om halfeen. Dan zal de eerste notering van World Online een feit zijn.

Er zijn intussen meer dan anderhalf miljoen Nederlanders die actief beleggen. Een groot deel van hen heeft zich niet laten afschrikken door de onophoudelijke stroom kritische berichten over World Online. De genadeloze analyses van economen en journalisten in vrijwel alle kranten en bladen lieten weinig tot niets heel van de fundamenten van het bedrijfsmodel. NRC Handelsblad heeft wekenlang een ontnuchteringscampagne gevoerd. De krant heeft World Online in een lange serie artikelen tot op de graat gefileerd en laat geen enkel misverstand bestaan over de kwaliteiten van het bedrijf en zijn topvrouw: 'Eigenaar World Online bouwde een bedrijf op basis van lucht'.[26] Weekblad Nieuwe Revu is in Nina's verleden gedoken en heeft naast verhalen over haar wraakzuchtige reputatie en haar vele rechtszaken enkele onfrisse A-Line-zaakjes uit België weten op te diepen.[27]

Dat World Onlines grote voorbeelden Terra en Freeserve de afgelopen week aanzienlijke klappen op de beurs hebben opgelopen, heeft niemand afgeschrikt. De waarschuwende woorden van Nout Wellink, de president van de De Nederlandsche Bank, hebben geen afkoelend effect gesorteerd. De zorgen die Jan Kalff over de internethype heeft en die hij per brief aan de klanten van ABN AMRO heeft overgebracht, hebben de temperatuur op de beurs niet doen stokken. Mensen hebben massaal aandelen proberen te verkrijgen, via hun bank of via de aanmelding als gratis abonnee van World Online. Het is 150.000 beleggers gelukt.

Beurskenners vragen zich af met welke intentie de particulier zich op de emissie heeft geworpen. Kopen ze World Online omdat ze denken dat het bedrijf groeikansen heeft, of omdat ze geloven dat ze het aandeel voor meer geld aan een nog grotere idioot door kunnen verkopen? Beleggen in World Online grenst aan pure speculatie, vindt een groot aantal analisten – die van ABN AMRO niet meegerekend.

Joel en Danny Wyler doen vol overgave aan het spel mee. Bij het verlaten van het vliegtuig was Joel gelijk aan het bellen geslagen om te informeren naar de uiteindelijke omvang van de 'institutionele toewijzing'. Hij moest even slikken. In plaats van de gedroomde 250 miljoen hebben de broers slechts voor 10 miljoen euro aandelen van ABN AMRO toegewezen gekregen.

Ze zijn er niet erg aan verknocht. World Online-commissaris Joel denkt dat de verkoop van Endemol aan Telefónica geen goede zaak is voor World Online. Broer Danny verkoopt de aandelen door, nog voordat World Online op de schermen staat, en strijkt zo namens hun gezamenlijke investeringsmaatschappij een commissie van 500.000 euro op. De eerste opbrengst van de dag is binnen.[28]

Om elf uur zit Nina met Ab en dochter Karen nog in het Amstel Hotel aan de koffie. Mama Lieke is er ook, net als Nina's beste vriendin uit Brasschaat, Marjolein Jessen, en haar echtgenoot. Nina heeft zich in haar vertrouwde werkkleding gestoken: een kraagloze grijze deux-pièces met borduursels, met een glimmend zijden bloesje en een bijpassende sjaal. Zwarte pumps complementeren het geheel.

De hectiek maakt zich langzaam van de situatie meester. Haar doorlopend rinkelende telefoon geeft ze aan Ab – hij moet opnemen. Ab gehoorzaamt.

Om halftwaalf staan buiten het hotel de auto's klaar om het gezelschap naar de beurs te brengen. Tien minuten later arriveert de internetkoningin op het beursplein, waar vrachtauto's en busjes staan van de facilitaire diensten van verschillende televisiezenders. Bij de ingang staan actievoerders klaar om haar de Gouden Zeepbel uit te reiken. Nina besteedt er geen aandacht aan. De demonstranten worden door een klein eskader gereedstaande beveiligingsmensen op afstand gehouden. Nina wordt bij de deur door beurstopman George Möller opgewacht en welkom geheten.

Binnen is het beursgebouw veranderd in een grote promotiestand voor World Online. Overal hangen reclameposters. De open ruimte waar de eerste notering op het bord te zien zal zijn, is al gevuld met journalisten, vooral fotografen. Voor een lange tafel onder het grote koersbord staan verschillende televisiecamera's op statieven al klaar. Bij de plek waar hoekmansbedrijf Bever de eerste handel op de computerschermen zal faciliteren, is een houten afscheiding getimmerd om de nieuwsgierigen op afstand te houden.

Beursmascotte Mercurius, de Romeinse god van de handel en de winst, lijkt in te stemmen met alle commotie om World Online. De rechterwijsvinger van het grote bronzen afgietsel wijst naar het kleine bruggetje over de beursvloer, waar een spandoek hangt met de tekst GRATIS INTERNETTEN DOE JE BIJ WORLD ONLINE.

In de immense dealingroom in het hoofdkantoor van ABN AMRO is Menno de Jager sinds elf uur druk bezig met het bepalen van de openingskoers. De inschrijving op de aandelen is 21 keer overtekend. De voorgaande weken heeft het aandeel op de grijze markt in Londen spectaculaire stijgingen laten zien. De laatste dagen is de koers weer gezakt naar 80 euro, nog steeds bijna het dubbele van de introductiekoers van 43 euro.

De meeste institutionele beleggers hebben aangegeven bij die koers nog ruime mogelijkheden voor een sprong naar boven te zien. Verschillende grote beleggers hebben ook aankooporders geplaatst. Alles wijst op een snelle positieve koersontwikkeling. De Jager bepaalt de prijs uiteindelijk, met instemming van de commissaris van de notering van de AEX, op 50,20 euro. Met Goldman Sachs is afgesproken in het begin de liquiditeit te verschaffen, wat inhoudt dat de banken overschotten in vraag of aanbod zullen gladstrijken met aan- of verkopen. Wat ABN AMRO betreft kan het startschot worden gegeven.

Hoewel het vertrouwen groot is in een geslaagde introductie, waren er de laatste dagen verschillende gesprekken geweest met grootaandeelhouders van World Online. Met Dick Wessels is afgesproken dat hij zijn van Nina gekochte aandelen niet onmiddellijk zal verkopen. Ook aan de NS is gevraagd niet massaal te verkopen. Twijfels zijn er nog over Telfort. Wilco Jiskoot heeft 's ochtends met Nina gebeld, en gezegd dat hij er bang voor is dat Telfort gaat dumpen.[29] Nina had onmiddellijk Telforts bestuursvoorzitter Ton aan de Stegge gebeld en hem gezegd dat hij het niet in zijn hoofd moest halen aandelen te verkopen.

Na binnenkomst van het beursgebouw heeft George Möller Nina meegenomen naar een kleine ruimte, waar enkele andere leden van het World Online-management zijn verzameld. Nina heeft haar mensen al weken niet gezien. Er volgen enthousiaste omhelzingen.

Ze is op van de zenuwen. De spanning is haar aan te zien. Haar hoofd loopt rood aan. Het is haar *moment of glory*. Ze is als vrouw verantwoordelijk voor de grootste emissie van een Europees internetbedrijf. Zij, Nine Bernardina Brink-Vleeschdraager, is de meest gewilde onderneemster van het Europese continent. Voordat de officiële plechtigheden gaan plaatsvinden, het ondertekenen van de noteringsovereenkomst, wil Nina nog even naar de wc. Möller is bang dat ze in het beursgebouw de weg niet meer vindt en begeleidt haar naar de toiletten. Hij moet haar manen op te schieten.

Tien voor twaalf. Nina komt met Möller de grote open ruimte binnen. De haag van vele tientallen journalisten en gasten opent zich om de kleine topvrouw doorgang te verlenen. Bij de lange tafel onder het koersbord staat Duffy al te wachten. Hij pakt Nina's rechterhand en houdt die als een kampioen omhoog. Ab (bewapend met een digitale camera), Karen, Nina's moeder en Tolsma komen Nina ook begroeten. De fotografen en cameramannen stromen naar voren om het moment vast te leggen. Microfoonhengels worden over de hoofden naar het groepje gericht, dat gearmd en lachend poseert.

Ceremoniemeester Möller maant iedereen tot de orde. Er moet nog een beursintroductie plaatsvinden. Inmiddels hebben zich ook Wilco Jiskoot en Jan de Ruiter bij de lange tafel gevoegd. De definitieve prospectussen van World Online, een dag te laat uitgekomen, zijn ook binnengebracht en uitgedeeld. Iedereen neemt plaats. Möller in het midden, met rechts van hem Nina en Duffy. Jiskoot en De Ruiter links van hem. Het is acht over twaalf als Nina als eerste haar handtekening onder de noteringsovereenkomst zet.

Als alle krabbels zijn gezet, neemt Möller het woord. Hij is er trots op dat hij het Nederlandse symbool van de nieuwe economie op de Amsterdamse effectenbeurs mag verwelkomen. Hij hoopt dat er nog veel bedrijven als World Online zullen volgen. Hij heeft het over de lusten en de lasten van een beursnotering. Het verplicht de onderneming tot transparantie, tot het geven van 'full, open and timely information'.[30] Hij kijkt bij het uitspreken van de woorden naar Nina en zoekt oogcontact. Nina draait zich net van hem af om iets tegen Simon Duffy te zeggen.

Kwart over twaalf. Het is een traditie dat een nieuwkomer aan de beurs een donatie doet aan een goed doel. Nina overhandigt namens World Online een cheque van 100.000 euro aan de Stichting Bevordering Oncologische Geneeskunde.

De champagne wordt ontkurkt. Nina, Duffy, Möller, Jiskoot en De Ruiter heffen het glas. De haag van fotografen is tot de rand van de tafel opgerukt. Tientallen camera's klikken. Er wordt veel gelachen. Dan wordt koers gezet naar hoekman Bever, waar de eerste notering op het scherm zal verschijnen. Ab legt alles vast op de digitale filmcamera. Karen is bij haar moeder komen staan. Joel Wyler is als nieuwsgierige commissaris ook naar het hoekje gekomen. Möller en Duffy staan er ook. Möller met het champagneglas in zijn hand.

Het is halfeen. De openingskoers verschijnt op het scherm: 50,20 euro. Er wordt geapplaudisseerd. Nina straalt. Ab filmt.

De koers klimt heel even naar 51 euro. Er is veel handel. In de dealingroom bij ABN AMRO ziet Menno de Jager dat de eerste handel normaal verloopt. Er is relatief veel aanbod, dat is gebruikelijk in de eerste minuten. Meestal stappen particulieren als eerste uit. De bank neemt het aanbod op. De professionele beleggers kijken de eerste handel meestal aan en beginnen dan te kopen. Of te verkopen.

Na elf minuten begint De Jager zenuwachtig te worden. Hij ziet dat iedere biedkoers geraakt wordt door een massaal aanbod van stukken. Het houdt niet op. Hij laat de koers langzaam zakken. Nog steeds wordt er vol aangeboden.

De bankier voelt nattigheid. Dit zijn geen particulieren, hier is een professionele belegger aan het dumpen geslagen. Er zullen steunaankopen gedaan moeten worden. Hij belt met de man in de dealingroom van Goldman Sachs in Londen. De telefoon wordt niet opgenomen. De Jager probeert een ander nummer en vraagt naar zijn man in de dealingroom. Hij krijgt hem niet te pakken.

Wie er aan het verkopen is, is niet duidelijk, maar inmiddels is het zeker dat er een professionele partij aan het werk is. Voor een grote partij is het eenvoudig om onzichtbaar te verkopen, via de inzet van kleine commissionairs, die voor een geringe commissie pakketten verkopen. In de enorme dealingroom van ABN AMRO zoemt de naam van Baystar.

Het ziet er niet goed uit. Het sentiment lijkt geraakt. Er is twijfel in de markt. Ook bij ABN AMRO. Een bekende Nederlandse investeerder krijgt na een halfuur zijn vermogensbeheerder van ABN AMRO aan de telefoon. Het gaat over zijn pakket World Online-aandelen. Verkopen, luidt het advies. ABN AMRO neemt voor honderden miljoenen euro aandelen op. De bank gaat er nog steeds van uit dat Goldman Sachs zal bijdragen aan het stabiliteitsfonds.

Op de vloer in het beursgebouw is de teleurstelling over een uitblijvende koersexplosie voelbaar. Nina en Karen hebben een wereldbol aangereikt gekregen die boven op een van de monitoren van de hoekmannen stond. Ze poseren voor de fotografen. Ab filmt.

Het gezelschap verplaatst zich weer naar het grote koersbord achter in de zaal. Op het bord staat de openingskoers van 50,20 euro. De situatie in de dealingroom bij ABN AMRO moet zich dan nog ontwikkelen.

Nina en Möller staan onder het bord. Möller slaat een arm om de schouder van de World Online-topvrouw. De camera's zoemen en klikken.

Dan steekt Nina spontaan haar beide duimen in de lucht. Enkele fotografen leggen het moment vast.

Duffy en Tolsma melden zich voor een fotomoment.

Fotografen vragen of Nina nog een keer met haar duimen omhoog kan poseren. Ze gaat gewillig op het verzoek in. Nina perst haar lippen tot een soevereine glimlach.

Aan de lange tafel worden vragen van de pers beantwoord. Achterin zijn de eerste bezoekers al op weg naar de uitgang. Voor de speciale gasten van World Online staat er nog een lunch in het nabijgelegen The Grand aan de Oudezijds Voorburgwal op het programma. Onder die gasten bevinden zich de advocaten, de bankiers, de commissarissen en enkele vrienden en kennissen van Nina.

In de weelderig gelambriseerde Raadkamer van het vijfsterrenhotel, waar in 1966 een deel van de koninklijke bruiloft van prinses Beatrix en Claus von Amsberg zich voltrok, zal het maal worden genoten. De sfeer is uitgelaten. Aan het buffet staat Ab een sigaartje te roken. Zijn schoonmoeder trekt aan een sigaret. De rest van de gasten druppelt binnen.

Langzaam wordt het de aanwezigen duidelijk dat er een grote partij bezig is aandelen te dumpen.

Nina zit met Ab en haar moeder aan tafel met Möller, Jiskoot, De Ruiter en Duffy. Een tafel verder zit de voltallige raad van commissarissen. Henry Holterman weet dat Reggeborgh 1 miljard gulden mag bijschrijven. Bischoff lacht, en steekt de ene na de andere sigaret op.

Larry Goldfarb van Baystar zit aan tafel met onder anderen Tolsma en een medewerkster van het pr-bureau Citigate. Aan de tafels circuleren de geruchten over welke partij aan het dumpen is. Is het Telfort, of de NS, of is het toch Baystar? De aanvankelijke uitgelatenheid heeft plaatsgemaakt voor teleurstelling. Mensen zijn geschoqueerd over de tegenvallende ontwikkelingen. Dit had niemand verwacht. De lunch, die heel gezellig was begonnen, met veel uitbundig gepraat en felicitaties, gaat uit als een nachtkaars. De ontzetting over het uitblijven van de koersexplosie is groot. De koers daalt zelfs richting 43 euro. Mensen verlaten na de lunch stilletjes het hotel.

De koersontwikkeling is nieuws. Beleggend Nederland twijfelt over wat het van de opgeklopte beursintroductie van World Online moet denken.

Op het hoofdkantoor van ABN AMRO eindigt de middag in mineur. De bank heeft voor 380 miljoen euro aandelen opgenomen. Goldman Sachs heeft laten weten dat dit vooral het probleem is van ABN AMRO.[31]

's Avonds gooit Nina vermoeid de deur van haar suite in het Amstel Hotel achter zich dicht. Om een uur of zeven stapt Juan Villalonga van Telefónica haar suite binnen. Ze feliciteren elkaar met hun successen. Nina laat weten dat ze de mogelijke samenwerkingsverbanden graag wil verkennen.

Als de Spaanse topman is verdwenen, laat Nina zich op het queensize bed vallen. Samen met Ab en Karen kijkt ze naar een speelfilm. Nina ziet niet hoe ze in het achtuurjournaal haar duimen omhoogsteekt.[32]

Epiloog

Nina kreeg weinig gelegenheid om na te genieten van het spetterende feest in het Okura Hotel. Op maandag 20 maart daalde de koers van World Online met 13 procent. Het verval zette in de dagen erna onverbiddelijk door. Het begon de buitenwereld langzaam duidelijk te worden dat de oprichtster van het zwaar verlieslijdende internetbedrijf World Online via een slim doordachte constructie enkele maanden eerder financieel de uitgang al had weten te vinden. Daarmee werd aan beleggers een dubieus signaal afgegeven. Waarom had ze de meeste van haar aandelen verkocht? Geloofde ze niet in haar eigen bedrijf? Hadden de critici gelijk en was World Online daadwerkelijk een luchtkasteel?

'Transferred', zo stond het verhullend omschreven in het Engelstalige beursprospectus. Nina's aandelen waren overgedragen. Dus niet verkocht. Zo dachten in elk geval de meeste analisten en journalisten erover. Nina had dat beeld vlak voor de uitgifte van het beursprospectus ook bevestigd door te zeggen dat ze op dat moment geen aandelen had verkocht. De bankiers die de beursgang begeleidden, lieten het na haar te corrigeren. Het bleef onduidelijk hoe het nu precies zat met die aandelentransacties. Er was twijfel, en die twijfel werd maar niet weggenomen. Dat bleek dodelijk. Vertrouwen en geloof, daar moest World Online het juist van hebben.

De situatie verslechterde snel. Het gerucht ging dat het mysterieuze Baystar, het investeringsbedrijf waaraan Nina haar aandelen had verkocht, die aandelen bij de beursgang al zou hebben gedumpt.[1] Het was meer dan een gerucht. Verschillende bankiers bij ABN AMRO waren er heilig van overtuigd dat het Amerikaanse investeringsfonds hoofdverantwoordelijke was voor de domper op World Onlines D-day. De bank had ondersteunende aankopen gedaan in een poging het plotselinge overaanbod glad te strijken, in totaal voor 380 miljoen euro. Dat geld was voor het grootste deel aan Baystar besteed, luidde de overtuiging bij de bank. De langharige Baystar-oprichter Larry Goldfarb had zich de dag na de beursgang ziek gemeld voor het feest in het Okura en was direct teruggevlogen naar San Francisco. Hij liet wekenlang niets van zich horen.

Op de aanhoudende geruchten dat Baystar had verkocht, gaf het investeringsbedrijf in eerste instantie een ontkennend commentaar. Vervolgens gaf het toe dat het zijn belang in World Online van 10 naar 8,8 miljoen aandelen had teruggebracht – precies genoeg om de initiële aankoopprijs van 60 miljoen dollar terug te verdienen. Bij de bank geloofden ze er weinig van.[2] Maar of de bewering van Baystar ook klopte, viel niet zomaar te controleren. De enige manier waarop onomstotelijk had kunnen worden vastgesteld welke partijen op 17 maart precies welke aantallen aandelen hadden verhandeld, was als toezichthouder STE op maandag 20 maart de opdracht had gegeven de handel terug te draaien. Dat was niet gebeurd.

De onrust nam snel toe. Had Nina nu al gecasht en had ze daarbij zelfs de lock-upregels op slinkse wijze aan haar laars gelapt? Vragen bleven goeddeels onbeantwoord. In een persverklaring meldde World Online dat Nina niets wist van de verkopen van Baystar en dat ze er niets aan had verdiend. Baystar zou zich na persoonlijke interventie van Nina inmiddels vrijwillig aan een lock-up hebben gecommitteerd,[3] iets wat een week eerder nog onmogelijk was geweest. Het hielp niet, de koers bleef dalen.

Voorafgaand aan de beursgang had Nina al gegrossierd in ongelukkige optredens. Een week na de beursgang gaf ze in een conference call met bijna honderd internationale analisten en institutionele beleggers een kleine reprise. Ze erkende dat ze haar aandelen voor het belangrijkste deel van de hand had gedaan. Prijs: 6,04 dollar plus een winstdeling. Op de vraag waarom ze haar aandelen vlak voor de beursgang had verkocht, antwoordde ze: 'For reasons of estate planning.' Nalatenschapsplanning is de Nederlandse term die daarvoor wordt gebruikt, een onderwerp waar vooral oudere of stervende mensen zich mee bezighouden.

Met die extra informatie werden de volgende maten van het requiem voor het internetbedrijf gecomponeerd. Sommige fondsbeheerders werden razend bij het horen van Nina's verklaring.[4] Verschillende institutionele beleggers sloegen aan het dumpen. De koers van het aandeel World Online stortte de daaropvolgende dagen verder in, waardoor miljarden euro aan beurswaarde verloren ging.

Het was de bankiers van Goldman Sachs en ABN AMRO duidelijk dat de bestuursvoorzitter van World Online aangeschoten wild was. Er volgde op initiatief van ABN AMRO een vergadering in Londen op het kantoor van Goldman Sachs met de raad van commissarissen van World Online. De geringe openheid over Nina's aandelentransacties, waar ze zelf bij hoog en laag op had aangedrongen,[5] begon het internetbedrijf nu ernstig op te breken. Nina kon beter vertrekken, werd Victor Bischoff te verstaan gegeven.

Bischoff weigerde aan het advies gehoor te geven. Hij geloofde nog steeds in de topvrouw van World Online, en de onrust over Nina's voortijdige cashen zou wel weer overwaaien. Terwijl het lot van Nina werd besproken, kwam de hoofdpersoon in kwestie met een rood aangelopen gezicht opeens de vergaderzaal binnen stormen. Ze had kennisgenomen van de ontmoeting tussen de leden van de raad van commissarissen en de bankiers van het syndicaat en was onmiddellijk naar Londen gevlogen. Ze nam pontificaal plaats achter de grote tafel en vroeg verontwaardigd waarom ze niet was uitgenodigd. Na enkele pijnlijke momenten werd de vergadering door Bischoff geschorst. Even later stond Nina buiten op straat te huilen.

Over Nina's aandelentransacties moest hoe dan ook meer openheid onstaan. Kenners van financiële constructies en analisten spraken openlijk over hun vermoedens dat Nina een belang in Baystar had. Ze had dus mogelijk direct geprofiteerd van de verkopen van het Amerikaanse investeringsfonds. Zowel Nina als Baystar weigerde daarover helderheid te verschaffen.

Het wantrouwen van beleggers groeide, de koers bleef dalen. Die situatie kon niet langer voortduren. De raad van commissarissen had al opdracht gegeven voor een intern onderzoek. Forensisch accountants Bernard Prins van PricewaterhouseCoopers en Cees Schaap van World Onlines eigen accountant Ernst & Young moesten uitvinden of zich onregelmatigheden hadden voorgedaan bij de aandelentransacties van Nina. Ze kregen documenten van onder anderen Nina en advocaat Kees Peijster, en ondervroegen de hoofdpersoon in het zich ontwikkelende beursdrama.

Op 3 april maakte World Online een paar details over Nina's aandelentransacties bekend. Op basis van de bevindingen van Schaap en Prins werd geschetst hoe de verkoop van Nina's aandelen was verlopen. Ze had haar aandelen al in augustus te koop aangeboden, maar om belastingtechnische redenen waren de deals pas rond kerst afgerond. En ze bleek inderdaad een belang in Baystar te hebben. Hoe groot dat belang was, werd niet verteld. Dat Baystar, een belangrijke partner van World Online in het investeringsfonds WolStar, op 17 maart aandelen had gedumpt, was voor alle betrokkenen een grote verrassing geweest. Ook voor president-commissaris Victor Bischoff. Dat vertelde hij in elk geval aan de verzamelde pers.

Voor collega-commissaris Henry Holterman konden de verkopen van Baystar onmogelijk datzelfde surprise-effect teweeg hebben gebracht. Hij had immers zelf in december nog een overeenkomst met Nina gesloten waarin Reggeborgh verplicht werd op de dag van de beursgang de van haar gekochte aandelen te verkopen.[6] Nina's uitdrukkelijke wens om haar aandelen bij de beursintroductie te verzilveren, was dus op zijn minst bij Holterman bekend. Het was niet onaannemelijk dat Baystar ook zo'n verplichting met haar was overeengekomen, en mogelijk had Bischoff namens Sandoz eveneens zo'n afspraak met Nina gemaakt voor de aandelen die de Zwitsers van haar hadden overgenomen.[7]

Nina stelde in een aparte persverklaring opnieuw dat ze niets wist van de plannen van Baystar om de aandelen bij de beursgang te verkopen. Ze had absoluut niet de bedoeling gehad de lock-uprestricties van de Amsterdamse effectenbeurs te ontlopen. Ze benadrukte dat ze slechts een passieve investeerder was in Baystar en 'op generlei wijze' direct kon profiteren van de verkopen van het investeringsfonds.[8] Baystar zelf bleef intussen voor de buitenwereld onbereikbaar voor commentaar.

Nina had veelvuldig met Goldfarb gebeld, die ze het afgelopen jaar als een goede vriend was gaan zien. Ze was zelfs zo innig met hem bevriend geraakt dat ze hem tot haar executeur-testamentair had benoemd. Ze liet aan betrokkenen weten dat ze zich door de verkopen bij de beursgang door hem verraden voelde. Ze had helemaal niet gewild dat Baystar ging verkopen. En dat Baystar geen lock-up had, dat viel haar niet aan te rekenen, dat was de schuld van de banken.

Hoewel Baystar zich door de persoonlijke tussenkomst van Nina inmiddels vrijwillig aan een lock-up had gecommitteerd, benadrukte Bischoff in zijn verklaring nogmaals dat Nina geen enkele invloed had op Baystar en dat ze niet van de verkopen van het fonds had geprofiteerd.[9] 'Nina Brink houdt van moeilijke constructies,' voegde Bischoff daar vergoelijkend aan toe.[10]

Niet alle details van de 'moeilijke constructie' met Baystar werden uit de doeken gedaan. Dat Nina liefst 25 miljoen dollar in Baystar had geïnvesteerd en daarom naar alle waarschijnlijkheid wél van de verkopen van het investeringsfonds had geprofiteerd, was iets dat de buitenwereld jaren later pas te weten zou komen.[11] Het persbericht van World Online ging vergezeld van de brief van Nina waarin ze ook vertelde dat ze haar aandelen om persoonlijke redenen had verkocht, en om de financiële toekomst van haar familie zeker te stellen. De financiële wereld reageerde opnieuw negatief. De koers van World Online daalde die dag met 20 procent. Het drama spoedde zich naar het volgende bedrijf.

Na het grote beursechec met de sjoemelende gebroeders Baan, een paar jaar eerder, viel met World Online weer een internationale afgang voor een Nederlandse beursonderneming te noteren. Een schandvlek voor de Amsterdamse effectenbeurs. 'Even in an age of overheated internet stocks, the ups and downs of World Online International NV stand out,' schreef *The Wall Street Journal*.[12] De gerenommeerde financiële krant noemde de beursgang 'disastrous' en zijn 'jet-setting founder' Nina Brink 'controversial'. Captains of industry, commentatoren en columnisten in binnen- en buitenland hielden Nina persoonlijk verantwoordelijk voor het enorme gezichtsverlies dat het Nederlandse bedrijfsleven en Amsterdam als financieel centrum leden.

Michael Lewis, de auteur van *Liar's Poker*, hét boek over de hebzucht van Wall Street in de jaren tachtig, schreef over Nina in zijn column voor het Amerikaanse financiële nieuws- en informatiebedrijf Bloomberg: 'Het gaat om een bedrijf dat het Europese antwoord op AOL had moeten geven en een vrouw genaamd Nina Brink, die haar gelijke in de Amerikaanse nieuwe economie nog niet heeft gevonden.'[13] En verder: 'In de ziel van het Europese kapitalisme hangt nog de oude geur van het op safe spelen. Daar hebben de beleggers nu een flinke teug van kunnen inademen.' De 'ware misdaad' van Nina Brink, schrijft Lewis, was 'niet dat ze haar verkoop een "overdracht" noemde, maar dat ze zelf niet geloofde in wat ze deed. Haar Europese collega-ondernemers moeten nu de prijs betalen voor haar gebrek aan vertrouwen.'

In Nederland kreeg ze er zo mogelijk nog erger van langs. 'Ik ben boos, goed boos, en mijn woede richt zich linea recta op die "zonderlinge mevrouw Brink",' schreef IT-goeroe Roel Pieper in zijn column in *Het Financieele Dagblad*. 'Nina Brink wist donders goed waar ze mee bezig was toen ze in december haar aandelenbelang in World Online fors omlaagbracht. Onpasselijk werd ik van de hypocriete verklaring dat het geen verkoop van aandelen betrof, maar slechts een "overdracht" om de toekomst van haar gezin zeker te stellen.'[14] Dat hij haar een halfjaar eerder nog vergeefs het hof had gemaakt om een leidende positie in haar raad van commissarissen te bemachtigen, vertelde Pieper er niet bij.

Er verschenen meer en meer artikelen van journalisten die Nina's zakelijke verleden onder de loep hadden genomen en hier en daar sporen van verliezen hadden ontdekt.[15] 'Gouden zakenvrouw of gladde geldwolf?' kopte *De Telegraaf*. Steeds meer vreemde en verdachte informatie kwam naar buiten. Nina bleek dus inderdaad een belang in Baystar te hebben. Waarom werd daar zo geheimzinnig over gedaan? Hier klopte iets niet. *Het Financieele Dagblad* onthulde dat commissaris Avram Miller een goede vriend van Larry Goldfarb van Baystar was. Hij deelde een kantoor met hem en hij bleek ook nog eens een belang in Baystar te hebben.[16] De waarde van zijn tot dan toe onbekende optiepakket bleek daarnaast tientallen miljoenen euro te zijn, en hij participeerde ook in bedrijven uit het WolStar-fonds waarvan Baystar een van de oprichters was. De geur van schimmige deals, zelfverrijking en belangenverstrengeling hing opeens om Miller heen. Bischoff gaf te kennen niets van de banden tussen Miller en Goldfarb te weten. Daar reageerden commentatoren en deskundigen weer met ongeloof op.[17]

De zoektocht naar een schuldige voor het beursdrama kreeg steeds meer vorm. Door nieuwe onthullingen werden bange vermoedens bevestigd: er was inderdaad iets goed mis met de hele gang van zaken, en dat had vooral iets te maken met Nina en haar geheimzinnigheid over die aandelentransacties. Ze had iets te verbergen, dat kon niet kloppen. Het publiek, dat eerder zo intensief door reclamecampagnes was bewerkt en met zo veel begeerte de aandelen van World Online had gekocht of had willen kopen, voelde zich door zijn koningin bedrogen en wilde haar op de brandstapel zetten. Wraak!

Nina gooide hier en daar ook zelf olie op het vuur. Zo leidde haar onderontwikkelde vermogen om diplomatiek met kritische journalisten om te gaan in een Rotterdams restaurant tot een incident waarbij haar bodyguards een reporter van *The Wall Street Journal* bedreigden.[18] De verslaggever vergeleek de behandeling die hij kreeg met maffiamethodes.[19]

Het beeld van de victorieuze oprichtster van World Online was veranderd in dat van de vleesgeworden hebzucht. Nina had de klippen van het beursreglement handig omzeild en haar aandelen vroegtijdig te gelde gemaakt, terwijl beleggers met steeds grotere verliezen kampten. De stijf gekapte dame die op 17 maart zo triomfantelijk met haar duimen omhoog poseerde, was iedereen te slim af geweest. Haar lach werd opeens een scheve grimas die zei: ik heb jullie allemaal te pakken genomen! Voor velen, vooral voor de vele hevig teleurgestelde beleggers, was die mogelijkheid niet of nauwelijks te verteren. Tegelijkertijd stroomde wereldwijd de lucht uit de speculatieve bubbel van de Nieuwe Economie. Dat was, luidde schijnbaar het collectieve vonnis van het Nederlandse volk, de schuld van Nina. World Online en zijn oprichtster werden in de maanden die volgden het onderwerp van hoon en spot, van woede en haat. En van vele publicaties.

Nina en World Online waren binnen enkele weken na de beursgang het middelpunt van een maatschappelijke controverse geworden die zelfs tot vragen in de Tweede Kamer leidde. De fractievoorzitter van de PvdA, Ad Melkert, maakte nog een pas op de plaats door op te merken dat de extreme aandacht voor de persoon Nina overdreven was en dat met name ABN AMRO bij de beursgang een twijfelachtige rol had gespeeld. Het haalde weinig uit.[20]

Voor Victor Bischoff had intussen wel de laatste bel geklonken. De Zwitser had het zo lang mogelijk voor de vechtmachine aan de top van World Online opgenomen, maar ook hij ging uiteindelijk door de knieën. De positie van Nina was niet langer houdbaar. Ze moest weg. Op 13 april verliet Nina het internetbedrijf. Haar trouwe adjudanten Eric Tolsma en Rob van der Linden zouden haar niet veel later volgen.

Nina zelf was ten einde raad. Ze was na 17 maart steeds meer geïsoleerd geraakt. Na haar vertrek bij World Online stond ze er alleen voor. Van de ene op de andere dag werd ze vrijwel volledig van haar bedrijf afgesneden. Haar creatie was haar ontnomen, haar reputatie van succesvolle zakenvrouw lag aan scherven. De mensen om haar heen zagen de pijn en de wanhoop in haar ogen. En de eenzaamheid. Ze was radeloos. De vrouw die nog geen maand terug zelfbewust, agressief en energiek haar bedrijf had geleid, was meer en meer op een kwetsbaar schepsel gaan lijken. Een geslagen hondje. Enkele intimi vertrouwde ze toe dat ze een ernstige ziekte onder de leden had. Ze was bang om, net als haar vader, vroeg te sterven.[21]

Wat moest Nina doen? Ze had zich in 25 jaar vanuit een bescheiden winkelruimte aan de Zeekant in Schevingen naar een volledig onder architectuur verbouwd internationaal hoofdkantoor aan de chique Rotterdamse Westerlaan opgewerkt. Van een tweemanszaak in elektronische componenten naar een pan-Europees internetbedrijf met ongeveer vijftienhonderd werknemers en een beursnotering. Van een tweedehands autootje van Japanse makelij naar een eigen driemotorig straalvliegtuig. Nina's public relations-tour liep van de woonkamer van Chriet Titulaer naar de residentie van Nelson Mandela en de paleizen van de Britse koninklijke familie. Haar veel benijde vermogen om voorname mensen haar relatiekring binnen te loodsen, had haar banden verschaft met bekende zakenmensen, topbestuurders, popsterren, politici en royalty. Vrijwel niemand uit dit illustere gezelschap gaf thuis toen de gevallen topvrouw van World Online in het openbaar wel een steun in de rug kon gebruiken.

Ab en Karen waren er vanzelfsprekend om haar te steunen, net als Eric Tolsma en Rob van der Linden. De Amsterdamse autohandelaar Joop van den Bergh en John Manheim, de voorzitter van het Centrum Informatie en Documentatie Israël (CIDI), begonnen zich steeds nadrukkelijker als vrienden in haar entourage te begeven. De advocaten Mischa Wladimiroff en Walter Hendriksen stonden haar vooral met raad terzijde.

World Online-bestuurders Simon Duffy en Ruud Huisman waren na de beursgang vrijwel onzichtbaar geweest. Huisman had zich na Nina's vertrek vooral opgelucht gevoeld. Nina's beoogde opvolger Duffy bleek niet over de vereiste daadkracht te beschikken en verborg zich liever in zijn kantoor. Bischoff was ook snel tot de conclusie gekomen dat hij niet de man was die het bedrijf verder kon leiden. Commissaris Joel Wyler, die voorafgaand aan de beursgang zo langdurig naar Nina's gunsten had gedongen en er uiteindelijk in was geslaagd om onder andere 415.000 opties tegen een bijzonder lage uitoefenprijs te verkrijgen, had zich geruisloos in de coulissen teruggetrokken zonder het publiekelijk voor haar op te nemen. Hij was in de raad van commissarissen niet pal voor haar gaan staan toen haar positie van chairwoman in het geding was. Zijn houding had Nina bijzonder teleurgesteld.[22]

Miller gaf vanuit Californië te kennen niets van Nina's persoonlijke aandelendeal met Baystar af te weten. Dat was een privékwestie.[23] Dat hij als commissaris van World Online in opspraak was geraakt, vond hij erg vervelend. Hij onttrok zich vervolgens zoveel mogelijk aan de herrie in Nederland. Hij had ook andere dingen te doen. Hij was bijvoorbeeld druk bezig met het bouwen van een nieuwe villa.

Henry Holterman had met World Online de deal van zijn leven gesloten en zijn schoonvader, de Rijssense bouwmagnaat Dick Wessels, op 17 maart een half miljard euro in contanten bezorgd. Uit Twente werd daarna weinig opwekkends meer vernomen over de moeder van dit eclatante financiële succes. Dat Nina eerder haar winstdelingsregeling aan Wessels had moeten laten, kwam de relatie ook niet geheel ten goede.[24]

Victor Bischoff was haar belangrijkste voorvechter geweest. Met een reden. De stichting van de Zwitserse miljardairsfamilie, waarvan Bischoff directeur was, had bij de beursgang van World Online het papieren vermogen in eerste instantie met een kleine 6 miljard euro zien toenemen. Maar ook Bischoff had de leidster van zijn favoriete investeringsproject uiteindelijk los moeten laten. Intern was merkbaar geweest dat het uithoudingsvermogen van de Zwitserse kettingroker waar het de persoon Nina aanging de limiet had bereikt. 'If her plane crashes, I'll send flowers,' had Bischoff in een overleg vermoeid opgemerkt.

Na haar aftocht bij World Online vertrok Nina met haar gezin en het duo Tolsma en Van der Linden (inclusief aanhang) voor een aantal weken naar Hawaï.[25] Tijdens de reis werd ook even een bezoek aan Baystars Larry Goldfarb in San Francisco gebracht. Want ondanks de verwijten die Nina aan het adres van haar goede vriend had geuit, waren de banden nog warm te noemen. Daar was zakelijk gezien ook alle reden toe. Het grootste deel van haar vermogen was immers direct gelinkt aan de investeerder met de paardenstaart.

Nina was bepaald niet de enige die gebukt ging onder het beursdrama. World Online bestond voor een groot deel uit jonge mensen. In veel gevallen was het bedrijf hun eerste of tweede werkgever. Kort geleden maakten ze nog deel uit van het snelst groeiende Nederlandse bedrijf aller tijden, een internetbedrijf nota bene. Na 17 maart werd alles anders. Binnen een tijdsbestek van enkele weken werden ze de risee van verjaardagspartijtjes, werd er om hen gelachen of kregen ze vervelende opmerkingen naar hun hoofd geslingerd. De renteloze lening die ze hadden gekregen om aandelen te kopen, drukte opeens als een zware schuld op hun schouders. Ze mochten onder geen beding met journalisten praten over de toestand binnen het bedrijf.

Het personeel was aangeslagen en gedesoriënteerd. De leider was weg, wat was er allemaal gebeurd? Apathie was het gevolg. Bij World Online International in Rotterdam kwamen weinigen nog echt aan werken toe. Er werd voortdurend gefluisterd, er heerste onzekerheid en wantrouwen.

De zakenbankiers van ABN AMRO zaten ook in een hoek waar harde klappen vielen. Hoewel de aandacht van de media vooral op Nina was gericht, werd in professionele kringen vooral naar de bankiers gekeken. De beursgang was een wanvertoning geweest die onder hun auspiciën plaats had gevonden. Oud-minister Onno Ruding, bestuurslid van de Amerikaanse Citibank en tevens voormalig AMRO-bankier, hekelde in een televisie-interview het optreden van zijn oude werkgever en stelde dat de naam van de bank in het buitenland zwaar was beschadigd.[26]

In de winter van 2000 werd op de meest prestigieuze businessschool van Europa, INSEAD in Fontainebleau, het beursdebacle al als leerstof onderwezen.[27] De hoogleraar Ingo Walter leidde de door hem gemaakte casus in: 'The IPO of World Online on the Amsterdam Stock Exchange in the spring of 2000 triggered one of the most embarrassing stock market debacles in recent years, related to a transfer of ownership stakes by the firm's CEO just prior to the offering and at a fraction of the offering price. Questions were raised about the conduct of the management of the firm, its board, the Amsterdam Stock Exchange, and the underwriting banks – and about the implications for the future of European financial markets themselves.'

De grootste Nederlandse bank ABN AMRO had een enorme deuk in zijn prestige opgelopen. De door het bankbestuur omarmde strategie om een succesvolle internationale zakenbank te worden, liep zware averij op, nog voordat het nieuwe beleid door zijn nieuwe voorzitter Rijkman Groenink naar buiten gebracht kon worden.

Voor bestuursvoorzitter Jan Kalff had een succesvolle beursgang van World Online zijn afscheidscadeau moeten zijn. Die droom was in zijn gezicht uiteengeklapt. Kalff hield, vlak voor zijn afscheid, nog vol dat de bank nergens spijt van had. De bank zou het 'precies weer zo doen'.[28] Beleggers hadden het prospectus gewoon beter moeten lezen. Een paar dagen later zou hij zeggen dat die verklaring hem door de raadsheren van de bank was ingegeven.[29]

Op een ander niveau hadden ze ook een harde les internationaal zakenbankieren gehad. ABN AMRO was tegen een van de gouden en tevens ongeschreven regels van Goldman Sachs opgelopen: 'If disaster is forming in your hands, pass it on to someone else.' Baystar dumpte, en tegelijkertijd liet Goldman Sachs het steunen van de koers volledig aan ABN AMRO over. Ze waren even niet bereikbaar toen het plotselinge overaanbod met honderden miljoenen euro's gladgestreken moest worden. Wat wist Goldman Sachs dat ABN AMRO Rothschild niet wist? Hadden ze zelf de hand in de verkoop van de aandelen van Baystar gehad? Die gedachten waren de Nederlandse bankiers al meermalen door het hoofd geschoten. De Amerikanen hadden de ambitieuze Nederlanders in elk geval even gevoelig laten merken dat de weg naar de absolute top van de zakenbanken nog een lange was.

De ego's van ABN AMRO-bankiers werden verder gekrenkt door de gedachte dat het grootste deel van de 380 miljoen euro waarmee de koers de eerste dag was gestut, mogelijk via Baystar linea recta in de pensioenkas van de weerbarstige chairwoman van World Online was gevloeid. Het elimineren van de positie kostte de bank tientallen miljoenen. Goldman Sachs zou na intensieve onderhandelingen uiteindelijk ABN AMRO deels tegemoet komen, maar de schade was geleden. Daarmee ging de *fee* in rook op die de bank meende op te strijken met de beursgang van World Online. Per saldo verloor de bank zelfs aan de emissie.

Voor Wilco Jiskoot, de grootste dealmaker van Nederland, was het zo vurig door hem gewenste *joint global coordinatorship* van de IPO van World Online op een vernederende exercitie uitgelopen. Voor hem en zijn collega's Jan de Ruiter en Menno de Jager vormde de beursintroductie van World Online het absolute dieptepunt uit hun loopbanen.[30] Voor de afscheid nemende topman Jan Kalff was de beursgang van World Online de 'nagel aan zijn doodskist'.[31]

Achteraf kwamen de bankiers intern tot de conclusie dat ze veel stoptekens hadden genegeerd. Te veel. Die hadden voor een groot deel betrekking op de weerbarstige topvrouw van het bedrijf en de verrassingen waarmee ze de banken keer op keer had geconfronteerd. Maar ze konden zichzelf ook veel verwijten. Ze hadden het toegestaan dat om privacyredenen haar aandelenbezit niet duidelijker in het prospectus werd omschreven. Dat ze Baystar niet aan een lock-up hadden gebonden, mocht ook als ongelukkig worden bestempeld, net als de keuze om een opgepoetste versie van haar cv in het prospectus toe te staan.

Wat betreft Nina's zakelijke verleden wisten de ABN AMRO-bankiers immers als weinig anderen met wie ze te doen hadden. De bank had sinds 1975 zaken met haar gedaan. Nina had door de jaren heen een bedenkelijke reputatie opgebouwd, die niet zomaar uitgevlakt kon worden.[32] Daarvan waren verschillende mensen bij de bank goed doordrongen. Ze hadden zelf door dubieuze voorraadwaarderingspraktijken miljoenen verloren op haar bedrijf A-Line. Met zulke ondernemers wilde de bank normaal gesproken nooit meer iets te maken hebben. De bankiers hadden haar niettemin als de bezielende bazin van internetbedrijf World Online op een zilveren schaal naar het Damrak getorst, met het idee dat ze een succesvol internetbedrijf naar de beurs gingen brengen – en in de vaste overtuiging dat ze er heel veel geld aan konden verdienen.

Verschillende advocaten hadden zich intussen namens groepen van duizenden beleggers aan het front gemeld. Op één onderdeel waren ze het allemaal eens: de beleggers waren op een afschuwelijke manier misleid. Hier lag een grote claim voor het oprapen. De brochure waarin de verkoopwaar uitvoerig werd besproken en waarin ruimschoots op verschillende grote risico's werd gewezen, werd na de mislukte beursgang het onderwerp van verschillende langlopende rechtszaken. De Vereniging van Effectenbezitters vond dat veel belangwekkende gegevens – waaronder natuurlijk de details over Nina's aandelentransacties, en ook informatie over haar loopbaan – in de brochure hadden ontbroken. Erger: opzettelijk erbuiten waren gehouden of waren verdoezeld.[33]

Ook werden weer meer vreemde details rondom de ondoorzichtige transacties van Nina's aandelen onthuld. NRC Handelsblad publiceerde een reconstructie over de toestanden tussen ABN AMRO en de AEX over Nina's aandelentransacties, en de sfeer van dreigementen die in de dagen voor 17 maart tussen de bank en de beurs was ontstaan.[34] Het was munitie voor advocaten.

De felste aanval, persoonlijk op Nina gericht, kwam mede uit de koker van een oude bekende: advocaat Oscar Hammerstein. Samen met zijn nieuwe kantoorgenoot Gerard Spong kondigde hij op de dag van Nina's vertrek bij World Online aan aangifte bij justitie te zullen doen. Ze beschuldigden haar van handel met voorkennis, valsheid in geschrifte, oplichting, koersmanipulatie door leugenachtige berichtgeving en publieksmisleiding.[35]

De advocaten, met name Hammerstein, aarzelden niet om hun aanklacht met veel gevoel voor drama in de media nader toe te lichten. 'World of lies' was de zinsnede waarmee de twee raadsheren de dramatisch verlopen beursgang van World Online aanduidden. Het in het prospectus ongenoemde arbeidsverleden van Nina speelde daarbij een elementaire rol.[36] Over de vroegere loopbaan van Nina had Oscar Hammerstein wel relevante informatie voorhanden. In een interview met NRC Handelsblad blikte hij kort terug op die periode: 'Ik heb nog vele rumoerige vergaderingen met haar meegemaakt waarbij ze met stoom uit haar oren de kamer uitliep. Als mens heb ik altijd goed met haar kunnen opschieten. Ze is altijd hartelijk voor mij geweest. Er is voor mij geen enkel persoonlijk motief om nu tegen haar te procederen. Zakelijk is zij iemand bij wie je aanvankelijk denkt: goede ideeën. En daarna: mijn god, waar ben ik in terechtgekomen? *Too much struggle for a high life.*'[37]

Uit de ervaringen die hij met haar bij Newtron had opgedaan, wist hij ook dat Nina bereid was ver te gaan in het aangaan van overeenkomsten die de beursregels overschreden. De onduidelijkheden over haar deal met Baystar had hun bijzondere aandacht. 'Daar zit iets achter dat wij absoluut niet mogen weten en dat gaan wij allemaal uitzoeken,' liet Hammerstein in datzelfde interview weten. 'Daarom starten wij ook een strafrechtelijke procedure. Dat geeft ons de mogelijkheid om meer feiten te verzamelen.'

De Utrechtse advocaat Reinout Imhof begon namens enkele gedupeerde deelnemers van het Friends & Family-programma een procedure. Tegen wie hij nu precies een zaak ging beginnen, wist hij nog niet helemaal. Een voorlopig getuigenverhoor moest hem daarbij helpen. Wel wist hij dat hij er een forse schadevergoeding voor zijn cliënten wilde uitslepen. Ook wist hij dat hij in elk geval zijn pijlen niet op Nina ging richten. Wat hem betreft viel op haar gedrag weinig aan te merken, en op haar deal met Baystar niets.[38]

Imhof etaleerde net als Spong en Hammerstein een opmerkelijk agressieve aanpak. Die was voornamelijk gericht op de raad van commissarissen van World Online. Imhof had 'voldoende informatie' in handen waaruit hij kon opmaken dat door leden van de raad, in strijd met de lock-upregeling, aandelen waren verkocht. Hij noemde in eerste instantie nog geen namen, maar later bleek dat hij Joel Wyler op de korrel had. Die onreglementaire verkoop was er volgens Imhof mede debet aan dat het aandeel World Online onderuit was geschoven.[39] De zaak veroorzaakte rumoer en maakte duidelijk dat er behalve op de persoon Nina ook op andere personen het een en ander viel aan te merken. Een uitkomst die Nina bepaald niet onwelgevallig was.

In 2007 onthulde dagblad *De Pers* dat Nina deze procedure zelf had gefinancierd. Ze had Imhof van informatie voorzien – met name over Wyler – en met de hulp van haar advocaten Walter Hendriksen en Mischa Wladimiroff op afstand aan de touwtjes getrokken.[40] Nina's vriendin Marjolein Jessen, die ze midden jaren negentig op de manege in Brasschaat had leren kennen, deed daarbij dienst als contact- en factuuradres voor Imhof. Jessen, stervensbegeleidster van beroep, had samen met haar man geld geleend en via het Friends & Family programma voor 1,5 miljoen euro aandelen World Online gekocht. Door het inzakken van de koers waren ze in de problemen gekomen. Ze hoopte op een of andere manier als strovrouw nog iets van haar geld terug te zien.

In november 2000 beleefde forensisch accountant Cees Schaap een bijzondere hernieuwde kennismaking met Nina. In het weekeinde van 11 en 12 november werd hij door zijn baas Chris Westerman gebeld. Westerman, bestuursvoorzitter van Ernst & Young, had Nina kort daarvoor aan de telefoon gehad. Ze was te weten gekomen dat justitie een inval in haar huis in Brasschaat beraamde. Er moest iets gebeuren.

Westerman stuurde Schaap 's zondags naar Brasschaat om zijn oude relatie de helpende hand toe te steken. Schaap – zelf een voormalig officier van justitie – wist dat officier van justitie Henk de Graaff belast was met het strafrechtelijk onderzoek naar Nina en World Online. De Graaff was een oude bekende van Schaap en hij belde hem om te vragen of er inderdaad een inval op de Voshollei in zijn agenda stond.

De Graaff antwoordde niet direct. De fraudeofficier belde even later terug met het bevestigende antwoord. Hij had alleen een probleem met de geplande inval, vertelde hij Schaap: de aanvraag voor rechtshulp in België was niet op tijd aangevraagd en nog niet in orde. De inval zou de volgende dag waarschijnlijk niet kunnen plaatsvinden.

Schaap vroeg of hij De Graaff ergens mee van dienst kon zijn. Dat kon hij. Schaap zou voor hem de complicatie ongedaan kunnen maken, door voor hem een dossier van Nina's documenten samen te stellen. Dat dossier kon Nina dan de volgende dag zelf komen brengen. Afgesproken werd dat De Graaff naar het kantoor van Schaap bij Ernst & Young in Den Haag zou komen om daar de spullen van Nina persoonlijk in ontvangst te nemen.

In Rotterdam vond de inval van justitie maandag 13 november wel plaats, en dat veroorzaakte opnieuw rumoer,[41] ook omdat de Italiaanse internetaanbieder Tiscali een week eerder een bod op World Online had uitgebracht. Maar de politie-inval bij Nina werd bij een kopje thee en een koekje op het kantoor van Schaap afgewikkeld.

Nina had de overweldigende negatieve aandacht voor haar persoon vanaf het moment dat die ontstond als een hel ervaren. Na haar vertrek bij World Online was ze met Rob van der Linden en Eric Tolsma investeringsmaatschappij Renessence Ventures begonnen, maar haar aandacht was vooral gericht op het bijeenvegen en lijmen van de brokstukken van haar zelf gecreëerde, maar in stukken geslagen succesimago. Nina huurde kundige public relationsmensen in om zichzelf te wapenen tegen de vloedgolf aan negativisme jegens haar persoon en om haar imago weer op te poetsen.

Ze liet zich interviewen op radio en televisie en in kranten en bladen, en keer op keer luidde de boodschap: mij valt niets te verwijten. Het waren de banken, de advocaten en Ruud Huisman geweest die zich met het veelbekritiseerde prospectus hadden bemoeid. Zij had daar vrijwel niets mee te maken gehad, zij was op roadshow geweest. Ze was het slachtoffer van een grandioze mediahetze. 'Ik voel mij aan niet één aspect schuldig. Niet één,' zei ze in het maandblad *Opzij*. 'Dat zeg ik niet omdat ik iets in deze hele gang van zaken wil ontkennen, ik zeg het omdat ik het niet vóél. En ik voel het niet omdat het niet aanwezig is.'[42]

Forensisch accountant Cees Schaap was intussen als Nina's verbindingsofficier voor het Openbaar Ministerie gerekruteerd. Hij zou Nina nog enkele malen met De Graaff persoonlijk in contact brengen. In een Haags restaurant werd De Graaff ook duidelijk gemaakt dat Nina een ernstige ziekte onder de leden had: scleroderma. Een zeldzame ongeneeslijke auto-immuunziekte die een verharding van de huid en organen tot gevolg heeft. De meeste men-

sen kunnen er een normaal leven mee leiden. De uitzichten voor zware pa-
tiënten zijn somber: een lange, pijnlijke lijdensweg die vrijwel zeker de dood
tot gevolg heeft. Dat nalatenschapsplanning voor Nina een rol had gespeeld
bij de vroegtijdige verkoop van haar aandelen, was dus niet zo gek geweest.[43]

Dinsdag 31 juli 2001 was voor Nina een cruciale dag. Op die dag maakte het
Openbaar Ministerie bij monde van Henk de Graaff bekend dat uit het onderzoek van de Economische Controledienst (ECD) niet was gebleken dat de ver-
denkingen tegen Nina juist waren. Het onderzoek naar World Online ging
nog door, maar het strafrechtelijke onderzoek naar Nina werd gestaakt.[44]
  Dat Nina geen verdachte meer was, had De Graaff haar eerder al persoonlijk via de telefoon meegedeeld. Nina had onmiddellijk de opdracht gegeven
een persconferentie te beleggen op de dag dat het OM naar buiten zou treden
met het nieuws. 'Ik ben hiermee van elke blaam gezuiverd,' sprak ze fel. Aan
haar zijde bevond zich haar advocaat Mischa Wladimiroff, die haar in deze
procedure had bijgestaan. Ze betreurde het dat zij 'als schuldige' werd aangemerkt voor het feit dat de beursgang voor 'sommige particuliere beleggers'
uitmondde in een 'teleurstellende ervaring'. 'Ik voel me zeker geen winnaar,'
zei ze. 'We hebben allemaal verloren.' Ze wees daarbij op de winstdelingsregeling met Wessels (Reggeborgh) en Sandoz (Mallowdale), die ze zelf had
moeten opofferen. Dat had haar bijna 100 miljoen gekost.[45]
  'Ik ben slachtoffer van jullie geweld.' Ze priemde met haar linkerwijsvin-
ger naar de aanwezige journalisten. 'De pers heeft gezocht naar een hoofd
toen de koers van World Online daalde, en dat werd het mijne.' Nina voelde
zich 'gestalkt' door journalisten. Tegen één journalist had ze inmiddels een
rechtszaak aangespannen.[46] Journalisten waren gewaarschuwd. Ze konden
vanaf die dag niet zomaar meer haar persoon in verband brengen met dubieuze praktijken rond World Online zonder met haar advocaten in aanraking te
komen.

Haar toenmalige public relations-adviseur Paul Kok had vanaf september
2000 vier man op zijn cliënte gezet. Nina was een unieke pr-casus. Nog nooit
was in een tijdbestek van amper een jaar zoveel over één persoon geschreven.
  Hij liet een grondige analyse maken van waar het beeld over Nina was gaan
wankelen. Hij maakte goed gebruik van het gegeven dat het OM en later ook de
toezichthouder STE haar niets verweten. Hij had zijn opdrachtgeefster meegenomen naar de redacties van Het Financieele Dagblad en de Volkskrant om ver-
onderstelde persoonlijke vooroordelen van journalisten tegenover haar persoon te neutraliseren. Hij zorgde ook voor uitvoerige interviews in Buitenhof,
Quote, De Telegraaf en Het Financieele Dagblad.
  Kok greep ook agressief in als journalisten volgens zijn opdrachtgeefster in

de fout gingen, en eiste veelvuldig rectificaties. Hij meende met zijn aanpak uitstekende resultaten te hebben geboekt. Hij hield in 2002 een uitgebreide verhandeling over zijn pr-successen met cliënte Nina voor een publiek van ongeveer honderd leden van de Utrechtse Communicatie- en Reclamekring. 'Ze wordt nu als zakenvrouw neergezet, niet meer als bedrieger,' zei hij onder andere. Dat had hij beter niet kunnen doen. Zijn uitspraken werd opgetekend door een in de zaal aanwezige journalist die een verhaal publiceerde over zijn voordracht. 'Slecht imago? Doe als Nina B. en laat het plaatje oppoetsen,' luidde de kop in een regionaal dagblad.[47]

Nina meende dat Kok zijn eerdere werk met zijn uitspraken ongedaan had gemaakt. Ze begon rechtszaken tegen de pr-man, won die, en legde een claim van 404.000 euro bij hem neer, de som van alle facturen die Kok haar ooit had toegestuurd. Het pr-bedrijf van Kok ging in 2004 failliet. 'Door de malaise in de sector,' liet hij weten. Het faillissement werd in 2007 afgewikkeld toen Nina de claim op Kok liet vallen.[48]

Drie kwart jaar na de bekendmaking dat Nina geen verdachte meer was, kwam het OM met het bericht dat ook World Online niet zou worden vervolgd.[49] Het verslag van het OM bevatte onder meer de bevinding dat Nina 25 miljoen dollar in Baystar had geïnvesteerd. Het OM kwam met de volgende conclusie: 'Gelet op het feit dat Baystar nog meer ingelegd vermogen beheerde, lijkt dit niet een ontegenzeggelijk groot bedrag te zijn waardoor Brink een, in ieder geval informele, beslissingsbevoegdheid ten aanzien van Baystar zou zijn toegevallen.'[50] Het woordje 'lijkt' was typerend. Het OM wist het niet precies. Het kon het ook niet precies weten, want het had er niet voldoende diepgravend onderzoek naar gedaan. Dat had gekund als de Amerikaanse toezichthouder SEC officieel verzocht was een inval bij Baystar te doen. Een ingewikkelde en politiek gevoelige procedure, maar het was mogelijk geweest. Zover was het OM niet gegaan. Het oordeel over de Baystar-deal was nu voornamelijk gegrondvest op informatie die verdachte en andere betrokkenen vrijwillig hadden overlegd.

Het OM kon daarom niet precies aangeven hoe de investering van Nina was gestructureerd. Was er bijvoorbeeld een apart vehikel voor opgericht dat, met Nina's inleg van 25 miljoen dollar en met 35 miljoen aan geleend geld, haar aandelen had gekocht? Zo'n constructie was vrij eenvoudig op te zetten geweest. Waren langs die weg alle winsten die Baystar op de verkoop van haar aandelen had geboekt, op de gebruikelijke commissie voor de investeerder na, volledig aan haar toegevallen? Of lag er wellicht nog een sideletter in de kluis bij Baystar waarin een verkoopverplichting stond geformuleerd?

De advocaten van de Vereniging van Effectenbezitters (VEB) hielden tot aan de Hoge Raad toe vol dat er meer achter de Baystar-deal moest zitten. Het was in hun ogen ondenkbaar dat de zelfverklaarde controlfreak Nina niet op een of andere manier invloed had gehad op de verkopen van het investeringsfonds, en dat ze dus de lock-up ook formeel had omzeild. Na de beursgang had ze Baystar immers ook kunnen bewegen zich vrijwillig aan een lock-up te binden. Maar die bewijsvoering bleek niet voldoende om de rechters te overtuigen.[51]

Nina's zakelijke activiteiten zouden nooit meer de bravoure meekrijgen die ze kenmerkten tot 17 maart 2000. Ze zei geen positie meer als CEO van een bedrijf te ambiëren. Haar zakelijke activiteiten liepen via investeringsmaatschappij Renessence Ventures en ze bleef meer op afstand. Ze investeerde onder andere in internetaanbieder Ladot, dat begin 2001 het vrijwel failliete Freehosting overnam. Een internetaanbieder waar haar voormalige zakenpartner Willem Smit in had geïnvesteerd. Ze had na haar ervaringen met de onderzoeken rondom World Online en de aanslagen op het World Trade Center in New York ook het plan opgevat actief te worden in de wereld van de beveiliging en forensische accounting. Daarvoor zou ze de handen ineenslaan met Cees Schaap, voor wie ze in de tussentijd veel waardering was gaan krijgen.

Maar Nina's activiteiten zouden voor een belangrijk deel gericht blijven op haar rehabilitatie. Ze had een aardig rijtje met verklaringen van instanties die haar rol rond de beursgang van World Online hadden onderzocht en tot de conclusie waren gekomen dat ze bij de beursgang geen ernstig verwijtbare handelingen had verricht. De Amsterdamse effectenbeurs en de Stichting Toezicht Effectenverkeer hadden zo geoordeeld, net als het OM en de forensische accountants van Ernst & Young en PricewaterhouseCoopers. In interviews, en ook in (boze) brieven aan hoofdredacties van kranten of bladen, werd het rijtje vaak opgesomd. Nina bleef het ongelooflijk vinden dat de pers haar zo op haar integriteit had aangevallen. Dat was iets waar ze moeilijk mee kon leven. Ab viel haar zo nu en dan bij: 'Nina is een goed mens. Journalisten zijn dingen achter haar gaan zoeken die er niet zijn.'[52]

Nina werd ook steeds actiever bij liefdadigheidsprojecten. Ze doneerde geld en kon met toenemende regelmaat worden gesignaleerd op feesten en gala's ten behoeve van goede doelen. Bij veilingen waarvan de opbrengsten voor een charitatief doel werden aangewend, was ze bij het bieden op objecten niet zelden bijzonder aanwezig. Ze had ook een gulle donatie gedaan aan de Ben Gurion Universiteit van de Negev in Bersheeva, Israël.[53] Met haar geld werd het Brink Fund for Excellence opgericht, een fonds dat onder meer geld steekt in de ontwikkeling van zakelijke plannen van veelbelovende studenten.

Deze donatie zou een bijzonder vervolg krijgen. In 2003 kreeg Nina van de universiteit te horen dat ze als dank voor haar financiële bijdrage een eredoctoraat van de Israëlische universiteit zou krijgen.[54] Nina besloot dat deze bijzondere eer die haar ten deel was gevallen, gepaard moest gaan met een soort academische inspanning van haar kant. Er moest een boek komen. Het boek kwam er. Robert Kamerling, hoogleraar belastingrecht aan de universiteit Nyenrode, en Henk Langendijk, hoogleraar externe verslaggeving aan dezelfde universiteit, hielpen haar daarbij. Het boek behelsde een 'wetenschappelijke discussie over de zegeningen en minder geslaagde gevolgen van de interneteconomie'. Nina: 'Een terrein waarop ik min of meer redelijk bekend ben.' Het diende ook een 'aanzet te zijn tot discussie over hoe met transparantie en nieuwe regelgeving het vertrouwen in gezagsdragers, machthebbers, beleidsmakers en beleidsvoerders hersteld kon worden'.

In het boek etaleerde ze een grondige kennis van de mogelijkheden om de jaarrekening van een internetaanbieder te manipuleren. Die waren er volgens haar in de jaren negentig te over geweest. Door de opkomst van de internetbedrijven waren veel nieuwe begrippen opgekomen waarvoor binnen de accounting nog geen breed geaccepteerde principes en definities waren geïntroduceerd. Vooral het begrip gebruiker/abonnee bij een ISP bleek nogal vaag. Een ideaal instrument om de waarde van een bedrijf op te pompen, stelde Nina in het boek vast. Dat gaf een bijzondere spanning, want het najagen van een groot aantal gebruikers was volgens Nina van 'levensbelang' voor internetaanbieders. Hoe groter het aantal klanten, hoe hoger de waarde van het bedrijf.

Een kijkje in de boekhoudkundige keuken van World Online werd de lezer niet gegund. Reflectieve beschouwingen over hoe zij als oprichtster van een pan-Europese internetaanbieder op het hoogtepunt van de internetbubbel weerstand had kunnen bieden aan de enorme verleidingen om abonneeaantallen kunstmatig op te pompen, ontbraken. Wel verwees ze in haar conclusie in een eindnoot naar een van de fabels van de Griekse dichter Aisopos: 'Een kikker wilde net zo groot zijn als het rund dat hij in de wei zag staan. Hij blies zich, om indruk te maken, zo op dat hij knapte. De moraal: ken uw grenzen. Een wijze les van zo'n tweeduizend jaar geleden die velen met een glimlach van herkenning zullen waarderen. En toch wordt de fout van deze fabelkikker elke dag opnieuw gemaakt.'[55]

De uitreiking van haar eredoctoraat vond uiteindelijk in mei 2004 plaats. Op de ceremoniële uitreiking waren enkele vooraanstaande leden van de VVD aanwezig, onder wie haar goede vriend John Manheim, de voorzitter van het CIDI en tevens voorzitter van de partijcommissie Buitenlandse Zaken van de VVD. Manheim was ook op kousenvoeten in haar Falcon – schoenen uit voor de vloerbedekking – mee naar Israël gevlogen.

Samen met onder anderen Edgar Bronfman, president van het World Jewish Congress, en de Franse filosoof Alain Finkielkraut werd Nina gelauwerd en ontving ze het doctoraat ('Doctor of Philosophy Honoris Causa') dat eerder ook al was uitgereikt aan mensen als de vroegere Franse president François Mitterrand, de bekende Russische dissident Natan Sharansky, Nelson Mandela, en ook aan Klaus Schwab, de oprichter van het World Economic Forum. De naam van de familie Brink werd ten slotte op de Ben Gurion Wall van de universiteit gegraveerd, waar alleen de namen van de meest bijzondere donateurs een plaatsje krijgen. Ze had haar plek tussen de groten der aarde weer hervonden.

Er volgden ook weer talrijke incidenten waar, in verschillende gevallen, langlopende rechtszaken uit voortkwamen. Van de vele zakelijke en persoonlijke contacten die Nina na 17 maart 2000 aanging, kreeg vooral die met forensisch accountant Cees Schaap een akelige wending. Althans, voor Schaap.

Schaap had in zijn loopbaan een lange klim naar boven gemaakt.[56] Hij was ooit in Rotterdam als agent in de surveillancedienst begonnen. Door middel van jarenlange bijscholing had hij het tot hoofd van de Dienst Financieel Economische Criminaliteit bij de toenmalige Centrale Recherche Informatiedienst geschopt. Hij werd vervolgens officier van justitie in Den Haag, promoveerde op het onderwerp witwassen en heling en werd deeltijd hoogleraar forensische expertise aan de universiteit van Leiden.

Schaap was dé autoriteit in Nederland op het gebied van forensische accounting. In 1996 maakte hij de overstap naar het bedrijfsleven. Hij mocht voor Ernst & Young de afdeling forensische accounting opzetten. Eind 2001 besloot hij voor zichzelf te beginnen, met de financiële hulp van Nina, met wie hij inmiddels een innige relatie onderhield. Maar Schaap wilde niet dat Nina een belang in zijn zaak kreeg, en zag het geld van Nina als een lening. Nina wilde per se een belang in zijn bedrijf. Er ontstond een hevige ruzie.

In november 2003 deed Nina via de vennootschap Anrodata aangifte bij de politie. De aanbiedingsbrief voor de aangifte werd door Nina's advocaat Mischa Wladimiroff op papier gezet. Wladimiroff schreef daarin dat Schaap zich mogelijk schuldig had gemaakt aan valsheid in geschrifte. De aangifte belandde kort daarna bij een journalist van De Telegraaf. 'Fraude-expert Schaap is nu zelf onderwerp onderzoek,' kopte de krant vervolgens.[57] Een dag later werden de beschuldigingen in een tweede artikel nog eens aangescherpt.[58]

'Schaap ziet de publiciteit slechts als een onderdeel van een actie die gericht is op beschadiging van zijn persoon,' schreef De Telegraaf. De artikelen hadden inderdaad een vernietigende uitwerking op zijn reputatie. En op zijn carrière. Fraude werd nooit aangetoond, maar het leed was voor hem al geschied. Nina liet daarnaast 48 keer privé en zakelijk beslag leggen en vroeg verschillende keren zijn faillissement aan. Schaap zag zijn bedrijf ten onder gaan, verloor zijn hoogleraarschap en is nog steeds met Nina verwikkeld in juridische procedures.[59]

In België kreeg Nina het ook flink aan de stok met haar huishoudster Veronique van Haut. Nina had een bedreiging in haar brievenbus ontvangen. Na een hooglopende ruzie over Nina's persoonlijke veiligheid had Van Haut haar ontslag ingediend. Korte tijd later deed Nina aangifte bij de politie tegen Van Hauts echtgenoot.

Bij Van Haut sloegen de stoppen door. Ze besloot een onthullend boek te schrijven over Nina. Op advies van haar advocaat Marc Maes bood ze daarvan in 2005 per brief de rechten aan bij Nina. Kosten: 6 miljoen euro. Nina wendde zich onmiddellijk tot de politie: chantage, afpersing. De politie begon een onderzoek, en er volgde een publicatieverbod voor het boek.

Precies in die periode ontving advocaat Maes per telefoon een doodsbedreiging. Maes' telefoon werd op dat moment door de Belgische politie afgetapt. De politie deed onderzoek naar de bedreiging en kwam tot de volgende voorlopige conclusie: 'Uit het onderzoek (kwamen) meer dan voldoende aanwijzingen naar voren om aan te nemen dat Vleeschdraager, Nine Bernardina, beter gekend als Nina Brink, de meest waarschijnlijke opdrachtgeefster is.'[60]

Nina heeft zelf heeft sinds enkele jaren niet zoveel meer in België te zoeken. Ze verruilde haar villa in het bosrijke Brasschaat voor een appartement in het prinsdom Monaco en is nu officieel buiten de EU woonachtig. Aan het huwelijk met Ab kwam een eind. Hoewel hij nog steeds haar belangen behartigt, is er sinds 2007 een belangrijker man in het leven van Nina: de van de televisie bekende journalist Pieter Storms. In augustus 2008 trad ze met Storms in het huwelijk. In Amsterdam werd een groot feest gegeven – thema: flowerpower – waarvoor de jaren-zeventig-popgroep Sister Sledge was ingevlogen. Tientallen prominenten, onder wie politici Hans van Baalen en Rita Verdonk, kwamen Nina en haar nieuwe echtgenoot geluk wensen.

Nina's huwelijk met Storms verschafte haar weer veel aandacht van de media. Ongewenste interesse werd voortvarend met behulp van de inzet van advocaten tegengegaan. Haar nieuwe echtgenoot droeg op zijn manier ook een steentje bij. Nina zocht tegelijkertijd de publiciteit met Storms ook actief op. De politieke spindoctor Kay van de Linde, bekend van eerdere bemoeienissen met Pim Fortuyn en Rita Verdonk, hielp hen daarbij.

Nina presenteerde zichzelf als schatrijke succesvolle zakenvrouw/filantroop of, gezamenlijk met Storms, als gelukkig echtpaar of gewoonweg als 'grappig stel'.[61] Ze nodigde de TV Show op Reis van Ivo Niehe uit voor een rondgang langs haar huizen in New York, Amsterdam en Aspen. De filmcrew en

Niehe vlogen met Nina in de Falcon mee, en ze liet zich uitgebreid met Storms interviewen.[62] Nina bleek in die optredens eens temeer over goede en invloedrijke vrienden en vriendinnen te beschikken. Zo kwam de voormalige Amerikaanse minister van Buitenlandse Zaken Madeleine Albright met kerst in Aspen bij haar thuis kalkoen eten.

Commentatoren en columnisten begrepen weinig van het societyhuwelijk en plaatste er honende kanttekeningen bij. Ook artiesten mengden zich in de 'discussie'. Dat was eind 2000 ook al het geval geweest, toen de acteur Arjan Ederveen in zijn zevendelige docudramaserie *25 minuten* met Jasperina de Jong een nepdocumentaire over de de zakenvrouw maakte: *The making of Nina Brink the Musical*. Op 31 december 2008 was het cabaretier Youp van 't Hek die, in zijn oudejaarsconference 2008, vierenhalve minuut lang bloemrijk zijn afgrijzen uitte over het 'echtpaar van het jaar'.

Van 't Hek had Nina in verschillende van zijn columns voor NRC *Handelsblad* al nadrukkelijk op de pijnbank gelegd. Het 'corrupte mormel van World Online' zat hem ruim acht jaar na de beursgang duidelijk nog behoorlijk hoog. 'Ze heeft op zijn Hollands gezegd duizenden mensen financieel genaaid en zichzelf onbehoorlijk verrijkt! De kluit op grootse wijze belazerd. Niks meer niks minder.'[63] Hoewel Van 't Hek er niet bij vertelde dat hij de schoonvader is van de zoon van voormalig ABN AMRO-bankier Wilco Jiskoot, zijn toon en inhoud van zijn tirade kenmerkend voor het in Nederland breed gedeelde ressentiment jegens Nina. Met name op internetfora en in reacties op artikelen op internet moet de vroegere World Online-topvrouw het vaak zwaar ontgelden. World Online is voor veel mensen nog steeds een stinkende open wond.

De verwerking van het trauma-World Online lijkt niettemin alleen nog een kwestie van tijd. Eind november 2009 kwam aan de ruim acht jaar lange procesgang van de VEB een einde toen de Hoge Raad uitspraak deed over de monumentaal mislukte beursintroductie. World Online, ABN AMRO en Goldman Sachs hadden onrechtmatig gehandeld, luidde het vonnis.[64] De informatie in het emissieprospectus over de vermeende successen van Nina was misleidend. Nina zelf had vlak voor de beursgang een 'verkeerde indruk' gewekt over haar aandelenbezit. Dat de verkoopprijs van haar aandelen in het prospectus niet werd genoemd, was eveneens misleidend en onrechtmatig, en datzelfde gold voor de ronkende persberichten over allianties die World Online in de weken vlak voor de beursgang had verstuurd.

De uitspraak – die op enkele punten door de Hoge Raad was aangescherpt – betekende een grote overwinning voor de VEB. De beleggersvereniging liet daarop vol vertrouwen weten het bedrag van 1 miljard euro als ondergrens te zien bij een mogelijke schikking met de veroordeelde drie partijen.

World Online, ABN AMRO en Goldman Sachs konden op hun beurt de voormalig World Online-bestuursvoorzitter voor de door hen geleden, respectievelijk nog te lijden schade aansprakelijk stellen.

Nina liet onmiddellijk een persbericht uitbrengen waarin haar advocaat Walter Hendriksen aangaf dat zijn cliënte – de belangrijkste bestuurder van World Online ten tijde van de beursgang – geen invloed had gehad op de inhoud van het prospectus en dat daarover zelfs geen enkel overleg met haar had plaatsgevonden.[65] Dat daarmee voor Nina het boek World Online kan worden gesloten, lijkt onwaarschijnlijk.

Noten

1 Mevrouw Aka

1 'Nina Brink: "De nachtmerrie van mijn vaders dood"', *Privé*, 27 juli 2003.
2 O.a. 'Het Aka-systeem', *Management Team*, 9 maart 1992.
3 Uittreksel van inschrijving in het register van de Kamer van Koophandel.
4 Georges Cywie voert zijn zaak tot op de dag van vandaag onder dezelfde naam in België. Hij raakte begin jaren negentig in opspraak bij de zogeheten Agusta-affaire, een omkoopschandaal dat het ontslag van diverse vooraanstaande Belgische politici tot gevolg had en waarbij Cywie optrad als lobbyist namens de Italiaanse helikopterfabrikant Agusta.
5 *Een geslaagde onderneming*, Sylvia Tóth, p. 194.

2 Tóth achterna

1 Interview auteur met Jan van der Veer.
2 Interview auteur met Leif Axelsson.
3 O.a. 'Nina Vleeschdraager alias Nina Brink, een succes story uit Amsterdam-Oost', *Vrij Nederland*, 29 april 2000.
4 Emissieprospectus Newtron Holding NV, oktober 1990, en 'Afscheid Newtron doet A-Line goed', *Het Parool*, 6 februari 1992.
5 Interview auteur met Leif Axelsson.
6 'Nina Vleeschdraager alias Nina Brink, een succes story uit Amsterdam-Oost', *Vrij Nederland*, 29 april 2000.
7 'A-Line Technologies wil via overnames naar effectenbeurs', *Het Financieele Dagblad*, 16 januari 1989, en 'A-Line: snel groot worden in Benelux', *Haagse Courant*, 14 januari 1989.
8 Interview auteur met Leif Axelsson.
9 Willem Smit verkocht bij de beursgang van Datex in 1985 75 procent van zijn aandelen voor 75 miljoen gulden.
10 'King William. De bravoure van Willem Smit, ondernemer', *Elsevier*, 3 oktober 1987.
11 Informatie afkomstig uit verschillende gesprekken met goede bekenden van Smit.
12 Tot de regelmatige bezoekers van 'Barretje Hilton' annex bekenden van Willem Smit behoorden onder anderen de bankier Frans Afman, autocoureur en scharre-

laar Tonio Hildebrand, de acteurs Rijk de Gooijer en Maarten Spanjer, bordeelex-
ploitant Theo Heuft, *Telegraaf*-fotograaf Anton Veldkamp, voormalig *Telegraaf*-
journalist Jaap Metz, journalist van NRC *Handelsblad* Hans Beugel, reclameman
Pietro Tramontin, pr-man Peter Knegjens, de makelaars Harry Mens en Cor van
Zadelhoff, en effectenhandelaar Adri Strating.

13 Interview van auteur met Willem Smit in 2006.

14 De overtredingen werden feitelijk geconstateerd maar enig oogmerk van zelfverrijking kon na onderzoek niet worden aangetoond. Uiteindelijk werd alleen Datex als
vennootschap door de Vereniging voor de Effectenhandel berispt. Zo blijkt uit de
brief van Boudewijn van Ittersum aan Adri Strating van 22 februari 1989.

15 Michael Milken had vrijwel eigenhandig de markt voor obligaties met hoge rende-
menten, en dus ook grote risico's, op weten te zetten. Die obligaties – 'high yield
bonds' – werden ook wel *junk bonds* genoemd, en Milken was volgens velen de absolute Junk Bond King. Hij verdiende er vele honderden miljoenen dollars mee.
Milken en ook Ivan Boesky werden op Wall Street en ver daarbuiten aanbeden als
de grootste financiers van hun tijd, maar de twee mannen hadden zich geopen-
baard als witteboordencriminelen. Ze werden door de SEC onder andere beschuldigd van omvangrijke handel met voorkennis en grootschalige koersmanipulatie.
Beiden werden veroordeeld tot meerjarige gevangenisstraffen.

16 'King William. De bravoure van Willem Smit, ondernemer', *Elsevier*, 3 oktober
1987.

17 'Newtron. Blufpoker van Willem Smit', *Quote*, april 1991.

18 *De geur van geld*, Marcel Metze, 1993, p. 239/240.

19 O.a. 'Nina Vleeschdraager alias Nina Brink, een succes story uit Amsterdam-Oost',
Vrij Nederland, 29 april 2000.

20 Nina liet meermalen aan haar ondergeschikten blijken dat ze ervan droomde in het
voetspoor te treden van Sylvia Tóth. Zie ook: 'Na Stam en Smit-Kroes zwaaide ook
directeur Aka met portefeuille', *Het Financieele Dagblad*, 1 februari 1991.

21 'Smit slaat vanuit automatisering brug naar venture, films en nieuwe beurskandi-
daten', *Het Financieele Dagblad*, 4 januari 1990.

22 *De geur van geld*, Marcel Metze, 1993, p. 240.

23 'Newtron. Blufpoker van Willem Smit', *Quote*, april 1991.

24 *De geur van geld*, Marcel Metze, 1993, p. 241.

25 *Beestachtig rijk*, Richard Conniff, 2003, p. 64. Oorspronkelijke titel: *The Natural
History of the Rich*, 2002.

26 *De geur van geld*, Marcel Metze, 1993, p. 241.

27 Dit bedrag wordt door enkele betrokkenen genoemd; de auteur heeft de precieze
omvang ervan niet kunnen achterhalen.

28 Overeenkomst tussen Newtron Holding BV en Master Beheer BV en Stichting Administratiekantoor A-Line Technologies International Holding, 14 augustus 1990.

29 'Automatiseringsfirma van Willem Smit gaat samen met A-Line', NRC *Handelsblad*, 2 oktober 1989.

30 'Newtron bundelt krachten met A-Line Technologies', *De Telegraaf*, 3 oktober 1989.

31 Brief van Nina Aka gericht aan directeur Ton Stam van Newtron NV, 6 maart 1990.

32 Interviews van auteur met Jan van der Veer, Leif Axelsson en vele anderen.

33 Vonnis arrondissementsrechtbank Den Haag van 30 juni 1993 inzake het geschil
tussen B.H.J. Aka en N.B. Vleeschdraager.

34 Interview auteur met Jan van der Veer.

35 Emissieprospectus van Newtron Holding NV, oktober 1990.

36 'Technisch knock-out', *Quote*, april 1990.

37 Dat Nina de grote instigator van de overname van Positronika is, blijkt onder ande- re uit de brief van 25 februari 1992 van haar advocaat Herman Jansen aan Oscar Hammerstein, raadsman van Newtron c.q. Willem Smit.

38 'Newtron. Blufpoker van Willem Smit', *Quote*, april 1991.

39 'De internationals', magazine *Eindhoven Business*, 1989.

40 Brief van Oscar Hammerstein aan advocaat Herman Jansen, 24 februari 1992.

41 Overeenkomst tussen Newtron Holding NV en Master Beheer BV en Stichting Ad- ministratiekantoor A-Line Technologies International Holding, 14 augustus 1990.

42 Nina's advocaten in dezen waren Rob Laret en Herman Jansen, beiden van het Haagse kantoor Barents & Krans. Oscar Hammerstein trad op namens Newtron. Hammerstein is nog steeds actief als advocaat en onder zijn clientèle bevinden zich verschillende prominenten uit het zakenleven. Rob Laret, destijds ook commissa- ris van A-Line, is gepensioneerd, maar bekleedt nog steeds de functie van raads- man bij het hof in Den Haag. Herman Jansen, ook gepensioneerd, is sinds oktober 1990 rechter-plaatsvervanger bij de rechtbank in Den Haag.

43 Brief van Newtrons advocaat Hammerstein aan Nina's advocaat Rob Laret, 25 fe- bruari 1992.

44 O.a. de brief van Nina's advocaat Herman Jansen aan Newtrons advocaat Ham- merstein, 15 maart 1991.

45 Brief van Oscar Hammerstein aan 'mevrouw N. Aka Master Beheer BV', 12 septem- ber 1990.

46 'Baron van Ittersum wil baas in eigen huis blijven', *NRC Handelsblad*, 30 mei 1995.

47 'Newtron. Blufpoker van Willem Smit', *Quote*, april 1991.

48 Idem.

49 De dochter Topdata verkeert voor de beursgang al in ernstige moeilijkheden, en ook Positronika België blijkt technisch failliet.

50 'Tophandelaar Adri S. ook opgepakt voor beursfraude', *De Telegraaf*, 4 november 1997.

51 Neelie Kroes verruilde na een korte periode SSR-R voor de vrouwelijke studenten- vereniging RVSV.

52 'Kroes: gevoel mijn en dijn vervaagde bij Newtron. Ex-commissaris onthult reden vertrek bij automatiseerder', *NRC Handelsblad*, 26 november 1992.

53 O.a. 'Nina Vleeschdraager alias Nina Brink, een succes story uit Amsterdam-Oost', *Vrij Nederland*, 29 april 2000.

54 'Na Stam en Smit-Kroes zwaaide ook directeur Aka met portefeuille', *Het Financi- eele Dagblad*, 1 februari 1991.

55 Brief van advocaat Herman Jansen aan Oscar Hammerstein, 25 februari 1992.

56 Deze zinsnede dankt de auteur aan Fokke Obbema, schrijver van het verhaal 'New- tron. Blufpoker van Willem Smit', *Quote*, april 1991.

57 Jaarverslag Positronika 1989.

58 'Newtron. Blufpoker van Willem Smit', *Quote*, april 1991.

59 Het precieze bedrag dat moet worden afgeboekt, is 14.499.986 gulden. Het exacte verliescijfer is -/- 9.430.999 gulden. Jaarverslag Positronika 1989.

60 Brief van Nina's advocaat Herman Jansen aan Oscar Hammerstein, 25 februari 1992.

61 *De geur van geld*, Marcel Metze, 1993, p. 242.

62 'Newtron. Blufpoker van Willem Smit', *Quote*, april 1991.
63 Idem.
64 Jaarrekening Positronika over 1989, april 1991.
65 Factuur met factuurnummer 90.105 van Newtron Holding NV, 23 oktober 1990.
66 Brief van Newtrons advocaat Oscar Hammerstein aan Nina's advocaat Rob Laret, 25 februari 1992.
67 *De geur van geld*, Marcel Metze, 1993, p. 242, en 'Newtron. Blufpoker van Willem Smit', *Quote*, april 1991.
68 Dit blijkt uit verschillende gesprekken met oud-medewerkers van Newtron.
69 Idem.

3 'Tot mij wendde zich mevrouw...'

1 'Kroes: gevoel mijn en dijn vervaagde bij Newtron. Ex-commissaris onthult reden vertrek bij automatiseerder', NRC *Handelsblad*, 26 november 1992.
2 'Gedreven vechter met immens sociaal netwerk', *de Volkskrant*, 3 augustus 2004.
3 Voormalig president-commissaris van Newtron Neelie Kroes bevestigt noch ontkent de beschreven verwikkelingen bij Newtron. In een reactie laat ze weten dat haar 'herinneringen aan de gebeurtenissen van destijds niet scherp meer' zijn en dat ze het om die reden beter acht niet in detail op de affaire in te gaan.
4 Dagvaarding van advocaat Herman Jansen namens A-Line Technologies BV en N.B. Aka-Vleeschdraager contra W.M. Smit, 27 februari 1992.
5 Nina heeft het met name over de bedrijven NGS, Vaes, Alpha Computerdiensten en Rentware. Dit blijkt uit de brief van Herman Jansen aan Willem Smit inzake A-Line/Mw. N. Aka-Vleeschdraager, 24 februari 1992.
6 Brief van Oscar Hammerstein aan Nina's advocaat Herman Jansen, 24 februari 1992.
7 Conceptpleidooi Frits Salomonson inzake conflict N.B. Aka contra W.M. Smit, februari 1992.
8 'Smit-Kroes stapt op bij Newtron', *Het Financieele Dagblad*, 22 januari 1991.
9 Brief van N.B. Aka aan W.M. Smit van Beleggings- en Exploitatiemaatschappij Ouborg BV, 29 januari 1991.
10 'Falende structuur breekt Newtron op', *Het Financieele Dagblad*, 31 januari 1991.
11 'De Ridder aangesteld als "troubleshooter"; Newtron neemt maatregelen om de crisis te bezweren', NRC *Handelsblad*, 31 januari 1991.
12 Idem.
13 Idem.
14 Idem.
15 'Falende structuur breekt Newtron op', *Het Financieele Dagblad*, 31 januari 1991.
16 'Na Stam en Smit-Kroes zwaaide ook directeur Aka met portefeuille', *Het Financieele Dagblad*, 1 februari 1991.
17 Idem.
18 Idem.
19 'Newtron Holding komt met bericht', NRC *Handelsblad*, 2 februari 1991.
20 'Newtron vindt verzoek van beurs "belachelijk"', *Het Financieele Dagblad*, 2 februari 1991.
21 'De Ridder laat bestuur en prognoses schieten', *Het Financieele Dagblad*, 5 februari 1991.

22 *De geur van geld*, Marcel Metze, 1993, p. 244.
23 Brief van Herman Jansen aan Oscar Hammerstein, 15 maart 1991.
24 Idem.
25 Idem.
26 Fax van Oscar Hammerstein aan Willem M. Smit, 15 maart 1991.
27 Fax van Oscar Hammerstein aan W.M. Smit, G. van den Brink en J.S. Wiersma, 18 maart 1991.
28 Smit was weinig terughoudend en gebruikte grove scheldwoorden om zijn misbaar over Nina aan zijn omgeving kenbaar te maken. Het adjectief 'vuile' of 'smerige' maakte doorgaans deel uit van die woordkeuze.
29 Fax van Oscar Hammerstein aan W.M. Smit, G. van den Brink en J.S. Wiersma, 18 maart 1991.
30 Conceptbrief van Oscar Hammerstein aan Herman Jansen, 18 maart 1991.
31 Idem.
32 *De geur van geld*, Marcel Metze, 1993, p. 244.
33 Idem.
34 Idem.
35 Idem.
36 Idem.
37 Jaarverslag Newtron, 27 maart 1990.
38 Dit blijkt uit gesprekken met verschillende betrokkenen.
39 'En toen waren het er nog maar twee. Crisis bij Newtron verergerd door vertrekt Wiersma', *Het Financieele Dagblad*, 26 maart 1991.
40 Idem.
41 Dit blijkt uit de verklaringen van verschillende mensen die destijds direct bij A-Line en Newtron waren betrokken.
42 *De geur van geld*, Marcel Metze, 1993, p. 245.
43 Idem.
44 Berekening op basis van het door advocaat Oscar Hammerstein genoemde belang van Nina uit de fax van Hammerstein aan Willem Smit, 15 maart 1991.
45 Brief van N.B. Brink-Vleeschdraager aan W. Smit, 1 augustus 1991.
46 Brief van advocaat Herman Jansen aan Oscar Hammerstein, 28 februari 1992.
47 Idem.
48 Jaarbericht 1990 Newtron, 27 maart 1991.
49 *De geur van geld*, Marcel Metze, 1993, p. 249.
50 'Aandeelhouders maken het Newtron makkelijk', *Het Financieele Dagblad*, 28 juni 1991.
51 'Newtron stapt af van agressieve expansie', NRC *Handelsblad*, 28 juni 1991.
52 O.a. pleitnota van Oscar Hammerstein inzake procedure W.M. Smit vs. Master Beheer, 10 januari 1994.
53 'Aandeelhouders maken het Newtron makkelijk', *Het Financieele Dagblad*, 28 juni 1991.
54 Fax van 'mevr. N.B. Brink-Vleeschdraager' aan 'de heer W. Smit' betreffende 'aandelen Newtron Holding NV', 1 augustus 1991.
55 Brief van 'N.B. Aka' aan 'de heer W.M. Smit', 6 augustus 1991.
56 Brief van advocaat Oscar Hammerstein aan advocaat Rob Laret,13 augustus 1991.
57 Brief advocaat Eric Grabandt aan Oscar Hammerstein, 14 augustus 1991.
58 Brief van Cees van Luijk aan de directie en raad van commissarissen van Newtron, 28 augustus 1991.

59 Notulen van de vergadering van de raad van commissarissen en de raad van bestuur van Newtron Holding NV op 27 september 1991.

60 Idem.

61 Idem.

62 Idem.

63 O.a. pleitnotities van Oscar Hammerstein inzake procedure W.M. Smit vs. Master Beheer, d.d. 10 januari 1994.

64 Brief Oscar Hammerstein aan Herman Jansen inzake Newtron Holding NV vs. N. Aka-Vleeschdraager, 24 februari 1992, en brief van Herman Jansen aan Oscar Hammerstein, 25 februari 1992.

65 'Cindu alweer belaagd door aandeelhouder', *NRC Handelsblad*, 27 april 1991, en 'J.R. van den Nieuwenhuyzens eigen Dallas', *de Volkskrant*, 6 juni 1992.

66 'Het Aka-systeem', *Management Team*, 9 maart 1992.

67 Interview van de auteur met Joep van den Nieuwenhuyzen.

68 Idem.

69 'Brabantse bedrijvendokter werkt aan tweede beursfonds. Joep van den Nieuwenhuyzen, van schroot tot hightech', *NRC Handelsblad*, 30 november 1991.

70 'Ontmanteling van noodlijdend Newtron dreigt. Bestuurder Aka wil weg met A-Line', *Het Financieele Dagblad*, 21 november 1991.

71 'Newtron praat over verkoop van A-Line', *De Telegraaf*, 22 november 1991.

72 Noch Joep van den Nieuwenhuyzen, noch voormalige Begemann-directieleden wisten precies te vertellen hoeveel geld eind 1991 in A-Line is geïnvesteerd. Het bedrag van 5 miljoen is een schatting van de betrokkenen.

73 Dit blijkt uit gesprekken van auteur met verschillende direct betrokkenen.

74 'A-Line afgesplitst van moeder Newtron', *Het Financieele Dagblad*, 24 december 1991.

75 Conclusie van eis in hoger beroep van Herman Jansen inzake procedure W.M. Smit vs. Master Beheer, 15 september 1994.

4 Newtrons nucleaire optie

1 Notulen van de vergadering van de raad van commissarissen van Koninklijke Begemann Groep, 27 februari 1992.

2 Interview van de auteur met Joep van den Nieuwenhuyzen.

3 'Nina "A-Line" Aka verlaat Newtron zonder wrok', *Het Financieele Dagblad*, 4 februari 1992.

4 'Begemann koopt belang van veertig procent in A-Line', *NRC Handelsblad*, 4 februari 1992.

5 'Begemann is belang in A-Line rijker', *Algemeen Dagblad*, 4 februari 1992.

6 'Begemann neemt in A-Line belang van 40 procent', *Eindhovens Dagblad*, 4 februari 1992.

7 'Afscheid Newtron doet A-Line goed', *Het Parool*, 6 februari 1992.

8 'Bij Newtron was het soms echt te bar', *de Volkskrant*, 7 februari 1992.

9 'Aan mijn graf weet ik pas wie mijn vrienden zijn', *De Telegraaf*, 22 februari 1992.

10 Idem.

11 Brief van Herman Jansen aan Oscar Hammerstein inzake aandelen Newtron Holding NV, 19 februari 1992.

12 Brief van Herman Jansen aan Willem Smit inzake A-Line/Mw. N. Aka-Vleeschdraager, 24 februari 1992.

13 Brief van Oscar Hammerstein aan Herman Jansen inzake Newtron Holding NV/N. Aka Vleeschdraager, 24 februari 1992.

14 Conceptpleitnota van Frits Salomonson inzake N.B. Aka-Vleeschdraager vs. W.M. Smit, ongedateerd.

15 Brief van Oscar Hammerstein aan Herman Jansen inzake Newtron Holding NV/N. Aka Vleeschdraager, 24 februari 1992.

16 Brief van Oscar Hammerstein aan Rob Laret inzake Newtron Holding/Master Beheer BV, 25 februari 1992.

17 Conceptdagvaarding van Herman Jansen inzake A-Line Technologies Holding NV en N.B. Aka Vleeschdraager vs. W.M. Smit, 26 februari 1992.

18 Brief van Oscar Hammerstein aan de president van de Arrondissementsrechtbank Amsterdam Mr. B.J. Asscher, 27 februari 1992.

19 Conceptpleitnota van Frits Salomonson inzake N.B. Aka-Vleeschdraager vs. W.M. Smit, ongedateerd.

20 Brief van Oscar Hammerstein aan de president van de Arrondissementsrechtbank Amsterdam Mr. B.J. Asscher, 27 februari 1992.

21 Transmissierapport van fax W.M. Smit, 28 februari 1992.

22 Persbericht van W.M. Smit inzake kort geding Aka Vleeschdraager, 28 februari 1992.

23 Brief van Herman Jansen aan de directie en raad van commissarissen van Newtron Holding NV, 28 februari 1992.

24 Brief van Oscar Hammerstein aan de directie en de raad van commissarissen van Newtron, 2 maart 1992.

25 'Het Aka-systeem', *Management Team*, 9 maart 1992.

26 Formeel heeft Nina hierin gelijk. Alle overnames – op het tweede deel van Ordina na – en ook de overnames die Nina namens Newtron deed, vonden plaats voordat ze, na langdurig aandringen, door Smit in de raad van bestuur van de onderneming werd opgenomen.

27 Brief van Herman Jansen aan de president van de Arrondissementsrechtbank Amsterdam Mr. B.J.A. Asscher, 12 maart 1992.

28 Fax van Oscar Hammerstein aan Herman Jansen inzake Smit/Aka,18 maart 1992.

29 Conceptbrief van Oscar Hammerstein aan Rob Laret en Herman Jansen inzake Newtron/Vleeschdraager-Master Beheer BV, 18 maart 1992.

5 Benelux' grootste

1 'Newtron laat veel geknakte reputaties na', NRC *Handelsblad*, 4 april 1992.

2 Fax van Herman Jansen aan Joost Hulshoff inzake Newtron/Ordina, 14 mei 1992.

3 'Troost kennen wij in onze familie niet', *Opzij*, januari 2001.

4 'Nina's waarheid', NRC *Handelsblad*, 27 mei 2000.

5 *The Chimpanzees of Gombe: Patterns of Behaviour*, Jane Goodall, 1986.

6 *Tros TV Show*, 20 maart 1992.

7 Deze zin dankt de auteur grotendeels aan Hilbert Haar, de auteur van het verhaal 'Het Aka-systeem', *Management Team*, 9 maart 1992.

8 Minister Hanja Maij-Weggen ruziede vanaf het begin van haar ministerschap her-

haaldelijk met de minister van VROM, de PvdA'er Hans Alders. Ook deze uitspraak, die ze enkele maanden na haar aantreden als minister deed, was gericht aan het adres van Alders.

9 'A-Line verdient 1 miljoen gulden in eerste kwartaal', ANP, 19 mei 1992.

10 Interview van de auteur met Joep van den Nieuwenhuyzen. De precieze hoogte van de huur blijkt uit de brief van Joep van den Nieuwenhuyzen aan de raad van commissarissen van de Koninklijke Begemann Groep, 21 juni 1993.

11 Advertentie van Thinktank, vereniging van academische ondernemers, voor het forum van 1 juni 1992.

12 'Voorwaarden voor intern ondernemerschap', P.G.W. Jansen en L.L.G.M. van Wees, mei 1993.

13 Interview van auteur met professor P.G.W. Jansen.

14 Jan van der Veer zou pas acht jaar later definitief zijn verlost van de juridische procedures die namens Nina werden verzorgd door advocatenkantoor Barents & Krans. Hoewel Van der Veer een vertrekregeling werd toegewezen, zag hij een aanzienlijk deel daarvan door proces- en advocatenkosten in rook opgaan.

15 Dit blijkt uit interviews met medewerkers van het voormalige A-Line en ABN AMRO en uit het boek De prooi van Jeroen Smit, p. 153.

16 Onder andere: 'Een beetje wild west behouden kan geen kwaad', Elan, maart 1993.

17 Deze gebeurtenissen zijn door de auteur uit de monden van verschillende aanwezigen opgetekend.

18 Brief, inclusief conceptdagvaarding, van Rob Laret aan Oscar Hammerstein inzake Master/Smit, 2 oktober 1992.

19 Brief van Oscar Hammerstein aan Willem Smit inzake Smit/Master Beheer BV, 5 oktober 1992.

20 'A-Line neemt toch een belang in Tritech', NRC Handelsblad, 19 november 1992.

21 'Kroes: gevoel voor mijn en dijn vervaagde bij Newtron. Ex-commissaris onthult reden vertrek bij automatiseerder', NRC Handelsblad, 26 november 1992.

22 Advertentie van gerechtsdeurwaarder G.Th. van der Velde te Den Haag in NRC Handelsblad, 17 februari 1993.

23 '"Overspannen" Brink-Aka eist geld van Willem Smit', ANP, 18 februari 1993; 'Aka eist geld van Willem Smit', Het Parool, 19 februari 1993.

24 Brief van Willem Smit aan de griffier van de rechtbank Den Haag inzake Master Beheer BV vs. W.M. Smit, 19 februari 1993.

25 Brief van de griffier van de rechtbank Den Haag aan Willem Smit inzake Master Beheer BV vs. W.M. Smit, 23 februari 1993.

26 Conclusie van eis van procureur Rob Laret inzake Master Beheer BV vs. W.M. Smit, voor de zitting van dinsdag 23 februari 1993.

27 Brief van Oscar Hammerstein aan Rob Laret inzake Master Beheer BV vs. W.M. Smit, 10 februari 1993.

28 'De lol is van honderd tweehonderd maken', Avenue, maart 1993.

29 De Texaanse miljardair Edward Bass haalde in de jaren tachtig en negentig wereldwijd de publiciteit met het Biosphere II-project in Arizona. Bass was de grote financier van het wetenschappelijk controversiële, geldverslindende project, dat de mogelijkheid onderzocht om de aardse biosfeer te kopiëren en er andere planeten voor mensen bewoonbaar mee te maken.

30 'Een beetje wild west behouden kan geen kwaad', Elan, maart 1993.

31 'ID Systems (ex-Newtron) vraagt uitstel van betaling aan', ANP, 2 april 1993.

32 De tekst over het bezoek van de journalisten is gebaseerd op het gedetailleerde portret van journaliste Lia Thorborg in *Elan*, maart 1993.

33 'De lol is van honderd tweehonderd maken', *Avenue*, maart 1993.

34 'Een beetje wild west behouden kan geen kwaad', *Elan*, maart 1993.

35 De leden van de RAPT en later de CAPT werden volgens het ministerie van Verkeer en Waterstaat door de minister persoonlijk benoemd. In de praktijk had voorzitter Ton Soetekouw een grote inbreng bij de voordracht van de leden. In het geval van Nina kwam de voordracht uit de koker van de minister, zei Soetekouw in een vraaggesprek met de auteur.

36 Voormalig minister Maij-Weggen weigerde commentaar te geven op de bevindingen van de auteur. Haar echtgenoot Peter Maij ontkende ten stelligste in de A-Lineperiode met de familie Brink op vakantie te zijn geweest. Volgens Maij zijn de contacten met Nina en Ab Brink altijd 'zeer oppervlakkig' geweest.

37 Brief betreffende 'Feestelijke opening hoofdkantoor A-Line Nederland', van Nina aan H. Haddu-Levi, 5 juni 1993.

38 Uitgebreid wettelijk dossier van A-Line Technologies NV.

39 Uitgebreid wettelijk dossier van Tritech Corporation NV/A-Line Technologies NV/Tech Cash & Carry NV.

40 Publicatie van het *Belgisch Staatsblad* van 29 juli 1992.

6   Va Banque

1 Uit hoofdstuk 1, 'Bourgeois en proletariërs'. De vertaling is van Herman Gorter.

2 'Tritech opgedoekt', CM *Corporate*, 16 juni 1993.

3 Brief van Oscar Hammerstein aan Willem Smit, 10 augustus 1993.

4 Vonnis van de rechtbank Den Haag inzake Ben Aka vs. Nine Bernardina Vleeschdraager, 30 juni 1993.

5 Faillissementsverslag van Anna Maria Vanderleenen, curator te Brussel, 5 mei 2008.

6 'NBI: nieuwe naam met bekende gezichten', *De Tijd*, 18 oktober 1994.

7 Publicatie in het *Belgisch Staatsblad* van 6 oktober 1993.

8 Zie ook: 'Nina Vleeschdraager alias Nina Brink, een succes story uit Amsterdam-Oost', *Vrij Nederland*, 29 april 2000.

9 Bij Lextor SA zijn blijkens de notulen van de bestuursvergadering van Tech Cash & Carry van 12 oktober 1993 twee bestuurders actief: Manacor Luxembourg SA en Mutua Luxembourg SA, destijds directievoerende vennootschappen van ABN AMRO Trust Luxemburg. ABN AMRO verkocht zijn trustactiviteiten in 2005 aan Equity Trust.

10 De feiten over de aandeelhoudersvergadering van A-Line Technologies Belgium blijken uit de statutenwijziging zoals gepubliceerd in de bijlage tot het *Belgisch Staatsblad* van 6 oktober 1993.

11 Uit de publicaties van het *Belgisch Staatsblad* blijkt niet of er aandelen tegen betaling zijn overgedragen.

12 'Personeel beschuldigt A-Line van frauduleus failliet', CM *Corporate*, 3 november 1993.

13 Proces-verbaal van vaststelling, gedateerd 27 september 1993, opgemaakt door Bernard Buyse, gerechtsdeurwaarder met standplaats te Sint-Joost-ten-Node.

14 Dit blijkt uit het commentaar van de betrokken verslaggever. De naam van de Nederlandse journalist, die lange tijd op goede voet stond met Nina, is bij de auteur bekend.

15 Uitnodiging van A-Line voor het klantenevenement van 8 oktober 1993.

16 'Onvrede bij Tech Cash & Carry', *De Tijd*, 8 oktober 1993.

17 'Spookfirma', vtm-nieuwsuitzending, 8 oktober 1993.

18 'Personeel beschuldigt A-Line van frauduleus faillissement', cm *Corporate*, 3 november 1993.

19 Notulen van de vergadering van de raad van bestuur van Tech Cash & Carry, 12 oktober 1993.

20 Dit blijkt uit gesprekken van de auteur met de betrokken vertegenwoordigers van de vakbonden.

21 'Personeel beschuldigt A-Line van frauduleus faillissement', cm *Corporate*, 3 november 1993.

22 'Nina Brink (ex-Newtron) ruziet verder in België', *De Telegraaf*, 16 oktober 1993.

23 De bewuste verslaggever, Sjuul Paradijs, is dezelfde die anderhalf jaar eerder het grote Willem Smit-interview optekende. Dat interview was de reden waarom Nina een proces tegen Smit begon.

24 'Belgische Tritech kost Nina Brink een miljoen', *De Telegraaf*, 18 oktober 1993.

25 '"Emotionele" Maij-Weggen barstte in tranen uit', *Privé*, 23 oktober 1993.

26 Akte van aanvraag van het faillissement van Tech Cash & Carry door Ab Brink, 18 oktober 1993.

27 Faillissementsverslag van tc&c-curator Anna Maria Vanderleenen, 5 mei 2008.

28 Uit de conclusie van curator Anna Maria Vanderleenen (22 december 1993) blijkt dat de vennootschap ruimschoots voor de faillissementsaanvraag al gestopt was met het doen van betalingen. De Brusselse Rechtbank van Koophandel heeft de datum van 'staking van betalingen' uiteindelijk op 19 april 1993 vastgesteld. Dat is de maximale termijn waarmee in België dit tijdstip teruggeschoven kan worden. Dit gebeurt slechts in die uitzonderlijke en ernstige gevallen waarbij onweerlegbaar is komen vast te staan dat de vennootschap al ver voor de datum van de aanvraag van het faillissement en ruim voor de zogenaamde overname door Lextor niet meer aan haar verplichtingen voldeed. Dat de vennootschap gedurende haar korte bestaan een btw-schuld van 65 miljoen frank heeft opgebouwd, duidt bovendien op een praktijk van het structureel niet betalen van deze belasting om zichzelf zo te kunnen bevoordelen.

29 Het totaalbedrag van de ingediende schuldvorderingen is 8.456.424,12 euro, waarvan Fortis – de rechtsopvolger van de Generale Bank – 6.088.878,46 euro indiende, en de Belgische belastingdienst 1.792.321,85 euro aan achterstallige btw vorderde. Het personeel vorderde 187.439,86 euro aan achterstallig loon et cetera. De boedel bracht uiteindelijk 142.706,39 euro op. Het faillissement werd pas in mei 2008 afgesloten. Zie faillissementsverslag van Anna Maria Vanderleenen, curator te Brussel, 5 mei 2008.

30 De vertegenwoordigers van de vakbonden zagen in wezen maar één verantwoordelijke voor het drama: Nina. 'Serpent' was een van de mildere kwalificaties die de heren in gesprekken met de auteur haar toedichtten.

31 'Personeel beschuldigt A-Line van frauduleus faillissement', cm *Corporate*, 3 november 1993.

32 De Brusselse curator Anna Maria Vanderleenen zal geen aangifte doen en uitein-

delijk pas ruim veertien jaar later, in mei 2008, het faillissement afronden. Vander-leenen wilde bij het onderzoek naar de feiten achter dit faillissement op geen enke-le vraag van de auteur ingaan en vermeed ieder contact. Vanderleenen was even-eens de curator van Amoc/A-Line Communications, dat in 1995 failliet ging. In dat faillissement duikt de naam van een zekere Jean-Pierre Rampaille als bestuurder op. Ook hij zou woonachtig zijn op het Haagse adres van Marijke Vleeschdraager.

33 Gegevens Kamers van Koophandel, Perfect Partners, dossiernummer 32055508.

34 'Tritech opgedoekt', CM *Corporate*, 16 juni 1993.

35 Balans en verlies-en-winstrekening van A-Line Data Belgium NV 1993.

36 Met betrekking tot de herfinanciering van 195 miljoen frank wordt door KBG het volgende gesteld: 'De RvB (van Begemann) schetst de situatie inzake A-Line. KBG heeft in eerste instantie A-Line willen behoeden van *** een faillissement.' Uit de notulen van de vergadering van de raad van bestuur en de raad van commissarissen van Koninklijke Begemann Groep NV, 25 mei 1994.

37 De betrokkenheid van G&G International blijkt uit de notulen van de vergadering van de raad van bestuur en de raad van commissarissen van Koninklijke Begemann Groep NV, 25 mei 1994.

38 'Kapitaalinjectie van 200 miljoen in A-Line Data Belgium', *De Tijd*, 3 februari 1994.

39 Uit de notulen van de vergadering van de raad van bestuur en de raad van commis-sarissen van Koninklijke Begemann Groep NV, 25 mei 1994.

40 'A-Line Data Belgium wil Belgische eigenheid beklemtonen', *De Tijd*, 12 april 1994.

41 Publicatie in het *Belgisch Staatsblad* van 17 mei 1994.

42 In april 1994 staan de bedrijfsgebouwen en de voorraden – na de afschrijvingen – nog voor 340 miljoen frank op de balans. Ook die waardebepaling is aan de hoge kant. De verkoop van het bedrijfspand en de roerende goederen samen levert de cu-rator na het faillissement uiteindelijk 2,7 miljoen euro op, ongeveer 120 miljoen frank. Dit blijkt uit de faillissementsverslagen van A-Line Data Belgium NV van cu-rator Jean-Pierre Walravens, 18 januari en 8 februari 2005.

43 'A-Line Data op sterven na dood'. *Trends*, 30 mei 1994.

44 Uit de notulen van de vergadering van de raad van bestuur en de raad van commis-sarissen van Koninklijke Begemann Groep NV, 25 mei 1994.

45 'A-Line Data op sterven na dood', *Trends*, 30 mei 1994.

46 Idem.

47 Proces-verbaal van de Rechtbank van Koophandel in Brussel van de aanvraag van het faillissement van A-Line Data Belgium NV, 1 juni 1994.

48 'A-Line Data Belgium is failliet', *De Tijd*, 3 juni 1994.

49 'Conflict rond faillissement van deelneming Begemann', *De Telegraaf*, 4 juni 1994.

50 In de notulen van de vergadering van de raad van bestuur en de raad van commis-sarissen van Koninklijke Begemann Groep van 13 juni 1994 staat: 'Destijds is door een gemachtigde van mevrouw Brink een leningsovereenkomst getekend, inhou-dende storting door KBG in A-Line Beheer BV, verpanding van aandelen A-Line In-ternational, alsmede clausules inzake rentebetaling en aflossing. Door mevrouw Brink werd dit later als "wurgcontract" gezien, waarop in een gesprek tussen J.A.J. (Joep) van den Nieuwenhuyzen en mevrouw Brink over een aantal punten nieuwe overeenstemming bereikt werd, welke punten door Nauta (advocatenkantoor van Begemann) op papier gezet zijn conform het besprokene. Mevrouw Brink weiger-

de echter deze voor akkoord te ondertekenen. Naar verluidt is mevrouw Brink thans weer een nieuwe onderneming gestart met dezelfde leveranciers, klanten en afgevaardigd beheerder. Er bestaat de indruk dat de situatie bij A-Line Beheer eveneens niet klopt.'

51 'Kroniek van een faillissement', *Trends*, 20 juni 1994.
52 Curator Jean-Pierre Walravens zegt in mei 2000 tegen een journalist van *De Tijd* dat het parket niet tot vervolging is overgegaan. 'Belgisch verleden achtervolgt ex-topvrouw van World Online', *De Tijd*, 16 mei 2000. Uiteindelijk wordt het faillissement pas in februari 2005 definitief afgewikkeld. Walravens weigerde op nadere vragen van de auteur in te gaan.
53 In de notulen van de vergadering van de raad van commissarissen van de Koninklijke Begemann Groep, 8 september 1994, staat: 'Er heeft zich een gegadigde aangekondigd voor een mogelijke overname, echter zonder mevrouw Brink. Een gesprek met mevrouw Brink zal plaatsvinden over het inleveren van haar 30 procent.'
54 'Ex-topman verstrengelt belangen', NRC *Handelsblad*, 31 oktober 1994.
55 Notulen van de vergadering van de raad van commissarissen van de Koninklijke Begemann Groep, 8 november 1994.
56 Aldus liet Oscar Hammerstein in een gesprek met de auteur weten.
57 Brief van Oscar Hammerstein aan Willem Smit inzake Master Beheer BV vs. W.M. Smit, 18 februari 1994.
58 Vonnis van het gerechtshof Den Haag inzake Master Beheer BV vs. W.M. Smit, 27 juni 1995.
59 Brief van Oscar Hammerstein aan Willem Smit inzake Master Beheer BV vs. Willem Smit, 6 juni 1995.
60 125.000 gulden, vermeerderd met de proceskosten (f 16.905,34) en de wettelijke rente (f 48.973,64). Zie brief van Oscar Hammerstein aan Willem Smit inzake Master Beheer BV vs. W.M. Smit, 19 juli 1995.
61 Brief van Oscar Hammerstein aan Willem Smit inzake Master Beheer BV vs. W.M. Smit, 17 juli 1995.
62 Brief van Herman Jansen aan Oscar Hammerstein inzake Master Beheer BV vs. W.M. Smit, 9 oktober 1995.

7   *Stairway to the digital highway*

1 *Internetpioniers*, Monique Doppert, 2002, p. 19.
2 Dit is geen citaat, maar een weergave van hoe Nina zo'n gesprek volgens direct betrokkenen kon beginnen.
3 Tekst uit brochure van Servicom, eind 1994.
4 'Hoewel Nina in 1994 te kennen had gegeven niet geïnteresseerd te zijn, waren Bart en ik van oordeel dat opnieuw een poging moest worden gedaan om Nina voor het project te interesseren...' Brief van advocaat Carl de Vries aan Jeroen Brouwer, 15 juni 1995.
5 'Strategische alliantie A-Line en computer-toeleverancier uit VS', ANP, 23 januari 1995.
6 Brief van Carl de Vries aan Servicom SA t.a.v. E. Domènech en B. Hoogvliet, 2 maart 1995.
7 Brief van advocaat Carl de Vries aan Jeroen Brouwer, 15 juni 1995.

8 Soetekouw bracht voor vijf dagen werk 77.600 gulden in rekening. Soetekouw schreef zelfs zijn uren slaap, à raison van 325 gulden per uur, op het onkostenformulier bij. Eind maart 1995 nam hij ontslag bij het administratiekantoor van de Orco Bank.

9 Brief van Ruud Kolijn (wsw) aan N.B. Brink inzake opdracht Wyler Soetekouw & Wyler, 3 april 1995.

10 Brief van Ruud Kolijn aan N.B. Brink inzake opdracht Wyler Soetekouw & Wyler, 5 april 1995.

11 Brief van Carl de Vries aan Eudald Domènech, 31 maart 1995.

12 Op 5 april 1995 schrijft Carl de Vries aan Eudald Domènech: 'After we introduced the project to Nina Brink c.s. it became very clear that it would be very difficult not to harm the interests of Servicom SA,' schrijft De Vries. 'So I suggested that I would be only participant on the side of Servicom SA, hence the proposed structure of Servicom Benelux BV.' De advocaat probeert zijn partners in Spanje nog wat verder op hun gemak te stellen: 'Eudald, I know Bert and I know you. I am very sure that the both of you alone will not be capable of fighting adequately the forces that are facing you in this project outside Spain. There are all sharks out there, that will try to eliminate you, if and when they see an opportunity to do so. I am used to deal with such hostile situations and therefore I proposed the structure as suggested.'

13 Brief van Carl de Vries aan N.B. Brink inzake Servicom SA/Servicom Benelux BV i.o., 5 april 1995.

14 *The Silicon Boys*, David A. Kaplan, 1999, p. 13.

15 Dit is geen letterlijk citaat, maar een weergave van Nina's woorden zoals die door de auteur werd opgetekend uit de mond van Eudald Domènech.

16 '...tijdens deze beurs bleek dat jij in ieder geval, middels A-Line, de Servicom-activiteiten in Nederland wil gaan starten. Hierbij heb jij als belangrijkste investeerder in dit project gesteld om geen gebruik meer te maken van mijn diensten als algemeen manager van Servicom Nederland.' Uit de brief van Jeroen Brouwer aan N. Brink inzake Servicom Nederland, 18 mei 1995.

17 Fax van Ruud Kolijn van wsw aan N.B. Brink inzake opdracht Servicom, 13 april 1995.

18 Fax van Nina Brink aan Carl de Vries, 13 april 1995.

19 Fax van A-Line/Nina Brink aan Servicom/Eudald Domènech, 18 april 1995.

20 'Nina denkt dat ze (zij en Eudald) vriendjes zijn. Eudald denkt daar echter heel anders over. Eudald vertrouwt haar niet; hij vindt wel dat ze prima de Nederlandse operatie kan doen.' Uit de brief van Carl de Vries aan Bert Hoogvliet, 18 april 1995.

21 Fax A-Line aan Carl de Vries inzake reisschema bezoek Servicom 21 april 1995.

22 'Teneinde de voorsprong optimaal te benutten, start A-Line de operatie op korte termijn met eigen mensen en middelen.' Uit: 'Financiering Servicom Nederland i.o. Voorstel met betrekking tot selectie partners en financiering door Wyler Soetekouw & Wyler', 13 april 1995.

23 Uit de brief van Carl de Vries aan Bert Hoogvliet inzake Servicom Benelux/Servicom Nederland BV, 27 april 1995.

24 Tweede voorstel van contract en getekende overeenkomst tussen Servicom SA en Servicom Nederland BV, 19 mei 1995.

25 Advertentie van Servicom Nederland in *De Telegraaf* van 13 mei 1995.

26 Aangetekende brief van Rob Albada Jelgersma, hoofd juridische zaken Hagemeyer NV, aan Servicom Nederland BV, 18 mei 1995.

27 Brouwer schrijft onder andere: '...gezien de dubieuze rol welke zowel Nina als Eudald in dit traject hebben gespeeld, ben ik van mening dat juist zij diegenen zijn die ons hebben gebruikt...' Uit de brief van Jeroen Brouwer aan Carl de Vries, 26 juni 1995.

28 'Tevens heb je aangegeven mijn werkzaamheden met betrekking tot het onderzoek en het businessplan te honoreren omdat je de inmiddels nieuw ontstane situatie "netjes wil afronden".' Uit de brief van Jeroen Brouwer aan Nina Brink, 18 mei 1995.

29 Brief van Nina Brink aan Jeroen Brouwer, 19 juni 1995.

30 In de vergadering van de Amsterdamse gemeenteraad op 16 april 2002 is het cv van de tot wethouder benoemde Maij even onderwerp van gesprek. GroenLinks-raadslid Vera Dalm stelt een serie vragen die betrekking hebben op Hester Maijs vroegere zakelijke banden met Nina. Maij heeft die jarenlange zakelijke ervaring bij het invullen van haar cv niet vermeld. Dalm heeft wat onderzoek gedaan, noemt ook Nina's functie in het CAPT en suggereert dat er warme banden zijn geweest tussen Nina en Maijs moeder, de voormalige minister van Verkeer en Waterstaat, die mogelijk tot Hester Maijs zakelijke contact met Nina hebben geleid. 'Ik heb inderdaad een korte periode met Nina Brink samengewerkt, maar dat is niet bevallen,' antwoordt Hester Maij. Om die woorden later nog eens te herhalen en er verder het zwijgen toe te doen. '[...] Dat is gewoon niet bevallen. Wij hadden een andere stijl van werken en dat is alles wat ik erover kwijt wil.'

31 Fax van Bert Hoogvliet aan Nina Brink, 13 juni 1995.

32 Fax van Bert Hoogvliet aan Nina Brink, 16 juni 1995.

33 Bij World Online ging later het verhaal dat Harold Niericker de naam zou hebben bedacht. Niericker liep stage bij A-Line en werkte aan een scriptie over internet. Hij mocht als een van de eerste medewerkers mee naar Spanje. De term 'World Online' prijkte uiteindelijk op zijn afstudeerscriptie *Hoe een Internet Online Service Provider op te richten*, met als subtitel *World Online*, die hij volgens eigen zeggen op 14 februari 1996 presenteerde.

34 Brief per fax van Bas Visée, hoofd juridische zaken van de Nederlandse Spoorwegen, aan o.a. Ruud Kolijn van Cartera Finance Partners, 14 juli 1995.

35 Brief per fax van N.B. Brink van A-Line aan E. Domènech van Servicom, 20 juli 1995.

36 Fax van Servicom-commissaris Bert Hoogvliet aan Nina Brink, 20 juli 1995.

37 'Via de kabels van de Spoorwegen de hele wereld online'. *Trouw*, 16 september 1995.

38 'Audax en NS Telecom'. *Het Parool*, 16 september 1995.

39 'Nina ziet mij en jou als haar "intermediairs" en de gezichten van de zaak en zij wil een geschreven garantie dat dit feit niet verandert in de toekomst.' Uit een gefaxte brief van Bert Hoogvliet aan Eudald Domènech, 14 september 1995.

40 Brief van Carl de Vries aan Nina Brink, 14 november 1995.

41 'Nina Brink beschuldigt Perscombinatie van contractbreuk', ANP, 17 november 1995.

42 'Nina heeft toen dit geval gebruikt om het contract met Servicom op te zeggen. Daar stond in dat mijn permanente aanwezigheid in het bedrijf een voorwaarde was. En dat heeft ze gebruikt om te breken. Ik heb haar geholpen om die casus hard te maken toen het later een rechtszaak werd.' Uit interview van auteur met Eudald Domènech.

1 'World Online, tropenjaren', FEM *Business*, 27 juli 2000.
2 Zie daarvoor de artikelen 57A en 13C van de oude Mediawet.
3 'Het braafste jongetje van de klas. De ommezwaai van de TROS', *Vrij Nederland*, 5 december 1998.
4 *Dankzij de snelheid van het licht*, Maurice de Hond, 1999.
5 *Being Digital*, Nicholas Negroponte, 1995, p. 78.
6 Zo legde De Leeuw in 1997 aan *Quote* uit hoe hij via de illegale parallelimport van Franse kranten en bladen uit België het assortiment van concurrent Edipress probeerde te dupliceren en daarmee het bedrijf de voet dwars te zetten. 'De tempel en de leeuwenkoning', *Quote*, september 1997.
7 Idem.
8 'Audax zet eerste schreden op elektronische snelweg – HP/*De Tijd* met "hot news" op internet', *Eindhovens Dagblad*, 30 januari 1996.
9 Dit is geen citaat van Nina Brink, maar een weergave van een uitspraak van Nina zoals Ted Lindgreen die in een interview met *Nieuwe Revu* verwoordde: 'Nina Brink wilde ons overnemen, of kapot maken', *Nieuwe Revu*, 23 april 2001.
10 'An Iconoclast Goes it Alone', *The New York Times*, 13 maart 2000.
11 Idem, p. 297.
12 *Op zoek naar de heilige graal*, Michiel Frackers, 2001, p. 117.
13 Brief van Servicom-advocaat Javier Gaspar aan Frederik van Zweeden, partner van Carl de Vries, 10 mei 1996.
14 'Vrouw met een byte', *Bizz*, juni 1996.
15 O.a. 'Worldwide Nep'. *De Groene Amsterdammer*, 5 april 2000.
16 'De Internet Bus komt op lokatie', *Computable*, 9 mei 1996.
17 Dit is geen letterlijk citaat van Nina, maar een weergave van wat de auteur uit vele interviews met voormalig World Online-medewerkers heeft gedestilleerd over wat Nina zoal tegen haar personeel kon zeggen.
18 O.a. 'Nina Vleeschdraager alias Nina Brink, een succes story uit Amsterdam-Oost', *Vrij Nederland*, 29 april 2000 en 'Worldwide Nep'. *De Groene Amsterdammer*, 5 april 2000.
19 De term 'useless' is geen citaat van Nina, maar een weergave van wat de auteur uit vele interviews met voormalig World Online-medewerkers heeft gedestilleerd. Nina placht vaak Engelse termen te gebruiken om haar onvrede over mensen uit te drukken. 'Useless' was er een van.
20 'Combining the elements to ensure a great future'. Imagobrochure van A-Line uit 1996.
21 'World Online wil op snelheid winnen', *Het Financieele Dagblad*, 31 mei 1996.
22 NS Telecom maakte destijds gebruik van het zogenaamde *frame relay protocol*. Frame relay bood verschillende voordelen voor grote operators als de NS om meerdere internetaanbieders op het netwerk toegang te verschaffen. Het stond bekend om de zeer goede mogelijkheden om bandbreedte te delen en het was ook in accountingtechnisch opzicht erg handig: per gebruikte bit kon er een rekening worden verstuurd. Voor secundaire aanbieders als World Online had frame relay geen noemenswaardige voordelen.
23 'Vrouw met een byte', *Bizz*, juni 1996.
24 Uit de jaarrekening van A-Line Technologies, het in omvang veruit grootste onder-

deel van A-Line, blijkt dat de omzet in 1995 met 'slechts' 14 procent toenam.

25 'Stagnatie gebruik internet leidt tot prijsslag', *Het Parool*, 13 augustus 1996.

26 *Op zoek naar de heilige graal*, Michiel Frackers, 2001, p. 120.

27 'Moddergevecht tussen grote aanbieders van internet', *de Volkskrant*, 30 juli 1996.

28 Idem.

29 'Internet', *Quote*, november 1996.

30 'Noe!' is geen citaat van Nina, maar een weergave van een citaat zoals dat door onder anderen voormalig World Online-medewerkers aan de auteur werd overgebracht.

31 'Internetprovider PsiNet zoekt groei in Nederland', *Het Financieele Dagblad*, 10 december 1997; 'Tropenjaren', *fem Business*, 29 juli 2000.

32 'In a room with a view', *Qui Vive*, januari 1997.

33 Uit documenten die destijds als voorbereiding op het aanbiedingsprospectus dienden, blijkt dat Nina een rol in het management zou krijgen: 'The management consists of Mrs. N.B. Brink, Mr. G.C. van Rheenen and Mr. G.W. Zijlstra. The management of the subsidiairies is handled by Mr. A. Brink.'

34 Eerste versie van het aanbiedingsprospectus van A-Line, augustus 1997.

35 'De provider en zijn leden', *de Volkskrant*, 20 september 1997.

36 'Worldwide Nep'. *De Groene Amsterdammer*, 5 april 2000.

37 O.a. 'Kanttekeningen bij berichtgeving over beveiliging World Online', editorial van hoofdredacteur Henk Hendrikx van World Online, juni 1998.

9 Kill Mickey

1 'Goodbye to a prodigal son', *Time Magazine*, 18 december 1995.

2 'A real life horror story', *Businessweek*, 7 januari 1996.

3 'Internet-dienstenaanbieder heeft oorlogskas van 200 miljoen', *De Telegraaf*, 14 februari 1998.

4 'Nina's internet-avontuur. Hoe omstreden directeur Brink gereputeerde namen bindt aan beoogde internationale expansie van World Online', *Elsevier*, 14 maart 1998.

5 *Origins of the Crash*, Roger Lowenstein, 2004, p. 137.

6 'Nina's internet-avontuur. Hoe omstreden directeur Brink gereputeerde namen bindt aan beoogde internationale expansie van World Online', *Elsevier*, 14 maart 1998.

7 Idem.

8 Aldus verklaarde Rob van der Linden in verschillende vraaggesprekken met de auteur.

9 Het citaat is afkomstig van een voormalig medewerker van World Online die Rob van der Linden dat eens heeft horen zeggen.

10 'Beveiligingslek internetaanbieder; ruim 184.000 namen en wachtwoorden te kraken', *nrc Handelsblad*, 6 juni 1998.

11 'Ruzie over beveiliging in internetwereld', anp, 6 juni 1998.

12 'Opnieuw beveiligingslek bij aanbieder internet ontdekt', *nrc Handelsblad*, 8 juni 1998.

13 Uitzending van tros *Radio Online*, 7 juni 1998.

14 O.a. 'Met een koevoet de snelweg op', *de Volkskrant*, 20 juni 1998.

15 'Honderdduizenden vruchteloze hackpogingen bij World Online', anp, 15 juni 1998.

16 'Al 300.000 pogingen om aanbieder internet te kraken', *Algemeen Dagblad*, 16 juni 1998.

17 'World Online verliezer in wedstrijd: e-mail op straat', NRC *Handelsblad*, 19 juni 1998; 'World Online alleen tegen de wereld', *Trouw*, 20 juni 1998.

18 'Zwitsers kopen zich in bij World Online', *De Telegraaf*, 5 september 1998.

19 'Ruud Huisman', *Trouw*, 5 september 1998.

20 'Het braafste jongetje van de klas. De ommezwaai van de Tros', *Vrij Nederland*, 5 december 1998.

21 'Onderzoek naar mediabedrijf Tros', *Het Parool*, 2 december 1998.

22 In een mail van Nina aan haar advocaten Misha Wladimiroff en Walter Hendriksen laat de World Online-oprichtster eind 2000 weten dat ze haar twijfels heeft over de rechtmatigheid van deze transactie. In het definitieve beursprospectus van World Online staat niet aangegeven dat de TROS via Melkpad nog een belang in het bedrijf heeft. Ze wist zelf ook niet dat TROS via Melkpad nog aandeelhouder was: 'I had believed that all shares were sold to Melkpad owned by Reggeborgh as Tros needed to sell shares due to the fact that they were not able to conduct commercial investments or activities funded by the public subsidies or in any case this would have to be refunded to the public broadcast system. Apparently this was a construction to avoid the law devised bij Henry Holterman en Ruud Huisman.' E-mail van Nina Brink aan advocaten Misha Wladimiroff en Walter Hendriksen inzake 'lock-ups', 12 december 2000.

23 'New Rules for the New Economy', *Wired*, september 1997.

24 Feitenverslag van het vonnis van de rechtbank van Amsterdam inzake Michael P. Schulhof vs. Sandoz Family Foundation, 19 mei 2004.

25 'Sandoz Family Foundation takes majority participation in World Online', persbericht Sandoz Family Foundation, 15 oktober 1998.

26 'Sinds september vorig jaar (1997) maken we elke maand winst,' zei Nina in maart 1998 in *Elsevier*. 'Nina's internet-avontuur. Hoe omstreden directeur Brink gereputeerde namen bindt aan beoogde internationale expansie van World Online'. *Elsevier*, 14 maart 1998.

27 'Grenzeloze ambitie. "Ik wil niet pochen"'. *Elsevier*, 2 november 1998.

28 Aanbiedingsprospectus van World Online, 16 maart 2000, p. 11.

29 'Nina "A-Line" Aka verlaat Newtron zonder wrok', *Het Financieele Dagblad*, dinsdag 4 februari 1992.

30 Uiteindelijk moet NMB Heller in 2006 in verband met het verder afwaarderen van de voorraden nog eens enkele miljoenen aan Copaco terugbetalen.

31 'Computerbedrijf Copaco koopt softwarehuis A-Line', *Het Financieele Dagblad*, 12 november 1998.

32 De aankopen van Newtron die in A-Line terechtkwamen – A-Line, Positronika, Wemex en Perfect Partners – kostten het bedrijf destijds in totaal, conservatief berekend, 44 miljoen gulden. Van den Nieuwenhuyzen en Begemann spendeerden minimaal 15,25 miljoen gulden aan A-Line. Daarvan werd (ongeveer) 5 miljoen aan Newtron betaald en in mindering gebracht op het totaalbedrag. De Generale Bank verloor bij twee faillissementen in totaal 15 miljoen gulden. Bronnen: aanbiedingsprospectus Newtron, kranten, juridische correspondentie tussen Nina en Willem Smit, interviews, verslagen van de curatoren van Tech Cash & Carry en A-Line Data Belgium.

33 O.a. 'Nina heeft het nooit gedaan', *de Volkskrant*, 1 april 2000; 'Copaco wil verlies dit jaar afschudden', *De Automatiseringsgids*, 4 juni 2001.

34 Aldus blijkt onder meer uit punt 1 j van het feitenverslag van het vonnis van de

rechtbank van Amsterdam inzake Michael P. Schulhof versus Sandoz Family Foundation, 19 mei 2004: 'Elk overleg tussen Schulhof en Ochill enerzijds en Rotonde en Sandoz anderzijds is vervolgens uitgebleven. Dat hield verband met een inmiddels tussen Schulhof en Nina Brink gerezen conflict van zowel persoonlijke als zakelijke aard. Dat conflict heeft ertoe geleid dat WOL bij brief van 11 januari 1999 kort gezegd de Consultancy Agreement met onmiddellijke ingang heeft opgezegd en Schulhof heeft ontslagen als commissaris van WOL International.'

35 Aldus blijkt uit punt h van het feitenverslag van het vonnis van de rechtbank van Amsterdam inzake Michael P. Schulhof versus Sandoz Family Foundation, 19 mei 2004.

36 Idem, punt i.

37 'WOL-commissaris Miller verdedigt zich tegen kritiek op dubbelrol. "Ik ben altijd open en eerlijk geweest"', NRC Handelsblad, 11 april 2000.

38 'Dutch Company on a Quest to be Europe's no. 1', Cybertimes, The New York Times, 15 december 1998.

39 Dit verwijt blijkt uit een e-mail van Rob van der Linden aan advocaat John Goldman van 3 februari 1999.

40 Brief van advocaat John Goldman aan Schulhofs advocaat Stanley Schlesinger inzake 'Van der Linden vs. Schulhof', 19 januari 1999.

41 'Schulhof-zaak: seks, geld en politiek', Het Parool, 2 februari 1999, en 'Schulhof hits back over sex allegations', New York Post, 2 februari 1999.

42 Fax van John Goldman aan Nina Brink, 28 januari 1999.

43 'Shadow Warrior: Howard Rubenstein's Life in Conflict', New York Magazine, 15 maart 1999, 'World Online Ousts Founder in Bid to Restore Credibility', The Wall Street Journal Europe, 14 april 2000.

44 '$60M suit charges, disgraced studio executive had... expense account hookers', New York Post, 30 januari 1999.

45 'Ex-chairman sued by Internet Company', The New York Times, 1 februari 1999.

46 'Man behaving badly', Wired, 1 februari 1999.

47 'Ex-topman World Online beschuldigd van orgieën', De Telegraaf, 2 februari 1999.

48 'Schulhof hits back over sex allegations', New York Post, 2 februari 1999; zie ook: 'Schulhof-zaak: seks, geld en politiek', Het Parool, 3 februari 1999.

49 Schulhof won na meer dan vier jaar procederen op 19 mei 2004 de hieruit voortgekomen rechtszaak tegen Rotonde Investments, een van de investeringsmaatschappijen van de Sandoz Family Foundation. Sandoz werd veroordeeld door de Amsterdamse rechtbank tot het nakomen van zijn optiecontract en daarmee tot de betaling van 113 miljoen euro exclusief wettelijke rente.

10 Het Dassault-virus

1 'Ik kan niet over mijn graf heen regeren', FEM Business, 20 januari 2001.

2 Philip Kotler is een Amerikaanse econoom die algemeen gezien wordt als de grondlegger van het vak marketing. Zijn boek Marketing Management (1967) is wereldwijd het meest gebruikte marketingboek.

3 PowerPoint-presentatie van de marketingstrategie van World Online, januari 1999.

4 PowerPoint-presentatie van de marketingstrategie van World Online, maart 1999.

5 PowerPoint-presentatie van de marketingstrategie van World Online, januari 1999.

6 'World Online favoriete ISP in Europa van Netscape voor Internet Access', persbericht World Online, 23 maart 1999.

7 Citaten afkomstig uit verschillende e-mails van Nina aan medewerkers.

8 'Overview Marketing Budget/Sponsoring International', Rob van der Linden, 13 juli 1999.

9 Eerste voorstel voor 'Pan-European WOLI sponsoring for Ballet Companies', Alexander Sombart, juni 1999.

10 Letter of Intent tussen de Duchess of York en World Online, 1 juni 1999.

11 'De nacht met Fergie', De Telegraaf, 16 juni 1999.

12 Het precieze belang van Schulhof blijkt onder andere uit de Extract from the Minutes of the general meeting of World Online International BV van 23 juni 1999.

13 E-mail van advocaat John Goldman aan Nina Brink inzake 'Schulhof litigation', 22 juni 1999.

14 Dit blijkt uit de Extract from the Minutes of the general meeting of World Online International BV van 23 juni 1999.

15 Intel koopt een belang van 10 procent op 'fully dilluted basis', hetgeen betekent dat na de extra uitgifte van aandelen World Online, dus na verwatering, een belang van 10 procent voor Intel overblijft. De zogenoemde 'post money valuation' is dan simpelweg de factor 10 maal de investering.

16 'Intel investeert fors in World Online. Waarde Nederlandse ISP geschat op 1 miljard dollar', De Tijd, 26 juni 1999.

17 'Intel ziet voor Nederland goede positie E-handel', Het Financieele Dagblad, 26 juni 1999.

18 'World Online. Preliminary IPO considerations', Morgan Stanley Dean Witter, 23 juni 1999.

19 E-mail van Avram Miller aan Nina Brink inzake 'WOL financing', 5 juli 1999.

20 E-mail van Eric Tolsma aan Nina Brink. Onderwerp: 'Heel veel plezier', d.d. 7 juli 1999.

21 E-mail van Nina Brink aan Avram Miller. Onderwerp: 'Introductions', 6 juli 1999.

22 'Nederlandse Nina en Fergie bij Mandela'. De Telegraaf, 12 juli 1999.

23 E-mail van Roel Pieper aan Nina Brink. Onderwerp: 'catch up', 12 augustus 1999.

24 Curriculum vitae van 'Nina Brink, Chief Executive Officer World Online International', augustus 1999.

25 E-mail van John Goldman aan Frans Blommestein inzake 'Payment of outstanding invoices', 12 augustus 1999.

26 'Zakenvrouw van het jaar Nina Brink', Management Team, 15 december 2000.

27 Fax van Mary de Jong, secretaresse van Nina Brink, aan Victor Bischoff, Avram Miller en Henry Holterman, 14 september 1999.

28 E-mail van Nina Brink aan advocaten Mischa Wladimiroff en Walter Hendriksen inzake 'wyler story', 11 december 2000.

29 E-mail van Dennis Brouwer aan Nina Brink. Onderwerp: 'why?', 23 september 1999.

30 Conceptbrief van World Online-advocaat Kees Peijster van De Brauw Blackstone Westbroek aan Arnold Croiset van Uchelen van Loeff Claeys Verbeke, oktober 1999.

31 Conclusie van antwoord van Mark Blom van Nauta Dutilh, de advocaat van ABN AMRO, van 14 februari 2001.

32 'In October JPW [Joel Wyler] heard that I would sell a portion of my shares [...].' Uit een e-mail van Nina Brink aan advocaten Mischa Wladimiroff en Walter Hendriksen inzake 'wyler story', 11 december 2000.

33 E-mail van Avram Miller aan Nina Brink. Onderwerp: 'CMGI and Cyberworks as investors', 6 november 1999.

34 E-mail van Avram Miller aan Nina Brink. Onderwerp: 'Dave W', 8 november 1999.

35 E-mail van Larry R. Goldfarb aan Nina Brink. Onderwerp: 'World Online Venture Fund', 8 november 1999.

36 E-mail van Avram Miller aan Nina Brink. Onderwerp: 'CMGI', 9 november 1999.

37 E-mail van Avram Miller aan Larry Goldfarb. Onderwerp: 'World Online Venture Fund', 10 november 1999.

38 E-mail van Larry Goldfarb aan Nina Brink. Onderwerp: 'World Online Venture Fund', 10 november 1999.

39 E-mail van Nina Brink aan Thomas Langerwerf. Onderwerp: 'chaos', 11 november 1999.

40 E-mail van Victor Halberstadt aan Nina Brink. Onderwerp: 'tv', 13 november 1999.

41 E-mail van Henk Hendrikx aan Nina Brink. Onderwerp: 'fantastic', 13 november 1999.

42 E-mail van Avram Miller aan Nina Brink. Onderwerp: 'Dave Wetherell', 14 november 1999.

43 E-mail van David Wetherell aan Nina Brink. Onderwerp: geen, 14 november 1999.

44 'Draft' voor opzet van investeringsfonds WolStar van Larry Goldfarb aan Nina Brink, 11 november 1999.

45 Zie ook: 'Zakenvrouw van het jaar Nina Brink', *Management Team*, 15 december 2000.

46 E-mail van Vincent van den Brekel aan Nina Brink. Onderwerp: 'catalogue', 9 november 1999.

47 E-mail van Thomas Langerwerf aan Nina Brink. Onderwerp: 'privacy – inkijken mails van anderen', 16 november 1999.

48 E-mail van Nina Brink aan Dennis Brouwer, 16 november 1999.

49 E-mail van Michel Jakoby aan Nina Brink. Onderwerp: 'Question!', 5 november 1999.

50 E-mail van John Goldman aan Nina Brink inzake 'Outstanding invoices', 11 november 1999.

51 E-mail van Nina Brink aan John Goldman inzake 'Outstanding invoices', 12 november 1999.

52 E-mail van Nina Brink aan Koos van der Meulen. Onderwerp: 'Presentations', 9 november 1999.

53 E-mail van Nina Brink aan advocaten Mischa Wladimiroff en Walter Hendriksen. Onderwerp: 'wyler story', 11 december 2000.

54 E-mail van Victor Halberstadt aan Nina Brink. Onderwerp: 'jpw/cmgi', 24 november 1999.

55 E-mail van Victor Halberstadt aan Nina Brink. Onderwerp: "t Loo', 24 november 1999.

56 In artikel 3.1.1 van het verkoopcontract staat: 'In the event of an IPO [...] The Purchaser (Reggeborgh) shall pay the amount to the Seller, the day after the IPO to a bankaccount indicated bij the Seller.' Dit blijkt uit het vonnis van de Rotterdamse rechtbank inzake Kalexer 11/Brains vs. Reggeborgh Participaties, 23 juli 2008.

57 Dit blijkt uit het onderzoeksrapport van het Openbaar Ministerie inzake aangifte Spong en Hammerstein jegens Nina Brink.

58 'The Faith of a Futurist', George Gilder, *The Wall Street Journal*, 31 december 1999.

59 'Dow 36,000: The New Strategy for Profiting from the Coming Rise in the Stock Market', James K. Glassman en Kevin A. Hassett,1999.
60 *Origins of the Crash, the Great Bubble and Its Undoing*, Roger Lowenstein, p. 106.

11 Project Asterix

1 *De prooi*, Jeroen Smit, 2008, p. 153.
2 'Nina Brink. "Ik wil echt rijk worden"', *De Telegraaf*, 4 september 1999.
3 'Nina Brink: Hitler had van internet geen kans gekregen', *Elsevier*, 18 december 1999.
4 O.a. 'Zakenvrouw van het jaar Nina Brink', *Management Team*, 15 december 2000.
5 'Il Principe', FEM *Business*, 24 april 2004.
6 E-mail van Nina Brink aan advocaten Mischa Wladimiroff en Walter Hendriksen, onderwerp: 'wyler story', 11 december 2000.
7 'World Online unieke klus voor reclamebureau Ara', *Het Financieele Dagblad*, 7 maart 2000.
8 'Why, why', *Quote*, januari 2001.
9 Fax van Victor Bischoff van de Sandoz Family Foundation aan Ruud Huisman, 25 februari 2000.
10 Proces-verbaal van verklaringen van Eric Tolsma, Herman Swagemakers en Ruud Huisman in het getuigenverhoor inzake Friends & Family op 5 april 2001 en Nina Brink op 25 oktober 2001.
11 'Hollen achter de internetballon', *Elsevier*, 26 februari 2000.
12 'Analist Van Lanschot Bankiers: World Online is net de tulpenmanie', *De Gelderlander*, 3 maart 2000.
13 O.a. 'Borsato en Ratelband porren beleggers World Online', *Het Financieele Dagblad*, 2 maart 2000.
14 'Nina's choice'. HP/*De Tijd*, 10 maart 2000.
15 'World Online chairwoman Nina Brink: "Ik doe dit echt niet voor het geld"', *de Volkskrant*, 2 maart 2000.
16 'World Online: Nina's knechten', FEM/*De Week*, 11 maart 2000.
17 'Nina Brink: the woman with the world at her feet', *The Independent*, 8 maart 2000.
18 'World Online: zelfs instituten kunnen niet blind op volkscasino inzetten', *Het Financieele Dagblad*, 3 maart 2000.
19 'Why, why?', *Quote*, januari 2001.
20 'World Online: tropenjaren', FEM *Business*, 29 juli 2000.
21 'De beursgang die door moest gaan', NRC *Handelsblad*, 25 april 2000.
22 Proces-verbaal van verklaring van Joel Wyler in het getuigenverhoor inzake Friends & Family, 12 april 2001.
23 Fax van Daniel C. Wyler namens Granaria Holdings aan Wim Dammeyer van World Online International, 9 maart 2000.
24 Fax van Larry Goldfarb namens LG Capital Partners Ltd., George Town, Grand Cayman, aan Wim Dammeyer van World Online International, 14 maart 2000.
25 'De langste dag uit het leven van John, Nina en Joop', *Quote*, maart 2003.
26 'Het ijzeren imago van Nina Brink. Eigenaar World Online bouwde een bedrijf op basis van lucht', NRC *Handelsblad*, 13 maart 2000.
27 'De vele gezichten van Nina Brink'. *Nieuwe Revu*, 15 maart 2000.

28 E-mail van Nina Brink aan advocaten Mischa Wladimiroff en Walter Hendriksen inzake 'wyler story', 11 december 2000.
29 Verklaring van Nina Brink in het getuigenverhoor inzake Friends & Family, 21 oktober 2001.
30 'De les van meester Möller', FEM/De Week, 25 maart 2000.
31 Pleitnota Jurjen Lemstra namens VEB, 10 oktober 2003.
32 'De langste dag uit het leven van John, Nina en Joop', Quote, maart 2003.

Epiloog

1 O.a. 'Grootaandeelhouder World Online brengt belang terug', De Telegraaf, 23 maart 2000.
2 'Vehikel van de hebzucht', Het Financieele Dagblad, 23 december 2000.
3 O.a. 'World Online neemt afstand van aandelen-verkopend Baystar', Trouw, 24 maart 2000.
4 O.a. 'Pre-IPO Sale hamers World Online shares', International Herald Tribune, 28 maart 2000.
5 O.a. 'Nina Brink lag dwars bij openheid WOL-prospectus. ABN AMRO stuitte op privacy-wens World Online-oprichtster', De Telegraaf, 28 maart 2000.
6 De verkoopverplichting van Reggeborgh werd ruim acht jaar later pas bekend. Details over die overeenkomst kwamen, bij de publicatie van het vonnis van de Rotterdamse rechtbank inzake Kalexer 11 en Brains International vs. Reggeborgh Participaties, op 24 juli 2008 naar buiten.
7 Baystar (Larry Goldfarb) noch de Sandoz Family Foundation (Victor Bischoff) wenste in te gaan op vragen van de auteur.
8 Tekst persoonlijke verklaring Nina Brink, 3 april 2000.
9 'Nina Brink tot stilte gemaand', Het Financieele Dagblad, 4 april 2000.
10 'Nina Brink houdt van moeilijke constructies', De Telegraaf, 4 april 2000.
11 De omvang van Nina's investering in Baystar stond voor het eerst vermeld in de conclusies van het onderzoek van het Openbaar Ministerie die op 21 mei 2002 bekend werden gemaakt. Die conclusies waren niet openbaar.
12 'World Online ousts founder in a bid to restore "credibility"', The Wall Street Journal Europe, 14 april 2000.
13 'De ware misdaad van Nina Brink', Michael Lewis voor Bloomberg/Het Financieele Dagblad, 6 mei 2000.
14 'Boos op Brink en beurs', Het Financieele Dagblad, 5 april 2000.
15 O.a. 'Nina heeft het nooit gedaan', de Volkskrant, 1 april 2000.
16 'Commissaris WOL speelt een dubbelrol', Het Financieele Dagblad, 8 april 2000.
17 O.a. 'Glasz: griezelige grens voorwetenschap', Het Financieele Dagblad, 10 april 2000.
18 'World Online ousts founder in a bid to restore "credibility"', The Wall Street Journal Europe, 14 april 2000.
19 O.a. 'Zijn wij een Maffia-land?', De Telegraaf, Stan Huygens, 20 april 2000.
20 De Nederlandse volkswoede leek op de razernij van het Britse publiek 280 jaar eerder, toen de speculatieve luchtbel rond de South Sea Company knapte. Ook toen was het vooraf voor rationele observeerders al meer dan duidelijk geweest dat de buitenissige waardering van het bedrijf alleen in de koortsige dromen van beleg-

gers werkelijkheid kon worden. Toen het misging richtte de woedde zich vooral op de directeuren van de South Sea Company, die het publiek hadden misleid en voor het instorten van de markt zichzelf hadden verrijkt. De benadeelde beleggers kwamen massaal in opstand en eisten hun geld terug. Het Britse parlement vaardigde uiteindelijk onder grote druk een wet uit die het mogelijk maakte de rijkdommen van de directeuren te confisqueren. *Devil take the Hindmost. A History of Financial Speculation*, Edward Chancellor, 1999, p. 87-88.

21 'Nina's waarheid. De chairwoman van World Online heeft eigenlijk niks te verbergen', NRC *Handelsblad*, 27 mei 2000.

22 Hoewel Wylers rol als toezichthouder van World Online weinig bijval oogstte en hij door betrokkenen als extreem geldbelust werd gekenschetst, bleek eind april 2000 dat Joel Wyler zich bijzonder verdienstelijk zou hebben gemaakt voor de Nederlandse samenleving. Hij zou werkzaamheden hebben verricht die getuigden van karaktervolle en voorbeeldige plichtsvervulling. Althans, anderhalve maand na de beursgang kreeg hij de versierselen opgespeld die horen bij Officier in de Orde van Oranje Nassau.

23 '"Ik ben altijd open en eerlijk geweest"', NRC *Handelsblad*, 11 april 2000.

24 In januari 2003 begon Nina een rechtszaak tegen Reggeborgh. Onderwerp van het geschil was de winstdelingsregeling die in het prospectus onvermeld was gebleven. Nina had deze overeenkomst onder druk van de banken moeten annuleren, maar eiste bijna drie jaar later dat ze alsnog haar winstdeel van 43 miljoen dollar van Reggeborgh zou ontvangen. Met rente. Nina's eis werd na vijf jaar procederen door de rechter afgewezen.

25 Rob van der Linden zou later van Nina het aanbod krijgen om voor 250.000 gulden zijn vriendin te dumpen.

26 O.a. 'Oud-minister Ruding hekelt drama rond beursgang WOL', *De Telegraaf*, 29 mei 2000.

27 *World Online International N.V.*, Ingo Walter, 2000/2001. INSEAD en New York University, onderwijscasus.

28 O.a. 'ABN AMRO zou beursgang WOL weer precies zo doen', *De Telegraaf*, 27 april 2000.

29 'ABN AMRO trekt toch deels boetekleed aan inzake WOL', *De Telegraaf*, 2 mei 2000.

30 'Het Oliemannetje gaat', *Elsevier*, 31 mei 2008, en 'Beursgang – De weg naar een gouden toekomst?', interview met Jan de Ruiter door leden van Financiële Studievereniging Tilburg voor hun congres van 26 april 2007.

31 'De bank neemt afscheid van de laatste echte ABN'er', *Het Financieele Dagblad*, 10 mei 2000.

32 O.a. 'ABN AMRO glijdt uit op zeephelling van Nina Brink', *Het Financieele Dagblad*, 15 april 2000.

33 O.a. pleitnota van Jurjen Lemstra namens de Vereniging van Effectenbezitters inzake VEB-actie tegen World Online International NV en vijf andere gedaagden, 10 oktober 2003.

34 'De beursgang die door moest gaan', NRC *Handelsblad*, 25 april 2000.

35 Pleitnotities van Gerard Spong inzake Stichting Lipstick Effect, artikel 12 Sv-procedure, 24 oktober 2003.

36 O.a. conclusie Openbaar Ministerie in het strafrechtelijk onderzoek betreffende de beursgang World Online International NV, 21 mei 2002.

37 '"Ik orden en ik oefen, ik lig in bed te pleiten"', NRC *Handelsblad*, 20 mei 2000.

38 'Rechtszaken World Online: Nina's gerechtigheid', *Elsevier*, 21 april 2001.

39 Aangetekende brief van Reinout Imhof aan Joel Wyler, 8 september 2000.

40 'Nina Brink was dirigent van juridische schijnvertoning', *De Pers*, drieluik op 25, 26 en 27 april 2007.

41 O.a. 'World Online goes under official microscope', *Financial Times*, 21 november 2000.

42 'Troost kennen wij in onze familie niet', *Opzij*, januari 2001.

43 Nina vertrouwde ook oud-McKinseyaan Wouter Huibregtsen toe dat ze 'ernstig ziek' was. Dat deed ze toen Huibregtsen haar in mei 2000 in Brasschaat interviewde voor BNR Radio.

44 Spong en Hammerstein gingen op de beslissing van De Graaf in beroep bij het Amsterdamse hof in een artikel 12-strafvorderingsprocedure. Die faalde. Nina diende op haar beurt een tuchtklacht in tegen de advocaten voor het onnodig zoeken van de publiciteit, het onnodig doen van grievende uitlatingen en het doen van misleidende uitlatingen. Haar klachten werden uiteindelijk door de Raad van Discipline en in hoger beroep door het Hof van Discipline afgewezen.

45 O.a. 'Nina Brink gaat vrijuit in affaire WOL', *Het Financieele Dagblad*, 1 augustus 2001.

46 Nina doelde op de journalist Peter Olsthoorn, die voor het tijdschrift *Management Team* eind 2000 een diepgravend verhaal over World Online had geschreven.

47 'Slecht imago? Doe als Nina B. en laat het plaatje oppoetsen', *Amersfoortse Courant*, 10 oktober 2002.

48 *Het Financieele Dagblad*, 26 mei 2007.

49 'Geen verdere vervolging inzake World Online', persbericht arrondissementsparket Amsterdam, 21 mei 2002.

50 Conclusie Openbaar Ministerie in het strafrechtelijk onderzoek betreffende de beursgang World Online International NV, 21 mei 2002.

51 O.a. arrest Hoge Raad inzake VEB/Stichting VEB-actie WOL vs. World Online International NV, ABN AMRO Bank NV en Goldman Sachs International, 27 november 2009, p. 36.

52 'Ik heb absoluut geen rancune', *Miljonair*, zomer 2003.

53 In Nederland vindt de fondsenwerving voor de universiteit onder andere plaats via de Dutch Associates van de Ben Gurion Universiteit, die op hetzelfde adres is gevestigd als Granaria Holdings BV Den Haag. Voorzitter van die vriendenclub: Joel Wyler. Joels broer Michael zit in het bestuur van de stichting Ben Gurion University of the Negev, die statutair in Rotterdam is gevestigd en ook actief is bij het vergaren van middelen.

54 O.a. Stan Huygens Journaal, *De Telegraaf*, 27 februari 2004.

55 *Perceptie & Conceptie. Creative accounting, ingenious accounting en ambiguous accounting in de interneteconomie.* Nina Brink, 2004, p. 161.

56 O.a. 'Witwasprofessor Cees Schaap: "Witwassen is niet uit te bannen"', *Vrij Nederland*, 8 april 2006.

57 'Fraude-expert Schaap is nu zelf onderwerp onderzoek', *De Telegraaf*, 28 november 2003.

58 'SBV eenmanszaak en BV', *De Telegraaf*, 29 november 2003.

59 O.a. 'Nina Brink maakte mijn bedrijf kapot', *De Telegraaf*, 13 februari 2009.

60 Dit blijkt uit het onderzoeksdossier van de Federale Politie in Dendermonde.

61 '"Wij zijn natuurlijk een grappig stel"', *de Volkskrant*, 31 januari 2009.

62 TV *Show* van Ivo Niehe, 27 maart 2009.
63 'Nina's spreekijzer', NRC *Handelsblad*, 10 mei 2008.
64 Arrest Hoge Raad inzake VEB/Stichting VEB-actie WOL vs. World Online International NV, ABN AMRO Bank NV en Goldman Sachs International, 27 november 2009.
65 'Nina Brink geen partij bij uitspraak Hoge Raad', persbericht Walter Hendriksen,
advocaat van Nina Storms-Vleeschdraager, 27 november 2009.

Verantwoording

Dit boek is een ongeautoriseerd verslag van het zakelijke leven van de bekendste, rijkste, meest gevreesde en waarschijnlijk meest gehate selfmade zakenvrouw van Nederland. Een vrouw die ontegenzeglijk over ontzagwekkende talenten beschikt. Hoe anders kon iemand de drijvende kracht zijn achter een van de grootste beursintroducties uit de geschiedenis van de Amsterdamse effectenbeurs?

Er zijn maar weinig mensen die tegenover een journalist vrijuit over Nina durven spreken. In de honderden contacten die ik de afgelopen jaren maakte met mensen uit haar verleden, was de dreiging van juridische repercussies het eerste obstakel waarmee ik werd geconfronteerd. De mensen die desondanks meewerkten, wil ik bedanken. Zonder hen was dit boek er nooit gekomen.

Meer dan honderd mensen zijn voor dit boek geïnterviewd. Verschillende betrokkenen sprak ik zeer langdurig, en vaak ook meerdere keren. De meeste van die gesprekken waren om de eerder genoemde reden off the record, maar ik sprak ook veel mensen on the record. Ik heb er niettemin voor gekozen mijn bronnen zoveel mogelijk te beschermen en rechtstreeks citeren te beperken.

Ik vertel dit verhaal mede vanuit het perspectief van vele tientallen getuigen die ik de afgelopen jaren heb gesproken. Sommige gezichtspunten die op deze manier aan de orde komen, heb ik niet kunnen baseren op gesprekken met de mensen die ze vertolken, maar moeten afleiden uit ander bronnenmateriaal. Ik vond dat ik dit moest doen om een bepaalde situatie of gebeurtenis beter voor het voetlicht te kunnen brengen.

Ten slotte vind ik dat de lezer moet weten dat Nina, of een van haar vertrouwelingen, tot nu toe drie keer aangifte bij de politie heeft gedaan vanwege de journalistieke werkzaamheden die ik in het verleden voor mijn voormalige werkgevers *Quote* of dagblad *De Pers* ondernam. Sinds begin 2009 loopt een bodemprocedure tegen mij waarin zij een schadevergoeding van 500.000 euro eist. In november 2009 kwam daar een tweede procedure bij die van een claim van 100.000 euro vergezeld gaat. Verschillende andere procedures zijn mij door haar advocaat in het vooruitzicht gesteld. In februari 2010 volgde een derde dagvaarding, waarin ook mijn uitgever Prometheus werd gedaagd.

Ik ben nooit met Nina in zaken geweest, ik heb nooit in een van haar ondernemingen geïnvesteerd en nooit op een andere manier een mogelijk teleurstellende ervaring aan haar te wijten gehad. Mijn interesse in de persoon Nina is van meet af aan zuiver journalistiek geweest. De toenemende juridische dreiging doet daaraan niets af.

Amsterdam, februari 2010

Bibliografie

Beestachtig rijk. De rijken der aarde als eigenaardige diersoort, Richard Conniff, 2002.

Being Digital, Nicholas Negroponte, 1995.

Dankzij de snelheid van het licht, Maurice de Hond, 1995.

De geur van geld, Marcel Metze, 1993.

De nieuwe elite van Nederland. Het new boys netwerk op jacht naar geld, status en invloed, Jos van Hezewijk, 2003.

De prooi. Blinde trots breekt ABN Amro, Jeroen Smit, 2008.

Devil Take the Hindmost. A History of Financial Speculation, Edward Chancellor, 1999.

De wereld als markt en strijd, Michel Houellebecq, 2000.

Een geslaagde onderneming, Sylvia Tóth, 1987.

Internetpioniers, Monique Doppert, 2002.

New Rules for the New Economy – 10 Radical Strategies for a Connected World, Kevin Kelly, 1998.

Op zoek naar de heilige graal, Michiel Frackers, 2001.

Origins of the Crash. The Great Bubble and Its Undoing, Roger Lowenstein, 2004.

Perceptie & conceptie. Creative accounting, ingenious accounting en ambiguous accounting in de interneteconomie. Een bespiegelende verkenning, Nina Brink, 2004.

The Art of War, Sun Tzu, ongeveer 600 v.Chr.

The Internet Bubble. Inside the Overvalued World of High-tech Stocks and What You Need to Know to Avoid the Coming Shake Out, Anthony Perkins en Michael Perkins, 1999.

The New New Thing, A Silicon Valley Story, Michael Lewis, 1999.

The Silicon Boys and Their Valley of Dreams, David A. Kaplan, 1999.

Register

393

394